CLINICAL PERFORMANCE EXAMINATION

PACIFIC CPX

I

VOLUME

총 론

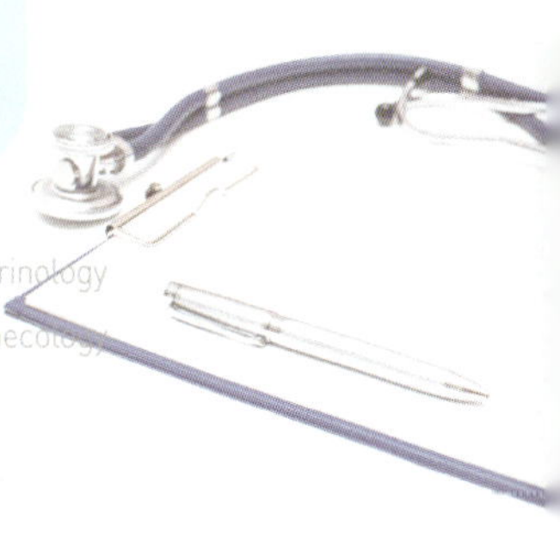

Cardiology Pulmonology Gastroenterology Nephrology Infection Endocrinology
Allergy Hematology Oncology Rheumatology Surgery Obstetrics Gynecology
Pediatrics Psychiatry Minor Preventive Medicine Medical Law

Pacific Book

INTRODUCTION

의사국가고시 실기시험인 CPX는 단순히 의학지식만 습득하는 것을 넘어 실제 환자를 만났을 때 진료에 필요한 면담과 검진을 얼마나 잘 수행해내는지 평가하는 시험입니다. 따라서 CPX를 성공적으로 치기 위해서는 체계적으로 정리된 의학 지식뿐만 아니라 자연스럽게 면담을 진행할 수 있는 충분한 연습이 필요합니다.

많은 학생들이 CPX에 큰 부담을 갖고 있습니다. CPX 48개 주제가 결코 적지 않기 때문인 것도 있지만, 모의 환자를 마주 보고 있는 상황에서 능숙하게 의학 지식을 면담으로 정제해 내는 것이 쉽지 않기 때문일 것으로 생각됩니다. 또한 평소에 잘하던 사람도 시험장에서는 상당한 긴장 상태에 놓이게 되므로 시험에 대한 압박감은 그만큼 커지게 됩니다. 또한 최근에는 모의 환자들이 특정 질환에서 전형적으로 나타날 수 있는 증상만을 가지고 있는 경우가 줄어들었습니다. 대신 복합적으로 여러 가지 증상을 가지고 있는 경우가 점점 많아져서 이제는 다양한 질환의 가능성을 염두에 두고 면담을 진행해야 하는 상황에 이르렀습니다.

실제 시험장에서는 CPX 상황 소개를 읽고 문제를 숙지할 시간 1분이 주어집니다. 이전 시험에서는 이 시간 동안 종이에 환자에게 질문할 항목을 미리 빠르게 적어두는 것이 가능했으나, **국가고시 시행 지침이 변경됨에 따라 상황 지침을 읽으면서 종이에 미리 메모를 하는 것이 불가능해졌습니다(시험실 내에 비치된 종이만 사용 가능).** 따라서 실기시험을 연습할 때 예시 메모장의 형식을 활용하여 'LOST CoEx CF Asso'－'약과외사가여－진검치예생응' 넘버링과 본인이 평소에 잘 놓쳤던 항목들을 빠르게 떠올려보는 연습을 하고 시험장에 입실하면 보다 수월하게 시험을 진행할 수 있을 것입니다.

퍼시픽 CPX는 그런 수험생들을 위한 교재입니다. 퍼시픽 CPX는 의학 지식과 면담 연습이 모두 요구되는 CPX라는 시험을 효율적으로 준비할 수 있도록 CPX에 필요한 의학 지식을 깔끔하고 일목요연하게 정리하는 한 편, 시험장에서 실제 사용되는 유용한 팁들을 정리해 두었습니다. 실기시험을 준비하는 여러분께 본 교재가 도움이 되길 바라며, 의사가 되는 마지막 단계를 잘 마무리하여 합격의 기쁨을 누리시길 바랍니다.

머/리/말

이 책의 특징 및 장점

1. 48개 주제에 대한 깔끔하면서도 일목요연한 정리

국가고시가 개편되며 CPX 주제가 48개로 줄었으나 기존에 설사와 변비로 따로 있던 항목이 배변 이상으로 합쳐지는 등의 변화로 사실상 공부해야 하는 주제에 큰 변화는 없습니다. CPX를 성공적으로 합격하기 위해서는 각 주제에 대한 체계적인 학습이 필요합니다. 퍼시픽 CPX는 실제 면담을 수행하기 위해서 필요한 지식들을 계통별로 정리하여 시험을 준비하는 수험생들이 가장 효율적으로 학습할 수 있도록 구성하였습니다. 스키마와 associated symptom에 대한 질문도 계통별로 정리하여 학생들이 면담에 필요한 감별진단과 질문을 쉽게 떠올릴 수 있도록 하였습니다.

2. 당장 활용할 수 있는 생생하면서도 유용한 팁

연습장에서 아무리 잘했다 하더라도 실제 시험장에 가면 당황할 수 있습니다. 퍼시픽 CPX는 낯선 현장이 주는 긴장감을 줄이고 돌발 상황에도 유연하게 대처할 수 있도록 시험장 분위기와 시험실 안내도, 면담 요령과 시간 분배 등 생생한 실전 팁과 유익한 정보를 실었습니다.

3. 실전감을 살려줄 구어체 표현 정리

실제 연습을 하다 보면 머릿속에 든 지식이 입으로 나오는 과정에서 어려움이 있을 것입니다. 퍼시픽 CPX는 글로 설명하기 어려운 부분은 이해를 돕기 위해 사진과 그림을 첨부하고, 표준화 환자(Standardized Patient, 이하 SP)와 면담 시 유용한 표현을 구어체 그대로 실어 친숙하고 쉽게 익힐 수 있도록 하였습니다.

4. 간결하면서도 유용한 배경지식

충분한 배경지식이 있다면 어떤 상황에 처해도 유연하게 대처할 수 있습니다. 시험 준비에 부담이 되지 않는 범위 내에서 주제와 관련된 배경지식들을 간결하게 정리하였습니다. 탄탄한 기초 위에 풍부한 배경지식을 쌓아 두면 CPX의 완성도가 올라감과 동시에 국시 필기에도 많은 도움이 될 것입니다.

5. 10가지 카테고리로 묶여 간결하면서도 암기하기 쉬운 구성

순환기, 호흡기, 소화기, 신장·비뇨, 내분비 및 전신증상, 근골격·피부감각기, 산부·소아, 신경, 정신, 상담의 10가지 카테고리로 나누어 각 카테고리 별로 대표 질환을 쉽게 떠올릴 수 있도록 하였습니다. 계통별로 공통되는 질문들이 많으므로 처음 CPX를 공부할 때 계통에 나누어 공부하면 더욱 효율적으로 공부할 수 있을 것입니다.

6. 진단, 치료, 교육 계획까지 대비할 수 있는 정리

국가고시 개편으로 사이시험은 더 이상 시행되지 않지만, 진단, 치료, 환자교육에 대한 계획은 모든 CPX에 공통적으로 들어가는 항목입니다. 또한, 환자교육은 그 자체로도 채점 항목이지만, 환자–의사 관계에도 중요한 채점항목으로 알려져 있습니다. 그러나 모든 질환에 대한 계획을 외우는 것은 어렵고, 보통 계획은 마지막에 이야기하기 때문에 시간이 부족하여 당황하면 기억이 나지 않을 수 있습니다. 이를 위해 퍼시픽 CPX에서는 각 증상 별로 대표 질환에서 시행할 수 있는 진단, 치료, 교육 계획을 정리하여 CPX를 부족함 없이 대비할 수 있도록 하였습니다.

7. 신체검진과 OSCE까지 대비한 구성

기존의 신체검진에 더하여 국가고시가 개편되며 OSCE 중 일부 항목이 CPX 내에 시행하는 것으로 변경되었습니다. 이를 대비하기 위해 CPX 내 포함된 OSCE를 플로우차트로 정리하여 기존의 신체진찰법과 함께 수록하였습니다. CPX를 연습하면서 플로우차트를 함께 외워두면 실제 모형에 시행할 때에도 매끄럽게 시행할 수 있을 것입니다.

퍼시픽 학술국

CONTENTS

CONTENTS

CONTENTS

CHAPTER 6 근골격 · 피부감각기 _217

CHAPTER 7 산부 · 소아 _241

CHAPTER 8 신경 _295

CONTENTS

CLINICAL PERFORMANCE EXAMINATION

CPX

세부항목 총론

본 장에서는 주제별 내용정리에 앞서서 CPX 준비의 세부항목인 병력청취, 신체검진, 필수임상술기, 환자교육, 환자의사관계에 대하여 숙지해야 할 사항들을 정리합니다.

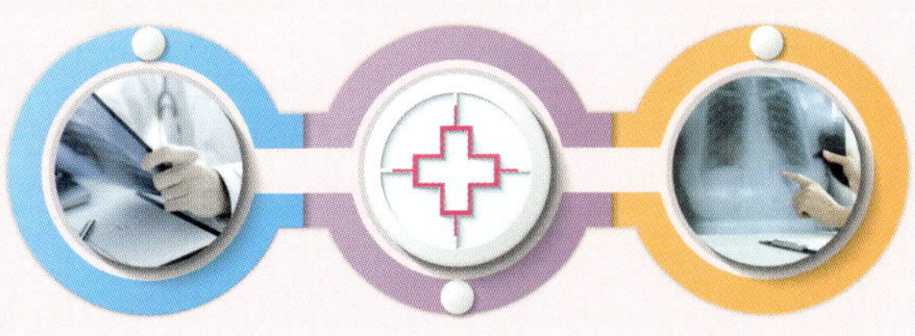

Cardiology Pulmonology Gastroenterology Nephrology Infection Endocrinology Allergy Hematology Oncology Rheumatology Surgery Obstetrics Gynecology Pediatrics Psychiatry Minor Preventive Medicine Medical Law

상황지침

수험생들은 CPX 방에 들어가기 전 상황지침을 읽을 시간을 갖게 됩니다. 이 상황지침에는 환자의 주소(chief comlaint)와 활력징후(vital sign) 및 수행해야 할 면담항목(병력청취, 신체검진, 환자교육, 그 외)이 쓰여 있습니다. 많은 경우 상황지침을 보지 않고 연습을 하기 때문에 실제 시험에서 상황지침을 잘 활용하지 못하게 됩니다. 하지만 상황지침만 보고도 원인 질병을 추정할 수 있는 경우가 많으므로 꼭 꼼꼼하게 살피고 시험장 문을 열도록 합시다.

다음 예시 상황지침을 보고 상황지침을 어떻게 살펴야 하는지 확인해 보도록 합시다.

23세 남자 김민수씨가 콧물이 나온다고 병원에 왔다. ……………………… ①

(현재 오전 10시) ……………………………………………………………… ②

[활력징후]

- 혈압 : 124/70mmHg ……………………………………… ③
- 맥박 : 82회/분 ……………………………………………… ④
- 호흡 : 19회/분 ……………………………………………… ⑤
- 체온 : 36.7℃ ……………………………………………… ⑥

응시자는 이 환자에게 ……………………………………………… ⑦

- 증상과 관련된 병력을 청취하고,
- 증상과 관련된 적절한 신체진찰을 시행 한 후,
- 추정진단과 향후진단계획 등에 대해 환자와 논의하시오.

① 나이, 성별, 주소

대부분의 상황지침에는 나이와 성별, 주소가 첫 문장에 적혀 있습니다. 이를 통해서 이 방에서 어떤 CPX를 할 것인지 계획을 세울 수가 있습니다. 아울러 나이와 성별을 통해서 가능성이 높은 질병을 추릴 수 있습니다. 20대의 남성이 객혈을 주소로 왔다고 했을 때 폐암보다는 결핵이나 폐렴의 가능성이 높겠지요. 환자를 보면 나이와 성별은 대략적으로 짐작이 가겠지만, 미리 상황지침에서부터 준비를 하고 가면 훨씬 더 안정적인 면담을 할 수 있을 것입니다.

② 현재 시각

응급 상황 CPX의 경우 현재 시각을 주는 경우가 있습니다. 이 경우 환자와의 면담에서 onset을 문진할 때, '환자가 아침 9시 30분에 발생했어요'와 같이 말하는 경우 onset을 30분 전으로 생각할 수 있기 때문에 환자 면담시 도움이 될 수 있습니다.

③ 활력징후 : 혈압

혈압의 경우 저혈압이나 고혈압은 확실히 확인할 수 있는 수치로 줍니다(예, 90/60, 140/100). 이 혈압은 반드시 확인하고 가야 할 수치입니다. **저혈압**의 경우 **체액량 저하나 실혈**을 의심하는 중요한 단서이므로 절대 놓쳐서는 안 됩니다. 가령, 소변량 감소를 주소로 온 환자가 혈압이 90/60으로 저혈압이라면 **체액이 감소할 수 있는 설사, 토혈, 혈변** 등의 원인을 물어볼 수 있기 때문에 혈압은 결코 놓쳐서는 안 될 단서입니다. 고혈압의 경우에는 일시적으로 상승될 수 있는 소견이어서 큰 의미를 갖지 못할 때도 많지만, 기저 고혈압이 있음을 암시할 수도 있기 때문에 참고해 두시는 것이 좋겠습니다.

④ 활력징후 : 맥박

맥박 역시 혈압과 더불어 유심히 봐야 할 징후입니다. 맥박 수가 100회가 넘어가는 빈맥인 경우 **실혈의 가능성**에 대해서 반드시 생각해 보아야 합니다. 특히나 저혈압과 동반되어 있는 경우 가능성이 높아집니다. 다만 환자의 긴장으로 일시적인 빈맥이 발생하는 경우도 잦기 때문에 맥박 하나로만 평가하지 말고 **다른 활력 징후들과 함께 살펴보는 것**이 좋습니다.

⑤ 활력징후 : 호흡

호흡수가 20회를 훌쩍 뛰어넘는 경우 환자의 호흡 곤란이나 심리적 긴장 상황을 나타낼 수 있으므로 참고하는 것이 좋습니다.

⑥ 활력징후 : 체온

CPX에서는 **체온이 증가한 세팅**이 자주 나옵니다. 이 경우 반드시 **감염**의 가능성을 생각해 보시기 바랍니다. 가령, 체온이 37.7℃로 올라가 있는 경우 원인 질병으로 감염을 꼭 염두에 두시기 바랍니다. 체온이 애매하게 올라가 있는 경우(37.2℃ 정도로)도 이전 감염을 시사할 수 있기 때문에 다시 한 번은 확인해 보시는 것이 좋겠습니다.

⑦ 수행항목

방에 들어가서 해야 할 항목이 무엇인지를 알려줍니다. 대개의 경우 병력청취, 신체검진, 환자교육 3종 세트로 구성되어 있으나 면담 주제에 따라 **신체검진이 빠지는 경우**도 있고 상담 주제의 경우 **상담에 필요한 내용을 정리**해 주기도 하므로 정확히 확인하시고 가시기 바랍니다.

상황지침은 CPX **방 안에 들어가면 똑같은 내용이 있으므로** 굳이 외우려고 노력하실 필요는 없고 참고해서 면담에 필요한 힌트를 얻어간다고 생각하시면 되겠습니다.

감별진단

각 주소에 대해 적절한 감별진단을 알고 떠올리는 것은 CPX 시 환자교육에 필요할 뿐만 아니라 적절한 병력청취를 위해 필수적인 능력입니다. 한 가지 증상에도 여러 감별진단이 있기 때문에 이를 무작정 외우기보다는 계통별로 질환을 정리한 후, 계통 안에서 질환의 병태생리에 따라 분류하여 외우는 것이 도움이 됩니다. 이를 위해 해부학적 계통과 병태생리를 기반으로 스키마를 작성하여 책의 주제별 내용정리 파트에서 각 주제 맨 앞장에 첨부하였습니다. 가슴통증을 예로 들어 아래 스키마를 보겠습니다.

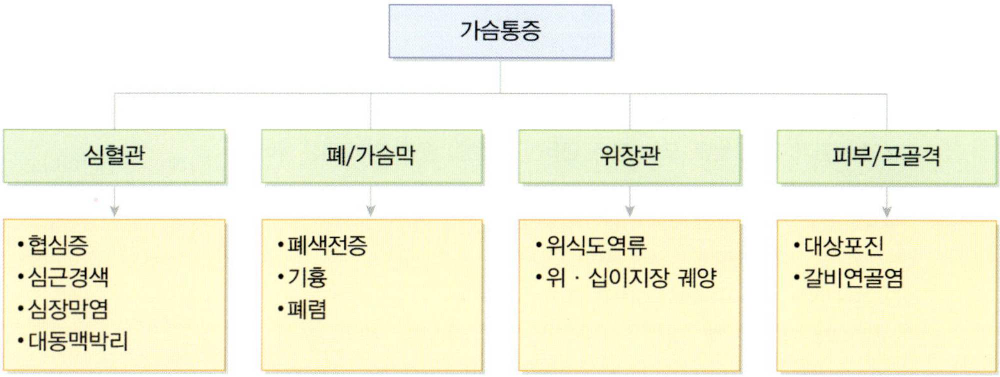

가슴 부위에 통증을 일으킬 수 있는 구조물은 1.심혈관, 2.호흡기, 3.소화기, 4.피부근골격으로 나눌 수 있습니다. 이후 심혈관계에서 1.혈관성(협심증, 심근경색), 2.파열(대동맥박리), 3.감염/염증(심장마염)으로, 호흡기계에서 1.혈관성(폐색전증), 2.파열(기흉), 3.감염(폐렴)과 같이 병태생리에 따라 질환을 떠올릴 수 있습니다.

병태생리가 익숙치 않은 초반에는 VITAMIN-CDE라는 넘버링을 사용하시면 도움이 될 수 있습니다. Vascular – Inflammatory/Infecious – Trauma – Autoimmune – Metabolic – Idiopathic/Iatrogenic – Neoplasm – Congenital – Degenerative – Endocrine 순서로 암기하시면 됩니다.

책의 스키마를 볼 때, 주소를 일으킬 수 있는 계통을 먼저 떠올린 후, 가능한 병태생리를 생각하면서 질환을 정리하는 것이 도움이 될 것입니다.

병력청취

병력청취는 모든 CPX문항의 기본이 되는 항목입니다. 상황지침에 쓰인 환자의 주소를 보고 환자의 대략적인 문제가 어떤 카테고리에 있는지 추측해야 하며 그에 맞는 병력청취를 통해 세부적인 감별진단을 이루어나가야 합니다. 국시원에서 발표한 황달 CPX문항 예시를 통해서 병력 청취 채점 항목을 살펴보겠습니다.

1. '황달'을 예시로 한 병력청취 채점항목

번호	병력청취 채점항목	평가	
1	언제부터 눈이 노랗게 변했는지 물어보았는가?	□예	□아니오
2	소화기 관련 동반 증상(소화불량, 식욕부진, 구역, 구토, 복통) 중 한 가지 이상 물어 보았는가?	□예	□아니오
3	전신 증상(감기, 몸살, 발열, 오한, 피로, 근육통, 관절통) 중 한 가지 이상 물어 보았는가?	□예	□아니오
4	가려움증 또는 체중감소에 대하여 물어보았는가?	□예	□아니오
5	소변색깔 또는 대변색깔에 대하여 물어보았는가?	□예	□아니오
6	최근 여행 여부 또는 단체생활 여부를 물어보았는가?	□예	□아니오
7	간 질환 관련사항(간 질환, B형간염 보균자, B형간염 예방 접종, 과거 간을 앓았었는지, 수혈을 받았는지 여부) 중 한 가지 이상 물어보았는가?	□예	□아니오
8	집안에(가족 중에, 주위에) 간 질환(간염) 환자가 있는지 물어보았는가?	□예	□아니오
9	약물(또는 한약)을 복용한 적이 있었는지 물어보았는가?	□예	□아니오
10	술을 마시는지 물어보았는가?	□예	□아니오

위와 같이 황달이라는 증상이 있을 때 감별해야 할 진단 스키마를 알고 있다면 그에 따른 세부적인 질문을 통해 진단명에 접근할 수 있습니다. 그러나 실기 시험의 주제는 48개로 상당히 많으므로 개별 주제마다 스키마를 따로따로 외우는 것은 비효율적입니다. 효율적으로 CPX를 준비하기 위해서는 우선 어떠한 문항에서도 적용할 수 있는 공통적인 병력청취 항목을 정리해 두고, 주제별로 따로 물어봐야 하는 것을 정리하는 식으로 학습하는 것이 좋습니다.

2. 기본적 병력청취 : [LOST CoEx CF Asso 약과외사가여]

L : Location	주소의 위치
O : Onset	언제 시작되었는가? 갑자기/서서히
S : Situation	어떤 상황에서 증상이 나타나는가?
T : Time	얼마나 지속되는가?
Co/Ex : Course/Experience	Co > 점점 심해지는가? Ex > 이전에도 비슷한 증상이 있었는가?, 당시 진료받은 적이 있는가?
C : Character	증상의 성격(양상, 강도 등)
F : Factor	악화/완화 인자
Asso : Associated Sx	연관된 증상, 관련된 질병

약 : 약물력	복용 중인 약물(한약, 건강보조제 포함)
과 : 과거력	이전 치료력, 진단받은 질병 여부(HTN/DM/Tb/Liver ds), 건강 검진
외 : 외상력	수술, 외상력
사 : 사회력	음주·흡연력, 커피, 운동/식습관, 직업
가 : 가족력	연관질환 가족력
여 : 여성의 경우	월경력(규칙적, 양, 생리통, 임신여부) 산과력 – 만산/조산/유산/생존자녀

일부 주제를 제외하고는 이 넘버링을 외우고 있으면 기본적인 병력청취는 가능할 것으로 생각됩니다. 그러나 이 넘버링만 알고 있다고 해서 병력청취가 끝나는 것이 아니므로 주제별로 추가적인 학습을 해 주면서 어떤 내용들을 물을 것인지 정리해 두시기 바랍니다. 이 페이지를 넘기기 전에 각각의 넘버링을 확실히 외워 주시고 5~6번 정도 써 보시기 바랍니다.

다 암기하셨으면 넘버링 항목들을 살펴보면서, 이것들을 면담에 어떻게 적용할 것인지 확인하도록 하겠습니다.

외우는 방법 > LOST CoEx CF Asso 약과외사가여 : LOST(잃어버린) CoEx(코엑스) CF(카페) Asso(에서) 약과외사가여(약과 왜 사가요?)

1) Location

증상의 위치를 물어보는 항목으로, <통증>과 관련 있는 항목에서 매우 중요합니다. 개방형 질문으로 통증의 위치를 스스로 짚어보도록 함으로써 통증부위를 정확히 알고, 어느 부위/장기에 문제가 있는지 추정할 수 있습니다. 위치를 정확하게 짚을 수 있는지 여부는 체성 통증과 내장성 통증의 감별점이 되기도 합니다. **단측인지 양측인지**를 통해서 **질병의 원인**에 대해서도 생각해볼 수 있습니다. 다른 곳에는 통증이 없는지, **통증이 이동**하는지에 대해서도 확인해 봅니다.

<통증>과 무관한 항목에서는 상대적으로 중요성이 떨어지므로, Location을 1번으로 생각해보고 불필요하다면 생략하고 진행하는 것이 매끄러운 병력 청취에 도움이 될 것입니다.

2) Onset

증상이 언제 발생했는지를 물어보는 것으로 **급성과 만성 질환**을 감별할 수 있다는 점에서 매우 중요한 문진 항목입니다. Onset을 확인했으면 잊어버리지 않도록 메모지에 반드시 표시해 두시기 바랍니다. HA(hours ago), MA(minutes ago), DA(days ago), YA(years ago)와 같은 식으로 약자를 사용해서 표기해 두시면 좋습니다.

증상 발생 시점에 대해 물어보면서 갑자기, 또는 서서히 시작하였는지를 확인해 볼 수 있습니다. Onset을 확인한 후에는 자연스럽게 당시 어떤 상황에서 증상이 발생한 것인지(Situation)으로 넘어갈 수 있습니다.

3) Situation

어떤 상황에서 증상이 발생하였는지는 질환의 계통을 추측하고 최종적으로 감별진단을 세우기까지 꼭 확인해야 하는 사항입니다. 상황을 추측하여 폐쇄형 질문으로 여러 번 묻기보다는 개방형 질문을 활용하여 상황에 대한 큰 그림을 그린 후 이후 단계를 거치며 세부적인 내용을 확인하는 것이 좋습니다.

4) Time

증상의 지속 시간 역시 질병의 원인을 추정하는 데 유용하게 활용될 수 있습니다. 당시 상황에 대한 설명을 들으며 자연스럽게 함께 확인할 수도 있습니다.

5) Course/Experience

Course는 처음 증상이 발생하였을 때와 비교하였을 때 현재 증상의 정도가 어떠 한지를 묻는 것입니다. 진행성 경과를 보이는 경우 질병의 판단 및 치료 방침 결정에 도움을 받을 수 있습니다.

Experience는 이전에도 비슷한 증상이 있었는지를 확인하는 절차로, 재발성의 증상인지, 그 빈도가 어느 정도인지, 재발하며 정도가 심해진 것은 아닌지 등을 확인해야 합니다. 이전 증상이 있을 때 진료를 받았는지, 어떤 진단과 치료를 받았는지도 꼭 확인해보아야 합니다. 치료가 실패/중단되었다면 그 이유에 대해 확인하여 환자 교육에 반영할 수 있습니다.

6) Character

증상에 대해서 자세히 물어보는 것으로, **주제별로 세부 항목을 학습해야 할 항목**입니다. 그리고 환자가 호소하는 주 증상에 대해서 문진하는 것이므로, 환자와의 라뽀를 쌓을 겸 환자의 아픔에 공감하면서 세부 사항을 자세히 물어 보시기 바랍니다. **분비물에 대한 경우 분비물의 성상, 색, 양, 냄새**를 물어보게 되고 **통증인 경우 통증의 성격, 세기** 등에 대해서 문진하게 됩니다. 주제별로 가장 차이가 많이 나는 부분이므로 주제별로 학습할 때 Character 항목을 잘 공부해 두시면 효율적으로 학습을 할 수 있을 것입니다.

7) Factor

증상을 악화, 또는 완화시키는 인자가 있는지 물어보는 항목입니다. 악화, 완화 시키는 인자는 질병의 병태생리와 연관되었을 가능성이 높으므로, 계통에서부터 구체적인 질병까지도 추론할 수 있는 근거가 됩니다. 개방형 질문을 먼저 활용하는 것이 권장되나, 구체적으로 말해주지 않을 수 있고, 말해주더라도 모두 말하지 않았을 가능성이 있어 각론의 증상 별 악화/완화 인자를 참고하여 스트레스, 식사, 자세, 운동 등과의 연관성을 개별적으로 확인하는 것도 필요합니다.

8) Associated symptoms

흔히 ROS(Review of System)로 통칭하는 계통적 문진입니다. 그러나 CPX에서는 일반적인 ROS와 같이 모든 계통의 증상들을 확인하는 경우 시간도 부족하고 환자와의 라뽀에도 문제가 생길 수 있어 주소와 관련하여 감별에 필요한 질문을 빠뜨리지 않고 효율적으로 물어보는 것이 중요합니다.

퍼시픽 CPX에서는 각 주제별로 계통 및 병태생리를 기준으로 감별진단을 떠올릴 수 있도록 책을 구성하였으므로, 주제별로 계통을 떠올리면서 관련된 계통적 문진을 한다면 효율적으로 질문을 구성할 수 있을 것입니다. 이러한 기본 원칙을 바탕으로 주제별로 확인해보아야 할 특징적인 질문들만 정리한다면 모든 질문을 외우지 않고도 필요한 질문을 모두 할 수 있습니다.

전신	발오감체피부야+통 : 발열, 오한, 감기기운, 체중, 피로, 부종, 야간호흡곤란+통증
소화기	AVNDCJA, 속시소연통 : Appetite/nausea/vomitin/constipation/jaundice/ascites 속쓰림/신물/소화불량/연하곤란/복통
순환기 및 탈수	어두호 : 어지러움, 두근거림, 호흡곤란
호흡기 및 알레르기	기가코쌕 : 기침, 가래, 콧물,코막힘, 쌕쌕거림 재가눈 : 재채기, 가려움, 눈충혈
정신	우불수기집 : 우울, 불안, 수면장애 및 코골이, 기분저하, 집중력저하
비뇨기	FUNDHIS DR : 빈뇨, 절박뇨, 야간뇨, 배뇨통, 지연뇨, 단절뇨, 복압배뇨, 잔뇨감
신경계	두발시팔구 : 두통, 발작, 시야장애, 팔다리근력저하, 구역 및 구토
유방	피겨유유 : 피부변화, 겨드랑이멍울, 유두변화, 유두분비물

특히 증상만으로도 질병이 어느 정도 결정되는 특징적인 증상들(**체중 감소, 더위/추위불내성, 어지러움/심계항진, 구역/구토 등**)은 감별진단에 매우 중요한 항목이므로 머릿속에 넣어 두시는 것이 좋습니다. 몇 가지 중요한 증상들을 정리해 보았습니다.

1	체중감소	암, 결핵, 갑상샘기능항진증
2	어지러움, 두근거림, 호흡곤란	탈수, 실혈
3	더위불내성/추위불내성	갑상샘기능항진증/갑상샘기능저하증
4	체중증가, 부종	갑상샘기능저하증, 쿠싱증후군, PCOS 등 내분비 관련 질환
5	거품뇨, 소변량감소	신장질환
6	두통, 구역, 구토	뇌압상승
7	발열, 오한	감염

물론 이 증상이 나왔다고 해서 이 감별진단으로 바로 가는 것은 지나치게 과감한 행동입니다. 하지만 CPX에서 질병 감별에 상당히 중요한 증상들로 나오는 만큼, 이 증상들은 관련 주제에서 빠뜨리지 않고 물어보는 것이 필요합니다.

계통적 문진은 발열, 오한 등 단어 위주로 공부하다보니 실제 모의환자에게 물어볼 말이 생각나지 않아 단어를 그대로 사용하는 실수가 흔합니다. 예컨대 "오한이 있으세요?" 라고 물어보는 경우 환자는 "오한이 뭐에요?"라는 반응을 보이며 환자-의사 관계 점수를 깎고 있을 지도 모릅니다. 그러므로 "몸이 으슬으슬 떨리시나요?"처럼 자신만의 용어, **쉬운 용어로 풀어 증상을 물어볼 수 있도록** 정리해 두시는 것이 좋겠습니다.

9) 약물력

현재 복용 중인 약에 대해서 물어보는데, 대개 개방형으로 물어보면 잘 대답해 주지만 약이 중요한 경우 "어떤 약이요?"라고 **폐쇄형 질문**을 요구하는 경우가 있습니다. 당황하지 마시고 주소 별로 중요한, 혹은 가능성 높은 약들을 물어 보시는 것이 좋습니다. **신장이나 알레르기, 피부발진** 관련 주제의 경우 약이 중요한 항목이므로 약을 언제 처방받아서 얼마나 복용하였는지 잘 물어보시기 바랍니다. 약을 **여러 개 쓰는 경우**도 있으므로 "다른 약은 없나요?"와 같은 식으로 찬찬히 다 물어봐 주시는 것이 좋습니다.

한약이나 건강보조제는 **따로 질문해야 대답해주는 경우**도 있습니다. 약물력 확인 시 한약, 건강보조제를 복용 중인지도 함께 확인하는 것이 좋습니다.

10) 과거력

과거력을 묻는 것인데 통상적으로 **HTN(고혈압), DM(당뇨병), Tb(결핵), liver ds(만성 간질환)**을 물어보게 됩니다. 하지만 주소에 따라서 **신장질환, 암** 등이 중요 할 수 있습니다.

또 이전 건강검진을 받은 시기와 결과를 확인한다면 환자의 진단을 알거나 감별의 단서를 얻을 수 있음은 물론, 건강검진의 필요성과 적절한 시행시기 등에 대해 환자교육에 추가할 수도 있습니다.

11) 외상력

외상력은 통증, 관절 질환이나 폐색전증 의심 상황, 신경학적 문제가 있을 때 중요한 항목입니다. 외상과 연관지어 수술력도 같이 물어봐주면 도움이 됩니다. 특히 폐색전증(pulmonary embolism)의 경우 수술력이 중요하므로 폐색전증을 감별해야하는 주제에서는 꼭 확인하시기 바랍니다.

12) 사회력

직업, 스트레스, 술,담배, 식습관, 운동, 커피

술, 담배는 **환자 교육과도 관계되는 기본적인 항목**이므로 웬만하면 다 물어보시는 것이 좋습니다. 술은 일주일에 몇 번, 한 번 마실 때 얼마나 마시는지 자세히 묻고, 담배는 하루에 얼마씩 얼마나 오래 피셨는지 물어서 갑-년(Pack-Year)를 계산해 주시기 바랍니다.

또한 **커피는 두근거림이나 수면장애**가 있는 경우 원인이 될 수 있으므로 빠뜨리지 않고 물어보시는 것이 좋습니다.

식습관, 운동습관도 심혈관장애, metabolic disorder 등에서 중요한 환자교육 대상이 될 수 있으므로 식사는 규칙적으로 하는지, 어떤 음식을 즐겨먹는지, 운동은 규칙적으로 하는지, 최근 식사는 잘 했는지 등을 확인하도록 합니다.

사회력에서 확인한 항목들은 환자 교육에서 자연스럽게 교육 대상이 되므로 마땅한 환자 교육이 생각나지 않을 때 담배를 끊고, 술을 줄이고 커피를 적당히 마시라는 것에 대해서 설명하여 기본적인 교육을 할 수 있습니다. '담배를 피는 것은 혈관을 좁아지게 할 수 있어 / 폐에 나쁜 자극을 줄 수 있어 끊는 것이 좋습니다'와 같이 각 항목에 대한 교육 멘트를 미리 준비하여 시험장에서 자연스럽게 환자에게 교육을 할 수 있도록 합니다.

13) 가족력

가족력은 유전성을 확인하고 질병의 위험도를 평가하는 데 활용될 수 있습니다. 유전병이 나오는 경우는 많지 않으나 가족 중에 유사 질환이 있으면 환자에게 경각심을 주는 데도 활용할 수 있으므로 물어 주시는 것이 좋습니다. 감염 질환인 경우 가족 중에 유사 증상이 있는지를 물어 보는 것도 감별에 도움이 됩니다.

14) 여성력

여성력은 놓치기 좋은 내용이지만, 가끔 중요한 힌트를 얻을 수 있는 항목입니다. 여성 환자의 경우 만-조-유-생, 월경량, 월경주기, 월경통 등을 놓치지 않고 물어보시면 도움되는 정보를 얻을 수 있을 것입니다.

신체진찰

병력청취에 이어 국시원에서 공개한 '황달' 문항의 신체진찰에 대한 평가항목을 살펴보도록 합시다.

1. '황달'을 예시로 한 신체진찰 채점항목

번호	신체진찰 채점항목	평가		
1	눈(공막)을 진찰하였는가?	□제대로 함	□제대로 못함	□하지 않음
2	손바닥 또는 가슴 앞면 피부를 살펴보았는가?	□제대로 함	□제대로 못함	□하지 않음
3	환자의 오른편에 서서 환자를 바로 눕히고 양쪽 무릎을 세웠는가?	□제대로 함	□제대로 못함	□하지 않음
4	배를 촉진하기 전에 청진하였는가?	□제대로 함	□제대로 못함	□하지 않음
5	간 종대를 확인하기 위해 간 부위(우상복부)를 타진하였는가?	□제대로 함	□제대로 못함	□하지 않음
6	간 종대를 확인하기 위해 간 부위(우상복부)를 촉진하였는가?	□제대로 함	□제대로 못함	□하지 않음
7	비장종대를 확인하기 위해 비장 부위(좌상복부)를 촉진 또는 타진하였는가?	□제대로 함	□제대로 못함	□하지 않음
8	신체진찰 태도	(* PPI 파트 참고)		

CPX 시험의 신체진찰은 각 항목별로(□제대로 함/□제대로 못함/□하지 않음)으로 평가하게 됩니다. 신체진찰 파트에서 가장 먼저 드리고 싶은 말씀은 **모든 항목을 너무 세세하게 하려고 하지 말라는** 것입니다.

신체진찰이 중요한 몇몇 문항(관절 통증, 허리 통증, 목 통증, 유방통/유방덩이 등) 이외에 CPX 채점항목에서 신체진찰이 차지하는 비중은 약 20% 정도로 예상됩니다.

신체진찰에 너무 집착한 나머지 학장단책에 나와 있는 항목 하나하나를 꼼꼼히하고 있다면 신체진찰을 마치기도 전에 이미 12분이 지나있을 가능성이 높습니다. 그러면 환자교육 전체를 날려버리게 되고, 진료 마무리를 못하고 종료되기 때문에 PPI에서도 감점을 받게 됩니다. 이런 경우 해당문항에서 합격을 받기 매우 어려워지게 됩니다.

신체진찰은 **진찰위치와 진찰횟수, 순서 정도**만 정확하게 지켜도 충분히 '제대로 함'으로 평가받을 수 있습니다. 만에 하나 제대로 하지 못한 항목이 있더라도 다음 단계인 환자교육과 PPI에서 충분히 만회할 수 있습니다. 고작 20점을 위해서 나머지 80점을 버리는 어리석은 행동은 자제하도록 합시다.

2. 신체진찰 평가에 대해서

국시원에서 정식 교육을 받은 SP들과 교수님들의 언급을 통해 신체진찰 평가 항목에 있는 '제대로 함'과 '제대로 못함'을 나누는 가르는 객관적인 기준이 존재한다는 것을 알게 되었습니다. 그리고 이러한 평가는 채점관과 SP에 따라 그 차이가 크게 달라질 수 있는 주관적 관점이 아닌 "횟수, 범위, 시간" 등으로 나타낼 수 있는 정량적 요소가 평가 기준의 주를 이룰 것입니다. 즉, 교과서적인 방법으로 신체진찰을 하는 것도 중요하지만, **적절한 횟수나 범위를 지키는 것**도 매우 중요하다는 것입니다. '제대로 함'으로 평가받기 위한 정확한 기준은 아직까지 알기는 어렵지만, 보편적인 신체진찰에서 요구하는 방식을 지켜 연습을 하다보면 시간에 맞춰 수행할 수 있는 요령이 생기게 될 것입니다.

본 책에서는 중요한 신체진찰들을 모의 체크리스트로 정리해 보았습니다. 신체진찰도 충분한 연습을 통해서 능숙해지는 것이 필요하기 때문에, 아래에 강조된 포인트를 중심으로 신체진찰을 충분히 연습하도록 해 봅시다.

실제 연습시에 이 체크리스트로 평가하는 것도 좋겠습니다. 세부적인 신체진찰법은 뒤쪽에 새롭게 정리한 신체진찰 표를 참고하거나, **<부록>에 수록된 신체진찰 가이드**를 참고해주세요.

본 체크리스트는 서술 내용을 기반으로 작성하였고, 이 중에서 필요하다 생각하는 것을 취사선택하여 사용하시기 바랍니다.

3. 폐 진찰

번호	신체진찰 채점항목	평가		
1	진찰 전 손을 씻었는가?	□제대로 함	□제대로 못함	□하지 않음
2	올바른 순서로 진찰을 수행하였는가?(시 – 촉 – 타 – 청)	□제대로 함	□제대로 못함	□하지 않음
3	상의를 탈의하고 흉부를 충분히 시진하였는가?	□제대로 함	□제대로 못함	□하지 않음
4	흉곽의 움직임과 성음진탕 여부를 확인하였는가?	□제대로 함	□제대로 못함	□하지 않음
5	환자의 흉곽 전면을 ㄹ자 모양으로 내려가면서 타진을 시행하였는가?	□제대로 함	□제대로 못함	□하지 않음
6	흉부 전, 후면에서 들숨과 날숨을 충분히 청진하였는가? (6회 이상 시행해야 충분한 것으로 계산)	□제대로 함	□제대로 못함	□하지 않음
7	진찰 후 손을 씻었는가?	□제대로 함	□제대로 못함	□하지 않음

4. 심장 진찰

번호	신체진찰 채점항목	평가		
1	진찰 전 손을 씻었는가?	□제대로 함	□제대로 못함	□하지 않음
2	청진기의 벨 부위를 이용하여 목동맥을 청진하였는가?	□제대로 함	□제대로 못함	□하지 않음
3	숨을 내쉬고 참게 한 뒤 충분히 심장 부위 촉진을 시행하였는가?	□제대로 함	□제대로 못함	□하지 않음
4	3~6번째 왼쪽 갈비사이 공간을 돌아가며 타진하였는가?	□제대로 함	□제대로 못함	□하지 않음
5	청진기를 데운 뒤에 양쪽 2번째 갈비 사이 공간, 왼쪽 5번째 갈비 사이 공간의 복장옆 부위, 심첨부를 청진기의 diaphragm으로 청진하였는가?	□제대로 함	□제대로 못함	□하지 않음
6	몸을 앞쪽으로 기울이고 숨을 참게 한 뒤 심첨부와 왼쪽 복장뼈옆 부위(Erb's area)를 청진하였는가?	□제대로 함	□제대로 못함	□하지 않음
7	진찰 후 손을 씻었는가?	□제대로 함	□제대로 못함	□하지 않음

5. 복부 진찰(복수, CVAT 포함)

번호	신체진찰 채점항목	평가		
1	진찰 전 손을 씻었는가?	□제대로 함	□제대로 못함	□하지 않음
2	올바른 순서로 진찰을 수행하였는가?(시–청–타–촉)	□제대로 함	□제대로 못함	□하지 않음
3	환자의 무릎을 구부리고 손은 가슴부위에 모으면서 복부 전반이 보이도록 자세를 잡았는가?	□제대로 함	□제대로 못함	□하지 않음
4	복부를 충분히 시진하였는가?	□제대로 함	□제대로 못함	□하지 않음
5	청진기를 데운 뒤 복부를 4부분으로 나누어 각 부분을 4초 이상 청진하였는가?	□제대로 함	□제대로 못함	□하지 않음
6	복통이 없는 곳부터 시작하여 올바른 자세로 타진하였는가?	□제대로 함	□제대로 못함	□하지 않음
7	복통이 없는 곳부터 시작하여 올바른 자세로 촉진하였는가?	□제대로 함	□제대로 못함	□하지 않음
8	환자의 간과 지라를 촉진하고 Murphy 징후를 올바른 방법으로 확인하였는가?	□제대로 함	□제대로 못함	□하지 않음
9	배꼽부터 옆구리를 따라 등 쪽까지 돌아가며 타진하여 공명음이 바뀌는 위치를 확인하고 몸을 돌려 복수를 확인했는가?	□제대로 함	□제대로 못함	□하지 않음
10	갈비척추각에 한 손을 대고 다른 손으로 쳐 통증을 양 쪽 모두 확인하였는가?	□제대로 함	□제대로 못함	□하지 않음
11	진찰 후 손을 씻었는가?	□제대로 함	□제대로 못함	□하지 않음

6. 목부위 진찰

번호	신체진찰 채점항목	평가		
1	진찰 전 손을 씻었는가?	□제대로 함	□제대로 못함	□하지 않음
2	턱을 들게 하고 목을 충분히 시진하였는가?	□제대로 함	□제대로 못함	□하지 않음
3	양손 집게손가락과 가운데 손가락으로 양쪽을 동시에 비교하며 목을 촉진하였는가?	□제대로 함	□제대로 못함	□하지 않음
4	귓바퀴 앞, 귀밑, 편도, 턱 끝 앞의 림프절을 촉진하였는가?	□제대로 함	□제대로 못함	□하지 않음
5	귓바퀴 뒤의 림프절, 목빗근을 따라서 앞/뒤의 림프절을 촉진하였는가?	□제대로 함	□제대로 못함	□하지 않음
6	후두엽의 림프절과 빗장위 림프절을 촉진하였는가?	□제대로 함	□제대로 못함	□하지 않음
7	갑상샘의 대칭성, 모양, 크기, 기관편위 여부를 시진하였는가?	□제대로 함	□제대로 못함	□하지 않음
8	검지와 중지 손가락으로 갑상샘 모서리를 대고 침을 삼키게 하여 갑상샘 양쪽 잘록(isthmus)을 촉진하였는가?	□제대로 함	□제대로 못함	□하지 않음
9	반지연골 아래 손가락을 대고 침을 삼키게 하고, 갑상샘을 한쪽으로 밀고 침을 삼키게 하여 양쪽 갑상샘을 촉진하였는가?	□제대로 함	□제대로 못함	□하지 않음
10	bell로 양쪽 갑상샘을 청진하였는가?	□제대로 함	□제대로 못함	□하지 않음
11	진찰 후 손을 씻었는가?	□제대로 함	□제대로 못함	□하지 않음

7. 유방 진찰

번호	신체진찰 채점항목	평가		
1	진찰 전 손을 씻었는가?	□제대로 함	□제대로 못함	□하지 않음
2	검사 전 상의를 완전 탈의하고, 4가지 자세에서 유방을 시진하였는가?(팔 내린 자세, 팔 머리 위, 양팔 양쪽 골반, 어깨 밀기)	□제대로 함	□제대로 못함	□하지 않음
3	양쪽 겨드랑이를 시진하고 림프절을 촉진하였는가? (왼손으로 왼팔을 받치고 오른손으로 왼쪽 겨드랑이 촉진)	□제대로 함	□제대로 못함	□하지 않음
4	침대에 환자를 눕히고 한쪽 팔을 펴고 다른 팔을 이마에 위에 올린 자세로 양쪽 유방을 촉진하였는가?	□제대로 함	□제대로 못함	□하지 않음
5	팔꿈치를 어깨 높이를 들고 손등을 한쪽 목에 붙인 자세로 양쪽 유방을 촉진하였는가?	□제대로 함	□제대로 못함	□하지 않음
6	유방을 촉진할 때 빠지는 곳이 없이 올바른 자세로 촉진하였는가?(동심원, ㄹ자 등)	□제대로 함	□제대로 못함	□하지 않음
7	유두 진찰을 수행하였는가?	□제대로 함	□제대로 못함	□하지 않음
8	진찰 후 손을 씻었는가?	□제대로 함	□제대로 못함	□하지 않음

8. 뇌신경 기능 검사

번호	신체진찰 채점항목	평가		
1	진찰 전 손을 씻었는가?	□제대로 함	□제대로 못함	□하지 않음
2	양쪽 시야검사를 수행하였는가?	□제대로 함	□제대로 못함	□하지 않음
3	머리를 움직이지 않게 하고 안구운동 검사를 수행하였는가? (손가락을 상하좌우, 대각선으로)	□제대로 함	□제대로 못함	□하지 않음
4	양측 이마, 뺨, 턱에 감각이 대칭적인지 확인하였는가?	□제대로 함	□제대로 못함	□하지 않음
5	씹을 때처럼 입을 다물게 하여 저작근을 촉진하고, 2가지 이상의 표정을 확인하여 얼굴근육 근력을 확인하였는가?	□제대로 함	□제대로 못함	□하지 않음
6	소리굽쇠를 울려 청력검사를 수행하였는가?	□제대로 함	□제대로 못함	□하지 않음
7	입을 벌리고 혀를 내밀게 하여 목젖과 혀의 대칭성을 확인하였는가?	□제대로 함	□제대로 못함	□하지 않음
8	진찰 후 손을 씻었는가?	□제대로 함	□제대로 못함	□하지 않음

9. 소뇌기능 검사

번호	신체진찰 채점항목	평가		
1	진찰 전 손을 씻었는가?	□제대로 함	□제대로 못함	□하지 않음
2	Rapid alternative movement를 확인하였는가? (손등－손바닥 뒤집기, 엄지－중지·약지·새끼 차례로 맞대기)	□제대로 함	□제대로 못함	□하지 않음
3	Finger-to-nose test를 수행하였는가?	□제대로 함	□제대로 못함	□하지 않음
4	Heal to shin test를 수행하였는가?	□제대로 함	□제대로 못함	□하지 않음
5	보행검사를 2가지 이상의 방법으로 수행하였는가? (그냥, 앞꿈치 들고, 뒷꿈치 들고, Tandem gait)	□제대로 함	□제대로 못함	□하지 않음
6	Romberg test를 수행하였는가?(환자를 다리를 모으게 하고 시선은 정면을 보게 한 뒤, 흔들림이 있는지 관찰한다. 눈 감고도 확인)	□제대로 함	□제대로 못함	□하지 않음
7	앞으로 나란히 자세에서 팔을 든 채, 눈을 감고 버티는지 확인하고 팔을 갑자기 아래로 쳐서 돌아오는지 확인하였는가?	□제대로 함	□제대로 못함	□하지 않음
8	진찰 후 손을 씻었는가?	□제대로 함	□제대로 못함	□하지 않음

10. 팔다리 운동/감각/반사 검사(상지)

번호	신체진찰 채점항목	평가		
1	진찰 전 손을 씻었는가?	□제대로 함	□제대로 못함	□하지 않음
2	환자의 팔꿈치 관절보다 약간 먼 쪽의 바깥쪽을 오른손으로 잡고 왼손으로 환자의 손목을 잡고 팔꿈치 관절을 구부리는 방향에 저항하여 힘을 주어 양쪽 굽힘근 근력을 확인했는가?	□제대로 함	□제대로 못함	□하지 않음
3	한쪽 아래팔을 손으로 고정한 채, 다른 손으로 오른손목을 위로 올리는(펴는) 힘에 저항하여 힘을 주어 손목의 힘의 세기를 양쪽 모두 확인하였는가?	□제대로 함	□제대로 못함	□하지 않음
4	환자가 의사의 검지를 꽉 잡게 한 뒤, 빼려고 하게 하여 악력을 양쪽 손 모두 검사하였는가?	□제대로 함	□제대로 못함	□하지 않음
5	손바닥을 벌리게 하여, 검지와 새끼손가락을 벌리려는 힘에 저항하는 방향으로 힘을 주게 하여 양쪽 손가락 근력을 확인하였는가?	□제대로 함	□제대로 못함	□하지 않음
6	손목을 잡고 엄지손가락을 구부리고 펴는 힘에 저항하는 방향으로 힘을 주어 양쪽 엄지손가락 근력을 확인하였는가?	□제대로 함	□제대로 못함	□하지 않음
7	팔을 피부분절(dermatome)을 따라서 각 분절마다 가볍게 찔러보며 양쪽 감각을 비교하였는가?	□제대로 함	□제대로 못함	□하지 않음
8	통각, 온도, 진동, 위치감각 중 2가지 이상을 확인하였는가?	□제대로 함	□제대로 못함	□하지 않음
9	이두근, 삼두근의 DTR을 확인하였는가?	□제대로 함	□제대로 못함	□하지 않음
10	Hoffmann 반사를 확인하였는가?	□제대로 함	□제대로 못함	□하지 않음
11	진찰 후 손을 씻었는가?	□제대로 함	□제대로 못함	□하지 않음

11. 팔다리 운동/감각/반사 검사(하지)

번호	신체진찰 채점항목	평가		
1	진찰 전 손을 씻었는가?	□제대로 함	□제대로 못함	□하지 않음
2	허벅지를 드는 근육의 근육을 양쪽에서 확인하였는가?	□제대로 함	□제대로 못함	□하지 않음
3	발목을 잡고 오금을 받쳐 무릎을 펴는 근육의 근력을 양쪽에서 확인하였는가?	□제대로 함	□제대로 못함	□하지 않음
4	발뒤꿈치를 잡고 무릎을 눌러 무릎을 굽히는 근육의 근력을 양쪽에서 확인하였는가?	□제대로 함	□제대로 못함	□하지 않음
5	발목을 위로 들고 내리는 근육의 근력을 양쪽에서 확인하였는가?	□제대로 함	□제대로 못함	□하지 않음
6	다리를 피부분절(dermatome)을 따라서 각 분절마다 가볍게 찔러보며 양쪽 감각을 비교하였는가?	□제대로 함	□제대로 못함	□하지 않음
7	통각, 온도, 진동, 위치감각 중 2가지 이상을 확인하였는가?	□제대로 함	□제대로 못함	□하지 않음
8	무릎반사, 아킬레스건 반사를 확인하였는가?	□제대로 함	□제대로 못함	□하지 않음
9	Babinski 징후를 확인하였는가?	□제대로 함	□제대로 못함	□하지 않음
10	진찰 후 손을 씻었는가?	□제대로 함	□제대로 못함	□하지 않음

위 체크리스트들은 어디까지나 예시이므로, 처음에 학장단 교재를 보면서 올바른 자세를 다시 한 번 공부하신 뒤 연습에서는 이 중 필요한 것들을 추려서 평가항목으로 설정한 뒤 체크하는 식으로 시험 준비를 하시기 바랍니다. 실제로 시간 안배를 하는 연습을 해 보셔야 하기 때문에 반드시 충분히 연습을 하시기 바랍니다.

아래의 신체진찰 전체요약도를 보면 각 신체부위별 진찰항목들이 나와있습니다. 조금 복잡해보이지만 먼저 이 전체요약도를 머릿속에 새겨놓으시길 바랍니다. 그 다음 문항별로 반드시 시행해야 할 공통적인 신체진찰을 정리해 두었으니 이 진찰을 몸에 익을 때까지 연습합니다. 이후 각각의 CPX문항을 공부하면서 주소별 감별진단을 위해 필요한 신체진찰 항목을 간소화하여 자신이 외우기 쉬운 방법을 만든다면 실제 시험장에서 빠른 시간 내에 신체진찰을 효율적으로 수행하는 데 도움이 될 것입니다. 필자는 신체진찰 전체요약도를 다음과 같이 단순화해서 사용했습니다.

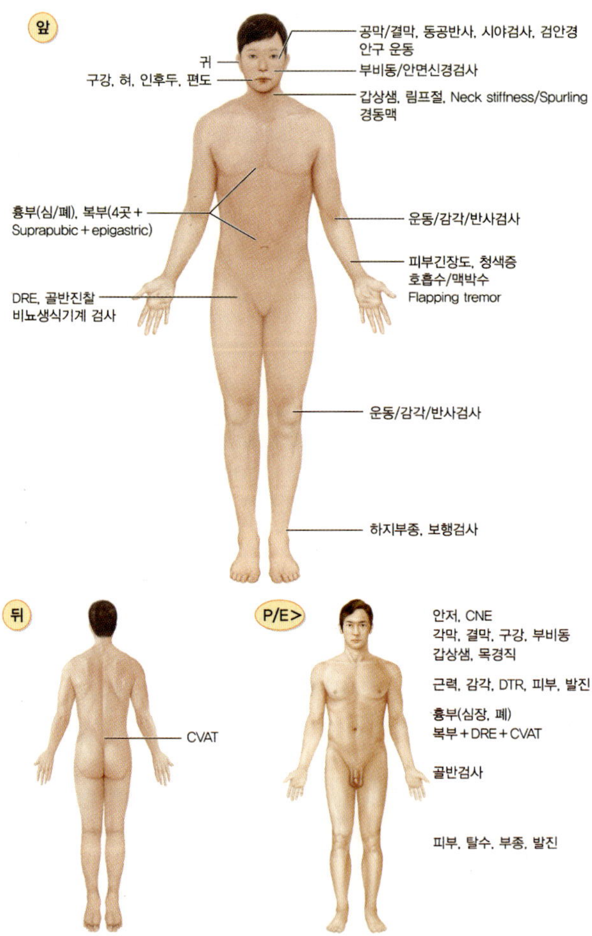

만약 **상황지침에서 신체진찰을 하라는 정보가 없으면 병력청취와 환자교육, 특히 PPI에 신경을 더 기울이시길 바랍니다**. 즉, 신체진찰을 수행하라는 상황지침이 없는 경우 신체진찰을 수행하지 않고 다른 파트에 시간을 투자하여 좀 더 자세히 물어봐야 합니다. 이런 경우 특히 PPI 점수 비중이 크다고 알려져 있기 때문에 굳이 하지 않아도 되는 신체진찰을 하다가 다른 항목을 놓치는 우를 범하지 않으시길 바랍니다. 국시원에서 발표한 신체진찰 태도 채점항목 부분을 보면 "단, 신체진찰 태도 채점항목은 신체진찰을 수행해야 하는 시험 문제에 한하여 적용함."이라는 문구가 있습니다. 이 말은 뒤집어 말하면 신체진찰을 수행하지 않는 시험 문제도 있다는 것이고, 실제로 신체진찰을 요하는 문항에는 상황지침에 신체진찰을 수행하라는 항목이 분명히 명시되어 있습니다. 정신과나 상담과 같은 몇 가지 주제에서는 상황지침에서 신체진찰에 대한 언급 자체가 없는 경우가 있는데(신체진찰을 하라고도, 하지 말라고도 나와 있지 않은 경우), 그럴 때는 과감히 생략하셔도 무방합니다. 그래도 불안하다 하시는 분들은 간단한 필수 신체진찰 몇 가지를 수행하셔도 됩니다.

다음 장에는 CPX에서 필요한 신체진찰을 모아 표로 정리해 두었습니다. 그동안 모르는 신체진찰이 나올 때마다 인터넷을 찾거나 책을 찾는 등의 번거로움이 있었는데 이를 없애기 위하여 정리해 둔 표입니다. 학장단 책과, Youtube를 참고하여 작성하였습니다. 행동을 글로 옮기는 것이다보니 부득이 하게 설명이 이해되지 않는 부분이 있을 수 있는데 **<부록>의 신체진찰 가이드**를 참고하여 공부하시면 도움이 될 것입니다.

순환기

맥박 측정	환자의 노동맥(radial a.) 박동이 느껴지는 곳에 2, 3, 4번 손가락을 대어 측정합니다. 양 팔에서 시행하여 차이가 있는지 확인하여야 합니다. 맥박의 규칙성을 확인하면서 15초간 맥박 수를 측정 후 이에 4를 곱하여 분당 맥박수를 평가합니다.
목동맥	**[청진]** 환자 머리를 의사의 왼쪽에 두고 천장을 보고 누운 상태에서 침대를 30도 올립니다. 환자의 목빗근(SCM m.)의 안쪽 면에 2, 3번 손가락을 살짝 대어 경동맥 박동이 느껴지는 곳을 찾습니다. 청진기의 Bell을 이용해 해당 위치를 청진합니다. **[촉진]** 같은 위치에서 2, 3번 손가락으로 압력을 가하여 경동맥압을 측정합니다. 양측을 동시에 누르면 직접적인 동맥 압박과 carotid sinus 내 barorecpetor의 활성화로 일시적인 뇌혈류 감소가 생길 수 있으므로 반드시 좌우 순차적으로 시행합니다. 청진 상 잡음(bruit)이 들렸다면 embolism 위험으로 촉진을 시행하지 않습니다.
목정맥	**[시진]** 목동맥 진찰과 같은 자세를 유지하며, 고개를 보고자 하는 정맥의 반대쪽으로 돌려 정맥을 노출시켜 internal juvular vein의 박동을 확인합니다. **[경정맥압]** 시진한 자세에서 sternal angle에서부터 목정맥 박동이 관찰되는 가장 높은 지점까지의 높이차를 직각자를 이용하여 측정합니다. 측정한 길이가 경정맥압(단위 : cmH_2O)이며, 중심정맥압은 (경정맥압)+5로 계산합니다. 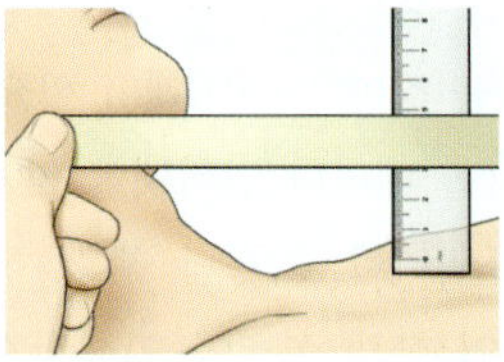
심장 진찰	**[시진]** 환자의 흉부를 충분히 노출시킨 후, 흉곽을 전반적으로 시진하여 흉곽의 이상이 보이는지 관찰합니다. **[촉진]** 촉진은 네 손가락의 바닥 부분을 대어 시행합니다. 제5 늑간 mid-clavicular line 부근의 최대 박동이 느껴지는 부위를 찾아 심첨부의 위치를 확인할 수 있습니다. 5군데의 청진 부위에서 심잡음의 thrill을 확인할 수 있으며, thrill이 느껴진다면 병적인 심잡음일 가능성이 높으므로 청진에서 주의하여 확인하는 것이 필요합니다. **[타진]** 심장의 크기를 가늠하기 위해 3, 4, 5, 6 늑간을 왼쪽에서 오른쪽으로 진행하며 타진하여 심장의 경계를 파악합니다. **[청진]** 심장 진찰에서 가장 중요한 항목으로, 실제 시험장에서는 시간 관계 상 거의 청진만 진행하게 됩니다. 청진기의 diaphragm으로 제2 늑간 흉골 우연, 제2, 3, 4, 늑간 흉골 좌연, 제5 늑간의 midclavicular line 부근을 각각 청진합니다. 제3 늑간 흉골 좌연은 Erb's area로, aortic regurgitation 의심 시 환자의 자세를 앞으로 약간 숙인 자세에서 숨을 내쉰 상태로 참게 하여 청진합니다. 심부전이 의심될 경우, 환자를 왼쪽 옆으로 돌아눕게 한 후 청진기의 bell로 심첨부를 추가로 청진하여 S3, S4 심음을 확인합니다. 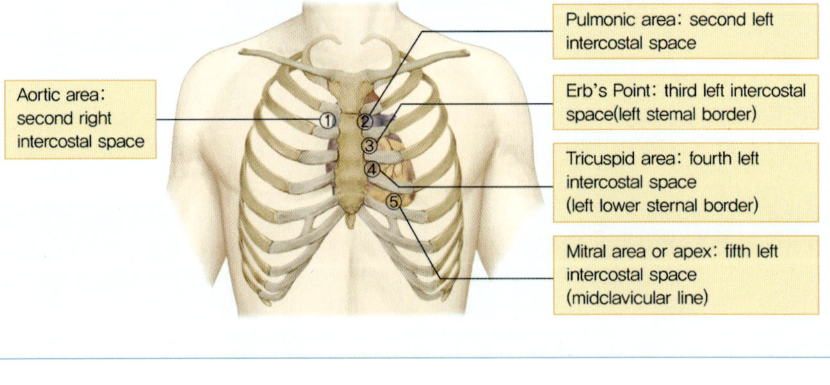

호흡기

호흡수 확인	환자와 의사는 서로 마주보고 의자에 앉습니다. 맥박을 재는 시늉을 하면서 호흡수를 확인합니다. 15초간 측정하여 곱하기 4를 하거나, 30초간 측정하여 곱하기 2를 합니다.
호흡 관찰	손톱과 입술을 시진하여 곤봉지와 청색증이 있는지 확인합니다. 깊게 숨을 쉬도록 하며 표정을 살펴 힘들어 하는지 보고, wheezing과 같은 비정상적인 호흡음이 들리는지 확인합니다. 환자에게 상의 탈의를 부탁한 뒤, 숨을 들이마실 때 목 근육이 수축하는지, 기관이 중앙에 있는지 확인합니다. 자세, 가슴의 직경을 관찰하고 기형 유무를 살핍니다. * 실제 시험장에서는 시간 관계상 호흡수 확인 및 호흡 관찰 항목은 시행하기 어렵습니다.
가슴 후면 진찰	팔을 편한 상태로 가슴에 포개거나 가능하면 반대쪽 어깨에 손을 두게 합니다. [**시진**] 깊게 숨을 쉬게 하면서 가슴우리의 움직임, 호흡의 모양, 부호흡근 사용 여부, 대칭적 호흡 여부를 확인합니다. [**촉진**] 손을 비벼서 따뜻하게 한 후 아픈 부위나 멍든 곳을 살핍니다("등을 만지겠습니다. 혹시 아픈 부위가 있으신가요?"). 만일 있다면 아픈 부위를 눌러봅니다("아픈 부위를 누르겠으니 아프면 말씀해 주세요."). 덩이나 sinus tract가 있는지 촉진하여 확인합니다. • 흉곽검사 : 가슴의 대칭적 양쪽 엄지를 10th rib 수준에 놓고, 나머지 손가락을 헐겁게 움켜쥐듯이 가슴우리 외측에 평행하게 감싸 쥔 후 엄지와 척추 사이에 얇은 피부 주름이 생길 정도로 손을 약간 안쪽으로 밉니다. 환자에게 깊게 숨을 쉬도록 하며 들이쉴 때 엄지 사이 간격이 벌어지는 정도를 관찰하여, 가슴이 대칭적으로 팽창하고 수축하는지 확인합니다. 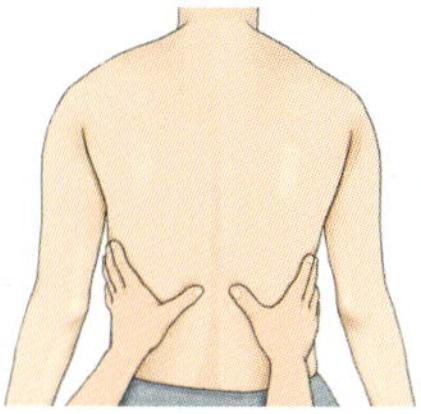 • 성음진탕(Vocal fremitus) : 양 손바닥의 ulnar쪽 표면을 대칭적으로 가슴 후면에 대고, 환자에게 '하나 – 하나 – 하나', '아 – 아 – 아'와 같은 단어를 반복하여 말하도록 하여 성음진탕을 확인합니다. 이때 위에서부터 아래로 일관되게 갈비사이 부위에 반복 시행하여 성음진탕이 증가, 감소, 소실된 부위가 있는지 확인합니다. 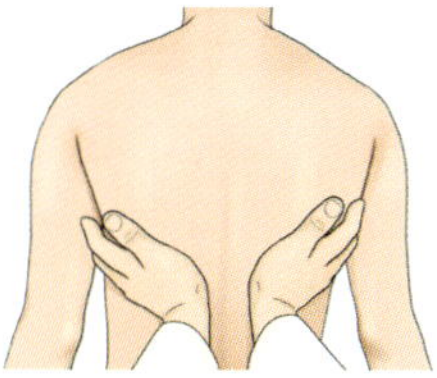 [**타진**] 환자의 등 뒤 약간 옆으로 선 후, 왼손의 가운데 손가락을 hyperextension하여 끝마디를 갈비뼈와 평행하게 갈비뼈 사이 흉벽에 단단히 고정합니다(손바닥과 나머지 손가락은 흉벽에 닿지 않도록 합니다). 오른쪽 손목을 위로 젖혀 가운데 손가락을 약간 구부리고 힘을 뺍니다. 빠르게 오른쪽 가운데 손가락 끝으로 왼쪽 가운데 손가락의 DIP를 직각으로 두드린 후 떼어냅니다. 이때 위에서 아래로 좌우대칭이 되게 'ㄹ'자 또는 'Z'자 순서로 타진하며, 각각의 위치에서 2번씩 타진합니다. 양쪽을 비교합니다. 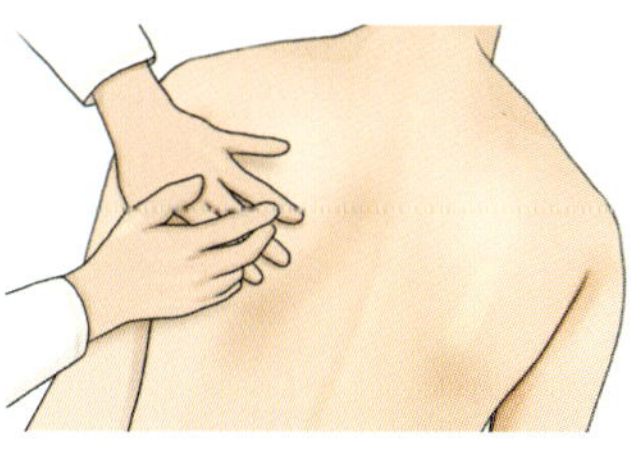 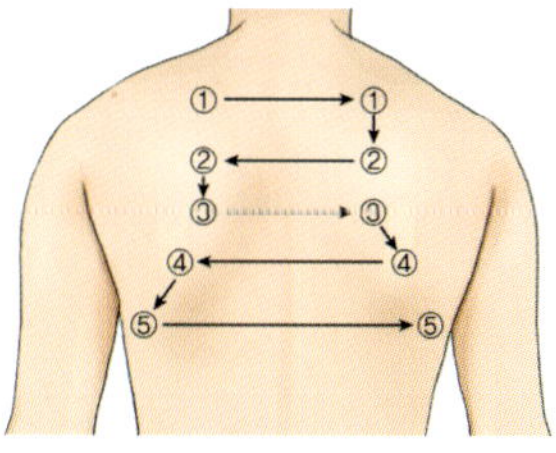

<table>
<tr><td>가슴 후면 진찰</td><td>• 횡격막의 운동범위 평가 : 환자에게 숨을 깊이 들이마신 뒤 참게 하고, 등쪽 어깨뼈선 정도부터 위에서 아래로 빠르게 타진하여 공명음이 둔탁음으로 바뀌는 지점을 찾아 표시합니다. 그 후 반대로 숨을 끝까지 내쉰 뒤 참게 한 상태에서 아래에서 위로 빠르게 타진하며 둔탁음이 공명음으로 바뀌는 지점을 찾아 표시합니다. 두 지점 사이의 거리가 횡격막의 운동 범위로, 3~5cm이 정상입니다.
[청진] "청진을 하겠습니다. 입을 벌리고 숨을 크게 쉬어 주세요. 청진기가 닿을 때 조금 차가울 수 있습니다." 진동판을 따뜻하게 한 후, 타진과 마찬가지로 'ㄹ'자 또는 'Z'자 순서로 청진하며 양쪽이 대칭적인지 비교합니다. 최소 6군데는 청진해야 시행한 것으로 인정됩니다(단, 쇄골, 갈비뼈, 어깨뼈 위에서는 청진하지 않습니다).</td></tr>
<tr><td>가슴 전면 진찰</td><td>환자가 어깨를 약간 젖힌 상태로 편하게 똑바로 눕게 합니다(앉은 자세에서, 또는 침대의 머리 쪽을 편안한 높이로 올린 상태에서도 시행 가능합니다).
시진, 촉진, 타진, 청진의 과정을 후면 진찰에서와 같이 시행합니다.</td></tr>
<tr><td>부비동 검사</td><td>아래 그림에 표시된 부분이 부비동입니다. 양손의 검지로 부비동 부분을 누르면서 압통의 여부를 확인합니다.
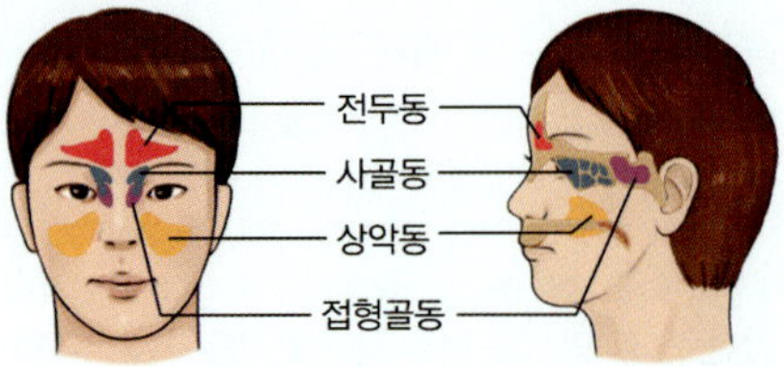
</td></tr>
</table>

소화기/비뇨기

복부진찰 전 환자를 눕히고, 복부를 충분히(xyphoid process～symphisis pubis) 노출시킵니다. 환자의 양팔은 편하게 옆구리에 붙이고, 무릎은 굽히거나 아래에 베개를 넣어 복부의 긴장을 풀도록 합니다. 환자의 오른편에 서서 진찰합니다.

복부 진찰	'시–청–타–촉' 순으로 진행합니다. [**시진**] 천천히 숨을 쉬도록 하며 외상, 출혈, 피부 변화 등을 확인합니다. 기침을 하게 하여 배에 돌출되는 덩이가 있는지 등을 확인합니다. [**청진**] 청진기가 차가울 수 있으므로 손으로 감싸서 따뜻하게 해두고, 청진기를 댈 때 "차갑습니다"라고 말합니다. 청진기의 diaphragm으로 RUQ, RLQ, LUQ, LLQ, epigastric 중 적어도 4군데 이상을 각각 5초씩 듣습니다. [**타진**] 환자가 통증을 호소하는 경우, 통증 부위에서 가장 먼 곳부터 진찰을 시작하고, 통증부위는 가장 마지막에 진찰합니다. 왼손의 가운데 손가락을 펴서 타진 부위에 가져다 댄 후, 오른손의 가운데 손가락을 구부리고 힘을 뺀 다음 가볍게 왼손 가운데 손가락의 첫 번째 마디를 수직으로 두드립니다. 우상복부에서 빗장중간선을 따라 타진을 해 간의 경계를 확인할 수 있고, 좌상복부에서 비장의 경계를 확인할 수 있습니다. 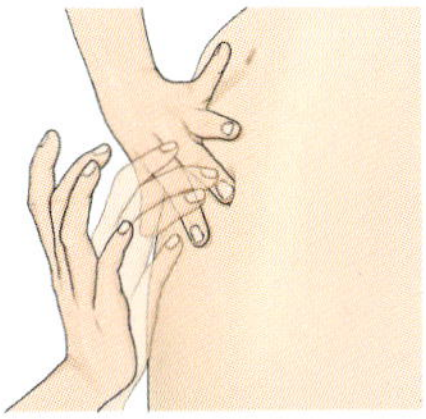 [**촉진**] 타진과 마찬가지로 통증부위에서 가장 먼 곳부터 진찰을 시작하고, 통증 부위는 가장 마지막에 진찰합니다. 먼저 한 손으로 얕은 촉진을 시행하고, 그 다음 양 손으로 깊은 촉진을 시행합니다. 종괴, 압통, 반발압통 등을 확인할 수 있습니다. 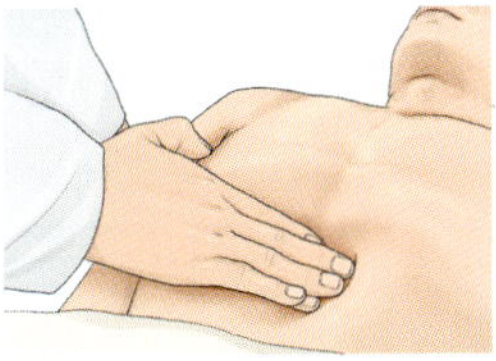 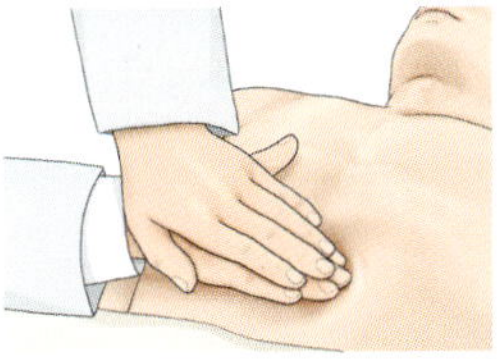
복수 진찰	[Fluid wave test] 검사자가 환자의 옆구리를 가볍게 두드리고, 동시에 반대편 옆구리에 손바닥을 대고 액체의 진동을 느낄 수 있습니다. 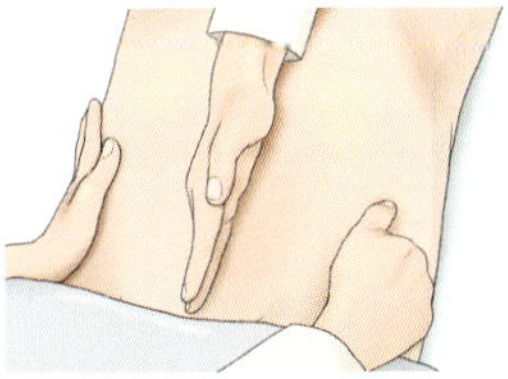 [Shifting dullness] 환자가 바로 누운 상태에서 타진하여 확인한 탁음과 공명음의 경계와 비교했을 때, 환자를 왼쪽으로 돌아눕게 한 뒤 타진하여 확인한 탁음과 공명음의 경계의 위치가 변하는지 확인합니다. 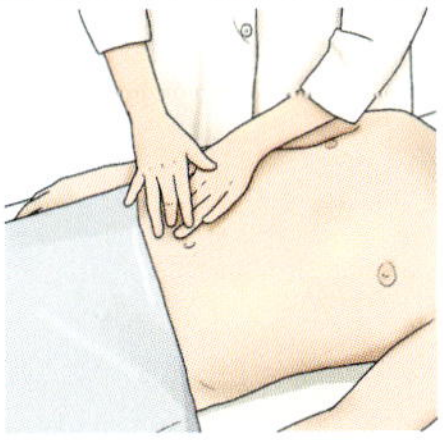 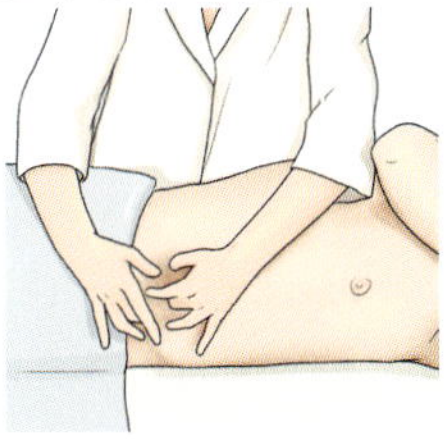

충수돌기염 진찰	[**Obturator sign**] 환자가 누운 상태에서 검사자의 오른손으로 환자의 오른쪽 ankle을 잡고, 검사자의 왼손으로 환자의 오른쪽 knee를 잡습니다. 그 상태로 다리를 들어올려 ankle을 환자 몸 바깥으로 이동시켜 고관절을 internal rotation 시킵니다. 이때 통증이 유발되면 양성으로, 급성충수염을 시사합니다. 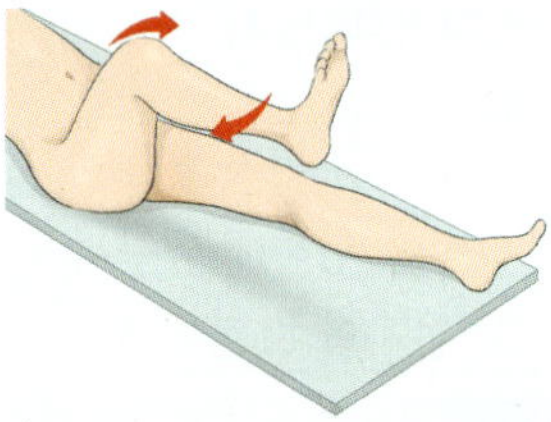 [**Psoas sign**] 환자를 왼쪽으로 돌아눕힌 후, 오른쪽 다리를 extension 시켜 통증이 유발되면 양성으로, retrocecal에 위치한 appendix의 염증을 시사합니다. 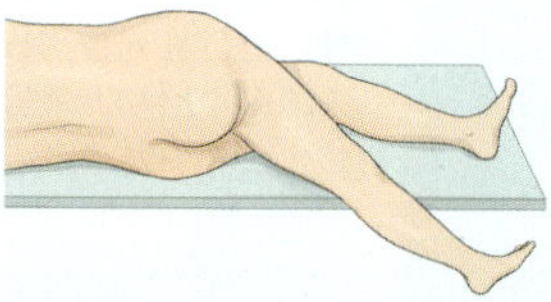
CVAT	Costovertebral angle tenderness의 약자로, 12번째 rib과 vertebra 사이의 각 부분에 한쪽 손을 대고, 반대쪽 손으로 가볍게 주먹을 쥐고는 등에 댄 손의 손등을 칩니다. 신장의 정확한 위치를 알기 어려우므로 위아래로 조금씩 움직이며 여러 번 쳐보는 것이 좋습니다. 이때 강한 통증을 느끼면 CVAT 양성으로, 신장의 염증 혹은 요석을 시사합니다. 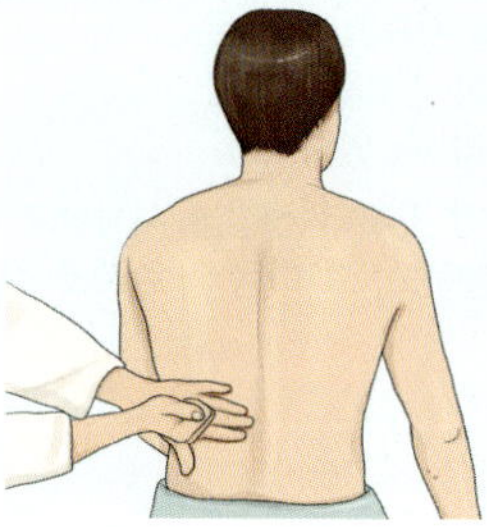 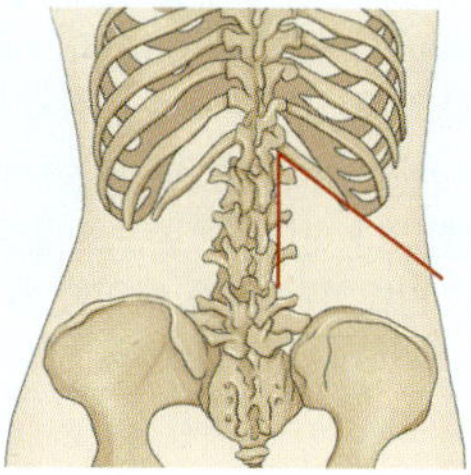

전신

결막/공막 검사

환자의 아래쪽 눈꺼풀을 아래로 내리며, 환자에게 위쪽을 보도록 지시합니다. 그 후 결막을 관찰하여 빈혈 유무를 확인하고, 공막을 관찰하여 황달 여부를 확인합니다.

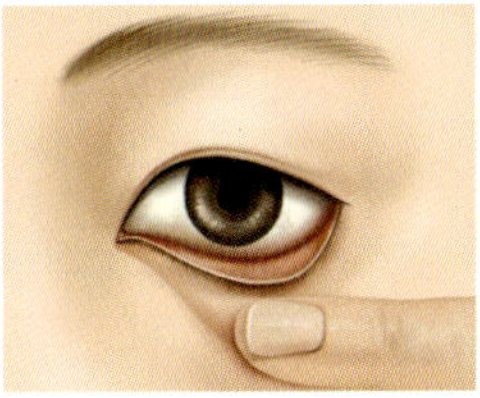

구강 검사

환자에게 '아' 소리를 내며 입을 크게 벌려보라고 지시한 뒤, 한 손으로는 설압자로 환자의 혀를 누르고, 다른 한 손으로는 펜라이트를 들고 구강 내부를 비춥니다. 이때 환자의 구역 반사를 자극하지 않도록, 설압자를 혀의 중간 1/3 지점에 놓고 하방으로 누르는 것이 좋습니다.
시야가 확보되면 혀의 탈수 여부를 확인하고, 구강 궤양, 점막 발적, 편도 비대 등을 시진합니다.

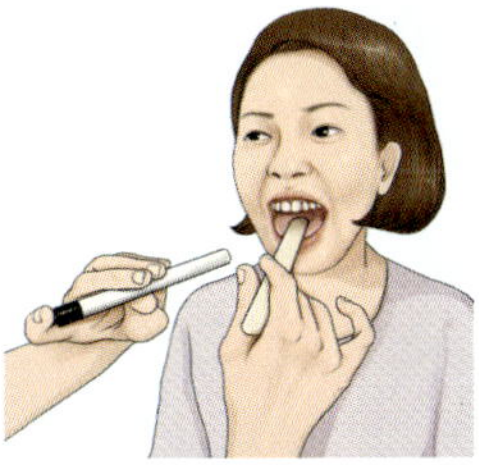

비경 검사

한 손으로 비경 집게 부분을 잡고 콧구멍에 비경을 넣은 후 비경을 벌립니다. 비경은 아래 그림과 같이 위아래로 열리도록 넣습니다. 다른 손으로 펜라이트로 코 안에 빛을 비추면서 확인합니다. 반대편 콧구멍에도 마찬가지로 시행합니다.

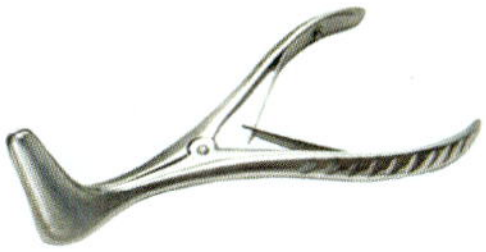
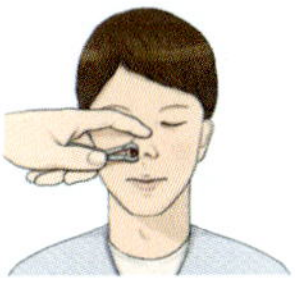
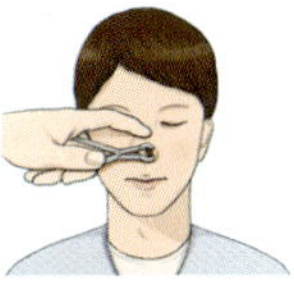

두경부 림프절 검사

[**촉진**] 환자에게 목을 살짝 앞으로 구부리게 합니다. 림프절은 양손의 집게, 가운데 손가락을 이용하여 촉진하며, 가볍게 힘을 주고 원을 그리듯이 촉진합니다. 양측의 대칭성을 평가하기 위해 양쪽을 동시에 촉진하며, 순서는 아래와 같이 진행합니다.

* 머리 뒤쪽의 occipital node 촉진
→ 귀 뒤의 posterior auricular node 촉진
→ SCM 근육 뒤/앞쪽의 post./ant. cervical node 촉진
→ 귀 앞의 anterior auricular node 촉진
→ 턱 부분을 뒤에서부터 앞으로 촉진하며 tonsillar node-ubmaxillary node-ubmental node 촉진
→ 환자의 뒤에 서서 손을 넓게 펴고, clavicle 위의 supraclavicular node 촉진

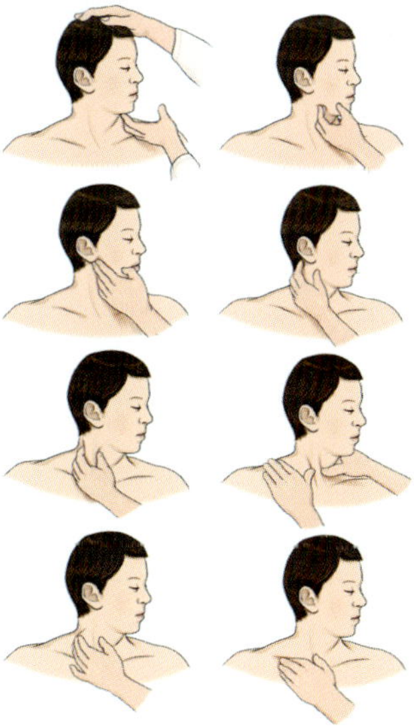

갑상샘 검사	**[시진]** 환자에게 정면을 바라보게 한 뒤, 턱을 약간 들어 올리도록 합니다. 환자에게 침을 삼키라고 지시하며 양쪽 갑상샘의 크기, 대칭성, 모양 등을 평가합니다. **[촉진]** 환자에게 목을 약간 구부리게 합니다. 촉진할 때에는 양손의 집게, 가운데 손가락을 이용합니다. 촉진하고자 하는 갑상샘의 반대쪽에서 밀어주며 갑상샘을 촉진합니다. 예를 들어 왼쪽 갑상샘을 평가하고자 하면, 오른쪽 갑상샘을 의사의 왼손을 사용해 왼쪽으로 민 뒤, 환자에게 침을 삼키도록 지시하며 의사의 오른손으로 왼쪽 갑상샘을 촉진합니다. 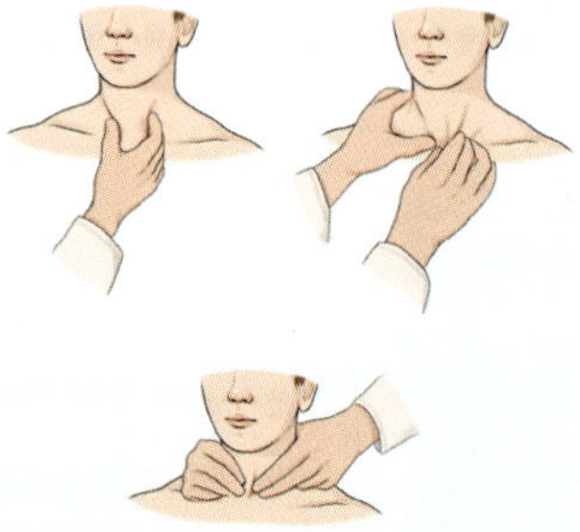 **[청진]** 청진기의 bell을 이용하여 양쪽 갑상샘을 청진합니다. 일부 갑상샘기능항진증 환자에서 수축기 잡음(bruit)을 청진할 수 있습니다.
하지 부종 검사	**[촉진]** 환자의 종아리가 보이도록 바지를 걷어올려도 괜찮을지 양해를 구한 뒤, 경골(tibia) 부근의 피부를 눌러 함요 부종(pitting edema) 여부를 확인합니다. 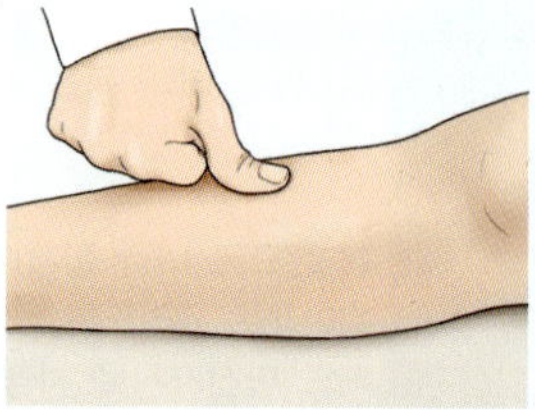

관절

기본 검진	[**시진**] 관절에 발적, 부종, 변형 등이 없는지 육안으로 확인합니다. [**촉진**] 관절의 발열, 압통, 부종이 있다면 종창의 양상, 불안정성, 잠김 현상 등을 평가합니다. * 잠김 현상 : 찢어진 연골판 조각이 관절 사이에 껴서 통증과 함께 관절의 움직임을 방해하는 현상 [**ROM**] 관절운동범위(Range of motion)을 평가하며, 환자가 능동적으로 움직일 수 있는 관절의 범위, 그리고 의사가 수동적으로 관절을 움직였을 때 가동 가능한 범위를 모두 확인합니다.
Spurling test	의사는 환자의 뒤에 서서, 환자가 통증이 있는 쪽으로 고개를 돌리게 합니다. 그 후 환자가 머리를 뒤로 젖히게 한 뒤, 지긋이 손으로 환자의 머리를 누르며 아래로 힘을 가합니다. 이때 머리를 눌린 쪽의 팔로 통증이 전달된다면 양성 소견입니다. 이 검사는 경추의 디스크 탈출이나 추간공협착증에 의해 신경근이 압박되지 않는지 보는 목적으로 시행되는 검사입니다. 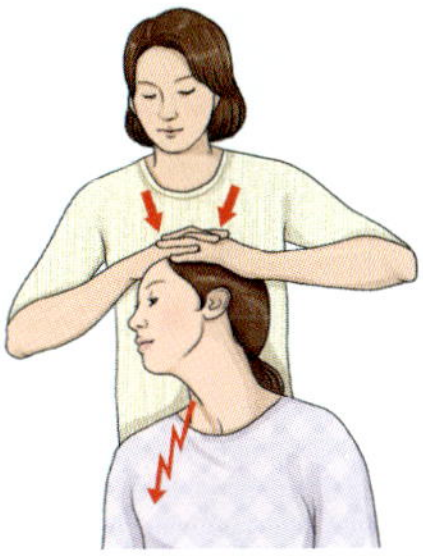
Neer's impingement test	환자가 천천히 팔을 옆으로 거상시키게 합니다. 환자가 120도 전후에서 통증을 호소하는 경우 양성 소견이며, 상완봉의 대결절이 견봉에 충돌함으로써 통증이 나타나게 됩니다. 반대로 환자에게 팔을 최대 거상 상태에서 스스로 천천히 옆으로 내리게 했을 때, 마찬가지로 120도 전후에서 통증을 호소한다면 이는 동통 궁 징후(painful arc sign) 양성이라고 하며, 민감도와 특이도가 가장 높은 충돌 징후 검사로 알려져 있습니다. 이 검사는 어깨의 회전근개 질환이 있는지 보는 목적으로 시행되는 검사입니다. 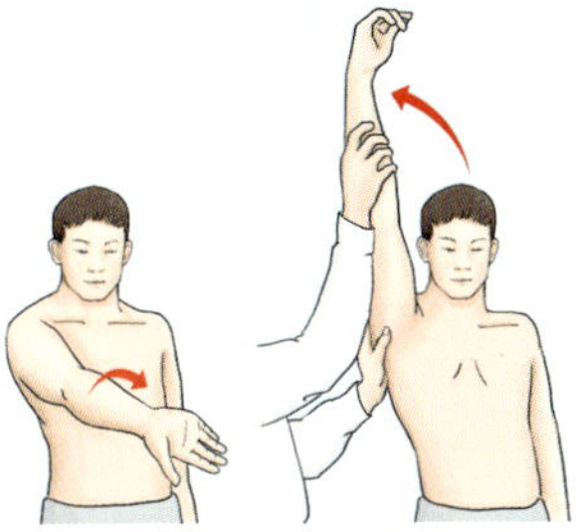
Jobe's test	우선 환자에게 팔꿈치를 편 채 팔을 옆으로 쭉 상체와 90도가 되게 뻗으라고 한 뒤(견관절 90도 외전), 손에 콜라 캔을 쥐고 있다 생각하고, 캔 내부의 콜라를 비운다는 느낌으로 엄지 손가락이 아래를 향하게끔 팔을 내회전시키도록 합니다. 그 후 양팔을 앞으로 약 30도 정도 수평으로 이동한 상태에서, 팔을 아래로 내리는 힘을 주며 환자에게 버티도록 지시합니다. 이때 환자가 통증을 느끼거나 힘이 갑자기 빠지며 팔을 떨어뜨리면 양성 소견입니다. 이 검사는 어깨 관절의 문제를 호소하는 환자에서, 극상근(supraspinatus)의 근력 저하를 평가하는 검사입니다. 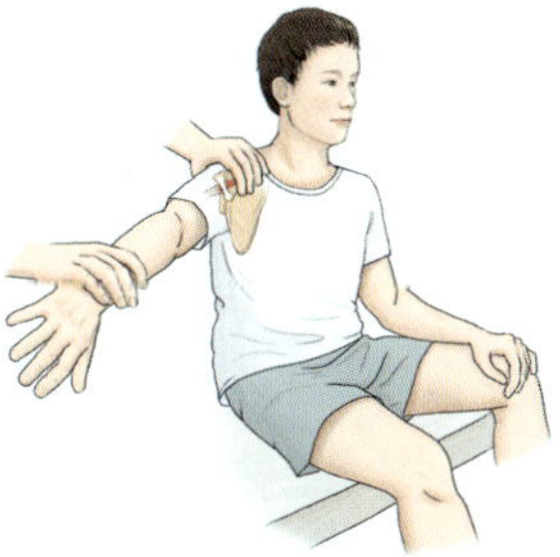
Finkelstein's test	환자에게 엄지손가락을 다른 네 손가락으로 감싼 채 주먹을 쥐고, 손을 척골(ulnar) 방향으로 굴곡하게 했을 때 척골 경상돌기(radial styloid process) 부분의 통증을 호소하면 양성 소견입니다. 이 검사는 손목 통증을 호소하는 환자에서, 드퀘르벵 건초염(De Quervain's disease)을 진단하는 목적으로 시행되는 검사입니다. 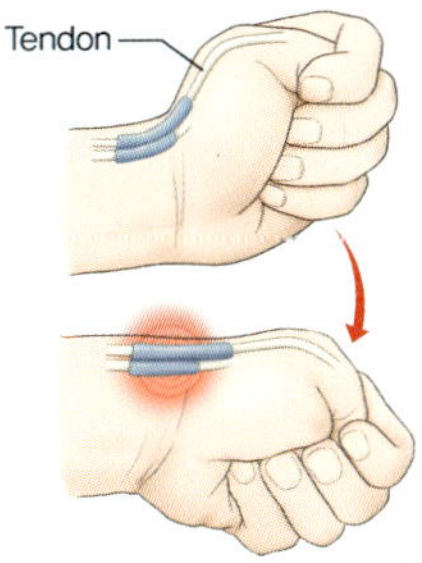

Schober test	환자를 서게 한 뒤, 환자의 ASIS를 연결한 수평선과 척추가 만나는 지점에서 위로 10cm, 아래로 5cm을 표시합니다. 그 후 환자가 최대로 허리를 굽혔을 때 늘어난 거리가 5cm 이상이면 정상이며, 그 이하일 경우 양성 소견입니다. 이 검사는 허리의 유연성을 측정함으로써 강직성 척추염을 감별하는 목적으로 시행되는 검사입니다.	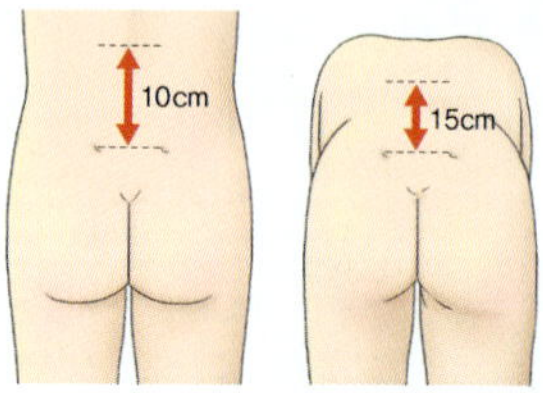
Straight leg raising test	환자를 편한 자세로 눕게 한 뒤, 한 손으로 환자의 오금을, 다른 한 손으로는 환자의 발을 잡고, 환자의 무릎이 굽혀지지 않게 한 상태에서 다리 한 쪽을 들어 올립니다. 통증 없이 80도까지 들어올려지는 것이 정상으로, 그 전에 통증을 느낀다면 양성 소견이며, 좌골신경(sciatic nerve)이 신장되며 통증이 발생합니다. 이 검사는 L4, L5, S1의 추간판 탈출증을 감별하는 목적으로 시행되는 검사합니다.	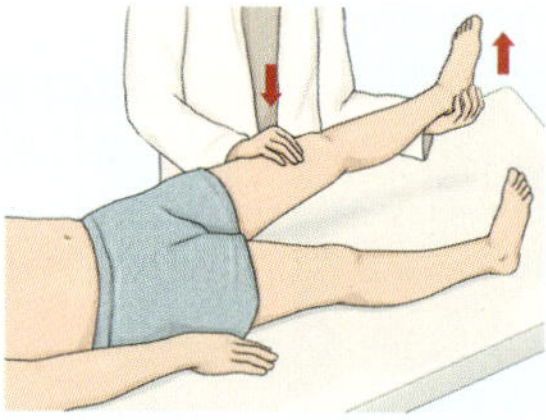
Femoral nerve stretch test	환자를 엎드리게 한 뒤, 의사는 환자의 무릎과 발목 부위를 잡고 무릎관절을 90도로 굽혀서 들어올려 엉덩이 관절을 신전시킵니다. 이때 허리나 대퇴부 앞쪽에 통증이 발생하면 양성 소견이며 대퇴신경(femoral nerve)이 신장되며 통증이 발생합니다. 이 검사는 L3, L4의 추간판 탈출증을 감별하는 목적으로 시행되는 검사입니다.	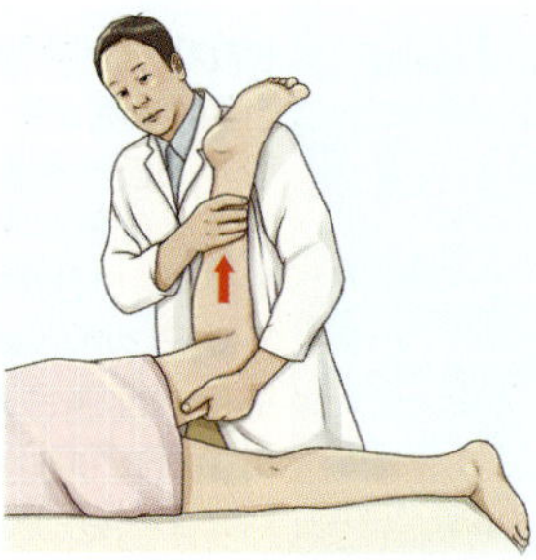
Patrick test (FAbEr test)	우선 환자를 편하게 눕힙니다. 그 뒤 검사하고자 하는 쪽 다리의 발목 외측을 반대쪽 다리의 무릎관절 위에 올려 다리가 4자 모양이 되게 한 뒤(무릎을 flexion하고, 고관절을 abduction, external rotation), 검사하는 다리쪽 무릎에 손바닥으로 아래로 누르는 힘을 주었을 때 통증이 유발되면 양성 소견입니다. 이때 무릎을 굽힌 쪽에 통증이 올 경우 hip joint의 문제이고, 반대쪽 후방에 통증이 오면 sacroiliac joint 문제일 가능성이 큽니다.	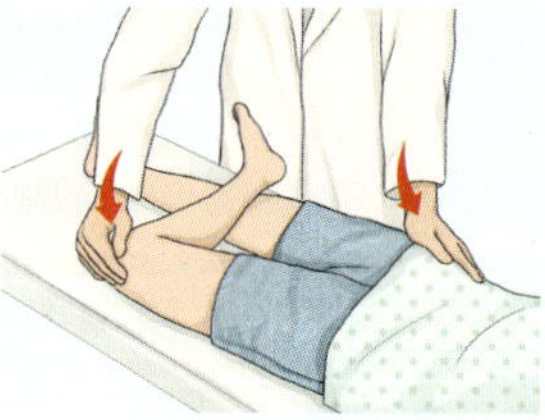
Thomas test	우선 환자를 편하게 눕힌 뒤, 검사하고자 하는 다리의 반대쪽 무릎을 접어 배에 가깝게 당기도록 함으로써 요추 전만이 없어지게 합니다. 그 후 검사하고자 하는 다리의 고관절에 굴곡 구축이 있는지 측정하게 되며, 굴곡 구축이 있을 경우 하지가 거상됩니다.	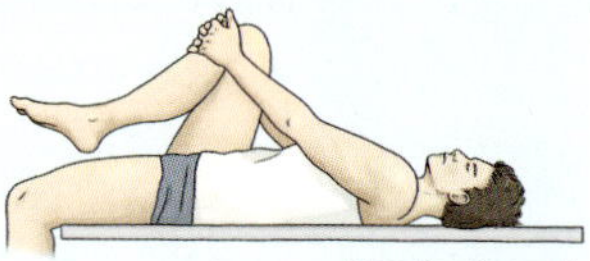 Negative 'normal' 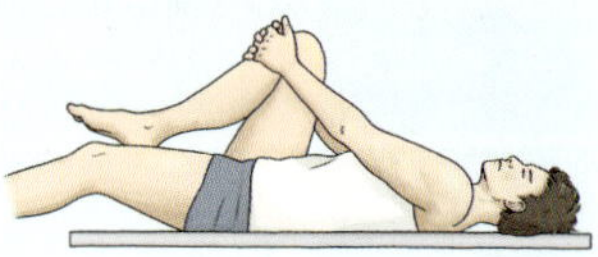 Positive

Trendelenburg test	환자가 선 상태에서 검사하고자 하는 쪽의 반대쪽 다리를 들어 올려, 검사하고자 하는 다리에 체중이 가해지게 했을 때, 반대측 골반이 아래로 내려가면 양성 소견입니다. 이 검사는 고관절 외전근인 중둔근과 소둔근의 기능 부전을 평가하는 검사입니다.	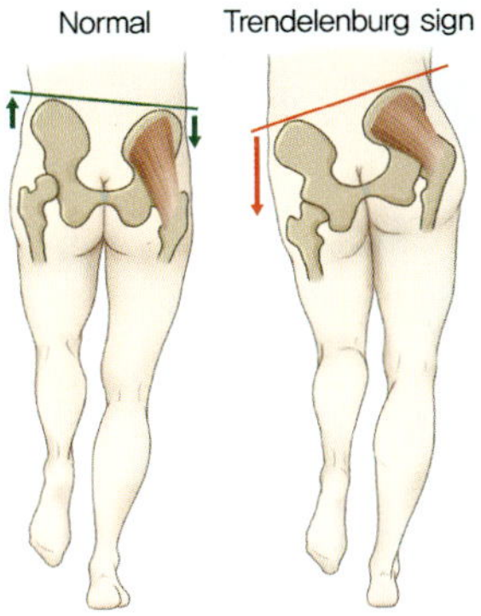

신경계

의식확인

의식장애 문항에서 입실 후 바로 수행해야 하는 검사입니다. 세 가지를 동시에 보면서 평가하면 시간을 절약할 수 있습니다.
통증은 아래와 같은 방법으로 줄 수 있습니다.

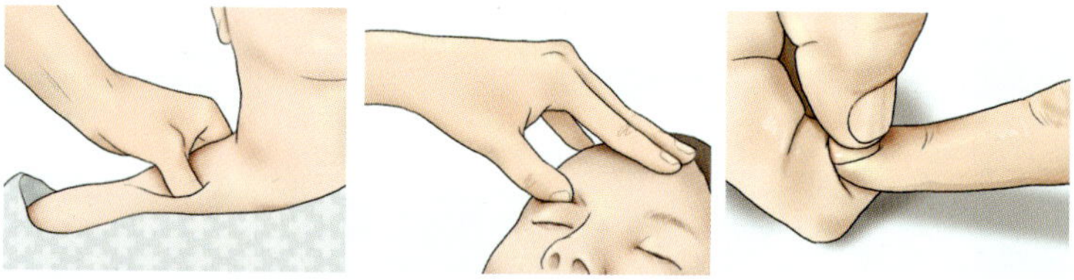

[Eye]
- 자발적으로 눈을 뜨고 있는 경우 : 4점
- "눈 떠보세요" 말에 반응해서 뜨는 경우 : 3점
- 통증에 반응해 눈을 뜨는 경우 : 2점
- 통증에도 무반응한 경우 : 1점

[Verbal] "여기가 어디에요?"
- 지남력 온전(병원) : 5점
- 대답은 하지만 혼란스러움(집?) : 4점
- 동문서답하는 경우(종이) : 3점
- 신음소리만 낼 수 있는 경우(으으) : 2점
- 통증에도 무반응한 경우 : 1점

[Motor]
- 지시에 따라 움직임("손 들어보세요") : 6점
- 국소적인 통증에 반응(자극을 손으로 치움) : 5점
- 통증에 움츠림 : 4점
- 제피질자세(굴곡) : 3점

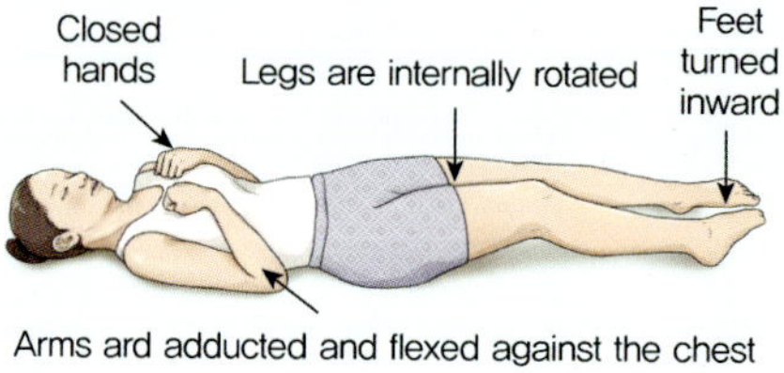

- 제뇌자세(신전) : 2점

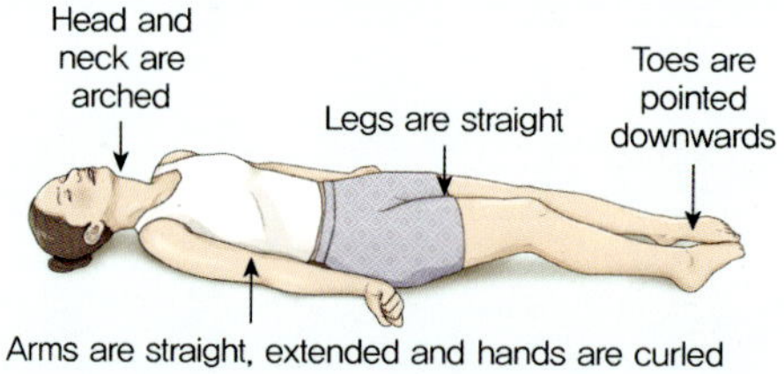

- 통증에도 무반응한 경우 : 1점

총점이 3~8점인 경우 coma로 볼 수 있으며, 8~9점은 severe, 10~12점은 moderate, 13점 이상은 minor brain injury로 분류합니다.

<table>
<tr><td rowspan="5">뇌신경검사</td><td rowspan="3">CN II, III, IV, VI(눈)</td><td>[동공반사] 어두운 방에서 환자에게 먼 곳을 응시하게 하고, 환자의 눈에 펜라이트로 빛을 비추어 동공의 크기변화를 관찰합니다. 직접 빛이 들어온 쪽의 눈에서 직접 대광반사, 반대쪽 눈에서 간접대광반사를 평가할 수 있습니다.</td></tr>
<tr><td>[시야검사] 환자와 의사가 1m 정도 거리를 두고 마주앉습니다. 환자는 검사하고자 하는 눈의 반대편을 가리고, 검사자도 그와 마주보는 눈을 가립니다. 가리지 않은 눈 쪽으로 환자의 귀 바깥쪽으로 30~40cm 정도에 의사의 손을 위치시킵니다. 환자의 시선은 의사의 눈을 주시하도록 하며, 손가락을 점점 안으로 들여와 손가락이 보일 때 말하도록 합니다. 이와 같이 위, 아래, 왼쪽, 오른쪽에서 모두 시행합니다.
검사자의 시야에 손가락이 보이는데도 환자가 볼 수 없다면 그 방향의 시야장애를 의심할 수 있습니다.
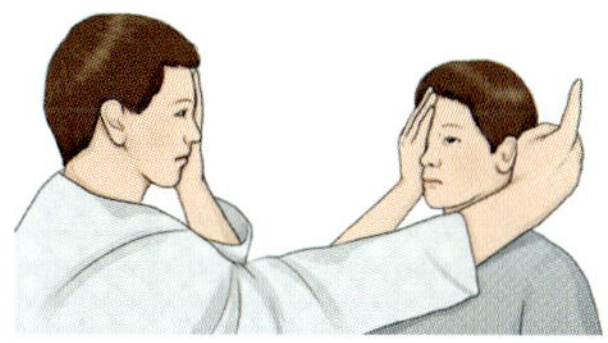</td></tr>
<tr><td>[안구운동검사] 환자가 고개를 움직이지 않은 채로 손가락 혹은 펜 끝을 따라 눈을 움직이도록 지시합니다. 상하좌우와 각 대각선으로 총 8 방향에 대해 시행하며, 손을 움직일 때 동작이 연결되도록 부드럽게 움직이도록 합니다.
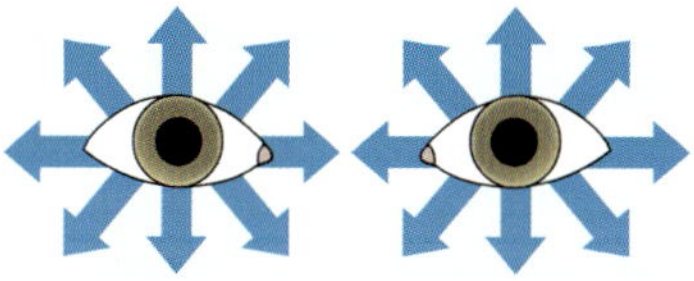</td></tr>
<tr><td>CN V, VII (얼굴)</td><td>[감각] 촉각, 통각, 온도감각 중 두 가지 이상에 대한 평가가 필요합니다. 양쪽 얼굴을 만지는 자극, 필라멘트나 이쑤시개 등을 이용해 찌르는 자극, 금속을 갖다 댔을 때 차가운 정도가 대칭적인지 평가합니다.
[운동] 이마에 주름 잡기, 얼굴 찌푸리기, 활짝 웃기, 볼에 바람넣기 등을 수행하도록 하여 양측이 대칭적인지 관찰합니다.</td></tr>
<tr><td>CN VIII (청각)</td><td>[청력검사] 환자가 눈을 감은채로 소리가 나는 쪽 손을 올리도록 지시하고, 소리굽쇠를 쳐서 환자의 한쪽 귀 근처로 가져다 댑니다.
[Weber 검사] 소리굽쇠를 진동시켜 환자의 정수리에 댑니다. 양쪽 귀에서 동일하게 들리면 정상, 소리가 평소 잘 들리지 않던 귀에서 잘 들리면 전도성 난청, 정상 귀에서 더 잘 들린다면 감각신경성 난청을 의미합니다.
[Rinne 검사] 소리굽쇠를 진동시켜 손잡이 부분을 환자의 귀 뒤 유양돌기에 댄 다음, 소리가 더 이상 들리지 않으면 손을 들어 표시하도록 지시합니다. 환자가 손을 들면 뿔 부분을 환자 귀 가까이에 대고 소리가 들리는지 확인합니다. 정상이나 감각신경성 난청은 귀로 들으면 소리가 더 들리지만, 전도성 난청은 더 들리지 않습니다.
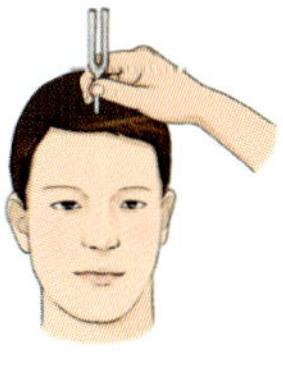
Weber test
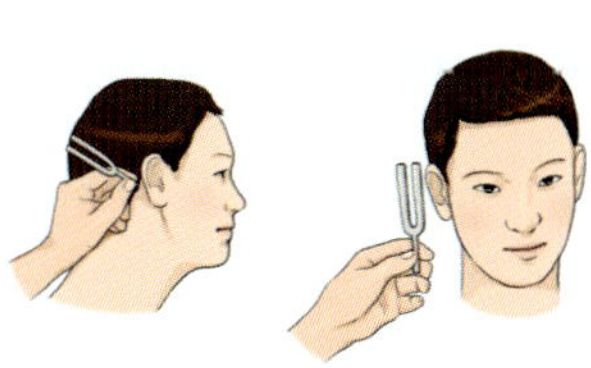
Rinne test</td></tr>
</table>

<table>
<tr><td rowspan="3">뇌신경검사</td><td>CN Ⅸ, Ⅹ
(Gag reflex)</td><td>설압자를 이용해 혀뿌리를 눌러 구토반사가 일어나는지 확인합니다.</td></tr>
<tr><td>CN Ⅺ
(어깨)</td><td>환자가 바로 앉은 상태에서 의사는 환자와 마주 본 채로 환자의 어깨를 잡아 아래로 누릅니다. 이때 환자에게 어깨를 으쓱해보도록 지시하여 저항을 이기고 어깨를 움직일 수 있다면 정상입니다.
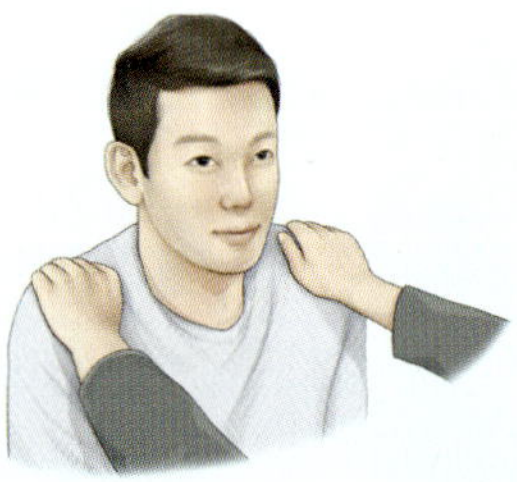</td></tr>
<tr><td>CN Ⅻ
(혀)</td><td>혀를 내밀어보도록 하여 한쪽으로 치우치지 않고 가운데에 정렬이 맞는지 관찰합니다. 12번 뇌신경 손상이 있는 경우 손상이 있는 쪽으로 혀가 치우치는 것을 관찰할 수 있습니다.</td></tr>
<tr><td rowspan="4">소뇌기능 검사</td><td colspan="2">[Finger to nose test] 환자의 집게손가락으로 의사의 집게손가락과 환자의 코 사이를 반복하여 여러 번 왔다 갔다 움직여 보도록 지시합니다. 이때 의사의 집게손가락은 환자가 팔을 뻗어야 닿을 수 있는 정도의 거리에 있어야 하며, 여러 번 반복하면서 집게손가락의 위치를 계속 바꾸어야 합니다.
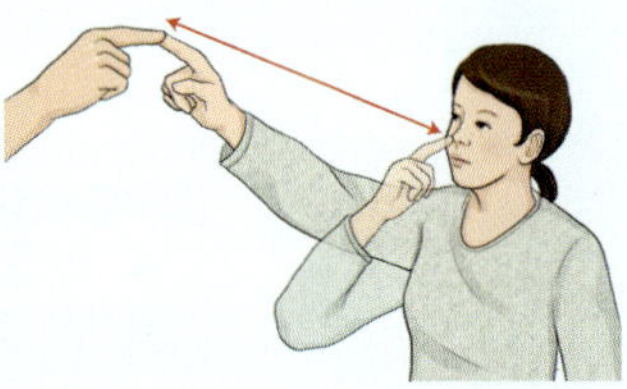</td></tr>
<tr><td colspan="2">[Rapid alternating movement test] 환자에게 손등이 위로 가게 한 후, 무릎에 가볍게 올려두도록 합니다. 손을 뒤집어 손바닥이 위로 가도록 하고, 이 행동을 반복해 점차 빨라지도록 지시합니다. 양 손의 움직임이 대칭적인지, 정교함, 능숙함, 떨림 여부 등을 관찰합니다.
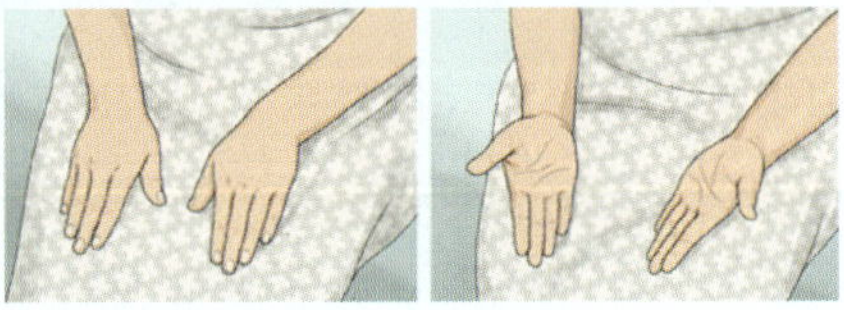</td></tr>
<tr><td colspan="2">[Heel to shin test] 환자를 침대에 눕힌 후, 환자의 한쪽 발뒤꿈치를 반대편 무릎에 댑니다. 뒤꿈치를 반대편 무릎을 따라 앞부분 엄지발가락까지 정강뼈 앞을 따라 쓸어내리도록 합니다. 운동의 정확도와 능숙도를 관찰합니다.
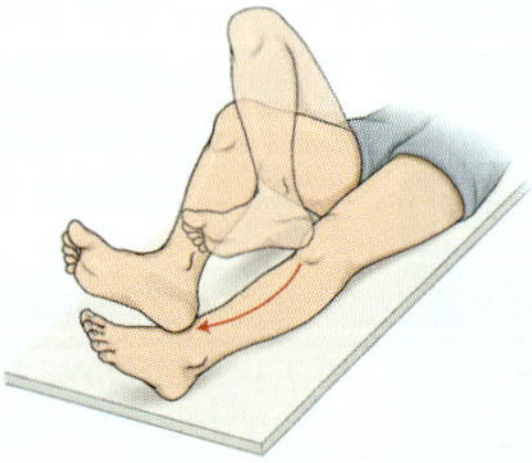</td></tr>
<tr><td colspan="2">[Tandem gait] 일직선 상에서 한쪽 발의 발가락 끝에 반대편 발의 발뒤꿈치가 맞닿도록 걷게 합니다. 균형을 잘 잡으면서 걷는지 관찰합니다.
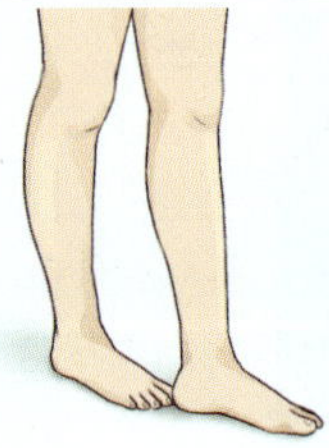</td></tr>
</table>

수막자극 징후		[**Brudzinski sign**] 환자를 똑바로 눕힌 상태에서 고개를 수동적으로 flexion 시켰을 때 엉덩이 관절과 무릎 관절이 flexion 되면 양성입니다. 뇌막 자극에 의한 통증에 의해 나타나는 소견으로 뇌수막염 등을 의심할 수 있습니다. 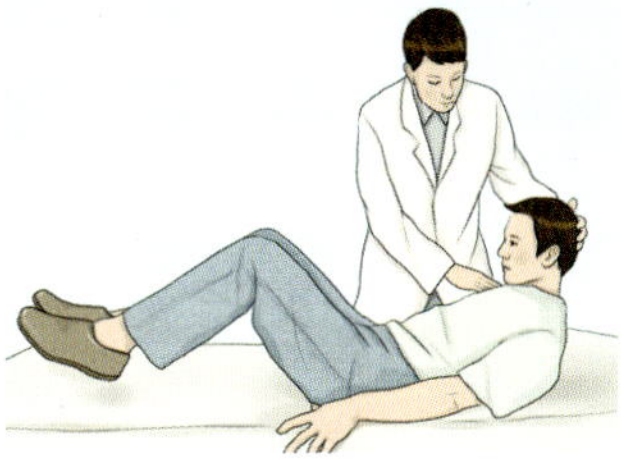
		[**Kernig sign**] 환자를 똑바로 눕힌 상태에서 엉덩관절을 구부려 다리를 올린 후, 무릎을 수동적으로 extension 시킬 때 무릎을 다시 구부리려는 저항이 생기면서 무릎을 펼 수 없으면 양성입니다. 역시 수막 자극에 의한 통증에 의해 나타나는 소견으로, 뇌수막염 등을 의심할 수 있습니다. 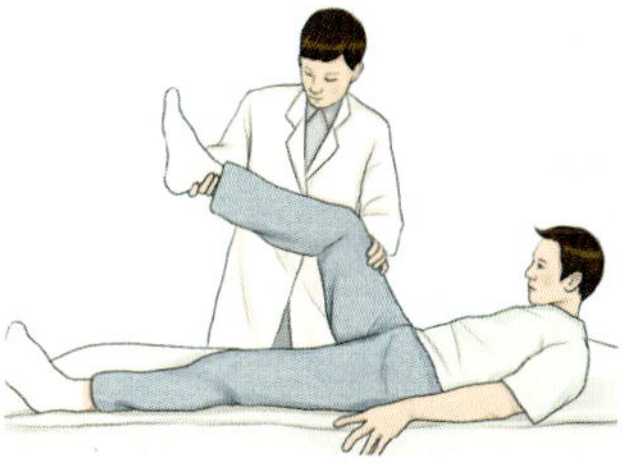
사지	감각	시간이 부족하더라도 팔다리 근력 약화 및 감각이상에서는 반드시 5가지로 나누어 양측에서 시행해야 합니다. [**통각**] 이쑤시개를 이용해 dermatome에 유의하여 진찰합니다. 양측을 모두 진찰해 차이가 있는지를 봐야 합니다. [**촉각**] 면봉이나 솜 등을 이용해 light touch에 대한 감각을 평가합니다. [**온도감각**] 펜라이트 뒷부분 등 금속을 이용해 차가운 정도가 양측에서 대칭적으로 느껴지는지 관찰합니다. [**진동감각**] 환자가 눈을 감도록 하고, 소리굽쇠를 진동시켜 손잡이를 갖다 대어 어느 쪽에 댔는지 맞추도록 합니다. 양측에서 모두 잘 수행할 수 있는지 평가합니다. [**위치감각**] 환자의 눈을 감게 한 후, 검사하고자 하는 관절의 proximal part를 잡고 distal part를 움직여 flexion인지 extension인지 맞추도록 합니다. 양측에서 모두 잘 수행할 수 있는지 평가합니다. 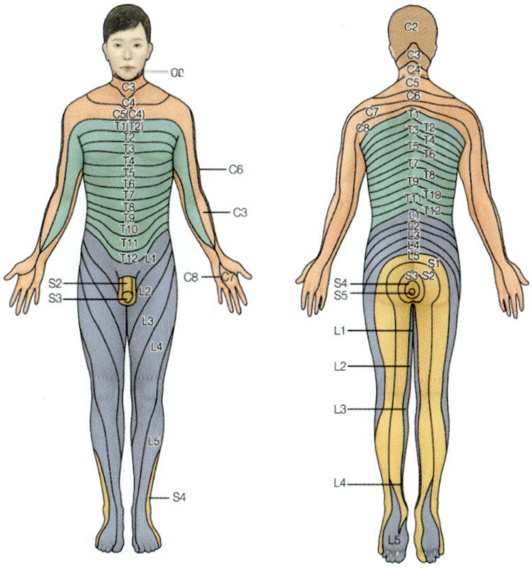

사지	운동	환자에게 동작을 지시하고, 잘 수행할 경우 저항을 줘서 저항을 이겨내는지 확인합니다. 근력 검사를 할 때에는 중력방 향과 근육의 작용 방향이 같으면 정확한 평가가 불가능하므로 중력 방향을 이기는 방향으로 운동하도록 자세를 잡거나 지시해야 합니다. 신경계에서 중요한 진찰입니다. 글과 사진으로는 한계가 있으므로 동영상 등으로 정확한 방법을 숙지하도록 합니다. [**상지**] • Shoulder(팔을 양옆으로 들도록 함. 의사는 양 팔을 아래로 눌러 저항을 줌) • Elbow(팔을 앞으로 내밀고 90도로 굽힌 후 팔꿈치를 flexion, extension 하도록 함. 의사가 저항을 줘서 반복) • Wrist(팔을 편하게 구부린 상태에서 손목을 flexion, extension 하도록 함. 의사가 저항을 줘서 반복) [**하지**] 눕거나 앉은 상태에서 평가합니다. • Thigh(허벅지를 위로 올리도록 함. 의사가 저항을 줘서 반복) • Knee(발을 앞으로 뻥 차듯이 해보세요. 의사가 저항을 줘서 반복) • Ankle(발등을 위로 올리기/아래로 내리기. 의사가 저항을 줘서 반복)
	DTR	검사하고자 하는 tendon을 정확히 잡고, 환자에게 올바른 자세를 취하게 한 다음 hammer를 이용해 스냅을 줘서 칩니다. 시험에서 시간이 부족하다면 상지는 biceps, 하지는 patellar reflex만 평가해도 무관합니다. 중추신경 계통에 문제가 있을 경우 항진, 말초신경 계통이나 근육에 문제가 있을 경우 저하됩니다.
		[**Biceps reflex**] 환자의 팔꿈치를 약간 구부리게 하고 손은 편하게 두도록 합니다. 의사는 왼손 엄지손가락을 환자의 biceps tendon 위에 두고, hammer로 스냅을 주어 왼손 엄지 부위를 칩니다. 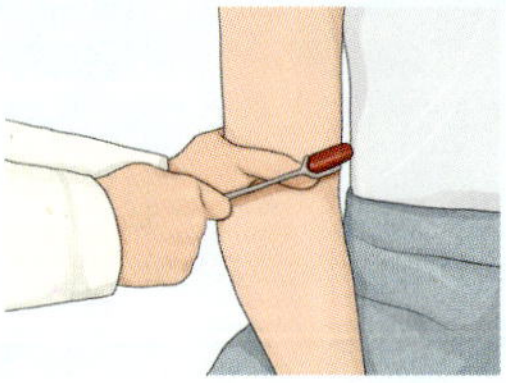
		[**Triceps reflex**] 환자에게 90도 정도로 팔을 구부리게 합니다. 그 후 팔을 옆의 그림처럼 아래로 내려놓게 하고, 힘을 빼게 합니다. 의사는 환자의 팔이 접히는 부위를 왼손으로 잡고, 환자의 triceps tendon 위에 왼손 엄지를 댑니다. hammer로 스냅을 주어 왼손 엄지 부위를 칩니다. 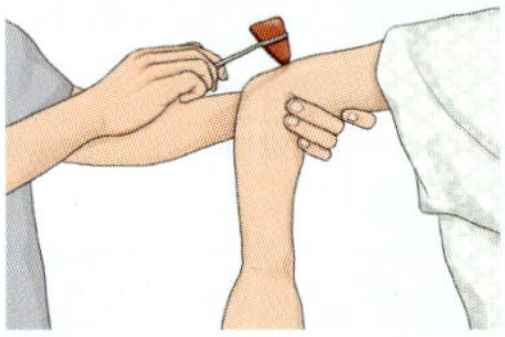
		[**Patellar reflex**] 환자를 앉아있는 상태에서 무릎을 구부리게 합니다. 그 후 다리에 힘을 빼게 한 후 patella 바로 밑의 무릎인대를 hammer로 칩니다. 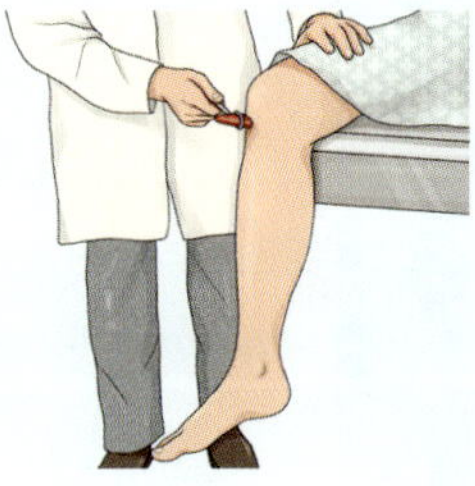

사지	DTR	**[Achilles tendon reflex]** 환자가 무릎을 굽힌 상태에서 왼손으로 환자의 발바닥을 밀어 올려 dorsiflexion 상태로 만듭니다. 그 후 hammer로 achilles tendon 부위를 칩니다. 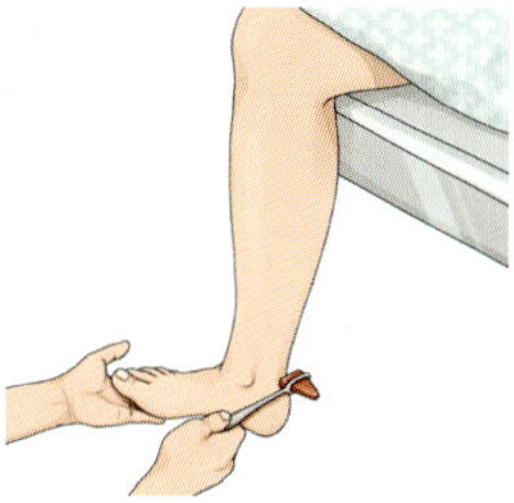
	Median n.	**[Tinel test]** 환자의 손을 가볍게 쥐고, median nerve가 지나는 손목의 정중앙 부분을 가볍게 두드리듯이 칩니다. 감각이상이나 통증이 유발되는 경우 양성입니다. 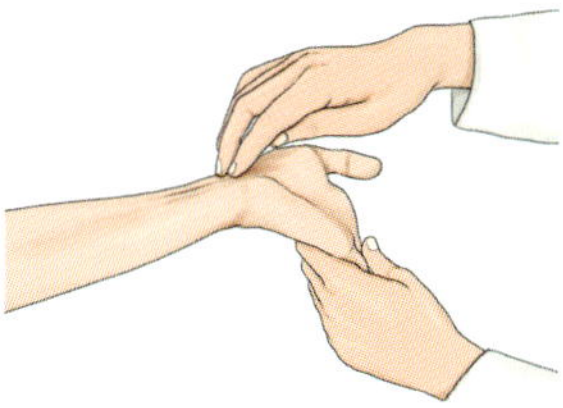
		[Phalen test] 환자의 손목을 90도로 flexion 시키고, 양쪽 손등이 아래 그림처럼 맞닿도록 해 1분 정도 유지시킵니다. 이때 손의 감각이상이나 둔함, 통증 등이 유발된다면 양성입니다. 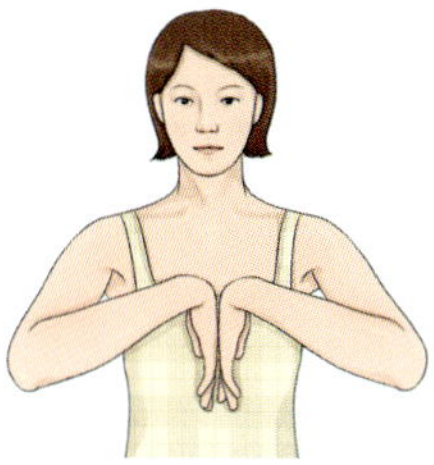
기타	Dix Hallpike	BPPV가 의심되는 경우 시행할 수 있는 검사입니다. 환자는 다리를 펴고 앉은 상태에서 의사는 환자의 고개를 의사 쪽으로 45도 돌립니다. 환자의 머리를 받친 채로 빠르게 눕힙니다. 이때 환자의 고개는 침대보다 30도 아래까지 내려가도록 합니다. 환자의 고개를 눕혔을 때 안진이 생기는지 관찰합니다. 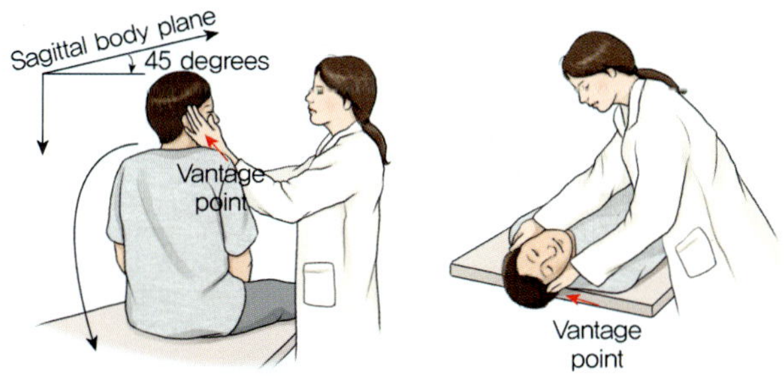
	병적반사	**[Hoffmann's sign]** 한 손으로 환자의 손을 잡고, 다른 손 엄지를 이용해 환자의 중지 끝 부분을 잡아 튕깁니다. 환자의 다른 손가락이 중지를 튕길 때마다 구부러지면서 움찔하는 경우 양성이며 myelopathy를 시사합니다. 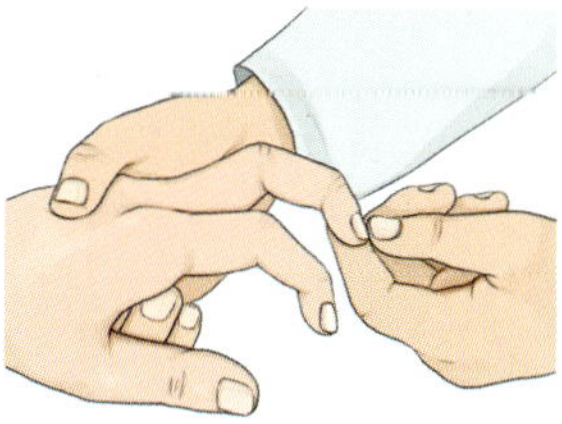

기타	병적반사	[**Babinski's sign**] 해머의 뒷부분이나 펜 뒷부분 등을 이용해 환자의 발바닥 뒷꿈치부터 윗부분까지를 가쪽에서 안쪽으로 긁습니다. 엄지발가락이 dorsiflexion되고 나머지 4개 발가락이 펼쳐지면 양성으로, upper motor neuron의 이상을 시사합니다.	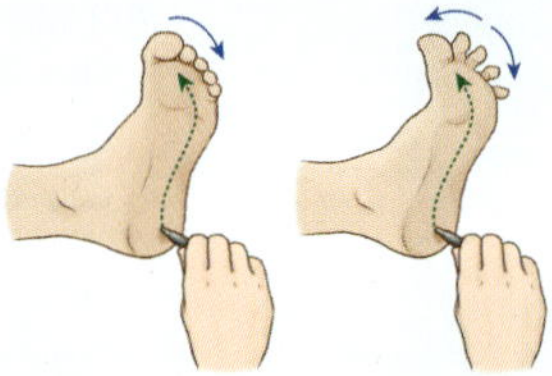
		[**Ankle clonus**] 환자의 무릎을 약간 구부리게 하고 한 손으로 다리를 받쳐줍니다. 다른 손으로 발의 끝부분을 잡고 앞뒤로 흔들다가 갑자기 dorsiflexion 시킵니다. 2회 이상 떨림이 보이면 양성입니다.	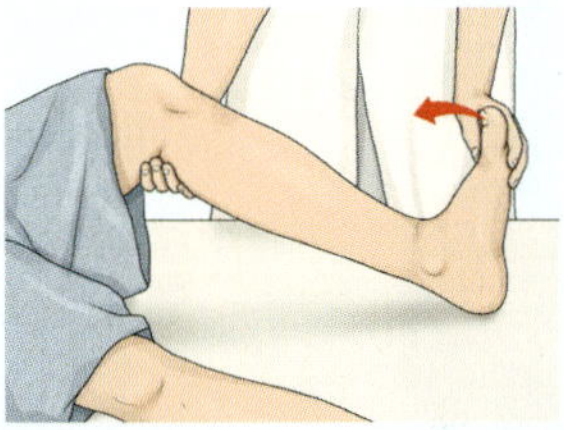

유방

<table>
<tr><td rowspan="3">유방진찰</td><td>시진</td><td>[유방] 앉은 자세에서 환자에게 양쪽 유방이 드러나도록 윗옷을 올리게 한 후 유방 양쪽을 모두 시진합니다. 다음으로는 팔로 양측 골반을 잡게 하고 시진합니다. 그 다음 팔을 머리 쪽으로 올리게 한 후 시진합니다. 마지막으로 환자에게 팔을 앞으로 쭉 펴 의사의 어깨를 밀어보라 한 뒤 시진합니다. 시진시 시선을 좌, 우로 돌려 양측을 모두 시진했다는 표현을 합니다.
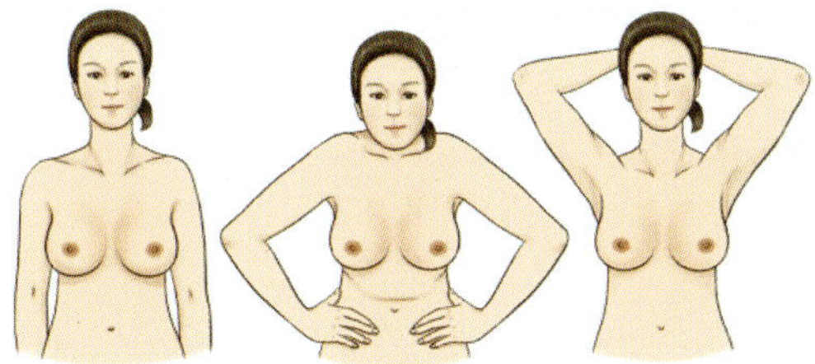
[겨드랑이] 환자의 양쪽 겨드랑이를 시진합니다.</td></tr>
<tr><td>촉진</td><td>[겨드랑이 림프절] 의사의 오른손으로 환자의 오른팔을 받쳐주고 의사의 왼손 중 검지, 중지, 약지 세 손가락으로 긁어내듯이 환자의 오른쪽 겨드랑이를 촉진합니다. 겨드랑이 앞쪽, 안쪽, 뒤쪽 모두 촉진합니다. 반대방향도 마찬가지 방법으로 시행합니다.
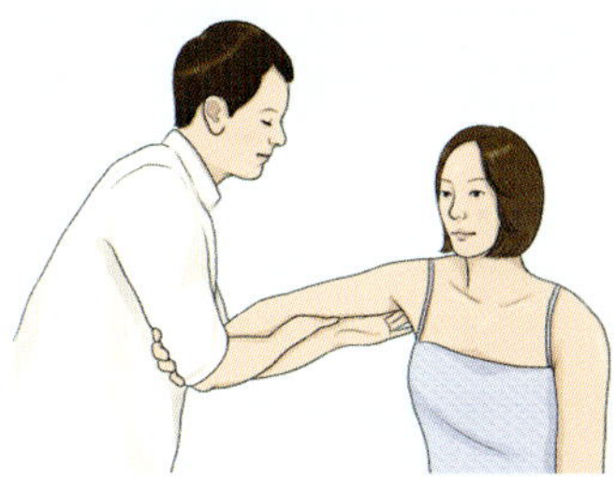
• 유방 : 우선 환자를 눕힌 후 검진하지 않을 반대쪽 유방은 환자의 옷으로 가려주고 시작합니다. 유방의 외측을 촉진하기 위해 환자의 손을 이마에 두고 같은쪽 무릎을 굽혀 손의 반대방향으로 넘깁니다(예를 들어 오른 손을 이마에 올리고 오른쪽 무릎을 왼쪽으로 넘긴다). 그 후 양손 세 개 손가락으로 유두를 중심으로 동심원을 그리며 유방을 전체적으로 촉진합니다. 다음으로 유방의 내측을 촉진하기 위해 환자의 손등을 목 옆에 댄 후 고개를 반대쪽으로 돌립니다(오른손의 손등을 환자의 목 오른편에 댄 후 환자의 고개는 왼쪽으로 돌립니다). 이때 하체는 틀지 말고 일자로 폅니다. 그리고 유두를 중심으로 동심원을 그리며 유방을 촉진한다.
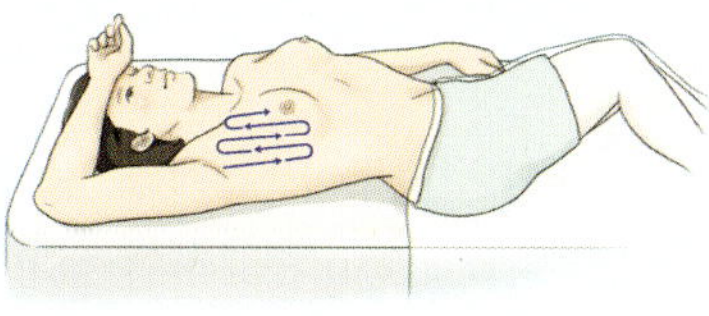 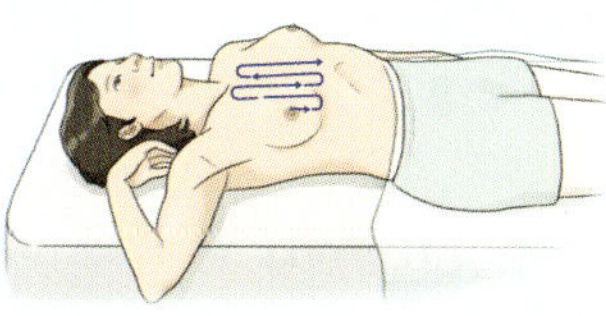</td></tr>
<tr><td>유두</td><td>마지막으로 유두를 짜보면서 유즙이 나오는지, 통증이 있는지를 확인합니다. 위의 3가지 순서로 반대쪽 유방에서도 시행합니다.</td></tr>
</table>

CPX 내 포함된 OSCE

국시원에서 발표한 '의사 국가시험[실기] 평가목표집 개정판'을 참고하여 제작하였습니다. 8.혈액배양을 위한 채혈~11.정맥주사는 기본진료술기에 속하나, '의사 국가시험[실기] 평가목표집 개정판'을 따르면 특정 임상표현에서 필수임상술기로 되어 있어 본 내용에 포함시켰습니다.

1. 자궁경부 펴바름 검사

1. 술기 전 준비	• 술기 목적 설명 및 동의 구하기 • 과거력/금기증 : 성경험, 검사 24~48시간 내 질정삽입/질세척/탐폰/성관계, 성매개 질환 병력, 현재 생리중 • Lithotomy position
↓	
2. 도구 준비	• 쟁반 펴고 질경/브러시/슬라이드 준비, 곡반에 생리식염수 • 조명 켜기, 비닐장갑 착용
↓	
3. 질경 삽입	• 질경을 물에 적시고 소음순을 벌림 • 양날을 닫고 45도 기울여 천천히 밀어 넣은 후 손잡이를 음핵 쪽으로 돌려 양날이 평행하도록 • 질경을 연 뒤에 나사를 조여 고정
↓	
4. 검체 채취	• 왼손은 질경 잡기 • spatula → exocervix, brush → endocervix에서 검체 채취
↓	
5. 질경 제거	• 질경 나사 풀고 닫은 후에 돌려서 빼냄
↓	
6. 슬라이드 제작	• 빼낸 브러시로 슬라이드 글라스(2개)에 충분히 펴바름 • 슬라이드 글라스에 endo/exo 구분하여 적고 환자 인적사항 기입 • 알코올 통에 슬라이드 담그기
↓	

7. 마무리	• 장갑 벗고 뒷정리, 손소독 • 치료 계획 설명 : 질확대경검사 추가 가능, 내년에도 검사 받기

✽ '산전진찰', '월경이상/월경통', '질분비물/질출혈'에서 필수 임상술기입니다.

2. 질분비물 검사

1. 술기 전 준비	• 술기 목적 설명 및 동의 구하기 • 과거력/금기증 : 성경험, 검사 24~48시간 내 질정삽입/질세척/탐폰/성관계, 현재 생리중 • Lithotomy position
2. 도구 준비	• 쟁반 펴고 질경/면봉/슬라이드·커버글라스/시험관/스포이드 준비, 곡반에 생리식염수 • 조명 켜기, 비닐장갑 착용
3. 질경 삽입	• 질경을 물에 적시고 소음순을 벌림 • 양날을 닫고 45도 기울여 천천히 밀어 넣은 후 손잡이를 음핵 쪽으로 돌려 양날이 평행하도록 • 질경을 연 뒤에 나사를 조여 고정
4. 검체 채취	• 왼손은 질경 잡기 • 면봉으로 질의 뒷천창과 질벽에서 분비물 얻음
5. 슬라이드 제작	• 면봉을 시험관에 넣고 흔들어서 섞어줌 • 스포이드로 시험관의 생리식염수를 슬라이드 글라스에 1~3방울 • 커버글라스 덮기
6. 질경 제거	• 질경 나사 풀고 닫은 후에 돌려서 빼냄
7. 마무리	• 장갑 벗고 뒷정리, 손소독 • 치료 계획 설명 : 현미경으로 관찰 후 결과 설명 예정임

*** '성폭력', '산전진찰', '월경이상/월경통', '질분비물/질출혈'에서 필수 임상술기입니다.**

3. 분만 진행 단계 진찰

1. 술기 전 준비	• 임신 주수, 체중, 혈압 확인 • 질출혈, 질 분비물, 두통, 시야변화 확인 • 열, 오한, 복통, 태동 변화 확인
⬇	
2. Leopold maneuver	
⬇	
3. 태아 심음 청진	• 초음파 전원 켜고 젤 바름 • 검사자의 radial a.에 대고 기기가 잘 작동함을 확인 • 태아 머리 부분 가까운 등 쪽에 probe 대고 심음 청진 • 초음파 전원 끄고 산모 복부에 묻은 젤 닦아줌
⬇	
4. 내진	• 비닐장갑 착용, 산모 lithotomy position • 외음부 소독 • 왼손 검지·중지로 소음순 벌리고 오른손 검지·중지로 내진 • 자궁경부 개대와 소실 정도, 태위 및 태향, 태아 하강 정도, 양막파수 여부 확인 • 내진 검사 결과 보고
⬇	
5. 마무리	• 장갑 벗고 뒷정리, 손소독

❋ '산전진찰'에서 필수 임상술기입니다.

4. 혈압측정

1. 환자 준비시키기	• 손씻기 • 운동(1～2시간), 커피, 담배(30분) • 등받이에 기댄 채로 양 다리 바닥에 붙이고 앉게 하기 • 소매 걷어 위팔 노출시키기
2. 혈압계 준비	• Cuff 선택, 혈압계 켜기 • 공기주머니의 공기 제거 후 밸브 잠그기
3. 압력 정하기	• Cuff 감기 • Radial a. 맥박 느끼며 cuff 펌프질하기 • 맥박 사라지는 지점의 압력 확인 후 밸브 풀기
4. 혈압측정	• 밸브 잠그기 • 청진기 bell을 brachial a. 위에 두고 청진 시작 • 맥박 사라지는 지점의 압력+30mmHg까지 빠르게 올리기 • 초당 2mmHg씩 압력이 떨어지게 하면서 소리가 들리는 시점(수축기혈압), 사라지는 시점(이완기혈압)의 압력 기록하기
5. 결과 설명 및 마무리	• 환자에게 측정한 혈압 설명 "환자분의 오른쪽/왼쪽 상지 혈압은 ○○○/○○○mmHg입니다. 이는 (정상/고혈압 전단계/고혈압)에 해당합니다." • 손씻기

＊ '고혈압', '실신'에서 필수 임상술기입니다.

5. 항문직장검사

1. 환자 준비시키기	• 손씻기 & 동의 구하기 • 환자 오른쪽 그림처럼 눕히고, 하의 내리기 "침대의 왼쪽으로 돌아누우신 채로, 오른쪽 다리는 90도 가량 가슴을 향해 굽혀주시고, 왼쪽 다리는 약간만 구부려주세요. 하의를 내려주세요."
2. 검사 준비	(2번부터는 모형에 시행합니다) • 방포 등으로 적절히 가려주기 • 젤 짜두기 • 비닐장갑 착용
3. 시진 & 촉진	• 시진(덩이, 염증, 열상, 누공) • 힘 주라고 지시하고 시진(덩이, 출혈) "변 볼 때처럼 힘 줘 보실게요." • 촉진(압통, 덩이)
4. 직장수지검사	• 젤 손가락에 바르기 • 항문 깊숙이 손가락 넣고 여러 방향으로 돌려 촉진 (덩이, AV line으로부터의 거리/위치, 압통 or 전립선) • 힘 주라고 지시(괄약근 긴장도) • 손가락 빼내고 대변 양상 및 혈액 묻어나오는지 확인
5. 결과 설명 및 마무리	• 젤 닦아주기 • 결과 설명 "직장수지검사 결과 항문피부선으로부터 약 ○cm 거리 ○시 방향에 ○cm 크기의 (round/ovoid/ulcerative)한 모양의 덩이가 만져집니다. 표면은 (매끄럽/불규칙)하고, (단단함/부드러움)하며 (고정/이동)하는 종괴입니다. 종괴 주변의 압통이나 출혈은 (있/없)으며, 전립선과 괄약근은 (이상없음/비정상)입니다."

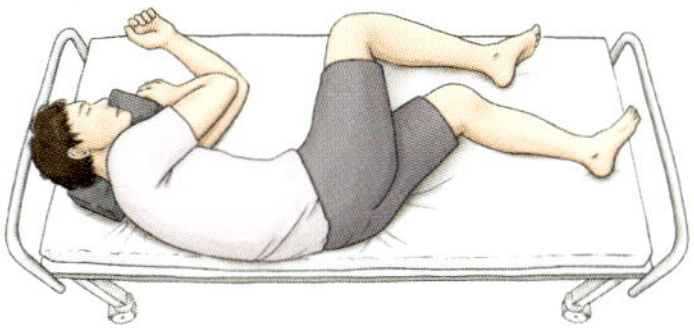

※ '배변이상(변비)', '체중감소', '혈변'에서 필수 임상술기입니다.

6. 안저 검사

1. 술기 준비
- 손소독
- 환자 확인

↓

2. 검안경 준비
- 렌즈회전판 돌려 불빛 원형으로 조정(산동 시 큰 원)
- 밝기 조절
- 렌즈원판 0디옵터로 조정

↓

3. 환자 준비
- 의자높이조절
- 눈 주위 육안소견 확인
- 눈높이 정면 상방의 형광표시를 응시하도록 지시

↓

4. 소등
- 보조자에게 요청

↓

5. 안저 관찰
- 30cm 떨어져 적색반사 확인하며 접근
- 시신경유두, 망막혈관, 황반 관찰
- 반대쪽 눈에도 시행

↓

6. 기록지 작성 / 마무리
- 기록지에 기록
- 소견 설명
- 손 소독

✽ '어지럼', '의식장애', '두통'에서 필수 임상술기입니다.

7. 이경 검사

1. 술기 준비	• 손소독 • 환자 확인
2. 이경 준비	• 전원 켜고 밝기 확인 • 귀보개 장착(성인 4~6mm, 유아 2~3mm) → 큰 귀보개 선택
3. 외부 진찰	• 귀 시진·촉진 "시진 상 기형, 덩이, 피부이상 없습니다. 촉진상 압통, 분비물, 염증 없습니다."
4. 외이도 시진	• 귀를 후상방(성인) / 후하방(소아)으로 당김 • 분비물, 이물, 발적, 종괴 관찰
5. 고막 시진	• 색, 모양, 천공 여부 관찰
6. 반대쪽 시진	• 귀보개 교체 • 4, 5를 동일하게 시행
7. 기록지 작성 / 마무리	• 기록지에 기록 • 소견 설명 • 손 소독

* '어지럼', '콧물/코막힘'에서 필수 임상술기입니다.

8. 혈액배양을 위한 채혈

1. 환자 확인 및 동의 구하기	• 손씻기 • 환자 손목띠 돌려 병록번호 및 이름 확인 • 목적 / 부작용(통증, 출혈, 신경손상) / 알레르기(반창고, 소독약)
⬇	
2. 채혈준비	• 병에 적힌 환자 이름 및 병록번호 확인 • 뚜껑 열고 알코올 솜으로 소독 • 드레싱 세트에 알코올 솜, 베타딘 솜, 주사기, 멸균거즈 준비
⬇	
3. 혈관 찾기	• 압박띠 묶어 혈관 찾은 후 풀기
⬇	
4. 소독	• 알코올 솜으로 세 번 → 베타딘 솜으로 세 번 소독 • 압박띠 다시 묶기
⬇	
5. 채혈	• 무균장갑 착용 • 플런저 먼저 2~3회 움직여 보기 • 20cc 채혈 후 거즈로 문지르지 말고 누르도록 지시 "따끔합니다." "채혈 완료되었습니다. 거즈로 문지르지 말고 5분간 눌러주세요."
⬇	
6. 배양	• 공기 제거 하지 않기 • 혐기성(빨강) 배양병에 10cc → 호기성(파랑) 배양병에 10cc • 5~10회 위아래로 흔들기 • 주사기를 옮길 때 혐기성 병에서 피스톤을 살짝 당겨 오염되지 않도록 주의하기
⬇	
7. 뒷정리	• 바늘수거함에 바늘 버리기 및 물품정리 • 지혈 확인 & 피부의 베타딘 닦아주기 "지혈 잘 된 것 확인했습니다. 주사 부위가 붓고 아프거나 통증이 지속되면 바로 말씀해주세요." • 손 씻기

✽ '발열'에서 필수 임상술기입니다.

9. 동맥혈 채혈

1. 환자 확인 및 동의 구하기	• 손씻기 • 환자 손목띠 돌려 병록번호 및 이름 확인 • 목적 / 부작용(통증, 출혈, 신경손상) / 알레르기(반창고, 소독약)
2. 채혈준비	**[헤파린 코팅]** • 헤파린 병 입구 소독 • 주사기 플런저 미리 당겨둔 채로 양압으로 뽑아내기 • 플런저 이용해 주사기 내벽 코팅 • 바늘교체
3. Allen test	• Radial a. 촉지 • 손목 양 끝을 양 엄지로 압박 "주먹을 10회 쥐었다 폈다 해주시기 바랍니다." • Ulnar side 엄지 풀어준 후 손가락 혈색이 돌아오는지 확인
4. 채혈	• Radial a. 촉지 • 알코올 솜으로 맥박이 잘 촉지되는 부위 소독 "소독하겠습니다. 차갑습니다." • 왼손으로 radial a.를 촉지하며 5~10mm 아래에서 채혈 "채혈하겠습니다. 바늘이 들어갈 때 따끔합니다. 움직이지 마세요." • 혈액이 밀고 들어오도록 해 1cc 채혈 • 거즈로 5분 간 문지르지 말고 압박하도록 지시 "채혈이 끝났습니다. 채혈 부위를 5분 간 문지르지 말고 눌러주세요."
5. 검체 준비	• 공기 제거 • 바늘 끝 고무마개에 꽂아 밀봉 • 주사기 위아래로 부드럽게 흔들기 • 환자 정보 기입 후 보조자에게 검체이송 부탁하기 "보조자 분은 즉시 검체를 검사실로 보내주시기 바랍니다."

6. 뒷정리	• 지혈 확인 및 천자 아래 부위에서 맥박 촉지 "채혈부위는 지혈이 잘 되었고, 혈종도 보이지 않습니다. 맥박도 정상적으로 나타납니다." • 검사 계획 및 부작용 안내 "혹시 주사 부위가 붓고 아프거나 통증이 지속되면 바로 말씀해 주세요. 검사 결과는 수 시간 후 나오는 대로 알려 드리겠습니다." • 손 씻기

❀ '기침', '호흡곤란'에서 필수 임상술기입니다.

10. 안전수혈술기

1. 환자 확인 및 동의 구하기	• 손씻기 • 환자 손목띠 돌려 병록번호 및 이름 확인 • 목적 / 부작용(두드러기, 발열, 오한, 어지럼증, 호흡곤란) / 알레르기 (반창고, 소독약) • 반창고 준비
2. 수혈정보확인	• 보조자와 함께 환자의 손목띠와 혈액제제에 기록된 정보 비교, 수혈 동의서 및 교차검사기록지 확인, 혈액백 상태 확인 "의료진 1명 동행 하에 환자 정보와 혈액 정보 일치하는 것 확인하겠습니다." • 수혈확인서 작성
3. 혈액제제 준비	• 조절기를 잠근 상태에서 수혈세트와 혈액제제 연결 • 방울주입방 눌러 혈액 채우기 • 조절기를 열어 혈액 주사선에 채우기
4. 카테터 삽입 준비	• 압박띠 묶어 혈관 찾은 뒤 풀기 • 주사 부위 알코올 솜으로 소독 후 압박띠 다시 묶기 "소독시 차갑습니다."
5. 카테터 삽입	• 왼손으로 정맥 고정 후 카테터 삽입 "바늘이 들어갈 때 따끔합니다." • 카테터 끝에 혈액이 맺히면 카테터 5mm 전진 후 속심은 유지한 채로 카테터만 끝까지 밀어넣기
6. 수혈세트 연결	• 카테터 직상방 눌러 피 새지 않도록 하고 압박띠 풀기 • 속심 제거 후 수혈세트 연결 '막-풀-거-니.'

7. 수혈속도 조절	• 조절기를 풀어 혈액 잘 들어감을 확인 "혈액 잘 들어가고 있습니다. 주사 부위 부풀어오르지 않는 것 확인하였습니다." • 문제에서 주어진 대로 수혈속도 조절 "수혈속도를 2초에 한 방울이 들어가도록 조절했습니다."
⬇	
8. 반창고로 고정	• X자형, U자형으로 반창고 붙여 카테터 고정하기
⬇	
9. 뒷정리	• 속심은 주삿바늘 수거함에 버리기 • 부작용 안내 "혹시 주사 부위가 붓고 아프거나 혈액이 잘 들어가지 않으면 바로 말씀해 주세요. 또 갑자기 두드러기가 나거나 열, 오한이 생기거나 어지럽거나 숨 쉬기 힘들 때도 의료진에게 이야기 하셔야 합니다." • 손 씻기

※ '객혈', '쉽게 멍이 듦', '토혈', '혈변'에서 필수 임상술기입니다.

11. 정맥 주사

1. 환자 확인 및 동의 구하기

- 손씻기
- 환자 손목띠 돌려 병록번호 및 이름 확인
- 목적 / 부작용(통증, 출혈, 신경손상) / 알레르기(반창고, 소독약)
- 반창고 준비

⬇

2. 수액제제 준비

- 조절기를 잠근 상태에서 수액세트와 수액을 연결
- 방울주입방 눌러 수액 채우기
- 조절기를 열어 수액 주사선에 채우기

⬇

3. 카테터 삽입 준비

- 압박띠 묶어 혈관 찾은 뒤 풀기
- 주사 부위 알코올 솜으로 소독 후 압박띠 다시 묶기
  "소독시 차갑습니다."

⬇

4. 카테터 삽입

- 왼손으로 정맥 고정 후 카테터 삽입
  "바늘이 들어갈 때 따끔합니다."
- 카테터 끝에 혈액이 맺히면 카테터 5mm 전진 후 속심은 유지한 채로 카테터만 끝까지 밀어넣기

⬇

5. 수액세트 연결

- 카테터 직상방 눌러 피 새지 않도록 하고 압박띠 풀기
- 속심 제거 후 수액세트 연결
  '막 - 풀 - 거 - 니.'

⬇

6. 수혈속도 조절

- 조절기를 풀어 수액 잘 들어감 확인
  "수액 잘 들어가고 있습니다. 주사 부위 부풀어오르지 않는 것 확인하였습니다."
- 문제에서 주어진 대로 수액속도 조절
  "수혈속도를 2초에 한 방울이 들어가도록 조절했습니다."

⬇

7. 반창고로 고정

- X자형, U자형으로 반창고 붙여 카테터 고정하기

⬇

8. 뒷정리	• 속심은 주삿바늘 수거함에 버리기 • 부작용 안내 "혹시 주사 부위가 붓고 아프거나 수액이 잘 들어가지 않으면 바로 말씀해주세요." • 손 씻기

✻ '구토', '배변이상(설사)', '토혈', '혈변'에서 필수 임상술기입니다.

환자교육

많은 응시생들이 연습을 할 때 환자교육을 소홀히 하는데 이는 매우 위험한 태도입니다. 실제 시험에서 많은 학생들이 병력청취와 신체진찰에 집중한 나머지 시간이 부족하여 환자교육을 충분히 하지 못하고 급하게 마무리 짓곤 합니다. 하지만 국시원 자료집을 보면 환자교육은 병력청취, 신체진찰, 환자의사관계와 더불어 하나의 큰 채점 항목으로 이 경우 큰 점수 손실이 발생합니다. 차라리 앞의 과정을 몇 가지 포기하더라도 환자교육을 하시는 것이 중요합니다. **2분전 방송**이 나오면 반드시 환자교육을 시행하시기 바랍니다. 공식적으로 채점항목이 발표된 바는 없지만 아래와 같은 플로우로 환자교육을 수행하면 이상적일 것으로 판단됩니다. 이 중에서 각자의 취향에 맞게 항목들을 알맞게 선택하여 환자교육을 준비하시기 바랍니다.

환자교육의 모범예시 '진 - 검 - 치 - 예 - 생 - 응'

추정진단 → 감별진단 → 검사 → 치료 → 예후 → 주의점 · 일상생활 → 질문기회 → 마무리

추정진단	○○님, 진찰 결과 □□한 점이 관찰되는데, 이러한 소견은 문진과 함께 생각해봤을 때 A병이 가장 의심이 됩니다.
감별진단	그 외에 B병, C병 또는 D병도 완전히 배제할 수는 없습니다. ※ 2~3개 정도 언급해주세요. 카더라 통신에 의하면 특정 개수 이상 언급을 한 경우에만 점수로 인정된다고 합니다.
검사	확실한 진단을 위해서는 E, F, G 또는 H 검사가 필요합니다(2~3개 이상 언급해주세요. 혈액 검사, X-ray, CT, 초음파 등 흔한 검사를 몇 가지 말하시면 충분하실 것입니다).
치료	검사를 통해 A병으로 진단이 되면, 이에 대한 치료로 I, J, K가 필요합니다. 각 치료의 기전 설명, 상태에 따라 수술적인 방법이 필요할 수도 있습니다.
예후	지금부터 치료를 받으시면 별다른 지장 없이 지내실 수 있으실 것입니다. 더 나빠지기 전에 병원에 잘 오셨습니다.
주의점/생활교육	제가 처방해드리는 약 이외에 다른 약물이나 보조식품을 먹기 전에는 저 또는 다른 의사선생님과 꼭 상담을 받고 복용하셔야 합니다. 앞으로 증상이 악화되지 않기 위해서는 평소 ◇◇을 하셔야/하지 않으셔야 합니다 ※ 간혹 몇 가지 시나리오에서는 SP가 힌트를 주는 경우가 있습니다. 예를 들어 '쉽게 멍이 듦' 케이스에서 SP가 아스피린을 복용중이거나, '황달' 케이스에서 성분 미상의 다이어트 약을 복용중인 경우가 있습니다. 이런 경우에 환자교육 채점항목에서 "아스피린 또는 다이어트 약을 끊으라고 말했다"가 있을 가능성이 높습니다. 또한 순환/호흡 카테고리 등 다수의 문제에서 환자에게 "금연을 권유하였다"도 채점항목에 반드시 존재할 것입니다. 환자의 병력청취 과정에서 이러한 점들을 캐치하신 뒤 잊지 않고 교육하시는 연습을 하시는 것이 중요합니다.
질문기회	혹시 이해 안 되시거나 궁금하신 점이 있으신가요? ※ 이 경우에도 환자가 점수가 될 만한 항목에 대해 질문을 하기도 합니다. 실신의 경우 '앞으로는 어떤 것을 주의하면 되나요?'와 같이 질문할 수 있는데, 이 경우 두부외상을 주의하도록 교육을 해 주면 됩니다. 주제별로 자연스럽게 교육이 나올 수 있도록 준비해 두는 것이 좋겠습니다.

환자의사관계 · 신체진찰태도

PPI는 모든 문항에서 동일하게 평가되는 부분이며 신체진찰이 없는 **상담 카테고리**와 몇 가지 주제의 경우에는 점수 배점이 상대적으로 높아지므로 항상 중요하게 접근해야 합니다. 국시원에서 공개된 PPI 채점항목과 함께 설명해드리도록 하겠습니다.

1. 환자의사관계(PPI) 채점항목

번호	환자의사관계 채점항목	평가			
1	내 이야기를 효율적으로 물어보고 잘 들어주었다. – 개방형/폐쇄형 질문, 호응, 대답 여유, 확인, 쉬운 용어, 분리 질문, 경청 자세, 면담주제 협상 – 피할 질문 : 유도 질문, 복수 질문	아주우수	우수	보통	미흡
2	나의 생각과 배경을 효과적으로 알아냈다. – 생각/걱정 질문, 기분/정서 표현 격려, 나의 기대 파악, 일상생활 영향 파악, 나의 입장/배경/처지 등에 관심	아주우수	우수	보통	미흡
3	내가 이해하기 쉽게 설명하였다. – 쉬운 용어, 필요한 정보, 내 의견과 선택권 고려, 기억하기 쉽게 설명, 이해 점검 및 질문 기회, 근거 있는 설명	아주우수	우수	보통	미흡
4	나와 좋은 유대관계를 형성하려고 했다. – 편하게 시작, 공감과 지지, 무비판적 수용, 진정성/솔직함, 편안한 분위기, 신뢰, 자신감, 존중	아주우수	우수	보통	미흡
5	면담을 체계적으로 이끌어나갔다. – 논리/체계적 순서, 적절한 시간 배분, 주기적 요약/면담 방향 제시, 내 생각에 따라 질문 이어가기	아주우수	우수	보통	미흡
6	신체진찰 태도가 좋았다. – 손 위생, 사전 설명, 가려주기, 환자안전과 불편함 배려	아주우수	우수	보통	미흡

PPI에 관한 국시원의 항목은 크게 효율적 질문, 경청, 공감, 쉬운 설명, 유대관계로 압축할 수 있습니다. 즉, SP의 이야기를 얼마나 잘 이끌어내고, 잘 들어주며, 짧은 시간안에 유대감을 형성하는지를 보는 항목입니다. 하지만 실제로 진료 중에 SP가 얘기하는 정보를 기억하고 기록하면서 동시에 위와 같은 반응을 하기란 매우 어렵습니다.

의학컨소시엄 주최 모의 실기평가에 참여했던 SP들은 실제로 국시원에서 정식 교육을 받고 CPX 컨소시엄에 속한 분들로, 그분들의 피드백과 기본진료 수행지침을 반영하여 실제로 쉽게 할 수 있고 어떤 주제에서도 적용가능한 포맷을 만들어 보았습니다.

(눈 맞춤에 항상 신경쓰면서)	(경청자세)
[면담을 시작하며] • 안녕하세요. 저는 학생의사 김○○입니다. 환자분 성함 ○○○, 나이는 ××세 맞으신가요?	(자기소개)
• 오늘 날씨가(추운데/비도 오는데) 오시는데 힘들진 않으셨나요? 많이 기다리셨어요?/기다리시느라 불편하시진 않으셨나요?	(일상대화)
• 지금부터 약 10분간 진료를 할건데요. □□□님께 질문을 드리고 필요한 경우 신체진찰을 할 수도 있습니다. 괜찮으시겠어요?	(존중)
• 혹시라도 불편하거나 궁금한 점이 있으면 언제든지 말씀해주세요.	(존중)
[병력청취] • 오늘은 어떤 일로 오시게 되셨죠?	(개방형질문)
• △△가 어떻게 아프신 거죠?	(개방형질문)
• 이것 때문에 일상생활하시는데 불편하진 않으셨나요?	(입장이해)
• (면담 중간중간에) 많이 힘드셨겠어요/걱정이 많이 되셨겠네요.	(공감표현)
• (면담 중간중간에) 네 그렇군요. ~~하셨다는 거죠?	(대꾸하기)
• 지금까지 말씀하신 걸 요약해보자면, ~~고, ~~다고 하셨습니다. 맞나요?/혹시 제가 잘못 알고 있는 것이 있나요?	(중간 요약 및 점검)
• 증상이 있을 때 병원에 잘 오셨습니다. 지금 병원에 오신 것은 아주 잘 하신 것입니다.	(자신감/칭찬)
• 지금까지 이해가 안되거나 더 말씀하실게 있으신가요?	(이해도 점검)
[신체진찰] • (* 손소독을 하면서) 이제부터 ○○가 아프신 것에 대해서 몇 가지 신체진찰을 하려고 하는데 괜찮으시겠어요?	(손 위생)
• (손으로 안내하고 잡아주면서) 여기에 편안히 누워보시겠어요?	(존중)
• 이제 ○○을 알기 위해 △△를 하려고 하는데, 불편하시면 바로 말씀해주세요(약간 불편하실 수 있으세요).	(사전설명)
• (옷을 노출했을 경우 가려주고, 신발을 신겨주며) 협조해주셔서 감사합니다. 다시 자리에 앉아 주시고, 혹시 진찰하는데 불편하거나 하진 않으셨나요?	(존중)
[환자교육] • 지금까지 문진과 진찰을 통해서 가장 의심되는 진단은 ◇◇입니다. 추가적인 검사로 ▽▽이 필요한데, 지금 시간 괜찮으신가요?	(존중)
• 현재 가장 불편하신 점인 ~~에 대해 일단 ☆☆을 처방해드리겠습니다.	(신뢰감)
• 근본적 치료로는 □□가 필요하고, 앞으로 재발 방지를 위해서 ♡♡(금연, 금주, 체중 감량, 운동, 휴식 등)이 필요합니다.	(신뢰감)
• 적절한 치료를 받으시면 완치되는 병이니 너무 걱정하지 않으셔도 됩니다.	(입장이해)
• 혹시 이해가 안되시거나 궁금하신 점이 있으신가요?	(이해도 점검)

2. 신체진찰 태도 채점항목

번호	신체진찰 태도 채점항목	평가			
1	신체진찰 태도가 좋았다. – 손 위생, 사전설명, 가려주기	아주우수	우수	보통	미흡

(※ 단, 신체진찰 태도 채점항목은 신체진찰을 수행해야 하는 시험 문제에 한하여 적용함)

신체진찰 태도에 관한 국시원의 항목은 크게 손소독, 사전설명, 가려주기로 생각할 수 있습니다. 여기서 신체진찰에 대한 동의를 구하면서 손소독을 함께 하시기를 추천하는데, 연습할 때 꾸준히 반복하시어 습관화되면 사전동의를 구하는 부분에서 PPI 점수를 획득함과 동시에 중요한 손 위생도 해결할 수 있을 것입니다. 또한 진찰에서 간단한 설명을 곁들이며, 진찰을 위해 몸을 움직일 때 옆에서 도와주고 신발을 신겨드리고 가려주면서 SP를 존중하는 태도를 어필하도록 합시다. 마지막으로 신체진찰이 모두 끝나고 난 뒤 불편한 점은 없었는지까지 물어본다면 PPI에서 만점에 가까운 점수를 받으실 수 있을 것입니다.

끝으로 CPX를 연습하며 당부드리고 싶은 말씀은 평소에 한글용어 말하기에 익숙해져야 한다는 것입니다. 짧게는 4년, 길게는 6년의 의학공부를 하면서 대부분의 의대생들은 COPD, AMI, PFT 등과 같은 약자 사용에 익숙해져 있을 것입니다. 하지만 일반 대중들에게도 널리 알려져 있는 CT, MRI 이외의 영어약어 사용은 환자가 이해하기 어렵기 때문에 반드시 한글용어를 숙지하여 사용하도록 하고, 필요한 경우 간단한 설명도 덧붙여준다면 환자와 좋은 관계를 만드실 수 있을 것입니다. 꼭 미리 연습하여 한글사용에 익숙해지시길 바랍니다.

실제 시험장에 가면

시험 당일날 시험장에 가면 아래의 개요표와 같은 순서로 시험을 치게 됩니다. 낯선 시험장 분위기에 당황하지 말고 준비해간 대로 잘 치시길 바라며 의사국가시험 응시자 안내 동영상에 나온 내용을 정리해보았습니다.

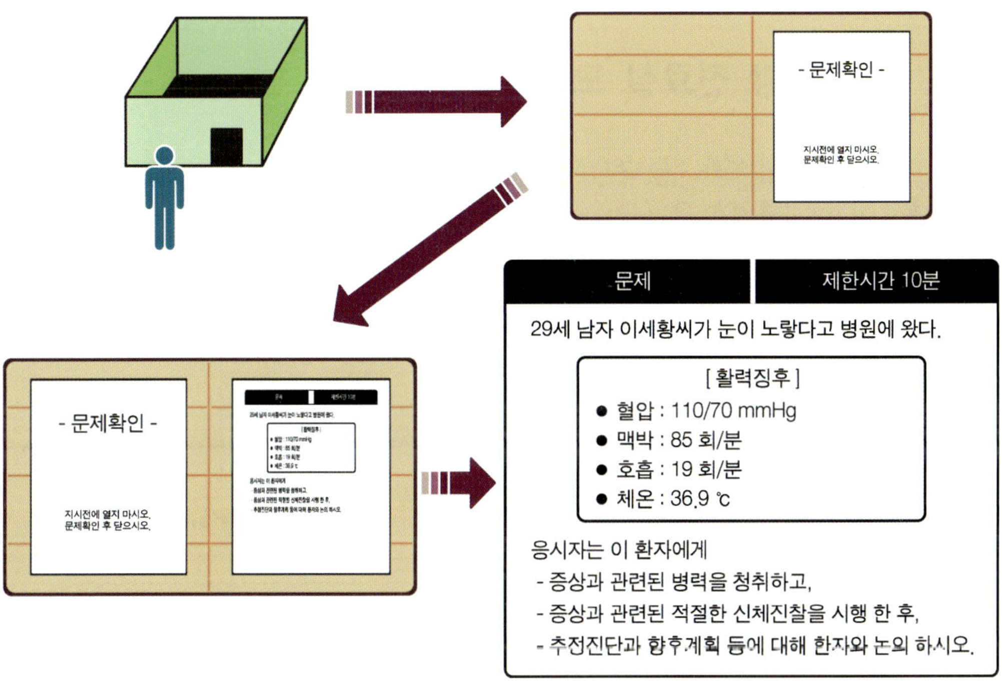

2021년 국시 실기부터 메모장은 시험장 안에만 비치되어 있기 때문에 진료표를 미리 작성해놓을 수 없다는 점 알아두세요!

상황지침을 확인할 때는, 신체진찰과 임상술기를 시행하는지부터 확인하세요. 위 예시에서는 눈이 노랗다는 것을 주소로 온 환자이므로 우선 감별진단 목록에 황달과 가성황달, 그리고 황달을 일으킬 수 있는 간질환을 떠올리셔야 합니다.

상황지침을 숙지하는 1분 안에 감별진단과 그 주제에 해당하는 P/E를 생각해 놓으셔야 합니다.

정리하자면,

CPX 1분간 상황지침 확인 시
신체진찰 여부, 임상술기 여부를 확인한다.
해당 주제에서 반드시 물어봐야 할 감별진단을 생각한다.
감별진단을 위한 ROS를 생각해둔다.
해야 할 P/E 생각해두고 감별에 중요한 키워드를 생각한다.

진료문항 진료실 모식도

실제 CPX문항을 풀기 위한 진료실의 구조는 대략적으로 다음과 같습니다. 모든 진료실의 장비와 기본 세팅은 동일하므로 전부 다 하라는 것이 아니라 문항과 상황에 맞는 경우에만 올바른 검사를 선택하여 진행하셔야 합니다.

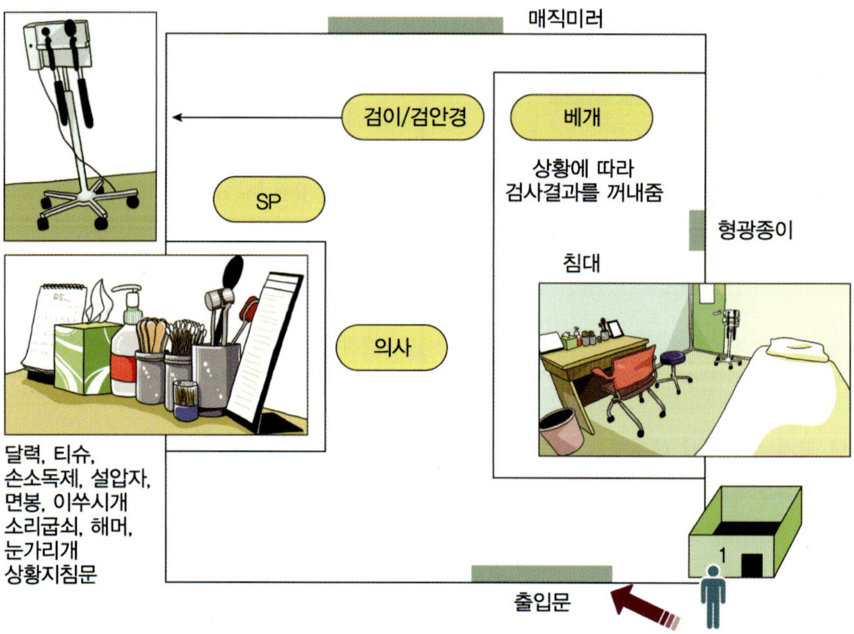

자, CPX 시험을 치르기 위한 워밍업을 완료하셨나요?

이제 각 주제별 진료문항을 위한 공부로 넘어가봅시다. 전체 총론에 해당하는 여기까지의 내용은 실제 시험장에 가시기 전에 한 번 더 정독하시면 시험칠 때 많은 도움이 되실 것입니다.

전체 CPX 항목

구분	항목명	
진료문항	1. 가슴통증	25. 관절 통증·부기
	2. 두근거림	26. 피부 발진
	3. 고혈압	27. 유방통·유방덩이
	4. 이상지질혈증	28. 월경이상·월경통
	5. 콧물·코막힘	29. 질분비물·질출혈
	6. 기침	30. 산전 진찰
	7. 객혈	31. 성장·발달 지연
	8. 호흡곤란	32. 예방접종
	9. 복통	33. 어지럼
	10. 소화불량	34. 두통
	11. 구토	35. 실신
	12. 배변 이상(설사/변비)	36. 경련
	13. 토혈	37. 의식장애
	14. 혈변	38. 떨림·운동이상
	15. 황달	39. 근력·감각이상
	16. 소변량변화(다뇨/핍뇨)	40. 기분변화
	17. 배뇨 이상	41. 불안
	18. 붉은색 소변	42. 수면장애
	19. 체중감소	43. 기억력 저하
	20. 체중증가·비만	44. 자살
	21. 발열	45. 음주·금연상담
	22. 피로	46. 물질 오남용
	23. 쉽게 멍이 듦	47. 가정폭력·성폭력
	24. 목·허리 통증	48. 나쁜 소식 전하기

CLINICAL PERFORMANCE EXAMINATION

CPX

주제별 내용정리

본 장에서는 48개 주제별로 학습해야 할 내용들을 정리하였습니다. 48개 주제를 학습하기 좋도록 카테고리별로 분류하여 정리하였으며, 각 주제마다 감별진단, 병력청취 항목, 신체검진, 환자교육을 정리하였습니다. 시나리오 학습 전에 이 내용정리를 숙지하시기 바랍니다.

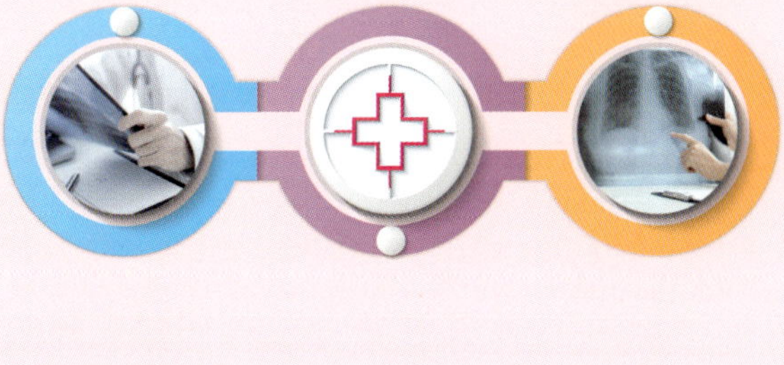

Cardiology Pulmonology Gastroenterology Nephrology Infection Endocrinology Allergy Hematology Oncology Rheumatology Surgery Obstetrics Gynecology Pediatrics Psychiatry Minor Preventive Medicine Medical Law

01

CHAPTER

순환기

01 가슴통증

02 두근거림

03 고혈압

04 이상지질혈증

CPX 1

CLINICAL PERFORMANCE EXAMINATION

가슴통증

감별진단

가슴통증

- 심혈관
  - 협심증
  - 심근경색
  - 심장막염
  - 대동맥박리
- 폐/가슴막
  - 폐색전증
  - 기흉
  - 폐렴
- 위장관
  - 위식도역류
  - 위 · 십이지장 궤양
- 피부/근골격
  - 대상포진
  - 갈비연골염

참고

가슴 통증은 갈비연골염과 같은 비교적 가벼운 질환부터 급성심근경색과 같은 생명이 위급한 질환에서도 가장 먼저 나타날 수 있는 증상이다. 따라서 가슴 통증을 호소하는 환자는 먼저 즉각적 조치가 필요한 응급질환이 아닌지 먼저 감별하여야 한다. 다음으로 기질성 원인과 기능성 원인을 파악하고 기질성 원인 중에 심장, 폐, 소화기 중 어느 부분의 문제인지 파악하기 위해 자세한 병력청취가 필요하다. 통증의 위치, 지속시간, 세기 등 통증에 대해 자세히 문진하는 것이 필요하다. 환자가 불안해할 수 있으므로 환자를 안심시키고 추가적인 검사에 대해서 설명하고, 응급조치가 필요한 경우 신속한 처치가 필요함을 강조한다.

주제별 감별진단

계통	질병명	감별키워드	검사/치료	
심혈관	안정형 협심증	• 쥐어짜는 통증 • 방사통(어깨, 팔) • 2~10분 지속 • 운동 시 악화/휴식 시 완화	검사	심전도, 운동부하심전도, 심근효소검사, 심근관류 SPECT
			치료	아스피린, 베타차단제, 지질강하제, 니트로글리세린
	불안정형 협심증 /급성 심근경색	• 휴식 시 지속되는 통증 • 10분 이상 지속 • 이전에 비해 악화	검사	심전도, 심근효소검사, 심근관류 SPECT, 심혈관조영술
			치료	아스피린, 클로피도그렐, 헤파린, 베타차단제, 니트로글리세린, PCI, 혈전용해제
	변이형 협심증	• 새벽에 발생 • 음주 다음날 발생 • 운동과는 무관	검사	Ergonovine 유발검사, 심장초음파, 심혈관조영술
			치료	CCB, 니트로글리세린
	심장막염	• 앞으로 굽히면 완화 • 최근 감염력(상기도) • 심음 청진 시 마찰음	검사	심초음파, 심전도, 흉부 X-ray
			치료	Ibuprofen, 아스피린, 심낭천자술
	대동맥박리	• 찢어지는 듯한 극심한 통증 • 방사통(등) • 상/하지 혈압차	검사	흉부 X-ray, 흉부 CT
			치료	응급 개흉 수술, 베타차단제
호흡	폐렴	• 발열 • 기침/가래 • 폐음 청진 시 수포음	검사	흉부 X-ray, 혈액/객담 배양, CBC
			치료	경험적 항생제
	폐색전증	• 수술/누워 있음 • 호흡곤란	검사	흉부 CT, 심전도
			치료	저분자량헤파린, 응급상황 시 혈전용해제
	기흉	• 키크고 마른 젊은 남성 • 호흡에 의해 악화 • 타진 시 과공명음	검사	흉부 X-ray
			치료	산소마스크, 흉관 삽입, 필요 시 흉막유착술
	흉막염	• 발열 • 흡기 시 통증	검사	흉부 X-ray, 흉막천자, 혈액배양
			치료	NSAIDs, 아세트아미노펜
소화	역류성 식도염 /소화성 궤양	• 타는 듯한 통증 • 누우면 악화 • 식사와 연관	검사	위내시경, 24시간 식도 산도 검사
			치료	PPI, 생활습관교정
피부 근골격	대상포진	• 고령, 면역억제환자 • 띠모양의 포진	검사	특이검사 불필요
			치료	항바이러스제, NSAIDs
	갈비연골염	• 갈비뼈 압통	검사	흉부 X-ray
			치료	NSAIDs
정신	공황장애	• 갑작스러운 공포감	치료	SSRI, 벤조디아제핀

병력청취

L	**[위치]** 아픈 부위를 정확히 짚어보세요. **[방사통]** 다른 곳에도 통증이 있나요?
O	언제부터 아프셨나요? 통증이 갑자기/서서히 시작됐나요?
S	어떤 상황에서 가슴이 아픈가요?
T	통증이 얼마나 지속되나요? 통증이 얼마나 자주 있나요?
Co/Ex	통증이 점점 심해지나요? 이전에도 이런 적이 있나요? 당시 진료를 받으셨나요?
C	**[양상]** 가슴이 아픈 게 어떤 느낌인가요?(뻐근하게, 쥐어짜듯이, 찌르듯이, 찢어지듯이) **[강도]** 가장 안 아픈 게 0점, 아파서 죽을 것 같은 게 10점이라고 할 때 지금 아픈 건 몇 점 정도인가요? * 양강방[양상 – 강도 – 방사] 확인
F	최근, 전날 과음하셨나요? **[악화]** 통증이 어떨 때 더 심해지나요? – 운동/찬바람, 음주, 흡기/기침, 식후, 누르면(근골격) **[완화]** 어떻게 하면 통증이 좀 나아지나요? – 휴식, 자세(앞으로 숙이기)
Asso	**[전신]** 발열/오한/피로/부종/체중변화 **[심혈관]** 어지럼/두근거림/호흡곤란 * [어 – 두 – 호] **[호흡]** 기침/가래/객혈/호흡곤란 **[소화]** 식욕저하/오심/구토/설사/변비/복통/소화불량/속쓰림 **[피부/근골격]** 피부 발진 **[정신]** 불안
약	드시고 계신 약이 있나요?
과	앓고 계신 병이 있나요? – 고혈압/고지혈증/당뇨 건강검진 받으셨나요? 당시에 결과에 대해 뭐라고 들으셨나요?
외	**[외상]** 가슴을 어딘가에 세게 부딪히거나 다치신 적이 있나요? **[수술]** 최근에 수술 받으신 적이 있나요? 장기간 입원하거나 오랫동안 누워서 지내셨나요?(폐색전증)
사	음주/흡연/커피 평소 식사를 규칙적으로 하시나요? 기름지거나 자극적인 음식을 좋아하시나요? 야식을 자주 드시나요? 운동은 일주일에 몇 번 정도 하시나요?
가	가족 중 비슷한 증상을 보였던 분이 있나요? 가족 중 심장 쪽 문제로 병원을 다니신 분이 있나요? 가족 중 고혈압/고지혈증/당뇨를 앓으신 분이 있나요?
여	폐경하셨나요? 최근에 생리량이나 생리주기의 변화가 있나요?

신체진찰

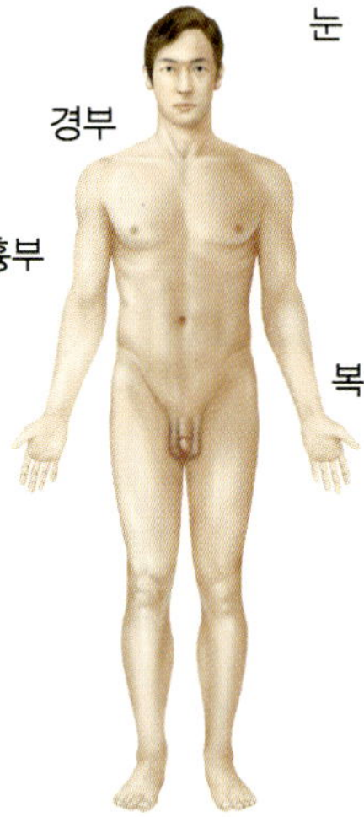

눈	결막(빈혈)
경부	목동맥 촉진/청진
흉부	시진 : 피부/호흡 대칭성 촉진 : 압통 타진 : 호흡기계 타진(최소 6군데) 청진 : 심음(최소 5군데), 호흡음(최소 6군데)
복부	* 역류성식도염 의심 시 시행 복부 시청타촉 시행 시간 부족한 경우, epigastric T/RT만 확인

환자교육

추정진단	ㅇㅇ님, 말씀해주신 것과 제가 신체진찰 한 것을 종합했을 때, □□한 소견이 보여 A병이 가장 의심이 됩니다.
감별진단	그 외에 B병, C병 또는 D병도 완전히 배제할 수는 없습니다.
검사	확실한 진단을 위해서는 **[기본 검사]**+**[질병별 검사]**가 필요합니다.
치료	검사를 통해 A병으로 진단이 되면, 이에 대한 치료로 I, J, K가 필요합니다.
예후	증상이 있을 때 병원에 잘 오셨습니다.
생활교육/응급	**[심혈관]** • 불안정형 협심증, 심근경색, 대동맥박리는 응급으로 신속한 검사와 치료가 필요합니다. 그러기 위해선 병원에 입원하셔야 할 것입니다. 어떠신가요? • 치료 후에도 금연, 금주, 식습관 관리 등 위험인자에 대한 관리가 필요합니다. • [대동맥박리] 앞으로 철저한 혈압관리가 필요합니다. **[호흡기]** 금연교육, 예방접종 **[소화기]** • 자극적이거나 기름진 음식은 피하고, 규칙적으로 식사하시는 게 좋습니다. • 먹고 바로 눕는 습관은 증상을 악화시킬 수 있으니 피해주세요. **[응급]** 치료 이후에도 통증이 계속 심해진다면 즉시 병원으로 오시면 조치를 취해드리겠습니다.
질문기회	혹시 이해 안 되시거나 궁금하신 점이 있으신가요?

1) 진단계획

(1) 심혈관

[허혈성] 심전도, 운동부하심전도, 심근효소검사, 심혈관조영술

[대동맥박리] 흉부 CT

(2) 호흡기 : 흉부 X-ray, 흉부 CT

(3) 소화기 : 상부위장관 내시경, 24시간 식도산도검사

2) 치료계획

응급한 질환에 대해선 입원치료를 해야함을 환자에게 알려줌

(1) 심혈관

[허혈성] NG, Aspirin, 재관류치료

[대동맥박리] 응급개흉수술, 베타차단제

(2) 호흡기 : 산소 공급, 가슴관 삽입

(3) 소화기 : PPI, 생활습관교정

3) 환자교육

(1) 심혈관 및 호흡기

- 응급질환에서는 신속한 검사 및 조치 필요함을 강조
- 주 3~5회, 30분 이상의 운동의 중요성에 대해 강조
- 가공육, 붉은 육류를 줄이고 채소가 풍부한 건강한 식습관에 대해서 교육
- 금연의 중요성 설명 및 교육

(2) 소화기

- 위에 자극을 줄 수 있는 음식들을 피하도록 교육

CPX 2

CLINICAL PERFORMANCE EXAMINATION

두근거림

감별진단

- 생리적 두근거림
- 두근거림
  - 심혈관
    - 부정맥 : APC/VPC, PSVT, AF/AFL
    - 구조적 심질환 : 판막질환 등
    - 빈혈
  - 내분비
    - 갑상샘과다증
    - 크롬세포친화종
    - 저혈당
    - 폐경후증후군
  - 정신
    - 공황장애
    - 신체증상장애
  - 기타
    - 약물
    - 발열

참고

두근거림은 일차 진료에서 흔히 접하는 증상으로 심장박동이 비정상적이거나 쿵쾅거리며 뛰는 증상으로, 부정맥의 한 증상일 수 있기 때문에 진단 시 유의하여야 한다. 운동, 카페인, 스트레스 등에 의한 생리적 두근거림인지 감별한 다음 심혈관계 원인 혹은 정신적 원인에 의한 것인지 구분한다. 신속한 조치가 필요한 기질적 질환이 의심되는 경우 응급조치의 중요성에 대해서 강조한다. 두근거림은 병력만으로 질병을 감별하기는 쉽지 않으나, 심장 외의 문제를 시사하는 동반증상에 대해서는 꼼꼼하게 문진하는 것이 중요하다.

주제별 감별진단

계통	질병명	감별키워드	검사/치료	
–	생리적 두근거림	• 운동, 커피, 스트레스	검사	심전도
			치료	안심시키기, 생활습관 교정
심혈관	심방조기수축 /심실조기수축	• 갑자기 심장이 쿵 내려앉는 느낌	검사	심전도, 홀터검사
			치료	안심시키기, 베타차단제
	발작성심실상성 빈맥	• 규칙적, 갑자기 생겼다가 갑자기 사라짐	검사	심전도, 홀터검사
			치료	아데노신, 미주신경자극법, 발살바 방법
	심방세동 /심방조동	• 불규칙적 • 기저에 고혈압이나 판막 질환 • 술/담배	검사	심전도, 혈액검사(전해질, 신기능, 갑상샘기능), 심초음파, 홀터검사
			치료	생활습관 교정, 항부정맥제(rate control; 디곡신, 베타차단제, 칼슘채널차단제/rhythm control; 나트륨채널차단제, 칼륨채널차단제), 필요 시 항응고제
	판막질환	• 호흡곤란, 흉통, 어지럼증	검사	심전도, 심초음파
			치료	디곡신, 이뇨제, 판막치환술
	빈혈	• 피로, 어지럼증, 호흡곤란	검사	CBC, PBS, Iron panel(Fe, TIBC, Ferritin)
			치료	철분 보충, 코발라민/엽산 보충
내분비	갑상샘과다증	• 더위불내성, 체중 감소, 불안	검사	갑상샘기능검사, RAIU, 갑상샘항체
			치료	항갑상샘제, 방사성요오드치료, 갑상샘절제술
	크롬세포친화종	• 두통, 발한, 기립성 저혈압 • 고혈압	검사	24시간 소변 metanephrine, 복부 CT
			치료	알파차단제로 전처치 후 종양 절제술
	저혈당	• 공복감, 불안, 발한, 손떨림, 심한 경우 혼돈, 의식 소실 • 식사 후 완화	검사	혈당 검사
			치료	경구 당 공급, 포도당 용액 정주
	폐경후증후군	• 얼굴 화끈거림, 발한, 수면 장애, 불안	검사	혈중 FSH, Estrogen
			치료	호르몬대체요법, SSRI, Gabapentin
정신	공황장애	• 갑자기 발생하는 죽을 것 같은 공포감, 예기불안	검사	–
			치료	SSRI, 급성발작기나 예기불안에 BDZ
	신체증상장애	• 신체증상 호소, 그에 대한 비정상적인 태도와 행동 보임	검사	–
			치료	우선 증상완화 위한 처치(힝불인제, 힝우울제) 후 정신치료적 접근 시도
기타	약물	• 커피, 다이어트약 등 복용력	검사	–
			치료	약물 중단 및 교체

병력청취

L	-
O	언제부터 두근거림이 시작됐나요? 두근거림이 갑자기/서서히 시작됐나요?
S	어떤 상황에서 두근거림이 생기나요?
T	두근거림이 한 번에 얼마나 지속되나요? 두근거림이 얼마나 자주 생기나요?
Co/Ex	두근거림이 점점 심해지나요? 이전에도 이런 적이 있나요? 당시 진료를 받으셨나요?
C	두근거릴 때 맥박을 직접 측정해보았나요? 두근거림이 규칙적인가요? 두근거림이 갑자기 생겼다가 갑자기 사라지나요?(PSVT) 갑자기 심장이 쿵 내려앉는 느낌이 드나요?(PAC/PVC)
F	[**유발요인**] 특별히 가슴이 두근거릴 때가 있나요? [**악화**] 두근거림이 어떨 때 더 심해지나요? – 운동, 피로, 공복, 불안, 자세 [**완화**] 어떻게 하면 두근거림이 좀 나아지나요? – 휴식, 식사 후
Asso	[**전신**] 발열/오한/발한/피로/체중변화 [**심혈관**] 어지럼/호흡곤란/흉통/실신+빈혈(최근 실혈 여부) [**내분비**] 더위불내성/두통/공복감/얼굴 화끈거림 [**정신**] 불안/수면장애/죽을 것 같은 공포감/예기불안
약	드시고 계신 약이 있나요?
과	앓고 계신 병이 있나요? – 고혈압/당뇨/심장질환/갑상샘질환/정신과적 건강검진 받으셨나요? 당시에 결과에 대해 뭐라고 들으셨나요?
외	[**수술**] 심장수술을 받으신 적이 있나요?
사	직업이 어떻게 되시나요? – 스트레스 여부 음주/흡연/커피 운동은 일주일에 몇 번 정도 하시나요?
가	가족 중 비슷한 증상을 보였던 분이 있나요? 가족 중 고혈압, 당뇨, 심장질환, 갑상샘질환을 앓으신 분이 있나요?
여	폐경하셨나요? 최근에 생리량이나 생리주기의 변화가 있나요?

신체진찰

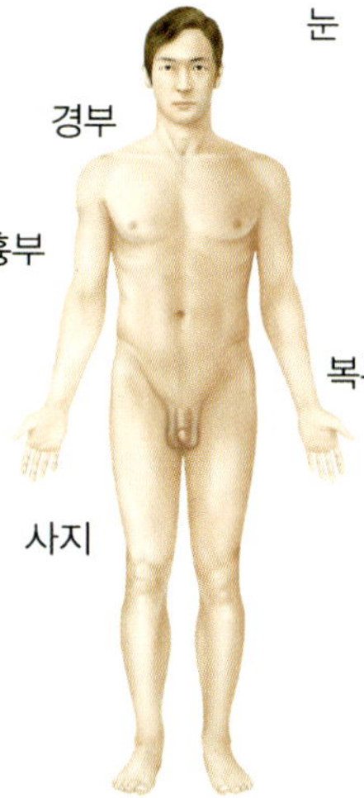

눈	결막(빈혈 확인)
경부	갑상샘 시진 및 촉진 경정맥 시진
흉부	심음 청진(최소 5군데)
복부	촉진(종괴 확인)
사지	요골동맥 맥박 확인 오목부종 확인

환자교육

추정진단	○○님, 진찰 결과 □□한 점이 관찰되는데, 이러한 소견은 문진과 함께 생각해봤을 때 A병이 가장 의심이 됩니다.
감별진단	그 외에 B병, C병 또는 D병도 완전히 배제할 수는 없습니다.
검사	확실한 진단을 위해서는 **[기본 검사]**+**[질병별 검사]**가 필요합니다. **[기본 검사] 심전도+TFT+CBC**
치료	검사를 통해 A병으로 진단이 되면, 이에 대한 치료로 I, J, K가 필요합니다.
예후	지금부터 치료를 받으시면 별다른 지장 없이 지내실 수 있으실 것입니다.
주의점/생활교육	• 환자가 불안해할 수 있으므로 환자를 안심시키고 추가적인 검사에 대해서 설명 • 치료의 경과를 지켜보기 위해 일정기간 입원이 필요함을 설명. • 심질환의 병력이 있거나 새롭게 심장질환이 발견된 경우에서는 활력징후를 안정시키기 위한 조치가 필요함을 강조 • 커피가 두근거림을 야기할 수 있음을 설명하고, 커피 섭취를 자제할 것을 교육 • 심혈관 위험인자가 있는 경우 주 3~5회, 30분 이상의 운동의 중요성에 대해 강조
응급	두근거리는 증상이 치료 이외에도 좋아지지 않고, 가슴이 아픈 증상까지 온다면 즉시 병원에 내원
질문기회	혹시 이해 안 되시거나 궁금하신 점이 있으신가요?

1) 진단계획

(1) 심혈관

[부정맥/판막질환] 심전도, 홀터검사, 심초음파

[빈혈] CBC, PBS, Iron panel

(2) 내분비

[갑상샘과다증] TFT, RAIU, 갑상샘항체

[크롬세포친화종] 24시간 소변 metanephrine, 복부 CT

2) 치료계획

(1) 심혈관

[PAC/PVC] 안심시키기, 베타차단제

[PSVT] 아데노신, 미주신경자극법, 발살바 방법

[AF/AFL] 생활습관 교정, 항부정맥제, 필요 시 항응고제

(2) 내분비

[갑상샘과다증] 항갑상샘제, 방사성요오드 치료, 갑상샘절제술

[크롬세포친화종] 알파차단제로 전처치 후 종양절제술

(3) 정신

[공황장애] SSRI, 급성발작기나 예기불안에 BDZ

3) 환자교육

(1) 스트레스 등으로 심방/심실이 조기수축하며 두근거리는 경우가 있음을 설명하며 환자를 안심시킴

(2) 기저 심장질환이 있거나 새롭게 심장질환이 발견된 경우 전문적인 치료를 받아야 함을 설명

(3) 커피, 술/담배 줄이기

CPX

3

CLINICAL PERFORMANCE EXAMINATION

고혈압

감별진단

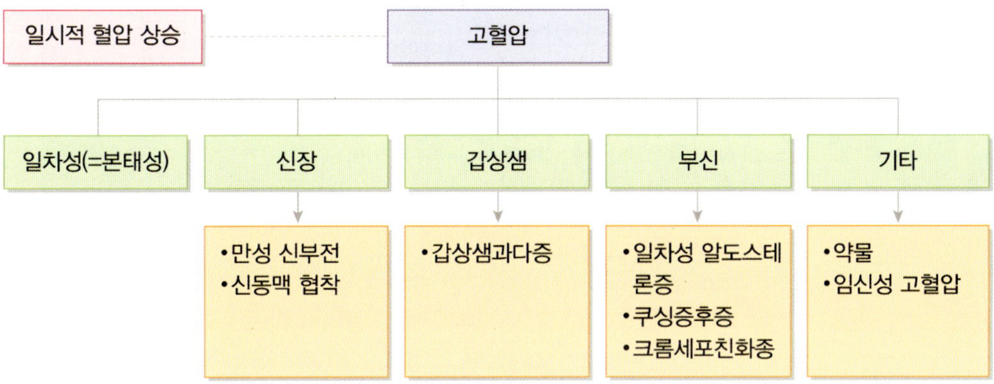

참고

고혈압은 **수축기 혈압 140mmHg 또는 이완기 혈압이 90mmHg 이상 상승하는 질환**으로 장기간 지속되면 동맥경화 및 치명적인 심혈관질환으로 진행될 수 있다. 따라서 고혈압은 조기에 진단하여 장기간 관리하는 것이 중요하다. 고혈압으로 내원하는 경우 대부분 본태성 고혈압이지만, 이차성 고혈압의 가능성을 항상 의심하고 이차성 고혈압을 일으킬 수 있는 다른 원인을 모두 배제해야 한다. 백의고혈압과 같은 일시적 혈압상승을 고혈압으로 판단하기 쉽기 때문에 혈압측정 전에 충분한 휴식을 취했는지 확인하는 것이 중요하고 일주일 이상의 간격을 두고 두 번 이상 고혈압 진단기준을 충족해야 고혈압으로 진단내릴 수 있음도 주지하고 있어야 한다.

주제별 감별진단

계통	질병명	감별키워드		검사/치료
일시적	백의 고혈압	• 병원에서만 고혈압, 가정에서는 정상	검사	–
			치료	주기적 경과관찰
일차성	일차성 고혈압	• 비만, 운동 부족	검사	소변검사, 지질검사, 혈당검사
			치료	생활습관 교정, 항고혈압제
신장	만성 신부전	• 단백뇨, 부종 • 사구체여과율 감소	검사	혈중 BUN/Cr, 소변검사
			치료	ACEi/ARB, DHP 계열 칼슘채널차단제, 이뇨제
	신동맥 협착	• 50세 미만에서 갑자기 발생한 고혈압(FMD 시사), 50세 이상에서 갑자기 발생한 고혈압(Atherosclerotic 시사) • ACEi/ARB 복용 후 갑작스런 신기능 악화, 설명되지 않는 고질소혈증 • 신동맥 잡음	검사	이중 초음파 검사, 컴퓨터단층촬영 혈관조영술, 신동맥 조영술(gold standard), Captopril renography
			치료	ACEi/ARB, 필요 시 intervention
갑상샘	갑상샘과다증	• 두근거림, 더위불내성, 체중감소, 불안	검사	갑상샘기능검사, RAIU, 갑상샘항체
			치료	항갑상샘제, 방사성요오드치료, 갑상샘절제술
부신	일차성 알도스테론증	• 40세 미만, 근력약화, 피로, 다뇨, 근경련, 저항성 고혈압 • 저칼륨혈증, 대사성 알칼리증, plasma renin 감소	검사	Serum aldosterone to plasma renin activity, 생리식염수 부하검사, 복부 CT
			치료	종양 절제술, Spironolactone
	쿠싱증후군	• 중심성 비만, moon face, 자색선조, 무월경, 멍이 잘 듦	검사	야간 1mg 덱사메타손 억제검사, 24시간 소변 유리 코티솔, Midnight 혈중 코티솔, 저용량 덱사메타손 억제검사 (* 의인성 : rapid ACTH stimulation test)
			치료	나비뼈경유수술, 원인 종양 치료, 한쪽 부신절제술
	크롬세포친화종	• 두통, 발한, 두근거림, 기립성 저혈압	검사	24시간 소변 metanephrine, 복부 CT
			치료	알파차단제로 전처치 후 종양 절제술
기타	약물	• 카페인 등 혈압 상승 약제	검사	–
			치료	원인 약물 중단
	임신성 고혈압	• 임신 20주 이후 처음 발견된 고혈압, 산후 12주 이내 혈압 정상화	검사	체중, 단백뇨, 혈중 BUN/Cr, LFT, CBC, 초음파 검사
			치료	전자간증에서 심한 고혈압의 경우 항고혈압제

병력청취

L	-
O	언제부터 혈압이 높았나요?
S	혈압을 직접 측정하신 것인가요, 아니면 병원에서 측정하신 것인가요? 어떤 상태에서 혈압을 측정하셨나요?(10분 이상 충분히 휴식 후 측정하셨나요? 커피, 술/담배, 운동하지 않고 측정하셨나요?)
T	-
Co/Ex	이전에도 혈압이 높은 적이 있었나요? 당시 진료를 받으셨나요?
C	혈압이 얼마였는지 기억나시나요?
F	-
Asso	[**일차성**] 키, 몸무게가 얼마인가요? 체중 변화가 있었나요? 허리둘레가 얼마인가요? [**표적기관 손상**] 시력 감퇴/호흡곤란/거품뇨 [**만성 신부전/신동맥 협착**] 부종/거품뇨/소변량 변화 [**갑상샘과다증**] 두근거림/더위불내성/체중 감소 [**일차성 알도스테론증**] 근력약화/피로/다뇨 [**쿠싱증후군**] 중심성 비만/동그래진 얼굴/자색선조/무월경/멍이 잘 듦 [**크롬세포친화증**] 두근거림/두통/발한
약	드시고 계신 약이 있나요?
과	앓고 계신 병이 있나요? - 당뇨/고지혈증/신장질환/갑상샘질환/부신질환 건강검진 받으셨나요? 당시에 결과에 대해 뭐라고 들으셨나요?
외	-
사	직업이 어떻게 되시나요? - 스트레스 여부 음주/흡연/커피 운동은 일주일에 몇 번 정도 하시나요? 평소에 어떤 음식을 즐겨 드시나요?
가	가족 중 고혈압 있으신 분이 계신가요? 가족 중 심장질환이나 뇌졸중을 앓으신 분이 게신가요?
여	폐경하셨나요? 최근에 생리량이나 생리주기의 변화가 있나요?

신체진찰

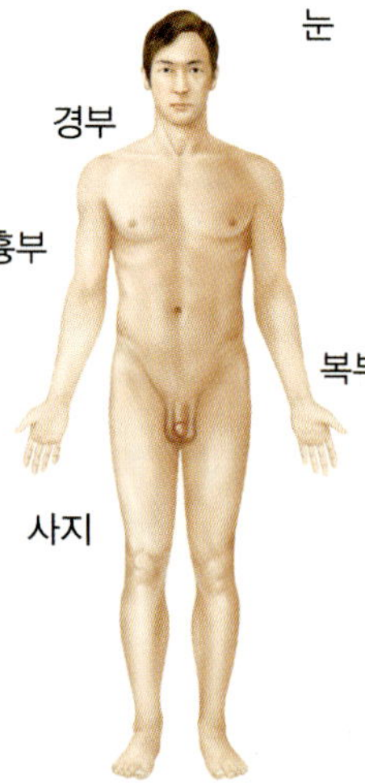

눈	안구 돌출 여부 시력 이상 여부
경부	갑상샘 시진 및 촉진 경동맥 청진
흉부	심음 청진(최소 5군데)
복부	시진 청진 : 신동맥 잡음 확인 타진 촉진 : 종괴 확인 허리둘레 측정
사지	오목부종 확인
필수 임상술기	혈압 측정(환자에 시행)

환자교육

추정진단	○○님, 진찰 결과 □□한 점이 관찰되는데, 이러한 소견은 문진과 함께 생각해봤을 때 A병이 가장 의심이 됩니다.
감별진단	그 외에 B병, C병 또는 D병도 완전히 배제할 수는 없습니다.
검사	확실한 진단을 위해서는 **[기본 검사]**+**[질병별 검사]**가 필요합니다. **[기본 검사] 소변검사+지질검사+혈당검사**
치료	생활습관 개선과 약물치료가 있고, 특별히 해당되는 경우 수술을 할 수도 있습니다.
예후	고혈압이 잘 조절되지 않으면 심장질환, 뇌졸중, 콩팥기능저하 등을 초래할 수 있기 때문에 치료가 꼭 필요합니다.
주의점/생활교육	• 생활습관 교정을 강조 – 주 5~7회, 30분 이상의 운동의 중요성에 대해 강조 – 저염식, 저지방식, 금연/금주 • 꾸준히 집에서 혈압을 측정하도록 교육하고 정기검진의 중요성을 설명 • 2차성 고혈압이 의심되는 환자의 경우 원인 확인을 위한 추가적인 검사가 필요함을 강조 • 목표혈압 제시
응급	표적 기관 손상(눈, 폐, 심장, 신장, 뇌)이 생각되는 고혈압인 경우 응급상황 ; 즉각적인 입원치료 시행
질문기회	혹시 이해 안 되시거나 궁금하신 점이 있으신가요?

1) 진단계획

(1) 일차성 : 지질검사, 소변검사, 혈당검사

(2) 신장 : 소변검사, 혈중 BUN/Cr

(3) 부신

[일차성 알도스테론증] Serum aldosterone to plasma renin activity

[쿠싱증후군] 야간 1mg 덱사메타손 억제검사, 24시간 소변 유리 코티솔, Midnight 혈중 코티솔, 저용량 덱사메타손 억제검사

[크롬세포친화증] 24시간 소변 metanephrine

2) 치료계획

(1) 일차성 : 생활습관 교정, 항고혈압제(ACEi/ARB, BB, CCB, Diuretics)

(2) 이차성 : 해당 질환 치료

3) 환자교육

(1) 소금 섭취 제한(국, 젓갈, 찌개 같은 음식 피하기, 음식에 간 적게 하기), 체중 조절과 운동(일주일에 5~7회 정도 규칙적인 유산소 운동), 절주 및 금연

(2) 꾸준한 자가혈압 측정 및 목표혈압 제시

(3) 이차성의 경우 추가적인 검사를 통해 원인 확인이 필요함을 설명

category	systolic BP		diastolic BP
normal	<120	and	<80
prehypertension	120~139	or	80~89
hypertension			
stage 1	140~159	or	90~99
stage 2	≥160	or	≥100
Isolated systolic hypertension	≥140	and	<90

CPX 4

CLINICAL PERFORMANCE EXAMINATION

이상지질혈증

감별진단

이상지질혈증

일차성	이차성
•가족성 고콜레스테롤혈증 •가족성 고중성지방혈증	•생활습관 : 음주, 흡연, 운동부족, 비만 •질환 : 신증후군, 만성 신부전, 갑상샘저하증, 쿠싱증후군, 당뇨, 폐경 •약물 : (LDL ↑) Thiazide (TG ↑) Estrogen, Glucocorticoid, BB

참고

이상지질혈증 환자의 경우 검사결과를 가져올 가능성이 높다. 이에 대해서 맨 처음 설명하는 것이 좋다. 이후 동반질환 및 장기손상 여부를 평가하는 신체진찰을 한다. 심혈관질환의 위험인자를 파악하고 위험도를 종합적으로 평가하여 환자에게 위험인자 관리와 생활습관 개선에 대해 교육한다. 많은 경우 이상지질혈증은 건전하지 못한 생활습관과 식습관에 의해 발생하므로 적절한 교육이 매우 중요하다.

주제별 감별진단

계통	질병명	감별키워드	검사/치료	
일차성	가족성 고콜레스테롤혈증	• 젊은 나이, 관상동맥질환 동반, 고지혈증/관상동맥질환의 가족력 • 건 황색종(아킬레스건, 팔꿈치, 무릎 등) • LDL↑, TG 정상	검사	확진 위해선 분자유전학 검사
			치료	Statin(+Ezetimibe), 생활습관 교정(저포화지방식, 운동)
	가족성 고중성지방혈증	• 고중성지방혈증의 가족력 • LDL은 평균이거나 평균 이하, HDL↓	검사	–
			치료	Fibrate, 생활습관 교정
생활습관	–	• 음주, 흡연, 운동부족, 비만(특히 복부비만)	검사	혈당검사, 간기능검사, 혈중 BUN/Cr
			치료	생활습관 교정(식이조절, 운동)
신장	신증후군	• 단백뇨, 부종, 피로 • 고혈압, 저알부민혈증, LDL과 TG 모두 상승	검사	혈중 BUN/Cr, 소변검사, 전해질, 혈중 알부민, 신생검
			치료	생활습관 교정(저염식이, 저포화지방식), 이뇨제, Corticosteroid
	만성 신부전	• 단백뇨, 부종 • 사구체여과율 감소	검사	혈중 BUN/Cr, 소변검사
			치료	ACEi/ARB, DHP 계열 칼슘채널차단제, 이뇨제
내분비	갑상샘저하증	• 추위불내성, 체중 증가, 변비 • 갑상샘 종대	검사	갑상샘기능검사
			치료	레보티록신
	쿠싱증후군	• 중심성 비만, moon face, 자색선조, 무월경, 멍이 잘 듦	검사	야간 1mg 덱사메타손 억제검사, 24시간 소변 유리 코티솔, Midnight 혈중 코티솔, 저용량 덱사메타손 억제검사 (* 의인성 : rapid ACTH stimulation test)
			치료	나비뼈경유수술, 원인 종양 치료, 한쪽 부신절제술
	당뇨	• 다음, 다뇨, 다갈, 체중감소, 피로	검사	혈당검사, 당화혈색소
			치료	경구혈당강하제, 인슐린, 식이조절
	폐경후증후군	• 얼굴 화끈거림, 발한, 수면장애, 불안, 두근거림	검사	혈중 FSH, Estrogen
			치료	호르몬대체요법, SSRI, Gabapentin

대사증후군

- 중심비만 : 허리둘레 남자 90cm, 여자 80cm 이상
- 고중성지방혈증 : 중성지방이 150mg/dL 이상
- HDL이 낮을 경우 : 남자의 경우 40mg/dL 미만, 여자의 경우 50mg/dL 미만
- 공복혈당이 100mg/dL 이상
- 고혈압 : 수축기 혈압이 130mmHg 또는 이완기 혈압이 85mmHg 이상

→ 5가지 중 3가지 이상이 해당되면 대사증후군으로 정의한다.

병력청취

L	–
O	언제 검사하셨나요?
S	어떤 상태에서 검사하셨나요?(검사 전에 공복을 잘 지키셨나요?)
T	–
Co/Ex	이전에도 검사에서 고지혈증이 나온 적이 있었나요? 당시 진료를 받으셨나요?
C	검사 결과가 어땠나요?
F	–
Asso	[**일차성**] 건 황색종 [**생활습관**] 키, 몸무게가 얼마인가요? 체중 변화가 있었나요? 허리둘레가 얼마인가요? [**동반 심혈관질환**] 흉통/호흡곤란/두근거림 [**신증후군**] 단백뇨/부종/피로 [**갑상샘저하증**] 추위불내성/체중 증가/피로 [**쿠싱증후군**] 중심성 비만/동그래진 얼굴/자색선조/무월경/멍이 잘 듦 [**당뇨**] 다음/다뇨/다갈/체중 감소/피로 [**폐경후증후군**] 화끈거림/수면장애/발한
약	드시고 계신 약이 있나요? – 피임약, 호르몬 대체요법, 스테로이드
과	앓고 계신 병이 있나요? – 고혈압/당뇨/관상동맥질환/간질환 건강검진 받으셨나요? 당시에 결과에 대해 뭐라고 들으셨나요?
외	–
사	직업이 어떻게 되시나요? – 스트레스 여부 음주/흡연/커피 운동은 일주일에 몇 번 정도 하시나요? 평소에 어떤 음식을 즐겨 드시나요?
가	가족 중 고지혈증 있으신 분이 계신가요? 가족 중 심장질환이나 뇌질환을 앓으신 분이 게신가요?
여	폐경하셨나요? 최근에 생리량이나 생리주기의 변화가 있나요?

신체진찰

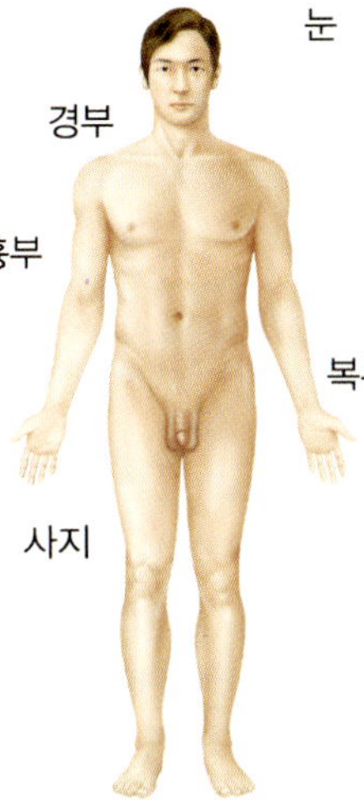

눈	안검 황색종 확인
경부	갑상샘 시진 및 촉진 경동맥 청진
흉부	심음 청진(최소 5군데)
복부	시청타촉 허리둘레 측정
사지	건 황색종 확인(팔꿈치, 손, 무릎, 아킬레스건) 오목부종 확인

환자교육

추정진단	○○님, 진찰 결과 □□한 점이 관찰되는데, 이러한 소견은 문진과 함께 생각해봤을 때 A병이 가장 의심이 됩니다.
감별진단	그 외에 B병, C병 또는 D병도 완전히 배제할 수는 없습니다.
검사	확실한 진단을 위해서는 **[기본 검사]+[질병별 검사]**가 필요합니다. **[기본 검사] 혈당검사+간기능검사+혈중 BUN/Cr**
치료	검사를 통해 A병으로 진단이 되면, 이에 대한 치료로 I, J, K가 필요합니다.
예후	콜레스테롤이 높은 상태로 조절되지 않으면 심장이나 혈관 계통의 심각한 질환을 초래할 수도 있습니다.
주의점/생활교육	• 생활습관 관리가 중요함을 강조 – 심혈관 위험인자가 있는 경우 주 3~5회, 30분 이상의 운동의 중요성에 대해 강조 – 저지방식, 콜레스테롤 및 포화지방/트랜스지방 제한, 지나친 당질섭취 제한 등 건강한 식습관에 대해 교육 • 가족성 고콜레스테롤혈증은 젊어도 심혈관질환의 위험이 높기 때문에 엄격한 관리 필요성 강조
질문기회	혹시 이해 안 되시거나 궁금하신 점이 있으신가요?

1) 진단계획

(1) 혈당검사, 간기능검사, 혈중 BUN/Cr

(2) [동반 심혈관질환] 심전도, 단순 흉부 촬영

2) 치료계획

(1) 생활습관 교정

(2) Statin

risk category	LDL-C goal(mg/dL)	non-HDL-C	스타틴 투약 시작 적응증
초고위험군 (관상동맥질환, 허혈성 뇌졸중, 일과성 뇌허혈발작, 말초혈관질환)	<70	<100	LDL 70 이상 : 스타틴 시작
고위험군 (경동맥질환, 복부동맥류, **당뇨병**)	<100	<130	LDL 100 이상 : 스타틴 시작
중등도위험군 **(위험인자 2개 이상)**	<130	<160	**LDL 130 이상 : 수 주~수 개월 생활습관 개선 이후에도 130 이상이면 스타틴 시작**
저위험군 **(위험인자 1개 이하)**	<160	<190	**LDL 160 이상 : 수 주~수 개월 생활습관 개선 이후에도 160 이상이면 스타틴 시작**

* **위험인자와 상관없이, 이차적 원인 없이 LDL 190 이상이면 즉각 스타틴 시작**

(3) fibrate

- 혈중 중성지방 500mg/dL 이상 : 이차적 원인 없을 경우 췌장염 예방 위해 fibrate
- 혈중 중성지방 200~500mg/dL : 동반 LDL 이상을 먼저 교정, 스타틴 처방 이후에도 계속 200이상 유지될 시 fibrate

3) 환자교육

(1) 고지혈증이 조절되지 않으면 심혈관계의 합병증을 초래할 수 있으며, 고지혈증 조절에는 생활습관 교정이 중요함을 강조

(2) 식이 : 저지방식, 콜레스테롤 및 포화지방/트랜스지방 제한, 지나친 당질 섭취 제한

(3) 운동 : 중간 강도의 유산소 운동을 주기적으로, 무산소 운동도 주기적으로 시행

(4) [가족성 고콜레스테롤혈증] 젊은 나이에 관상동맥질환이 올 수 있으므로 더욱 엄격한 관리가 필요함을 강조

(5) 심혈관 위험인자에 대한 교육

	인자		내용
positive risk factor	위험인자	나이 조기관상동맥질환의 FHx 현재 흡연자 고혈압 낮은 HDL-C	**남자 ≥45세, 여자 ≥55세** **남자 부모형제 <55세, 여자 부모형제 <65세** **≥140/90, 약으로 조절되는 경우도 포함** **<40mg/dL**
negative risk factor	방어인자 높은 HDL-C		risk factor −1 **>60mg/dL**

CLINICAL PERFORMANCE EXAMINATION

02

CHAPTER

호흡기

CPX 5

CLINICAL PERFORMANCE EXAMINATION

콧물 · 코막힘

감별진단

- 콧물
  - 양측성
    - 감염
      - 상기도감염
      - 급성 부비동염
    - 비감염
      - 알레르기 비염
      - 혈관운동성 비염
      - 약물유발 비염
  - 일측성
    - 외상
      - 뇌척수액 콧물
      - 코 외상/이물
    - 신생물
      - 부비동 종양

참고

콧물의 색깔, 성상, 냄새, 양측성/일측성인지를 파악하여 원인 질병을 확인하는 것이 중요하다. 그 다음으로는 동반 증상을 확인하고, 악화인자와 완화인자를 확인하여 추후에 교육을 통해 교정할 수 있도록 하는 것이 좋다. 신체진찰에서는 비경검사를 시행하여 콧물의 성상과 코안 점막상태를 판단한 뒤, 유발요인을 회피할 수 있는 생활습관 교육을 하는 것이 중요하다.

주제별 감별진단

<table>
<tr><th>계통</th><th>질병명</th><th>감별키워드</th><th colspan="2">검사/치료</th></tr>
<tr><td rowspan="10">양측성</td><td rowspan="2">상기도감염</td><td rowspan="2">• 인후통, 목 부음
• 발열
• 가래</td><td>검사</td><td>후두경, CBC, CXR</td></tr>
<tr><td>치료</td><td>휴식과 수분섭취, NSAID, 항생제</td></tr>
<tr><td rowspan="2">급성 부비동염</td><td rowspan="2">• 부비동 압통
• 후각 감퇴
• 심한 코막힘</td><td>검사</td><td>코내시경, PNS Series, 후각검사</td></tr>
<tr><td>치료</td><td>Amoxicillin, 코세척, 비점막수축제</td></tr>
<tr><td rowspan="2">알레르기 비염</td><td rowspan="2">• 재채기, 코가려움
• 아토피/천식 가족력</td><td>검사</td><td>피부반응검사, 콧물펴바름표본, 혈액 호산구, 혈액 총 면역글로불린 E</td></tr>
<tr><td>치료</td><td>회피요법, 항히스타민제, 면역요법</td></tr>
<tr><td rowspan="2">혈관운동성 비염</td><td rowspan="2">• 뜨거운 음식 먹을 때
• 알레르기 원인 아닌 거 같을 때</td><td>검사</td><td>PNS Series, 후각검사, 피부반응검사</td></tr>
<tr><td>치료</td><td>회피요법, 항히스타민제, 스테로이드</td></tr>
<tr><td rowspan="2">약물유발 비염</td><td rowspan="2">• 약물(ACEi, NSAIDs, 국소 혈관수축제)</td><td>검사</td><td>–</td></tr>
<tr><td>치료</td><td>약물 중단 및 교체</td></tr>
<tr><td rowspan="6">일측성</td><td rowspan="2">뇌척수액 콧물</td><td rowspan="2">• 두부외상력
• 신경학적 이상 소견
• 맑은 콧물</td><td>검사</td><td>두경부 CT, MRI</td></tr>
<tr><td>치료</td><td>수술</td></tr>
<tr><td rowspan="2">코 외상/이물</td><td rowspan="2">• 코 외상
• 이물질 코에 들어감</td><td>검사</td><td>두경부 CT, MRI</td></tr>
<tr><td>치료</td><td>코내시경, 수술</td></tr>
<tr><td rowspan="2">부비동 종양</td><td rowspan="2">• 혈성 콧물
• 신경학적 이상
• 코담배, 방사선조사 과거력</td><td>검사</td><td>코내시경, 두경부 CT, MRI</td></tr>
<tr><td>치료</td><td>수술, 방사선조사, 항암치료</td></tr>
</table>

병력청취

L	콧물이 양쪽 코에서 나오나요? 한쪽 코만 나오나요?
O	언제부터 콧물이 나오기 시작했나요?
S	어떤 상황에서 콧물이 나오나요? – 외출, 실내, 뜨거운 음식
T	콧물이 얼마 동안 지속되나요? 하루에 몇 번 정도 콧물이 흐르나요?
Co/Ex	증상이 점점 심해지나요? 이전에도 이런 적이 있나요? 당시 진료를 받으셨나요?
C	[**양상**] 색, 양, 냄새, 양상(수양성/점액성), 피 섞여 나오는지 * **색 – 양 – 냄 – 피** [**정도**] 일상생활에 지장이 있나요?
F	[**악화**] 콧물이 어떨 때 더 심해지나요? – (알레르기)계절, 특정 장소, (혈관운동성)뜨거운 음식 [**완화**] 어떻게 하면 증상이 좀 나아지나요?
Asso	[**전신**] 발열/오한/피로/체중변화 [**알레르기**] 재채기/눈, 코 가려움 [**부비동**] 코 주위 압통/두통/냄새 못 맡음/얼굴 감각 저하 [**후비루**] 코 뒤로 넘어가는 느낌 [**상기도**] 기침/가래/인후통 [**하기도**] 호흡곤란/쌕쌕거림
약	드시고 계신 약이 있나요? 콧물약을 사용했나요?
과	앓고 계신 병이 있나요? – 고혈압/고지혈증/당뇨/알레르기/아토피/천식 건강검진 받으셨나요? 당시에 결과에 대해 뭐라고 들으셨나요?
외	[**외상**] 머리나 코를 다치신 적이 있나요? 코에 이물질이 들어간 적이 있나요? [**수술**] 머리 수술 받으신 적이 있나요?
사	음주/흡연/커피 거주 환경 혹은 직업환경(먼지가 많은지, 반려동물)
가	가족 중 비슷한 증상을 보이는 분이 있나요? 가족 중 알레르기/아토피/천식
여	–

02 CHAPTER

신체진찰

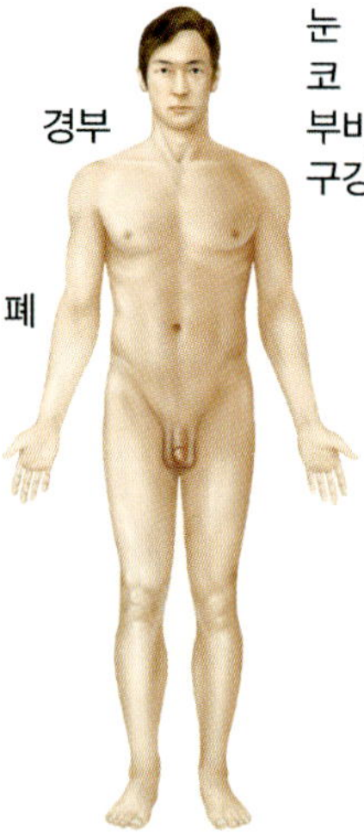

눈	Allergic shiner
코	시진 : 콧물 흔적, Nasal crease 비경 : 비점막 상태, 콧물 성상 확인
부비동	압통 확인
구강	점막 발적, 인후부 상태, 후비루 확인
경부	촉진 : 목주위림프절 비대 확인
폐	시진 : 호흡곤란 정도 확인 촉진 : 촉각 진동감(↑시, 폐렴의심) 타진 : 6군데 이상, 공명음, 둔탁음 확인 청진 : 6군데 이상, 이상호흡음 확인
필수 임상술기	이경검사(모형에 시행) – 감기와 비염의 흔한 합병증인 중이염을 파악하기 위함

※ 비경검사는 국시원에서 발표한 필수 임상술기에는 해당하지 않으며 평가목표 상에서 신체진찰 항목에 포함되어 있습니다. 비경이 있는 경우에는 비경을 이용하여 진찰을 하고, 비경이 준비되어 있지 않은 경우 환자 교육에서 기본 검사 항목에 포함시키면 됩니다.

환자교육

추정진단	○○님, 진찰 결과 □□한 점이 관찰되는데, 이러한 소견은 문진과 함께 생각해봤을 때 A병이 가장 의심이 됩니다.
감별진단	그 외에 B병, C병 또는 D병도 완전히 배제할 수는 없습니다.
검사	확실한 진단을 위해서는 **[기본 검사]**+**[질병별 검사]**가 필요합니다. **[기본 검사] PNS series, CXR, 비경검사, 비내시경, CBC**
치료	검사를 통해 A병으로 진단이 되면, 이에 대한 치료로 I, J, K가 필요합니다.
예후	지금부터 치료를 받으시면 별다른 지장 없이 지내실 수 있으실 것입니다.
주의점/생활교육	• 알레르기 유발요인 회피(천 덮인 가구와 카펫을 집에서 제거하고 애완동물을 키우지 않고 밖에서 집으로 들어오면 옷을 갈아입기, 실내습도 50% 이하로 유지) • 금연의 중요성 • 손위생 철저 관리하도록 교육하고 중이염, 부비동염, 폐렴 등의 합병증이 의심될 경우 즉시 재방문 • 독감 예방접종 • 비충혈 완화제의 습관적인 사용은 자제
질문기회	혹시 이해 안 되시거나 궁금하신 점이 있으신가요?

1) 진단계획

(1) 기본검사 : 비경검사, 비내시경

(2) 알레르기 : Skin prick test, Specific IgE

(3) 부비동 : PNS series, 두경부 CT

2) 치료계획

(1) 부비동염 : 항생제

(2) 알레르기비염 : 회피요법, 항히스타민제, 비강 스테로이드

(3) 혈관운동성비염 : 회피요법, 비강분무제/국소혈관수축제

3) 환자교육

(1) 금연교육 / 독감 예방접종 / 손씻기

(2) 비충혈제거제(뿌리는 콧물약)는 2일 이상 사용할 경우 약물에 의해 코가 막히는 게 반복될 수 있으므로 너무 많이 사용하지 않도록 교육

(3) 부비동염 : 감기와 다른 병으로 항생제가 필요함을 교육, 손위생을 비롯한 개인위생 교육

(4) 알레르기 : 천소파, 카페트 등은 집에 두지 말 것, 이불 54℃ 이상에서 1~2회 세탁, 습도 50% 이상 유지, 꽃가루 날릴 때는 외출 삼가거나 마스크 착용하기, 집안 위생관리 등 알레르기 항원 회피 교육

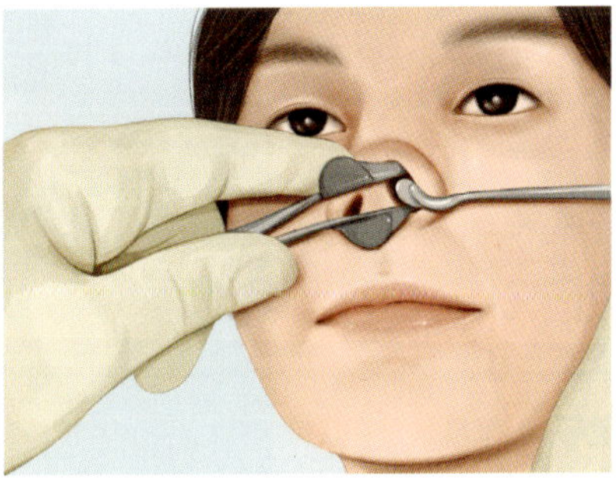

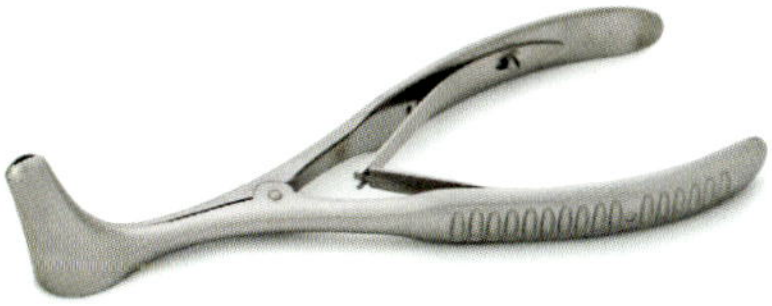

CPX 6

CLINICAL PERFORMANCE EXAMINATION

기 침

감별진단

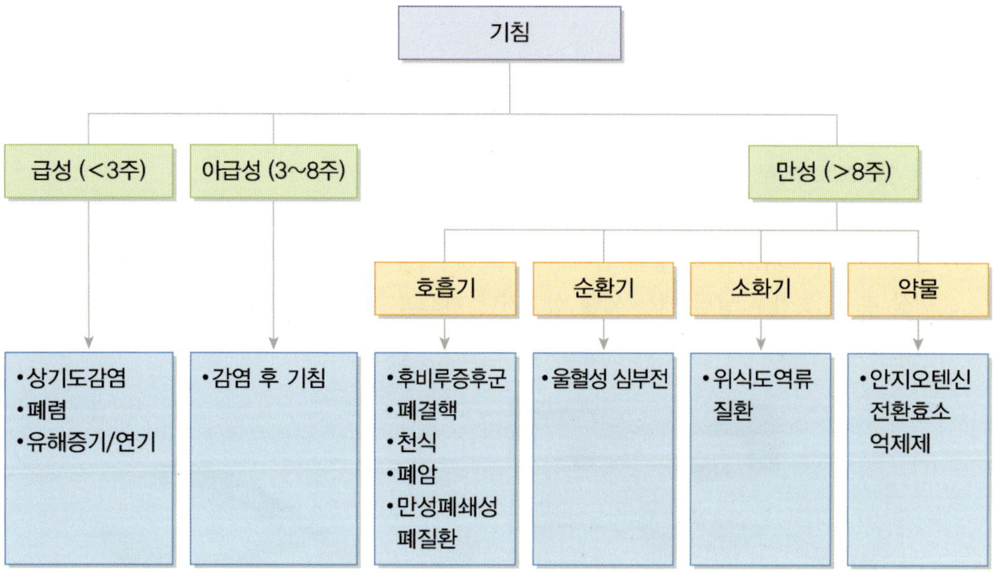

참고

기침은 폐와 기관지의 이물질을 제거하기 위한 중요한 반사작용이다. 기침의 지속기간에 따라 3주 미만은 급성기침, 3~8주는 아급성 기침, 8주 이상은 만성기침으로 정의한다. 각 기간에 따른 대표적 질환을 알고 흔한 질환부터 생각하되, 동반 증상을 자세히 확인하여 치명적일 수 있는 질병을 알아낼 수 있어야 한다. 호흡기 질환은 손 위생과 금연의 중요성이 크므로 교육을 빠뜨리지 않도록 하자.

주제별 감별진단

계통		질병명	감별키워드	검사/치료	
급성		상기도감염	• 인후통 • 가래, 코막힘 • 발열	검사	후두경, CBC, CXR
				치료	휴식과 수분섭취, NSAID, 항생제
		폐렴	• 발열 • 가래 • 객혈	검사	CBC, 혈액배양, CXR
				치료	Ciprofloxacin/Ceftriaxone + Azithromycin
아급성		감염 후 기침 (Postinfectious cough)	• 이전 감기 경험	검사	CBC, 혈액배양
				치료	휴식과 수분섭취, ipratropium
만성	호흡기	후비루(증후군) (Postnasal drip)	• 코가 넘어가는 느낌 • 구강시진에서 조약돌 모양(cobblestone) • 목이물감	검사	부비동 CT, 피부단자검사
				치료	원인 질환 치료, 식염수 세척, 진해제
		폐결핵	• 체중감소 • 야간발한 • 극심한 피로	검사	객담 항산균 도말, 배양
				치료	Isoniazid, Rifampin, Pyrazinamide
		천식	• 봄/야간 악화 • 아토피/알레르기 • 쌕쌕거림	검사	폐기능검사, 메타콜린유발검사, 객담검사, 알레르기 피부단자검사
				치료	ICS + SABA, LABA
		폐암	• 체중감소 • 오랜 흡연력, 고령 • 객혈	검사	고해상도 흉부CT, 기관지내시경
				치료	수술, 방사선치료, 항암제
		만성폐쇄성폐질환 (COPD)	• 호흡곤란 • 오랜 흡연력, 고령 • 가래	검사	폐기능검사, CXR, ABGA
				치료	베타?항진제, 항콜린제, 산소치료, 금연
	순환기	울혈성 심부전	• 심혈관 위험인자 • 부종 • 호흡곤란	검사	심초음파, 심전도
				치료	ACEI, BB, spironolactone, 이뇨제
	소화기	위식도역류병 (GERD)	• 신물 올라오는 느낌 • 식후 악화 • 누우면 심해짐	검사	위내시경, 24시간 식도산도검사
				치료	양성자펌프억제제, 제산제, 수술
	약물	안지오텐신 전환효소 억제제	• 최근에 고혈압 약 변화(증량, 새로 시작)	검사	–
				치료	약물 변경

병력청취

L	–
O	언제부터 기침이 시작되었나요?
S	어떤 상황에서 기침이 시작되나요?
T	하루에 몇 번 정도 기침을 하시나요?
Co/Ex	증상이 점점 심해지나요? 이전에도 이런 적이 있나요? 당시 진료를 받으셨나요?
C	[**양상**] 마른 기침 or 가래(색, 양, 냄새, 피) [**정도**] 일상생활에 지장이 있나요?
F	[**악화**] 기침이 어떨 때 더 심해지나요? [**완화**] 어떻게 하면 증상이 좀 나아지나요?
Asso	[**전신**] 발열/오한/피로/체중변화/야간발한 [**상기도**] 콧물/코막힘/목 이물감/인후통/최근 감기 [**후비루**] 코 뒤로 넘어가는 느낌 [**하기도**] 흉통/호흡곤란/쌕쌕거림 [**순환기**] 전신부종/운동 시 or 누웠을 때 호흡곤란 [**소화기**] 신물 올라옴/속쓰림/소화불량/복통
약	드시고 계신 약이 있나요? – 고혈압약('-pril'이 ACEi)
과	앓고 계신 병이 있나요? – 고혈압/고지혈증/당뇨/알레르기/아토피/천식 건강검진 받으셨나요? 당시에 결과에 대해 뭐라고 들으셨나요? 독감이나 폐렴 예방접종을 받으셨나요?
외	[**수술**] 수술 받으신 적이 있나요?
사	음주/흡연/커피 거주 환경 혹은 직업환경(먼지가 많은지, 반려동물)
가	가족 중 비슷한 증상을 보이는 분이 있나요? 가족 중 알레르기/아토피/천식/호흡기 질환
여	–

신체진찰

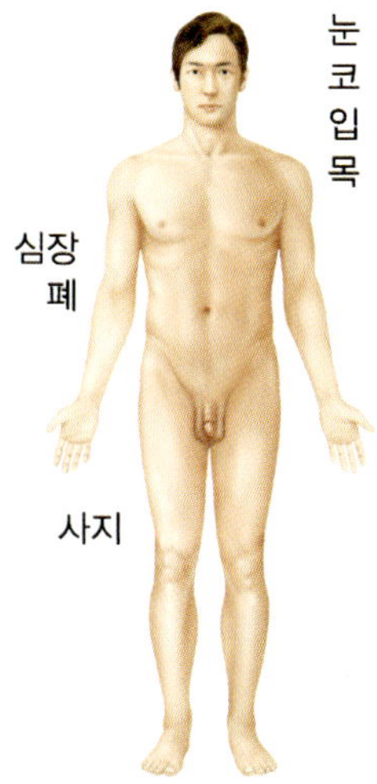

눈	결막, 공막 확인
코	비경 : 염증, 콧물
입	점막 발적 인후부 → 조약돌 모양/후비루
목	촉진 : 목주위림프절 비대 확인
심장	이상 심음, 부정맥, 잡음 청진
폐	시진 : 호흡곤란 정도 확인 촉진 : 촉각 진동감(↑시, 폐렴의심) 타진 : 6군데 이상, 공명음, 둔탁음 확인 청진 : 6군데 이상, 이상호흡음 확인
사지	곤봉지, 청색증
필수 임상술기	동맥혈 채혈(모형에 시행)

※ 역류성 식도염에 의한 기침일 경우 복부 진찰 추가

※ 시험장에 비경 있다면 비경검사도 추가로 실시

환자교육

추정진단	ㅇㅇ님, 진찰 결과 □□한 점이 관찰되는데, 이러한 소견은 문진과 함께 생각해봤을 때 A병이 가장 의심이 됩니다.
감별진단	그 외에 B병, C병 또는 D병도 완전히 배제할 수는 없습니다.
검사	확실한 진단을 위해서는 **[기본 검사]**+**[질병별 검사]**가 필요합니다. **[기본 검사] CXR, CBC, 객담배양검사**
치료	검사를 통해 A병으로 진단이 되면, 이에 대한 치료로 I, J, K가 필요합니다.
예후	지금부터 치료를 받으시면 별다른 지장 없이 지내실 수 있으실 것입니다.
주의점/생활교육	• 금연의 중요성 설명 및 교육 • 알레르기 질환이 의심되는 경우 알레르기 원인물질을 회피할 수 있는 방법을 교육 - 물걸레나 진공청소기를 이용하여 먼지가 날리지 않도록 청소 - 밖에 나갔다 들어오면 옷을 갈아입기 - 이불 및 매트리스 커버를 섭씨 50℃ 이상의 물에 세탁 - 카펫이나 두꺼운 천으로 된 커튼 등은 사용하지 않기 • 천식이나 COPD가 의심되는 경우 독감 및 폐렴쌍구균 예방접종이 중요함을 강조 • 손 위생의 중요성을 강조하고 올바른 손 씻기 방법에 대해서 교육 • 결핵, COVID19 등의 경우 주변 가족들도 검사받도록 하며, 본인은 격리 될 수도 있음을 알림
질문기회	혹시 이해 안 되시거나 궁금하신 점이 있으신가요?

1) 진단계획

(1) 기본검사 : CXR, CBC

(2) 호흡기 : 폐기능검사, 메타콜린유발검사, 객담검사(배양, 항산균 염색, 호산구)

(3) 순환기 : 심초음파

(4) 소화기 : 위내시경, 24시간 식도산도검사

2) 치료계획

(1) 급성 및 아급성 기침 : 보존적 치료, 항생제(폐렴)

(2) 천식, COPD : 흡입 기관지확장제(SABA, LAMA)

(3) 울혈성 심부전 : ACEi, Beta-blocker, 이뇨제

(4) 위식도역류질환 : 양성자펌프억제제, 제산제

(5) 안지오텐신 전환효소 억제제 : 약물 변경

3) 환자교육

(1) 금연 교육/유해증기 노출 있다면 피하도록 교육, 미세먼지를 피하도록 교육

(2) 천식이나 COPD가 의심되는 경우 독감 및 폐렴구균 예방접종이 중요함을 강조

(3) 천식의 경우, 원인 물질 회피가 중요함을 교육
천소파, 카페트 등은 집에 두지 말 것, 이불 54도 이상에서 1～2회 세탁, 습도 50% 이상 유지, 꽃가루 날릴 때는 외출 삼가거나 마스크 착용하기, 집안 위생관리 등 알레르기 항원 회피 교육

(4) 결핵 같은 법정감염병의 경우, 원칙적으로 2주 정도 격리가 필요함. COVID19의 경우는 확진될 시 상태에 따라 입원 혹은 생활치료센터에서 격리될 것임을 알림

CPX 7

CLINICAL PERFORMANCE EXAMINATION

객 혈

감별진단

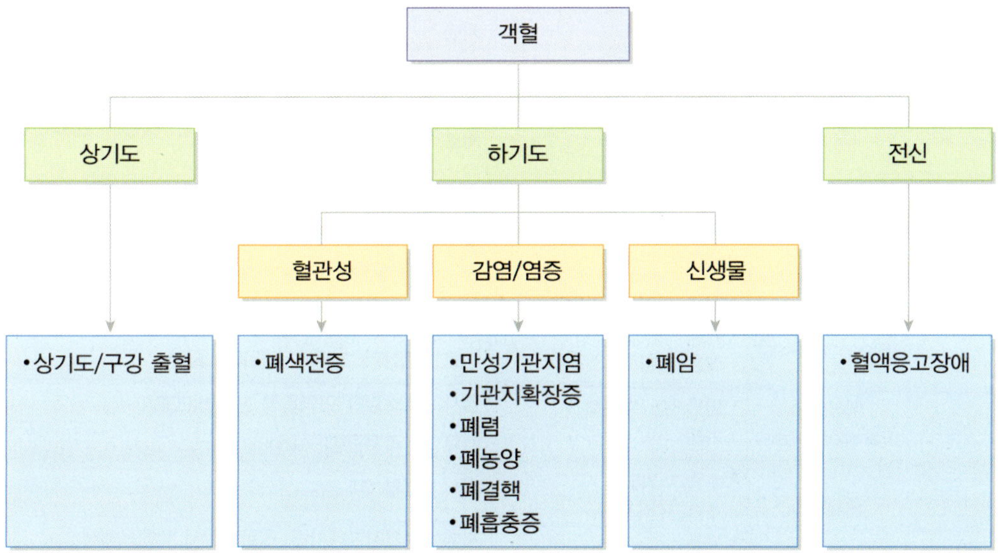

참고

객혈은 우선적으로 상기도/구강출혈 및 토혈과 감별하는 것이 중요하다. **200mL 이상의 대량 객혈**인 경우에는 응급상황으로 즉각적인 조치가 필요하므로 객혈의 양을 익숙한 물체(소주잔, 종이컵)를 이용하여 확인할 수 있도록 한다. 활력징후가 불안정한 경우 응급조치가 필요함을 주지하고 있어야 한다. 그 다음 동반증상을 확인하여 객혈의 원인을 확인할 수 있도록 하고, 출혈 경향을 야기할 수 있는 상황이면 그것을 교정할 수 있도록 한다. 환사가 불안해 할 가능성이 높으므로 환자를 안심시키고 다음 조치에 대해서 설명해 주는 것이 좋다.

주제별 감별진단

계통	질병명	감별키워드	검사/치료	
상기도	상기도/구강 출혈	• 양치 중 출혈 • 구강검진에서 출혈소견 관찰	검사	불필요
			치료	경과 관찰
하기도	만성 기관지염	• 잦은 기침 • 콧물, 가래	검사	CXR, CBC, 객담배양검사
			치료	진해제, 필요시 기도확장제
	폐렴	• 발열 • 가래 • 잦은 기침	검사	CXR, 혈액/객담 배양, CBC
			치료	경험적 항생제(Fluoroquinolone, Azithromycin), 수액 공급
	폐농양	• 발열 • 악취 나는 가래 • 만성 음주자	검사	CXR, 혈액/객담 배양, CBC
			치료	경험적 항생제(Clindamycin), 배농술, 필요시 외과적 절제술
	폐결핵	• 체중감소 • 야간발한 • 극심한 피로	검사	객담 항산균 도말, 배양
			치료	항결핵제(Isoniazid, Rifampin, Pyrazinamide, Ethambutol)
	기관지확장증 (Bronchiectasis)	• 잦은 상기도 감염력 • 가래 • 잦은 기침	검사	CXR, 흉부 CT
			치료	항생제, 거담제, 체위배농술
	폐흡충증 (Paragonimiasis)	• 민물게장 복용력 • 가래	검사	효소결합 면역흡착 분석법(ELISA)
			치료	프라지콴텔(Praziquantel)
	폐색전증	• 수술/누워있음 • 호흡곤란(급성) • 흉통	검사	흉부 CT
			치료	저분자량헤파린, 응급상황시 혈전용해제
	폐암	• 체중감소 • 오랜 흡연력, 고령 • 기침	검사	흉부 CT, 기관지내시경, 조직검사
			치료	폐절제술, 방사선치료, 항암제

병력청취

L	-
O	언제부터 객혈이 시작되었나요?
S	객혈 당시 상황이 어땠나요? - 구토/기침/양치
T	하루에 몇 번 정도 증상이 있나요?
Co/Ex	증상이 점점 심해지나요? 이전에도 이런 적이 있나요? 당시 진료를 받으셨나요?
C	[**양상**] 양(종이컵 한 컵 이상은 대량객혈) 색(검붉은색/선홍색) 거품/음식물 * 색 - 양 - 냄 - 피 - 거품 - 음식
F	[**악화**] 증상이 어떨 때 더 심해지나요? [**완화**] 어떻게 하면 증상이 좀 나아지나요?
Asso	[**응급**] 어지러움/두근거림/호흡곤란 * 어 - 두 - 호 [**전신**] 발열/오한/피로/체중변화/야간발한 [**상기도**] 기침/가래/콧물/인후통 * 기 - 가 - 코 [**하기도**] 흉통/호흡곤란 [**전신**] 출혈경향성 - 멍이 잘 드나요? 채혈 후나 다쳤을 때 지혈이 잘 안되는 편인가요?
약	드시고 계신 약이 있나요? - 와파린, 아스피린
과	앓고 계신 병이 있나요? - 고혈압/고지혈증/당뇨/폐결핵 건강검진 받으셨나요? 당시에 결과에 대해 뭐라고 들으셨나요? 어렸을 때부터 감기에 잘 걸리시는 편인가요?
외	[**외상**] 가슴을 다치신 적이 있나요? [**수술**] 수술 받으신 적이 있나요? 최근 장기입원 등 못 움직이는 상황이 있었나요?
사	음주/흡연/커피 날음식(민물게장)
가	가족 중 비슷한 증상을 보이는 분이 있나요? 가족 중 폐질환/혈액응고질환
여	월경량 과다

신체진찰

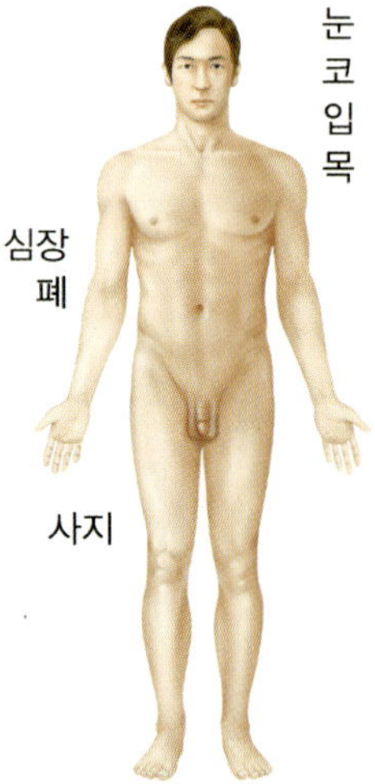

눈	결막, 공막 확인
코	비경 : 코 안 관찰하여 출혈 흔적 확인
입	입안에 점막 출혈 또는 출혈 흔적 확인
목	목, 겨드랑이 주위 림프절 촉진
심장	이상 심음, 부정맥, 잡음 청진
폐	시진 : 호흡곤란 정도 확인 촉진 : 촉각 진동감(↑시, 폐렴의심) 타진 : 6군데 이상, 공명음, 둔탁음 확인 청진 : 6군데 이상, 이상호흡음 확인
사지	멍, 점상출혈 곤봉지, 청색증
필수 임상술기	안전수혈술기(모형에 시행)

※ 혈액응고질환 의심 시 간, 비장비대 확인

환자교육

추정진단	○○님, 진찰 결과 □□한 점이 관찰되는데, 이러한 소견은 문진과 함께 생각해봤을 때 A병이 가장 의심이 됩니다.
감별진단	그 외에 B병, C병 또는 D병도 완전히 배제할 수는 없습니다.
검사	확실한 진단을 위해서는 **[기본 검사]**+**[질병별 검사]**가 필요합니다. **[기본 검사]** CBC+CXR+Chest CT
치료	검사를 통해 A병으로 진단이 되면, 이에 대한 치료로 I, J, K가 필요합니다.
예후	지금부터 치료를 받으시면 별다른 지장 없이 지내실 수 있으실 것입니다.
주의점/생활교육	• 환자가 불안해할 수 있으므로 환자를 안심시키고 추가적인 검사에 대해서 설명 • 응급조치가 필요한 대량 객혈에서는 활력징후를 안정시키기 위한 조치가 필요함을 강조 • 출혈을 야기할 수 있는 약물이나 식품 복용 시 중단해야 함을 설명 • 금연의 중요성 설명 및 교육, 독감, 폐렴 예방접종의 중요성 교육 • 감염 질환이 의심되는 경우 손 위생의 중요성을 강조하고 올바른 손 씻기 방법에 대해서 교육 • 결핵은 법정감염병 2급에 해당하는 질환으로 격리 치료가 필요함을 강조
응급	• 치료 이후에도 종이컵 한 컵 이상의 피가 나왔다거나, 혹은 기운이 없고 어지럽고, 두근거리는 경우 실혈이 있을 가능성이 있으니 즉시 병원 방문
질문기회	혹시 이해 안 되시거나 궁금하신 점이 있으신가요?

1) 진단계획

(1) 기본검사 : CBC, CXR, Chest CT

(2) 호흡기 : 기관지내시경, 객담검사(배양, 항산균 도말), 혈액배양검사, 폐기능검사

(3) 전신 : 혈액응고검사, 간기능검사

2) 치료계획

(1) 대량객혈 : Airway protection, 기관지동맥색전술(BAE)
출혈이 안정화 된 후 원인질환 교정

3) 환자교육

(1) 금연 교육

(2) 기관지확장증에서는 주기적으로 독감, 폐렴구균 예방접종 맞도록 교육

(3) 대량객혈이 재발할 경우 병원에 내원하도록 교육

(4) 결핵과 같은 법정감염병의 경우, 상태에 따라 통원치료도 가능하나, 원칙적으로 2주 정도 격리가 필요함을 알리고, 확진될 경우 주변 사람들 검사 받도록 함

CPX 8

CLINICAL PERFORMANCE EXAMINATION

호흡곤란

감별진단

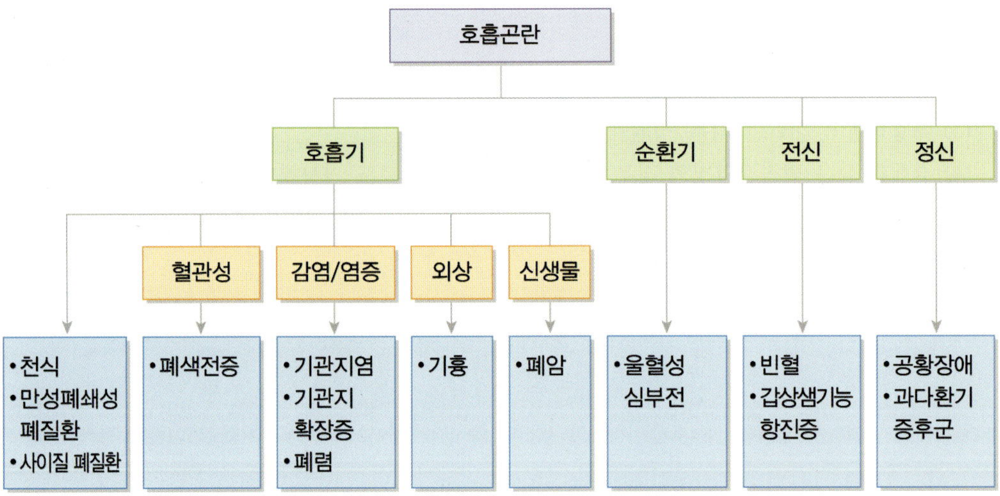

참고

호흡곤란은 숨이 차다고 느끼는 주관적인 불편감이다. 급성호흡곤란 환자가 오게 되면 우선 기흉이나 폐색전증과 같이 응급조치가 필요한 질환이 아닌지 확인하여야 한다. 호흡곤란은 호흡과 심혈관계 문제뿐 아니라 생리적 반응, 정신적/사회환경적인 요인으로도 발생할 수 있기 때문에 자세한 병력청취와 신체진찰이 필요하다.

주제별 감별진단

계통	질병명	감별키워드	검사/치료	
호흡기	천식	• 봄/야간 악화 • 아토피/알레르기 • 쌕쌕거림	검사	폐기능검사, 메타콜린유발검사, 객담검사, 알레르기 피부단자검사
			치료	ICS + SABA, LABA
	만성폐쇄성 폐질환	• 만성적 기침 • 오랜 흡연력, 고령 • 가래	검사	폐기능검사, CXR, ABGA
			치료	SABA, LABA, LAMA, 산소치료
	사이질 폐질환 (Interstitial Lung Disease)	• 고령 • 청색증, 곤봉지 • 수포음	검사	흉부 CT, 폐기능검사
			치료	산소치료, 항섬유화제제
	폐색전증	• 수술/누워있음 • 흉통 • 객혈	검사	흉부 CT
			치료	저분자량헤파린, 응급상황시 혈전용해제
	기관지염	• 기침 • 흉통 • 인후통	검사	CXR, 혈액/객담 배양, CBC
			치료	수액 공급 및 대증 치료
	기관지확장증	• 잦은 상기도 감염력 • 가래 • 잦은 기침	검사	CXR, 흉부 CT
			치료	항생제, 거담제, 체위배농술
	폐렴	• 발열 • 가래 • 잦은 기침	검사	CXR, 혈액/객담 배양, CBC
			치료	경험적 항생제(Fluoroquinolone, Azithromycin), 수액 공급
	기흉	• 젊고 마른 남성 • 흉통(호흡시 악화) • 타진시 과공명음	검사	흉부 X-ray
			치료	산소마스크, 흉관 삽입, 필요시 흉막유착술
	폐암	• 체중감소 • 오랜 흡연력, 고령 • 기침	검사	흉부 CT, 기관지내시경, 조직검사
			치료	폐절제술, 방사선치료, 항암제
순환기	울혈성 심부전	• 심혈관 위험인자 • 부종 • 호흡곤란	검사	심초음파, 심전도
			치료	ACEI, BB, spironolactone, 이뇨제
전신	빈혈	• 어지러움 • 결막 창백 • 위 수술	검사	CBC, PBS, 혈중 Fe/TIBC/Ferritin
			치료	철분 보충, 코발라민/비타민 B_{12}
	갑상샘기능항진증	• 체중감소 • 더위불내성 • 피로	검사	TFT
			치료	Propylthiouracil, Methimazole, 방사성요오드
정신	공황장애	• 갑작스러운 공포감 • 다른데 다 멀쩡	검사	–
			치료	벤조디아제핀, 베타 차단제, 인지행동치료
	과다환기증후군	• 심리적 긴장상태 • 과도한 호흡	검사	ABGA, 전해질검사
			치료	저농도 이산화탄소 흡입, 심신안정

병력청취

L	-
O	언제부터 호흡곤란이 시작되었나요?(갑자기/서서히)
S	어떤 상황에서 숨이 차기 시작했나요? - 운동/누워있다가
T	한 번 증상이 나타나면 얼마나 지속되나요? 하루에 몇 번 정도 숨이 차다고 느끼시나요?
Co/Ex	증상이 점점 심해지나요? 이전에도 이런 적이 있나요? 당시 진료를 받으셨나요?
C	[**양상**] 어떻게 숨이 차나요? - 얕은 숨/깊게 몰아쉬는 숨/답답한 느낌 [**정도**] 증상 때문에 일상생활에 지장을 받나요? mMRC(1 : 오르막길 / 2 : 동년배 / 3 : 100m 평지 / 4 : 옷 갈아입기)
F	[**악화**] 증상이 어떨 때 더 심해지나요? [**완화**] 어떻게 하면 증상이 좀 나아지나요?
Asso	[**전신**] 발열/오한/피로/체중변화 [**상기도**] 기침/가래/콧물/인후통 [**하기도**] 흉통/쌕쌕거림 * 기 - 가 - 코 - 쌕 [**순환기**] 전신부종 * 어 - 두 - 호 [**내분비**] 두근거림/더위불내성/설사 [**정신**] 죽을 것 같은 공포감/예기불안/불안/과호흡
약	드시고 계신 약이 있나요? - 경구피임약, 여성호르몬제
과	앓고 계신 병이 있나요? - 고혈압/고지혈증/당뇨/폐결핵 건강검진 받으셨나요? 당시에 결과에 대해 뭐라고 들으셨나요? 어렸을 때부터 감기에 잘 걸리시는 편인가요?
외	[**외상**] 가슴을 다치신 적이 있나요? [**수술**] 수술 받으신 적이 있나요? 최근 장기입원 등 못 움직이는 상황이 있었나요?
사	음주/흡연/커피 거주 환경 혹은 직업환경(먼지가 많은지, 반려동물)
가	가족 중 비슷한 증상을 보이는 분이 있나요? 가족 중 폐질환
여	임신 가능성

신체진찰

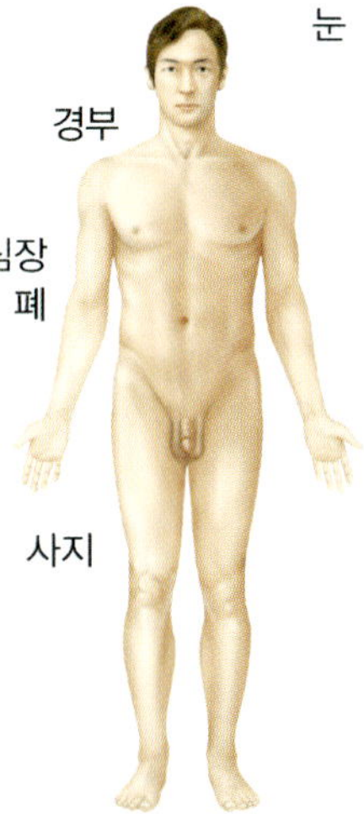

눈	결막 : 빈혈 확인
경부	목 : 갑상샘, 기관편위 확인 경정맥 확장 평가
심장	이상 심음, 부정맥, 잡음 청진
폐	시진 : 호흡곤란 정도 확인 촉진 : 촉각 진동감(↑시, 폐렴의심) 타진 : 6군데 이상, 공명음, 둔탁음 확인 청진 : 6군데 이상, 이상호흡음 확인
사지	하지부종, 곤봉지 Homan's sign
필수 임상술기	동맥혈 채혈(모형에 시행)

환자교육

추정진단	ㅇㅇ님, 진찰 결과 □□한 점이 관찰되는데, 이러한 소견은 문진과 함께 생각해봤을 때 A병이 가장 의심이 됩니다.
감별진단	그 외에 B병, C병 또는 D병도 완전히 배제할 수는 없습니다.
검사	확실한 진단을 위해서는 **[기본 검사]**+**[질병별 검사]**가 필요합니다. **[기본 검사]** CXR+ABGA
치료	검사를 통해 A병으로 진단이 되면, 이에 대한 치료로 I, J, K가 필요합니다.
예후	지금부터 치료를 받으시면 별다른 지장 없이 지내실 수 있으실 것입니다.
주의점/생활교육	• 환자가 불안해할 수 있으므로 환자를 안심시키고 추가적인 검사에 대해서 설명 • 천식이나 COPD가 의심되는 경우 꾸준한 관리 및 예방접종이 중요함을 강조 • 금연의 중요성 설명 및 교육, 독감 및 폐렴 예방접종의 중요성 교육
응급	치료 이후에도 계속해서 호흡곤란이 지속되거나, 혹은 갑자기 호흡이 곤란해지는 경우 즉시 병원방문
질문기회	혹시 이해 안 되시거나 궁금하신 점이 있으신가요?

1) 진단계획

(1) 기본검사 : CXR, ABGA

(2) 호흡기 : 폐기능검사, 메타콜린유발검사

(3) 순환기 : 심초음파

2) 치료계획

(1) 기본치료 : 산소 공급

(2) 천식, COPD : 흡입 기관지확장제(SABA, LAMA)

(3) 기흉 : 흉관삽입, 흉막유착술

(4) 사이질 폐질환 : 스테로이드, 항섬유화제

(5) 울혈성 심부전 : ACEi, Beta-blocker, 이뇨제

3) 환자교육

(1) 금연 교육

(2) 천식이나 COPD, 사이질 폐질환 등은 완치되는 병이 아니라 약으로 꾸준히 관리가 필요하며, 급성악화 예방을 위해 경우 독감 및 폐렴구균 예방접종이 중요함을 강조

(3) 천식의 경우, 원인 물질 회피가 중요함을 교육

03

CHAPTER

소화기

CPX 9-1

CLINICAL PERFORMANCE EXAMINATION

상복부 복통

감별진단

상복부 복통

- **위장관**
  - 위염/위궤양
  - 십이지장궤양
  - 궤양 천공
  - 장폐색증
- **담췌**
  - 급성 담낭염
  - 급성 담관염
  - 급성 췌장염
- **기타**
  - 복부대동맥류 파열

참고

급성 윗배 통증은 살아가면서 누구나 흔히 느끼는 증상으로 기능성 소화불량이 가장 흔한 원인이다. 그러나 진단과 치료가 늦어질 경우에는 패혈증이나 과다출혈 등 생명을 위협할 수 있는 질환들도 급성 윗배 통증으로 나타날 수 있으므로 자세한 병력 청취와 신체진찰을 통해서 응급 치료나 수술이 필요한 질환인지 먼저 판단하는 것이 중요하다. 윗배 통증은 복강 안의 통증 이외에도 심장, 폐 등의 인접 장기의 문제로 인해 유발되기도 하며 복강 내의 다양한 장기에 의해서 유발될 수도 있으므로 진단에 유의하여야 한다.

주제별 감별진단

계통	질병명	감별키워드	검사/치료	
위장관	위염/위궤양	• Epigastric pain, 속쓰림, 식후에 심해짐, 오심, 구토, 흑색변	검사	위내시경
			치료	양성자펌프억제제, 히스타민 수용체(H2) 길항제, 제산제
	십이지장궤양	• 위궤양과 비슷하나 공복 시 심해짐	검사	위내시경
			치료	양성자펌프억제제, 히스타민 수용체(H2) 길항제, 제산제
	궤양 천공	• 소화성 궤양 증상, 두근거림, 어지럼 • 복부 전반의 압통과 반발통	검사	흉부 X선
			치료	응급개복술
	장폐색증	• 이전 복부 수술력, 오심, 구토, 복부팽만, 식욕부진, 변비	검사	복부 X선
			치료	금식, 비위관 삽입, 수액 공급
담췌	급성 담낭염	• RUQ pain, 발열 • RUQ T/rT, Murphy's sign	검사	복부 초음파, 복부 CT
			치료	담낭절제술
	급성 담관염	• RUQ pain, 발열, 황달	검사	복부 초음파, ERCP, MRCP
			치료	ERCP
	급성 췌장염	• Epigastric/Periumbilical pain, 등/가슴/옆구리/하복부의 방사통, 똑바로 누우면 악화되고 몸을 굽히고 무릎을 당겨서 앉으면 완화, 오심, 구토	검사	혈중 amylase/lipase, 복부 CT
			치료	금식, 수액 공급, 진통제, 비위관 삽입
기타	복부대동맥류 파열	• 극심한 찢어지는 통증, 호흡곤란 • 복부의 박동성 종괴	검사	복부 CT
			치료	응급개복술

병력청취

L	**[위치]** 아픈 부위를 정확히 짚어보세요. 통증의 위치가 시간이 지나면서 바뀌나요? **[방사통]** 다른 곳에도 통증이 있나요?(통증이 퍼지는 곳이 있나요?)
O	언제부터 배가 아프셨나요? 통증이 갑자기/서서히 시작됐나요?
S	어떤 상황에서 배가 아픈가요?
T	통증이 얼마나 지속되나요? 하루에 얼마나 자주 아프신가요?
Co/Ex	통증이 점점 심해지나요? 이전에도 이런 적이 있나요? 당시 진료를 받으셨나요?
C	**[양상]** 배가 아픈게 어떤 느낌인가요?(날카로운, 쥐어짜는, 타는듯한, 둔한, 찢어지는) **[강도]** 가장 안 아픈 게 0점, 아파서 죽을 것 같은 게 10점이라고 할 때 지금 아픈 건 몇 점 정도인가요? * 양 - 강 - 방
F	**[악화]** 통증이 어떨 때 더 심해지나요? - 식사, 공복, 음주, 자세(눕기) **[완화]** 어떻게 하면 통증이 좀 나아지나요? - 식사, 공복, 자세(무릎 당겨 앉기)
Asso	**[응급]** 두근거림/어지럼/호흡곤란 **[전신]** 발열/오한/피로/체중변화 **[소화]** 식욕부진/오심/구토/설사/변비/토혈/흑색변/혈변 속쓰림/신물/소화불량/복부팽만/황달 * ANVDC-JA, 속시소
약	드시고 계신 약이 있나요?
과	앓고 계신 병이 있나요? - 고혈압/당뇨/간질환 건강검진 받으셨나요? 당시에 결과에 대해 뭐라고 들으셨나요?
외	**[외상]** 복부를 어딘가에 세게 부딪히거나 다치신 적이 있나요? **[수술]** 복부 수술 받으신 적이 있나요?
사	직업이 어떻게 되시나요? - 스트레스 여부 음주/흡연/커피 평소 식사를 규칙적으로 하시나요? 운동은 일주일에 몇 번 정도 하시나요?
가	가족 중 비슷한 증상을 보였던 분이 있나요? 가족 중 소화기 문제로 병원을 다니신 분이 있나요?
여	폐경하셨나요? 최근에 생리량이나 생리주기의 변화가 있나요?

신체진찰

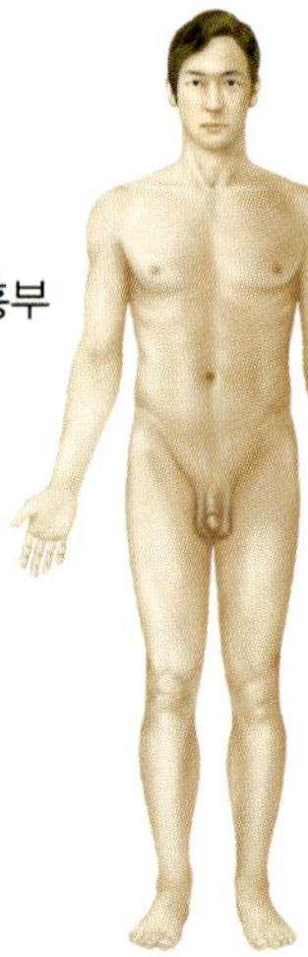

눈	결막(빈혈) 공막(황달)
입	혀(탈수)
흉부	심음 청진(최소 5군데), 호흡음 청진(최소 6군데)
복부	시진 : 아픈 부위 가리켜보세요, 기침 시 통증 확인 청진 타진 : 아픈 부위 반대편부터, 가벼운 촉진과 깊은 촉진 촉진 : 아픈 부위를 마지막으로 진찰, T/rT 확인, 간/비장 촉진 Murphy's, courvoisier sign

※ 흉부 청진 : "윗배가 아픈 분들 중에 사실 폐나 심장 쪽이 아픈데 배가 아픈 것처럼 느끼시는 분들이 있습니다."

※ DRE 국시원이 공개한 필수 임상술기에는 복통 항목에는 없습니다. 그러나, 신체진찰 시 "배변 색 확인을 위해 항문에 손을 넣는 검사를 시행해도 될까요?" 이런 식으로 짧게 언급하면 검사지를 줄 수 있습니다.

환자교육

추정진단	○○님, 진찰 결과 □□한 점이 관찰되는데, 이러한 소견은 문진과 함께 생각해봤을 때 A병이 가장 의심이 됩니다.
감별진단	그 외에 B병, C병 또는 D병도 완전히 배제할 수는 없습니다.
검사	확실한 진단을 위해서는 **[기본 검사]**+**[질병별 검사]**가 필요합니다. **[기본 검사] 복부 X선+CBC**
치료	검사를 통해 A병으로 진단이 되면, 이에 대한 치료로 I, J, K가 필요합니다.
예후	지금부터 치료를 받으시면 별다른 지장 없이 지내실 수 있으실 것입니다.
주의점/생활교육	• 응급조치가 필요한 상황에서는 활력징후를 안정시키기 위한 조치가 필요함을 강조 • 과도한 음주에 의해서 증상이 발생할 수 있음을 설명하고 적절한 음주 습관을 갖도록 교육 • 정확한 진단 및 치료를 위해 입원이 필요할 수 있음을 설명
응급	상태를 계속 지켜보다 복통이 심해지고 어지럼, 두근거림 증상이 나타나는 등 나빠질 경우 수술이 필요할 수 있음을 언급
질문기회	혹시 이해 안 되시거나 궁금하신 점이 있으신가요?

1) 진단계획

(1) 복부 X선, CBC

(2) 위장관 : 위내시경(천공 의심 시 내시경 금기, 흉부 X선 촬영 시행)

(3) 담췌 : 복부 초음파, ERCP, MRCP

2) 치료계획

(1) 궤양 천공/복부대동맥류 파열 : 응급개복술

(2) 위장관 : 양성자펌프억제제, 히스타민 수용체(H2) 길항체, 제산제

(3) 담췌

[급성 담낭염] 담낭 절제술

[급성 담도염] ERCP

[급성 췌장염] 금식, 수액 공급, 진통제, 비위관 삽입

3) 환자교육

(1) 과도한 음주에 의해서 증상이 발생할 수 있음을 설명하고 적절한 음주 습관을 갖도록 교육

(2) 정확한 진단 및 치료를 위해 입원이 필요할 수 있음을 설명

(3) 수술이 필요한 경우 그 필요성에 대해 설명하되 환자의 심리적 상태를 잘 살필 것, 수술의 가능성이 배제될 때까지 금식을 권유

CPX

9-2

CLINICAL PERFORMANCE EXAMINATION

하복부 복통

감별진단

- 하복부 복통
  - 위장관
    - 급성 충수돌기염
    - 급성 게실염
    - 크론병
    - 장폐색증
  - 비뇨기
    - 요로결석
    - 급성 신우신염
    - 급성 방광염
  - 여성
    - 자궁 외 임신
    - 난소 염전
    - 골반 염증 질환

참고

급성 아랫배 통증은 흔하게 병원을 찾게 되는 이유 중 하나로, 다양한 원인으로 인해 유발될 수 있다. 급성 아랫배 통증은 흔하지만 진단과 치료가 늦게 되면 생명이 위험해질 수도 있는 질병들이 많으므로 응급치료나 수술이 필요한 질환인지를 우선적으로 파악하는 것이 중요하다. 복통의 발생 위치 및 양상을 통하여 가능성이 높은 질병을 추론하고, 신체검진을 통하여 그것을 뒷받침하여야 한다. 입원이 필요한 응급 질환의 경우 추가적인 검사의 필요성에 대해서 설명하고, 신속히 조치할 수 있도록 환자에게 잘 설명하는 것이 중요하다.

주제별 감별진단

계통	질병명	감별키워드	검사/치료	
위장관	급성 충수돌기염	• Epigastric → RLQ pain, 오심, 구토 • RLQ 압통, Obturator sign, Psoas sign, Rovsing sign	검사	복부 초음파, 복부 CT
			치료	충수돌기절제술
	급성 게실염	• 고령, 발열, RLQ pain(국내)	검사	복부 CT
			치료	항생제, 금식
	크론병	• 혈변, 설사, 체중 감소	검사	대장내시경
			치료	설파살라진, 스테로이드, Infliximab
	장폐색증	• 이전 복부 수술력, 오심, 구토, 복부팽만, 식욕부진, 변비	검사	복부 X선
			치료	금식, 비위관 삽입, 수액 공급
비뇨기	요로결석	• 갑자기 나타나는 극심한 옆구리 통증, 간헐적, 오심, 구토, 복부팽만 • CVAT(+)	검사	소변검사, 단순요로촬영, 신장 초음파, 복부 CT
			치료	수액 치료, 쇄석술, 수술
	급성 신우신염	• 옆구리 통증, 발열, 오심, 구토, 혈뇨	검사	소변검사, 소변배양검사
			치료	항생제
	급성 방광염	• 빈뇨, 요절박, 배뇨통, 잔뇨감, 하부 허리 및 치골상부 통증	검사	소변검사, 소변배양검사
			치료	항생제
여성	자궁 외 임신	• 가임기 여성, 무월경, 질출혈	검사	질초음파, Urine hCG
			치료	Methotrexate, 복강경 수술
	난소 염전	• 갑작스런 하복부 통증	검사	질초음파
			치료	복강경 수술
	골반 염증 질환	• 발열, 골반통 • 골반 장기 압통, 점액화농성의 질분비물	검사	질분비물검사, CBC, ESR/CRP
			치료	수액 공급, 진통제, 항생제

병력청취

L	**[위치]** 아픈 부위를 정확히 짚어보세요. 통증의 위치가 시간이 지나면서 바뀌나요? **[방사통]** 다른 곳에도 통증이 있나요?(통증이 퍼지는 곳이 있나요?)
O	언제부터 배가 아프셨나요? 통증이 갑자기/서서히 시작됐나요?
S	어떤 상황에서 배가 아픈가요?
T	통증이 얼마나 지속되나요? 하루에 얼마나 자주 아프신가요?
Co/Ex	통증이 점점 심해지나요? 이전에도 이런 적이 있나요? 당시 진료를 받으셨나요?
C	**[양상]** 배가 아픈게 어떤 느낌인가요?(날카로운, 쥐어짜는, 타는 듯한, 둔한, 찢어지는) **[강도]** 가장 안 아픈 게 0점, 아파서 죽을 것 같은 게 10점이라고 할 때 지금 아픈 건 몇 점 정도인가요? * 양 - 강 - 방
F	**[악화]** 통증이 어떨 때 더 심해지나요? **[완화]** 어떻게 하면 통증이 좀 나아지나요?
Asso	**[응급]** 두근거림/어지럼/호흡곤란 **[전신]** 발열/오한/피로/체중변화 **[소화]** 식욕부진/오심/구토/설사/변비/토혈/흑색변/혈변 * ANVDC-JA 소화불량/속쓰림/복부팽만/황달 **[비뇨]** 빈뇨/요절박/배뇨통/잔뇨감/혈뇨 * FUND-HIS **[여성]** 무월경/질출혈
약	드시고 계신 약이 있나요?
과	앓고 계신 병이 있나요? - 고혈압/당뇨/간질환 건강검진 받으셨나요? 당시에 결과에 대해 뭐라고 들으셨나요?
외	**[외상]** 복부를 어딘가에 세게 부딪히거나 다치신 적이 있나요? **[수술]** 복부 수술 받으신 적이 있나요?
사	직업이 어떻게 되시나요? - 스트레스 여부 음주/흡연/커피 평소 식사를 규칙적으로 하시나요? 운동은 일주일에 몇 번 정도 하시나요?
가	가족 중 비슷한 증상을 보였던 분이 있나요? 가족 중 소화기 문제로 병원을 다니신 분이 있나요?
여	폐경하셨나요? 최근에 생리량이나 생리주기의 변화가 있나요?

신체진찰

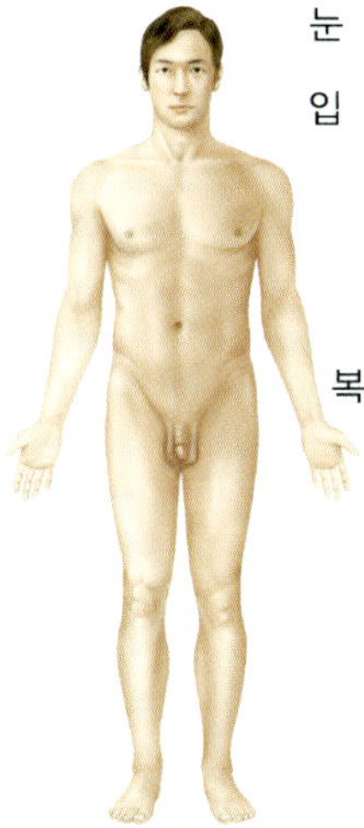

눈	결막(빈혈) 공막(황달)
입	혀(탈수)
복부	시진 : 아픈 부위 가리켜보세요, 기침 시 통증 확인 청진 타진 : 아픈 부위 반대편부터, 가벼운 촉진과 깊은 촉진 촉진 : 아픈 부위 마지막, T/rT 확인, 간/비장 촉진 Psoas sign, Obturator sign, McBurney, Rovsing
–	CVAT 골반진찰, 항문직장진찰 : 필수 임상술기는 아니며, 언급 시 검사지를 줄 수 있다.

환자교육

추정진단	○○님, 진찰 결과 □□한 점이 관찰되는데, 이러한 소견은 문진과 함께 생각해봤을 때 A병이 가장 의심이 됩니다.
감별진단	그 외에 B병, C병 또는 D병도 완전히 배제할 수는 없습니다.
검사	확실한 진단을 위해서는 **[기본 검사]**+**[질병별 검사]**가 필요합니다. **[기본 검사] 복부 X선+CBC**
치료	검사를 통해 A병으로 진단이 되면, 이에 대한 치료로 I, J, K가 필요합니다.
예후	지금부터 치료를 받으시면 별다른 지장 없이 지내실 수 있으실 것입니다.
주의점/생활교육	• 응급조치가 필요한 상황에서는 활력징후를 안정시키기 위한 조치가 필요함을 강조 • 정확한 진단 및 치료를 위해 입원이 필요할 수 있음을 설명 • 가임기 여성의 경우 급성 복통의 원인이 임신과 관련 있을 수 있으므로 이에 대해서 설명하고 협조를 구함
응급	상태를 계속 지켜보다 복통이 심해지고 어지럼, 두근거림 증상이 나타나는 등 나빠질 경우 수술이 필요할 수 있음을 언급
질문기회	혹시 이해 안 되시거나 궁금하신 점이 있으신가요?

1) 진단계획

(1) 복부 X선, CBC

(2) 위장관 : 복부 초음파, 복부 CT, 대장내시경

(3) 비뇨기 : 소변검사, 소변배양검사, 단순요로촬영

(4) 여성 : 질초음파, Urine hCG, 질분비물검사

2) 치료계획

(1) 위장관

[급성 충수돌기염] 충수돌기절제술

[급성 게실염] 항생제, 금식

(2) 비뇨기

[요로결석] 수액치료, 쇄석술

[요로감염] 항생제

(3) 여성

[자궁 외 임신] Methotrexate, 복강경 수술

[난소 염전] 복강경 수술

3) 환자교육

(1) 정확한 진단 및 치료를 위해 입원이 필요할 수 있음을 설명

(2) 수술이 필요한 경우 그 필요성에 대해 설명하되 환자의 심리적 상태를 잘 살필 것, 수술의 가능성이 배제될 때까지 금식을 권유

CPX

10

CLINICAL PERFORMANCE EXAMINATION

소화불량

감별진단

- 가슴통증
- 급성복증

소화불량

기질성

- 소화성 궤양
- 위식도역류질환
- 암 : 위암, 식도암
- 염증 : 담낭담석/만성 담낭염, 만성 췌장염, 간염

기능성

- 기능성 소화불량증
- 과민성 대장 증후군
- 젖당 불내성
- 약물

참고

소화불량은 환자들이 속이 쓰리다, 더부룩하다, 메스껍다 등의 다양한 표현으로 나타나는 지속적이고 반복적인 윗배의 불편감 또는 통증을 말한다. 대부분의 소화불량은 가벼운 경과를 보이지만, 한국인에게 발생빈도가 높은 위암에서도 특별한 증상 없이 소화불량만으로도 나타날 수 있다. 따라서 소화불량을 보이는 환자에서 **경고 증상(Alarm symptoms)**이 어떤 것인지 알고 판단할 수 있어야 한다. 경고증상에는 삼킴시 통증, 설명되지 않는 체중감소, 재발성 구토, 위장관출혈, 황달, 종괴 촉진, 림프절종대, 위장관악성종양의 가족력(식도암, 위암, 대장암, 췌장암) 등이 있다.

주제별 감별진단

계통	질병명	감별키워드	검사/치료	
기질성	소화성 궤양	• Epigastric pain, 속쓰림, 오심, 구토, 흑색변	검사	위내시경
			치료	양성자펌프억제제, 히스타민 수용체(H2) 길항제, 제산제
	위식도역류질환	• 명치부위 작열감, 쓴물 역류, 식후 및 누울 때 악화, 제산제 복용 시 완화	검사	위내시경, 24시간 식도 산도 검사
			치료	양성자펌프억제제, 생활습관 교정
	위암	• 상복부 통증, 식욕 부진, 체중 감소, 오심, 구토, 흑색변	검사	위내시경
			치료	위절제술
	담낭담석	• 명치부나 RUQ의 묵직하다가 쥐어짜는 느낌의 통증, 우측 어깨로 방사, 오심, 구토, 과식이나 지방식에 의해 증상 유발	검사	복부 초음파, 간기능 검사
			치료	복강경 담낭절제술
	만성 췌장염	• Epigastric/Periumbilical pain, 등/가슴/옆구리/하복부의 방사통, 똑바로 누우면 악화되고 몸을 굽히고 무릎을 당겨서 앉으면 완화, 지방변, 체중감소, 오심, 구토	검사	Fecal elastase-1, 복부 CT
			치료	진통제, 금주/금연, 췌장효소치료
	간염	• 피로, 식욕 부진, 오심, 구토, 황달	검사	간기능 검사, 간염 바이러스 표지자 검사
			치료	보존적 치료(안정, 충분한 영양공급)
기능성	기능성 소화불량증	• 가슴이 답답, 소화불량, 설사, 트림, 식후 포만감, 식욕부진, 복부팽만, 조기 포만감 • 스트레스	검사	–
			치료	생활습관 교정(증상 유발하는 음식과 자극적인 음식 회피), 양성자펌프억제제, 운동촉진제
	과민성 대장 증후군	• 복통, 복부팽만, 대변 내 점액, 배변 후 호전 • 특정 음식 섭취나 스트레스에 의해 악화되는 경향	검사	CBC, TFT, 분변검사, 대장내시경
			치료	심리적 불안과 갈등 제거, 자극적인 음식 회피, 진경제, 부피형성 완화제
	젖당 불내성	• 유제품 마시면 복통, 구토, 복부팽만, 가스	검사	수소호흡 검사, 젖당 섭취 후 혈당 검사
			치료	유제품 제한 식이

병력청취

L	속이 어디가 불편하세요? 불편한 곳을 손으로 짚어보세요.
O	언제부터 속이 불편했나요?
S	하루 중에 주로 언제 속이 불편한가요?
T	하루에 몇 번이나 증상을 느끼시나요?
Co/Ex	불편함이 점점 심해지나요? 이전에도 이런 적이 있나요? 당시 진료를 받으셨나요?
C	[**감별진단**] 가슴이 답답하거나 갑갑하신가요? [**양상**] 속이 불편한 것이 어떤 느낌인가요?(속쓰림/더부룩함) [**정도**] 일상생활에 지장이 있나요?
F	[**악화**] 불편감이 어떨 때 더 심해지나요? - 식사/유제품/자세/스트레스 [**완화**] 어떻게 하면 불편감이 좀 나아지나요? - 식사/제산제/배변 후
Asso	[**전신**] 발열/오한/피로/체중변화 [**소화**] 식욕부진/오심/구토/설사/변비/토혈/흑색변/혈변 복통/복부팽만/황달 [GERD] 명치 작열감/쓴물 역류 * ANVDC-JA, 속시소연통
약	드시고 계신 약이 있나요?
과	앓고 계신 병이 있나요? - 고혈압/당뇨/간질환 건강검진 받으셨나요? 당시에 결과에 대해 뭐라고 들으셨나요?
외	[**외상**] 복부를 어딘가에 세게 부딪히거나 다치신 적이 있나요? [**수술**] 복부 수술 받으신 적이 있나요?
사	직업이 어떻게 되시나요? - 스트레스 여부 음주/흡연/커피 평소 식사를 규칙적으로 하시나요? 운동은 일주일에 몇 번 정도 하시나요? 배변습관 -하루에 몇 번 배변하시나요? 오래 앉아 배변하진 않나요?
가	가족 중 비슷한 증상을 보였던 분이 있나요? 가족 중 소화기 문제로 병원을 다니신 분이 있나요?
여	폐경하셨나요? 최근에 생리량이나 생리주기의 변화가 있나요?

신체진찰

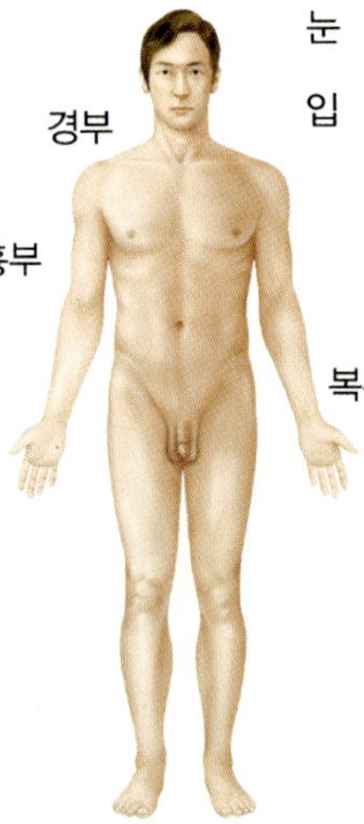

눈	결막(빈혈) 공막(황달)
입	인후두 시진(위산 역류)
경부	림프절 촉진
흉부	심음 청진
복부	시청타촉
–	CVAT 골반진찰, 항문직장진찰 : 필수 임상술기는 아님

환자교육

추정진단	○○님, 진찰 결과 □□한 점이 관찰되는데, 이러한 소견은 문진과 함께 생각해봤을 때 A병이 가장 의심이 됩니다.
감별진단	그 외에 B병, C병 또는 D병도 완전히 배제할 수는 없습니다.
검사	확실한 진단을 위해서는 **[기본 검사]**+**[질병별 검사]**가 필요합니다. **[기본 검사] 일반 혈액 검사+복부** X-ray
치료	검사를 통해 A병으로 진단이 되면, 이에 대한 치료로 I, J, K가 필요합니다.
예후	지금부터 치료를 받으시면 별다른 지장 없이 지내실 수 있으실 것입니다.
주의점/ 생활교육	• 섬유소와 물을 충분히 섭취하도록 하고, 변기에 오래 앉지 않는 배변 습관에 대해 교육 • GERD를 비롯한 소화기 질환에서는 위에 자극을 줄 수 있는 음식들을 피하도록 교육 • 가공육, 붉은 육류를 줄이고 채소가 풍부한 건강한 식습관에 대해서 교육 • 위암과 같은 기질적 문제가 의심되는 경우 위내시경 등 추가 검사가 필요함을 설명
질문기회	혹시 이해 안 되시거나 궁금하신 점이 있으신가요?

1) 진단계획

(1) 일반 혈액 검사, 복부 X-ray

(2) 기질성

[소화성 궤양] 위내시경

[위식도역류질환] 24시간 식도 산도 검사

[담낭담석] 복부 초음파, 간기능 검사

(3) 기능성

[과민성 대장 증후군] 분변검사, 대장내시경

[젖당 불내성] 수소호흡 검사, 젖당 섭취 후 혈당 검사

2) 치료계획

(1) 기질성

[소화성 궤양/위식도역류질환] 양성자펌프억제제, 제산제

[담낭담석] 복강경 담낭절제술

(2) 기능성

[기능성 소화불량증] 생활습관 교정, 양성자펌프억제제, 운동촉진제

[과민성 대장 증후군] 심리적 불안과 갈등 제거, 자극적인 음식 회피

[젖당 불내성] 유제품 제한 식이

3) 환자교육

(1) 생활습관 개선이 꼭 필요함을 강조(금주/금연, 운동, 체중 조절, 식이 개선)

(2) 대부분의 소화불량증은 기질적인 원인보다는 스트레스 등에 의한 기능성 원인에서 기인하기 때문에 스트레스 관리가 필요함을 설명

(3) 기질적인 문제가 의심되는 경우 추가적인 검사가 필요함을 설명

CPX

11

구 토

감별진단

- 구토
  - 소화
    - 위염/소화성궤양
    - 위암
    - 장폐색증
    - 급성 위장관염
  - 신경/정신
    - 뇌수막염
    - 뇌출혈
    - 신경성 폭식증
  - 대사
    - 임신
    - DKA
    - 요독증
  - 기타
    - 약물
  - 소아
    - 비대날문협착증
    - 장중첩증

참고

구토는 소화관의 내용물이 입으로 배출되는 것을 말하며, 되새김질 또는 헛구역질과 구분되어야 한다. 구토는 우선적으로 응급 상황을 유발할 수 있는 신경계적 원인에 의한 것인지를 확인하는 것이 중요하다. 그 다음으로 구역이나 되새김질인지 확인하고 활력징후가 불안정하게 되는 요인이 있을 수 있는지 확인해야 한다. 감염성 질환이 의심되는 경우 구토를 유발할 수 있는 음식이나 약물에 대해서도 묻는 것이 중요하고, 설사와 같은 동반 증상을 확인해야 한다. 반복되는 구토로 탈수가 심한 경우 탈수를 교정하여 활력징후를 먼저 안정화시키는 것이 필요하다.

주제별 감별진단

계통	질병명	감별키워드	검사/치료	
소화	위염, 소화성 궤양	• Epigastric pain, 속쓰림, 오심, 흑색변	검사	위내시경
			치료	양성자펌프억제제, 히스타민 수용체(H2) 길항제, 제산제
	위암	• 상복부 통증, 식욕 부진, 체중 감소, 오심, 흑색변	검사	위내시경
			치료	위절제술
	장폐색증	• 이전 복부 수술력, 복통, 오심, 복부팽만, 식욕부진, 변비	검사	복부 X선
			치료	금식, 비위관 삽입, 수액 공급
	급성 위장관염	• 경련성 복통, 오심, 발열, 설사, 탈수 • [식중독] 상한 음식 복용력, 같이 먹은 사람도 증상	검사	CBC, 전해질, 대변배양검사
			치료	수액 공급, 경험적 항생제(일부)
신경/정신	뇌수막염	• 두통, 고열, 오한 • 수막자극징후	검사	뇌척수액검사
			치료	경과 관찰(바이러스성), 항생제(세균성)
	뇌출혈	• 극심한 두통, 발작, 의식저하, 고혈압, 두부외상	검사	뇌 CT, 뇌 MRI
			치료	수술
	신경성 폭식증	• 고의적인 구토, 설사약 남용, 반복되는 폭식, 우울감, 체형과 체중에 대한 과도한 걱정과 관심	검사	–
			치료	항우울제, 인지행동치료
대사	임신	• 가임기 여성, 무월경	검사	Urine hCG, 초음파
			치료	산전 진찰
	당뇨병성 케톤산증	• 오심, 복통, 의식 혼탁, 탈수	검사	혈당검사, 동맥혈가스분석, 전해질, 신기능, 소변검사
			치료	수액 공급, 인슐린 정맥투여, 전해질 이상 교정
소아	비대날문협착증	• 신생아, 먹인 후 바로 비담즙성 분출성 구토, 토한 후에 다시 먹으려함 • 우측 늑골연 하부에서 도토리 모양의 종괴 촉진	검사	복부 초음파
			치료	수액 공급, 날문근절개술
	장중첩증	• 3개월~6세, 갑자기 심한 복통으로 울며 다리를 배위로 끌어당김, 복통과 무증상이 반복됨, currant jelly stool • 복부에서 소시지 모양의 종괴 촉진	검사	복부 초음파
			치료	공기 정복술, 수압 정복술, 응급 수술

병력청취

L	–
O	언제부터 구토가 시작되었나요?
S	어떤 상황에서 구토를 하시나요? 억지로 토하진 않았나요?
T	하루에 구토를 몇 번 했나요?
Co/Ex	구토가 점점 심해지나요? 이전에도 이런 적이 있나요? 당시 진료를 받으셨나요?
C	[**양**] 한 번 토할 때 토사물의 양은 어느 정도인가요? [**양상**] 토사물의 색은 어떤가요? 피가 섞이지는 않았나요? 음식물을 동반했나요? 분출성인가요? *** 색 – 양 – 냄새 – 피 – 거품 – 음식물 / 분출성**
F	[**유발요인**] 토하기 전에 뭔가 드신 것이 있나요? 상한 음식을 드셨나요? 평소와 다르게 드신 것이 있나요? [**악화**] 구토가 어떨 때 더 심해지나요? [**완화**] 어떻게 하면 구토가 좀 나아지나요? (복통 있다면) 토하고 나면 복통이 덜한가요?
Asso	[**전신**] 발열/오한/체중변화 [**탈수**] 목마름/두근거림/어지럼/호흡곤란/소변량 감소 [**소화**] 식욕부진/오심/설사/변비/토혈/흑색변/혈변/황달/복부팽만 속쓰림, 신물/소화불량/연하곤란/복통 *** ANVDC-JA 속시소연통** [**신경**] 두통/발작/시야장애/의식 저하/팔다리 힘빠짐 *** 두 – 발 – 시 – 팔** [**정신**] 고의적으로 토한 적이 있나요? 스스로의 체형에 대해 어떻게 생각하시나요? [**임신**] 무월경
약	드시고 계신 약이 있나요?
과	앓고 계신 병이 있나요? – 고혈압/당뇨/간질환/신장질환 건강검진 받으셨나요? 당시에 결과에 대해 뭐라고 들으셨나요?
외	[**외상**] 머리를 어딘가에 세게 부딪히거나 다치신 적이 있나요? [**수술**] 복부 수술 받으신 적이 있나요?
사	직업이 어떻게 되시나요? – 스트레스 여부 음주/흡연/커피 평소 식사를 규칙적으로 하시나요?
가	가족이나 같이 식사한 사람들 중에 비슷한 증상을 보였던 분이 있나요? 가족 중 소화기 문제로 병원을 다니신 분이 있나요?
여	폐경하셨나요? 최근에 생리량이나 생리주기의 변화가 있나요? 혹시 임신 가능성이 있나요?

신체진찰

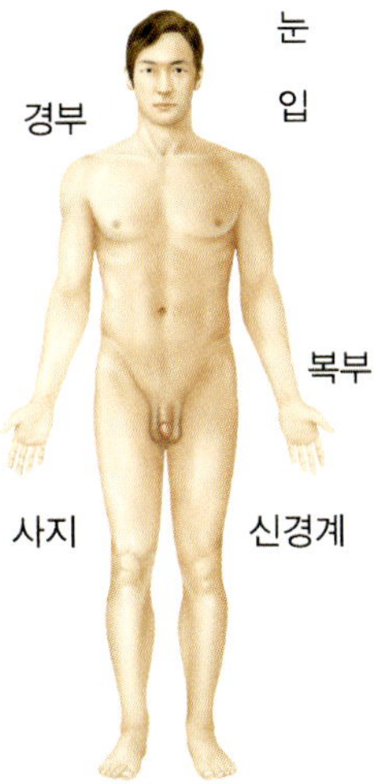

눈	결막(빈혈) 공막(황달)
입	혀(탈수) 구토를 유도한 흔적이 있는지 확인
경부	경부 림프절 촉진
복부	시청타촉 + 대변 색 확인을 위한 DRE
사지	피부 긴장도 손톱 확인하여 고의적인 구토 여부 확인
신경계	* 신경계 원인 의심될 때 시행 수막자극징후 안구운동검사
필수 임상술기	정맥주사(모형에 시행) – 산/염기 및 전해질 불균형 교정을 위함

※ 어지럼과 같이 구토를 할 경우, 이경검사, 안저검사, 혈압측정도 필수 임상술기에 해당할 수 있습니다.

※ DRE의 경우는 구토에서는 필수임상술기에는 속하지 않지만, 진찰상 필요하다고 생각될 경우 "대변 색 확인을 위해 항문직장진찰을 시행해도 괜찮을까요"라고 언급하면 됩니다.

환자교육

추정진단	○○님, 진찰 결과 □□한 점이 관찰되는데, 이러한 소견은 문진과 함께 생각해봤을 때 A병이 가장 의심이 됩니다.
감별진단	그 외에 B병, C병 또는 D병도 완전히 배제할 수는 없습니다.
검사	확실한 진단을 위해서는 **[기본 검사]** + **[질병별 검사]**가 필요합니다. **[기본 검사] CBC + 전해질검사 + 복부 X선**
치료	검사를 통해 A병으로 진단이 되면, 이에 대한 치료로 I, J, K가 필요합니다.
예후	지금부터 치료를 받으시면 별다른 지장 없이 지내실 수 있으실 것입니다.
주의점/생활교육	• 탈수 증상 발생 시 입원하여 수액치료를 받아 활력징후를 안정화시키는 것이 중요함을 강조 • 감염 질환이 의심되는 경우 손 위생의 중요성을 강조하고 올바른 손 씻기 방법에 대해서 교육 • 구토의 원인이 신경학적 문제인 경우 응급조치가 필요함을 강조하고 추후 조치에 대해 설명 • 구토의 원인이 해결되기 전까지는 항구토제를 사용하는 것은 바람직하지 않음을 강조
응급	구토 합병증에 대한 교육 : 구토를 계속할 경우 식도 내막이 찢어져 피가 섞여 나올수 있으며, 구토물을 흡입하여 숨을 쉬기가 힘들 수 있다. 이런 경우가 이후에도 생기면 즉시 병원에 내원
질문기회	혹시 이해 안 되시거나 궁금하신 점이 있으신가요?

1) 진단계획

(1) CBC, 전해질, 복부 X선

(2) 소화기

[소화성 궤양/위암] 위내시경

[급성 위장관염] 대변배양검사

(3) 신경

[뇌수막염] 뇌척수액검사

[뇌출혈] 뇌 CT, 뇌 MRI

(4) 임신 : Urine hCG, 초음파

2) 치료계획

(1) 소화기

[소화성 궤양] 양성자펌프억제제, 히스타민 수용체(H2) 길항제, 제산제

[장폐색증] 금식, 비위관 삽입, 수액 공급

[급성 위장관염] 수액 공급, 경험적 항생제

(2) 신경/정신

[뇌수막염] 경과 관찰(바이러스성), 항생제(세균성)

[신경성 폭식증] 항우울제, 인지행동치료

3) 환자교육

(1) 탈수 증상 발생 시 입원하여 수액치료를 받아 활력징후를 안정화시키는 것이 중요함을 강조

(2) 음식을 먹기 전 손 위생의 중요성을 강조하고 상한 음식을 가려먹도록 교육

(3) 신경학적 원인이 의심되는 경우 응급조치가 필요함을 강조하고 추후 조치에 대해 설명

(4) 구토의 원인이 해결되기 전까지는 항구토제 사용은 바람직하지 않음을 강조

CPX 12-1

CLINICAL PERFORMANCE EXAMINATION

배변이상(설사)

감별진단

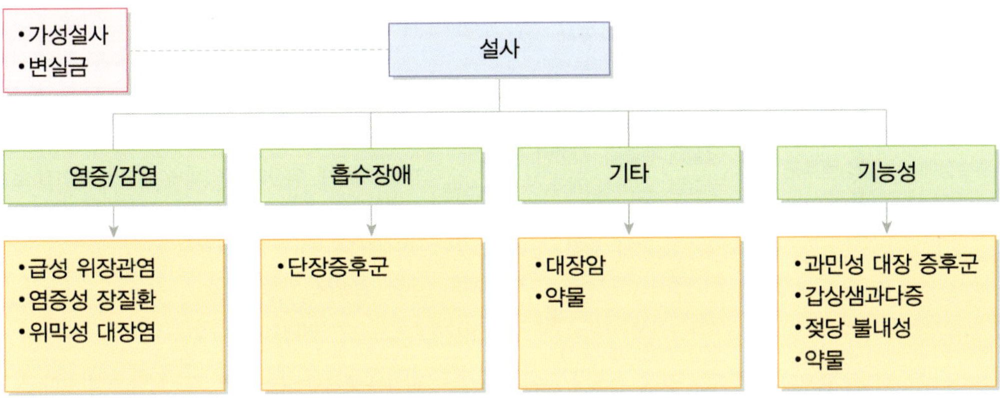

참고

설사는 **변의 횟수가 하루 4회 이상 또는 하루 200g 이상의 묽은 변을 볼 때로 정의**한다. 보통 4주 이상 지속되는 설사는 만성설사, 그보다 짧은 경우는 급성설사로 정의할 수 있다. 설사는 매우 흔한 증상이지만 그만큼 원인이 다양하며 심각한 질병의 증상일 수 있으므로 주의 깊은 병력청취와 신체진찰이 필요하다. 설사가 지속되어 탈수 증세를 보이는 경우 입원하여 수액 공급 등의 조치가 필요함을 설명하는 것이 중요하고, 많은 경우 감염성 질환에 의해 설사가 발생하므로 올바른 손 위생을 교육하는 것도 중요하다.

주제별 감별진단

계통	질병명	감별키워드	검사/치료	
염증/감염	급성 위장관염	• 경련성 복통, 오심, 구토, 발열, 탈수 • [식중독] 상한 음식 복용력, 같이 먹은 사람도 증상	검사	CBC, 전해질, 대변배양검사
			치료	수액 공급, 경험적 항생제(일부)
	염증성 장질환	• 복통, 혈변, 체중감소	검사	복부 X선, 대장내시경, 병리검사
			치료	5-ASA, 스테로이드, Azathioprine, 6-MP, Biologics
	위막성 대장염	• 항생제 사용 후 갑자기 설사와 발열, 수양성 설사, 혈변도 가능, 복부팽만, 오심, 구토 동반 가능	검사	CBC, ESR/CRP, 대변검사
			치료	원인 항생제 투약 중단, 경구 반코마이신
흡수장애	단장증후군	• 장절제 수술력, 지방변, 영양결핍, 소화성 궤양	검사	복부초음파, 소장조영술
			치료	TPN, 지사제, 위산분비 억제제, 비타민/무기질 보충제, Cholestyramine
기타	대장암	• 배변 습관의 변화, 혈변, 식욕부진, 체중감소, 빈혈	검사	대장내시경, CT 대장 조영술
			치료	수술, 항암제, 방사선치료
기능성	과민성 대장 증후군	• 복통, 복부팽만, 대변 내 점액, 배변 후 호전 • 특정 음식 섭취나 스트레스에 의해 악화되는 경향	검사	CBC, TFT, 분변검사, 대장내시경
			치료	심리적 불안과 갈등 제거, 자극적인 음식 회피, 진경제, 부피형성 완화제
	갑상샘과다증	• 더위불내성, 체중 감소, 두근거림, 불안	검사	갑상샘기능검사, RAIU, 갑상샘항체
			치료	항갑상샘제, 방사성요오드치료, 갑상샘절제술
	젖당 불내성	• 유제품 마시면 복통, 구토, 복부팽만, 가스	검사	수소 호기 검사, 젖당 섭취 후 혈당 검사
			치료	유제품 제한 식이

병력청취

L	-
O	언제부터 설사가 시작되었나요?
S	어떤 상황에서 설사를 하시나요?
T	하루에 변을 몇 번 봤나요?
Co/Ex	설사가 점점 심해지나요? 이전에도 이런 적이 있나요? 당시 진료를 받으셨나요?
C	**[양]** 한 번 설사할 때 양은 어느 정도인가요? **[양상]** 변의 색은 어떤가요? 기름이 섞여 나오나요? 피가 섞이지는 않았나요? 물처럼 나오나요? 미끌거리는 양상인가요? *** 지방변 – 점액변 – 수양변-혈변 : 지점수혈** **[정도]** 일상생활에 지장이 있나요?
F	**[유발요인]** 설사하기 전에 뭔가 드신 것이 있나요? 상한 음식을 드셨나요? 평소와 다르게 드신 것이 있나요? 최근에 여행 다녀오셨나요? **[악화]** 설사가 어떨 때 더 심해지나요? – 우유, 스트레스, 자극적인 음식 **[완화]** 어떻게 하면 설사가 좀 나아지나요? – 공복 (복통 있다면) 변을 보고 나면 복통이 덜한가요?
Asso	**[전신]** 발열/오한/체중변화 **[탈수]** 목마름/두근거림/어지럼/호흡곤란/소변량 감소 **[소화]** 식욕부진/오심/구토/변비/토혈/흑색변/혈변/황달/복부팽만 속쓰림, 신물/소화불량/연하곤란/복통 *** ANVDC-JA 속시소연통** + [세균성 이질] – 변실금, 뒤무직 + [장티푸스] – 피부발진 **[정신]** 스트레스/우울/불안 **[내분비]** 더위불내성/두근거림
약	드시고 계신 약이 있나요? – 항생제, 변비약
과	앓고 계신 병이 있나요? – 고혈압/당뇨/간질환/소화기질환 건강검진 받으셨나요? 당시에 결과에 대해 뭐라고 들으셨나요?
외	**[외상]** 복부를 다치신 적이 있나요? **[수술]** 복부 수술이나 방사선 치료를 받으신 적이 있나요?
사	직업이 어떻게 되시나요? – 스트레스 여부 음주/흡연/커피 평소 식사를 규칙적으로 하시나요?
가	가족이나 같이 식사한 사람들 중에 비슷한 증상을 보였던 분이 있나요? 가족 중 소화기 문제로 병원을 다니신 분이 있나요?
여	폐경하셨나요? 최근에 생리량이나 생리주기의 변화가 있나요?

신체진찰

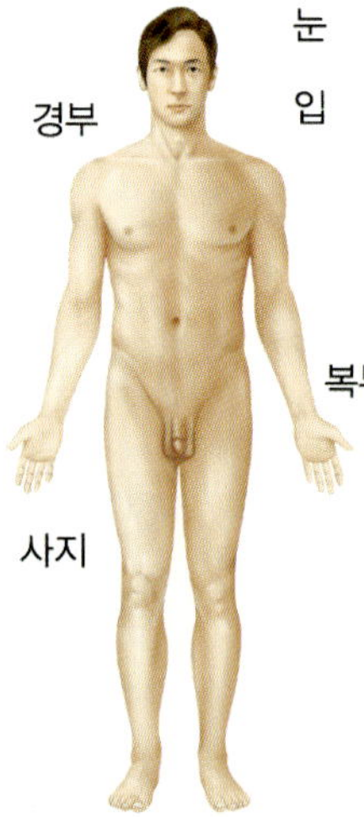

눈	결막(빈혈)
입	혀(탈수)
경부	갑상샘 시진 및 촉진
복부	시청타촉+DRE
사지	피부 긴장도
필수 임상술기	정맥주사(모형에 시행)

※ DRE의 경우는 설사에서는 필수임상술기에는 속하지 않지만, 진찰상 필요하다고 생각될 경우 "항문직장진찰을 시행해도 괜찮을까요"라고 언급하면 된다.

환자교육

추정진단	○○님, 진찰 결과 □□한 점이 관찰되는데, 이러한 소견은 문진과 함께 생각해봤을 때 A병이 가장 의심이 됩니다.
감별진단	그 외에 B병, C병 또는 D병도 완전히 배제할 수는 없습니다.
검사	확실한 진단을 위해서는 **[기본 검사]**+**[질병별 검사]**가 필요합니다. **[기본 검사] 대변배양검사+CBC+전해질검사**
치료	검사를 통해 A병으로 진단이 되면, 이에 대한 치료로 I, J, K가 필요합니다.
예후	지금부터 치료를 받으시면 별다른 지장 없이 지내실 수 있으실 것입니다.
주의점/생활교육	• 탈수 증상 발생 시 입원하여 수액치료를 받아 활력징후를 안정화시키는 것이 중요함을 강조 • 감염 질환이 의심되는 경우 손 위생의 중요성을 강조하고 올바른 손 씻기 방법에 대해서 교육 • 지사제의 남용은 좋지 못하므로 꼭 필요한 경우에만 사용할 것임을 강조 • 기질적 질환(혈변, 심한 체중감소)이 의심되는 경우 대장내시경의 필요성에 대해서 설명 • 세균성 이질, 장출혈성대장균감염증의 경우 법정감염병 2급에 해당하므로, 치료기간 동안 격리가 필요하다. 접촉자도 검사가 필요함을 알림
질문기회	혹시 이해 안 되시거나 궁금하신 점이 있으신가요?

1) 진단계획

(1) 대변배양검사, CBC, 전해질, 복부 X선

(2) [염증성 장질환/대장암/과민성 대장 증후군] 대장내시경
[젖당 불내성] 수소호기검사, 젖당 섭취 후 혈당 검사

2) 치료계획

(1) 수액 공급 및 전해질 교정

(2) 기질성
[급성 위장관염] 경험적 항생제(일부)
[염증성 장질환] 5-ASA, 스테로이드, Azathioprine, 6-MP, Biologics
[위막성 대장염] 원인 항생제 중단, 경구 반코마이신
[단장증후군] TPN, 지사제, Cholestyramine
[대장암] 수술, 항암제, 방사선치료

(3) 기능성
[과민성 대장 증후군] 안심시키기, 자극적인 음식 회피, 진경제
[젖당 불내성] 유제품 제한 식이

3) 환자교육

(1) 탈수 증상 발생 시 입원하여 수액치료를 받아 활력징후를 안정화시키는 것이 중요함을 강조

(2) 기질적 원인이 의심되는 경우 대장내시경의 필요성에 대해 설명

(3) 음식을 먹기 전 손 위생의 중요성을 강조하고 상한 음식을 가려먹도록 교육

(4) 과민성 대장 증후군의 경우 약물치료와 더불어 지속적인 식생활 및 생활습관이 중요하다는 점을 강조

(5) 지사제의 남용을 피하기 위해 꼭 필요한 경우에만 사용하도록 교육

(6) 술, 커피, 유제품, 자극적인 음식 피하도록 교육

(7) 감염성 질환의 경우 법정감염병 2급에 해당(이질, 장출혈성대장균)하는지 확인하고, 격리가 필요함을 교육

CPX

12-2

CLINICAL PERFORMANCE EXAMINATION

배변이상(변비)

감별진단

- 일과성배변장애
- 급성장폐색
- 척추마취

변비

기능성

- 식생활 습관 : 저칼로리, 저섬유, 수분섭취부족, 운동량 감소
- 약물 : 아편제제, 항고혈압제, 철분제제, 알루미늄 제제, 항콜린성제제
- 특발성 장운동 변화 : 과민성 대장 증후군, 골반저근 협동장애, 대장무력증

기질성

- 폐쇄 : 항문직장질환, 대장암, 장폐색증, 분변막힘
- 내분비 : 고칼슘증, 저칼륨증, 갑상샘기능저하증
- 신경 : 파킨슨병, 당뇨, 척추손상, 다발성경화증, 선천거대결장증, 자율신경병증, 거짓막힘

참고

3개월 동안 딱딱한 변이나 불완전한 배변, 배변시 힘주기가 25% 이상 있거나 일주일에 2회 이하의 배변을 볼 때 변비라고 할 수 있다. 구조적인 문제라기보다는 장의 기능적인 문제로 일어나는 경우가 많은데 이 경우 섬유질이나 수분의 적은 섭취, 약물(아편제제, 항고혈압제)로 인한 경우가 많다. 하지만 위장관 폐쇄, 위장관암 같은 심각한 기질적 질환에 의해서도 유발되므로 기질적 질환을 의심하게 하는 증상이 있는 경우 대장내시경을 비롯한 검사를 수행할 수 있도록 해야 한다.

주제별 감별진단

계통	질병명	감별키워드	검사/치료	
기능성	기능성 변비 (식생활 습관)	• 평소에 건강한 젊은 여자, 만성적, 저칼로리, 저섬유, 수분섭취부족, 운동량 감소 • 항문 열상	검사	복부 X선
			치료	섬유질 섭취, 수분섭취 증가, 규칙적 식사 및 운동, 배변습관 훈련
	약물 유발 변비	• 아편제제, 고혈압약, 알루미늄, 항콜린제	검사	–
			치료	원인 약물 중단
	과민성 대장 증후군	• 복통, 복부팽만, 대변 내 점액, 배변 후 호전 • 특정 음식 섭취나 스트레스에 의해 악화되는 경향	검사	CBC, TFT, 분변검사, 대장내시경
			치료	심리적 불안과 갈등 제거, 자극적인 음식 회피, 진경제, 부피형성 완화제
기질성	대장암 등으로 인한 위장관 폐쇄	• 배변 습관의 변화, 혈변, 식욕부진, 체중감소, 빈혈	검사	대장내시경, CT 대장 조영술
			치료	수술, 항암제, 방사선치료
	갑상샘기능저하증	• 추위불내성, 체중 증가 • 갑상샘 종대	검사	갑상샘기능검사
			치료	레보티록신
	신경 이상에 의한 변비	• 파킨슨병, 당뇨, 척추손상 • 신경학적 이상 소견	검사	–
			치료	–

병력청취

L	–
O	언제부터 변비가 시작되었나요? 갑자기 발생했나요?
S	–
T	변비가 생기고 나서 일주일에 변을 몇 번 보나요?
Co/Ex	변비가 점점 심해지나요? 이전에도 이런 적이 있나요? 당시 진료를 받으셨나요?
C	**[양상]** 색깔이 어떤가요?(피가 섞여 나오나요?) *** 대변의 색 – 양 – (냄) – 피** 변을 보기 위해서 ***손가락을 사용**하기도 하나요? 변을 볼 때 ***힘**을 얼마나 주시나요? 변이 얼마나 ***딱딱**한가요? 변 굵기가 어떤가요? 변을 볼 때 항문이 ***막히는 느낌**이 있나요? 대변을 보고 나서도 변이 남아있는 느낌이 있나요?(***잔변감**) *** 손 – 힘 – 딱 – 막 – 잔** 변을 볼 때마다 그런가요? **[정도]** 일상생활에 지장이 있나요?
F	**[악화]** 어떤 경우에 변보기가 더 어렵나요? **[완화]** 어떻게 하면 변보기가 편한가요? (복통 있다면) 변을 보고 나면 복통이 덜한가요?
Asso	**[전신]** 발열/오한/체중변화 **[소화]** 식욕부진/오심/구토/설사/변굵기 변화/토혈/흑색변/혈변 복통/소화불량/속쓰림/복부팽만/황달/복부 덩이/뒤무직 **[항문]** 항문 통증/항문 덩이/휴지에 피 묻어남 **[정신]** 스트레스/우울/불안 **[내분비]** 추위불내성/피로
약	드시고 계신 약이 있나요? 변비약 드셔보셨나요? 효과는 어땠나요?
과	앓고 계신 병이 있나요? – 고혈압/당뇨/간질환/소화기질환 건강검진 받으셨나요? 당시에 결과에 대해 뭐라고 들으셨나요?
외	**[외상]** 복부나 항문, 척추를 다치신 적이 있나요? **[수술]** 복부나 항문 수술을 받으신 적이 있나요? 척추마취 받으신 적이 있나요?
사	직업이 어떻게 되시나요? – 스트레스 여부 음주/흡연/커피 평소 식사를 규칙적으로 하시나요? 식이섬유나 채소류를 많이 드시나요? 운동은 일주일에 몇 번 정도 하시나요?
가	가족 중에 비슷한 증상을 보였던 분이 있나요? 가족 중 소화기 문제로 병원을 다니신 분이 있나요?
여	폐경하셨나요? 최근에 생리량이나 생리주기의 변화가 있나요?

신체진찰

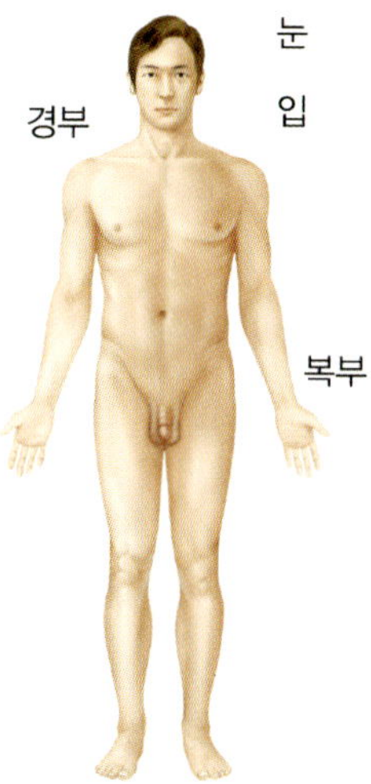

눈	결막(빈혈)
입	혀(탈수)
경부	갑상샘 시진 및 촉진 경부 림프절 촉진
복부	시청타촉
필수 임상술기	항문직장진찰(모형에 시행)

환자교육

추정진단	○○님, 진찰 결과 □□한 점이 관찰되는데, 이러한 소견은 문진과 함께 생각해봤을 때 A병이 가장 의심이 됩니다.
감별진단	그 외에 B병, C병 또는 D병도 완전히 배제할 수는 없습니다.
검사	확실한 진단을 위해서는 **[기본 검사]+[질병별 검사]**가 필요합니다. **[기본 검사] 복부 X선+대변잠혈검사+대장내시경**
치료	검사를 통해 A병으로 진단이 되면, 이에 대한 치료로 I, J, K가 필요합니다.
예후	지금부터 치료를 받으시면 별다른 지장 없이 지내실 수 있으실 것입니다.
주의점/생활교육	• 섬유소와 물을 충분히 섭취하도록 하고, 변기에 오래 앉지 않는 배변 습관에 대해 교육 • 가공육, 붉은 육류를 줄이고 채소가 풍부한 건강한 식습관에 대해서 교육 • 장기간의 하제 사용은 정상적인 배변을 위한 반사 신경 작용을 둔화시켜 변비가 악화됨을 교육 • 주 3~5회, 30분 이상의 운동은 변비 증상 완화에도 도움됨을 교육 • 기질적 질환(혈변, 심한 체중감소)이 의심되는 경우 대장내시경의 필요성에 대해서 설명
질문기회	혹시 이해 안 되시거나 궁금하신 점이 있으신가요?

1) 진단계획

(1) 복부 X선, 대변잠혈검사, 대장내시경

2) 치료계획

(1) 생활습관 교정 : 섬유질 음식 섭취, 수분 섭취 증가, 규칙적 식사 및 운동, 배변습관 훈련

(2) [과민성 대장 증후군] 안심시키기, 자극적인 음식 회피, 진경제

3) 환자교육

(1) 일정한 시간에 변기에 앉는 습관을 갖도록 교육(걷고 난 후 2시간 이내, 아침 식사 후가 가장 적절하다. 단, 변기에 10분 이상 오랜 시간 앉지 않도록 한다.)

(2) 엉덩관절을 구부려 쪼그려 앉는 자세로 변을 보도록 교육

(3) 곡류, 과일, 야채, 견과류 등 섬유소가 풍부한 음식을 섭취하도록 하고 하루 1.5~2.0L의 물을 먹도록 함

(4) 4~6주 이상의 식이요법 후에도 효과가 없는 경우 변비약을 사용할 수 있으며, 습관적으로 변비약을 쓰는 환자의 경우 점차 줄여가도록 교육

CPX

13 토 혈

CLINICAL PERFORMANCE EXAMINATION

감별진단

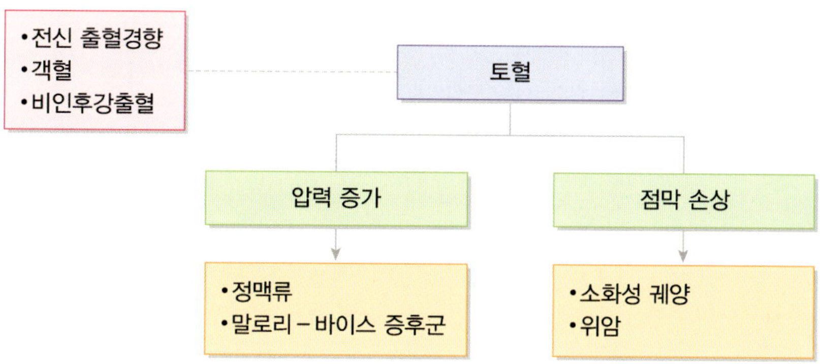

참고

토혈은 선홍색 또는 커피색의 피를 토하는 것을 의미하며, 객혈과 마찬가지로 확실한 토혈인지 감별하는 것이 중요하다. 다음으로는 출혈의 양을 평가하여 먼저 응급조치가 필요한 상황은 아닌지 알아야 하며, 대량 출혈이 발생할 경우 입원하여 응급조치가 필요함을 설명해야 한다. 토혈을 야기한 기저질환을 확인할 수 있도록 동반 증상을 충분히 문진하는 것 역시 중요한 점이다.

주제별 감별진단

계통	질병명	감별키워드	검사/치료	
압력 증가	정맥류	• 대량 토혈, 기저 간경화	검사	위내시경
			치료	IV terlipressin, Antibiotic prophylaxis, 내시경적 결찰술
	말로리-바이스 증후군	• 음주 후 심한 기침 또는 구토 중 토혈	검사	위내시경
			치료	수액 공급, 안정
점막 손상	소화성 궤양	• 대량 토혈, epigastric pain, 속쓰림, 오심, 구토, 흑색변 • 진통제 복용력	검사	위내시경
			치료	IV PPI, 내시경적 지혈술
	위암	• 체중 감소, 식욕 부진, 상복부 통증, 오심, 구토, 흑색변	검사	위내시경
			치료	위절제술

병력청취

L	–
O	언제부터 시작되었나요?
S	어떤 상황에서 피를 토했나요?
T	피를 몇 번 토했나요?
Co/Ex	피를 토하는게 점점 심해지나요? 이전에도 이런 적이 있나요? 당시 진료를 받으셨나요?
C	**[감별진단]** 기침을 하다가 피가 나왔나요? 피가 코나 입 안에서 났나요? **[양]** 한 번 토할 때 피의 양은 어느 정도인가요?(한 숟갈, 소주잔, 종이컵 기준) **[양상]** 피 색깔이 어땠나요?(선홍색, 검붉은색) 피떡이 동반되었나요? 음식물이 피와 섞여나왔나요? * 색 – 양 – 냄새 – 피 – 거품 – 음식물
F	**[유발요인]** 피를 토하기 전에 과음하셨나요?
Asso	**[응급]** 목마름/어지럼/두근거림/호흡곤란/소변량 감소 * 어 – 두 – 호 **[전신]** 발열/오한/체중변화 **[소화]** 흑색변/혈변/식욕부진/오심/구토/설사/변비/복부팽만/황달 속쓰림,신물/소화불량/연하곤란/복통 * ANVDC-JA 속시소연통 **[출혈경향]** 평소에 피가 나면 잘 멎지 않나요? 코피가 자주 나거나 멍이 잘 드나요?
약	드시고 계신 약이 있나요? – 진통제, 항응고제, 항혈소판제
과	앓고 계신 병이 있나요? – 고혈압/당뇨/간질환/위질환 건강검진 받으셨나요? 당시에 결과에 대해 뭐라고 들으셨나요?
외	**[외상]** 복부를 다치신 적이 있나요? **[수술]** 복부 수술 받으신 적이 있나요?
사	직업이 어떻게 되시나요? – 스트레스 여부 음주/흡연/커피
가	가족 중 비슷한 증상을 보였던 분이 있나요? 가족 중 소화기 문제로 병원을 다니신 분이 있나요?
여	폐경하셨나요? 최근에 생리량이나 생리주기의 변화가 있나요?

신체진찰

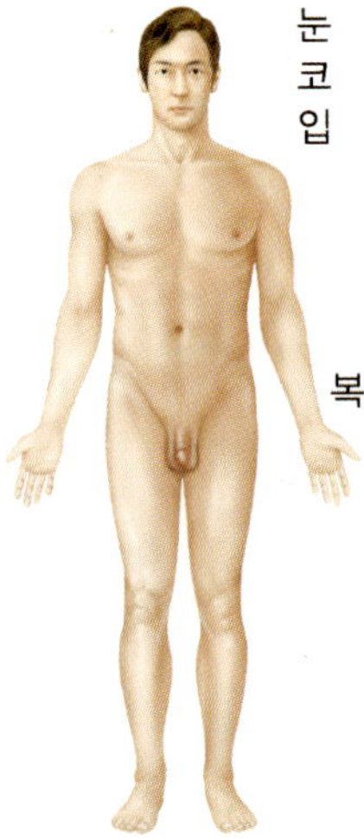

전신	출혈 부위 있는지 확인
눈	결막(빈혈) 공막(황달)
코	비강 내 출혈 확인(비경과 펜라이트)
입	탈수, 인후두 출혈 확인(설압자와 펜라이트)
–	손바닥, 가슴앞부분 피부 시진 : 거미혈관종, 손바닥홍반
복부	시진 : 복부팽만, 수술흔적, caput medusae 청진 타진 : 복수 확인, 간비종대 확인 촉진 : 덩이 유무 +DRE
필수 임상술기	혈압 측정(환자에 시행) 정맥주사(모형에 시행) 안전수혈술기(모형에 시행)

환자교육

추정진단	○○님, 진찰 결과 □□한 점이 관찰되는데, 이러한 소견은 문진과 함께 생각해봤을 때 A병이 가장 의심이 됩니다.
감별진단	그 외에 B병, C병 또는 D병도 완전히 배제할 수는 없습니다.
검사	확실한 진단을 위해서는 **[기본 검사]**+**[질병별 검사]**가 필요합니다. **[기본 검사]** CBC+LFT+coagulation panel
치료	검사를 통해 A병으로 진단이 되면, 이에 대한 치료로 I, J, K가 필요합니다.
예후	지금부터 치료를 받으시면 별다른 지장 없이 지내실 수 있으실 것입니다.
주의점/생활교육	• 환자가 불안해할 수 있으므로 환자를 안심시키고 추가적인 검사에 대해서 설명 • 응급조치가 필요한 대량 출혈에서는 활력징후를 안정시키기 위한 조치가 필요함을 강조(입원 → 수액) • 출혈을 야기할 수 있는 약물이나 식품을 복용 시 중단해야 함을 설명 • 과도한 음주에 의해서 증상이 발생할 수 있음을 설명하고 적절한 음주 습관을 갖도록 교육
응급	토혈 치료 이후에도 증상이 지속되거나, 어지럼, 두근거림의 증상이 있는 경우 즉시 병원 내원
질문기회	혹시 이해 안 되시거나 궁금하신 점이 있으신가요?

1) 진단계획

(1) CBC, LFT, coagulation panel

(2) 위내시경

2) 치료계획

(1) 대량 출혈 : 수액 공급, 수혈

(2) 압력 증가

[정맥류] IV terlipressin, Antibiotic prophylaxis, 내시경적 결찰술

[말로리-바이스 증후군] 수액 공급, 안정

(3) 점막 손상

[소화성 궤양] IV PPI, 내시경적 지혈술

[위암] 위절제술

3) 환자교육

(1) 어지럽거나 숨이 차면 바로 병원으로 내원하도록 교육

(2) 진단을 위해 위내시경이 필요하며, 검사를 위해서 8시간 이상 금식이 필요함을 언급

(3) 다시 출혈이 발생할 가능성이 높은지 판단하고, 이때의 주의사항을 교육

(4) [말로리-바이스 증후군] 금주 교육

CPX 14

혈 변

감별진단

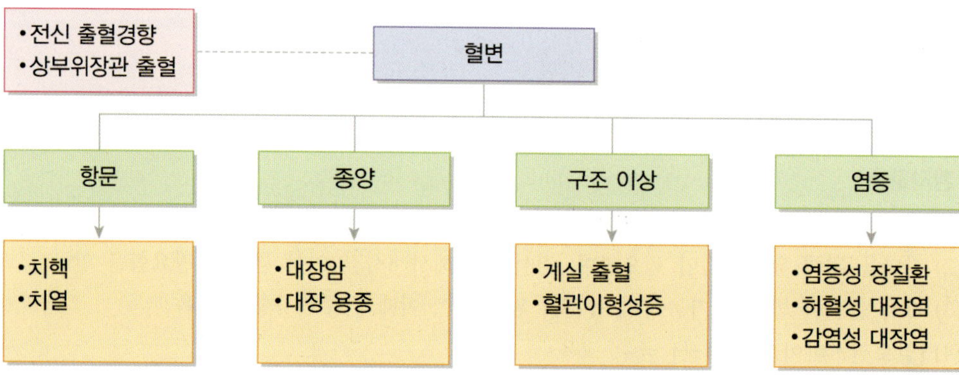

참고

혈변은 항문으로 혈액이 나오는 것으로 흑색변(melena), 혈변(hematochezia), 잠혈(occult bleeding)로 크게 나눌 수 있다. 출혈 장소에 따라서 나타나는 변의 색깔이 다를 수 있음을 이해하는 것이 중요하다. 혈변의 양을 확인하여 단순한 항문의 문제인지, 내부 소화관에서 출혈이 발생하고 있는지 확인하여 추가 검사를 결정하는 것이 좋다. 환자에게 응급치료 또는 수술이 필요한 상황인지 판단할 수 있도록 체계적인 병력청취와 신체진찰을 알아두도록 해야 한다.

주제별 감별진단

계통	질병명	감별키워드		검사/치료
항문	치핵	• 휴지에 묻어나오는 정도의 피, 소양증(내치핵), 통증(외치핵)	검사	배변 조영술, 에스결장 내시경, 대장내시경
			치료	보존적 요법(변완화제, 식이, 좌욕, 배변습관 교정), 고무밴드결찰술, 치핵절제술
	치열	• 휴지에 묻어나오는 정도의 피, 배변 시 통증, 변비	검사	항문내압검사
			치료	보존적 요법(온수좌욕, 변완화제, nitroglycerin 연고), 측방 내괄약근 절개술
종양	대장암	• 배변 습관의 변화, 식욕부진, 체중감소, 빈혈	검사	대장내시경, CT 대장 조영술
			치료	수술, 항암제, 방사선치료
	대장 용종	• 대부분 무증상, 우연히 검사로 발견됨	검사	대장내시경, CT 대장 조영술
			치료	용종절제술
구조 이상	게실 출혈	• 무통성의 급성 혈변, 고령	검사	대장내시경
			치료	수액 공급, 내시경적 치료, 혈관조영술
	혈관이형성증	• 무증상 출혈, 고령	검사	대장내시경
			치료	아르곤플라스마응고술
염증	염증성 장질환	• 복통, 설사, 체중감소	검사	복부 X선, 대장내시경, 병리검사
			치료	5-ASA, 스테로이드, Azathioprine, 6-MP, Biologics
	허혈성 대장염	• 갑작스런 하복부 복통, 구토, 발열 • 고령, 기저 고혈압, 심혈관계 수술	검사	복부 X선, 대장내시경
			치료	수액 공급
	감염성 대장염	• 발열, 오심, 구토, 설사, 복통	검사	CBC, 전해질, 대변배양검사
			치료	수액 공급, 경험적 항생제(일부)

병력청취

L	–
O	언제부터 시작되었나요?
S	어떤 상황에서 혈변을 보셨나요?
T	얼마나 자주 혈변을 보셨나요?
Co/Ex	혈변이 점점 심해지나요? 이전에도 이런 적이 있나요? 당시 진료를 받으셨나요?
C	**[양]** 한 번 혈변을 볼 때 피의 양은 어느 정도인가요?(휴지에 묻는 정도, 변기에 가득) **[양상]** 피 색깔이 어땠나요?(선홍색, 검붉은색, 검은색) 피가 변에 섞여서 나오나요, 겉에 묻어서 나오나요?
F	–
Asso	**[응급]** 목마름/두근거림/어지럼/호흡곤란/소변량 감소 * 어 – 두 – 호 **[전신]** 발열/오한/체중변화 **[소화]** 토혈/식욕부진/오심/구토/설사/변비/변굵기 변화 복통/소화불량/속쓰림/복부팽만/황달/복부 덩이/뒤무직 * ANVDC-JA 속시소연통 **[항문]** 항문 통증/항문 덩이/항문 가려움 **[출혈경향]** 평소에 피가 나면 잘 멎지 않나요? 코피가 자주 나거나 멍이 잘 드나요?
약	드시고 계신 약이 있나요? – 항응고제, 항혈소판제
과	앓고 계신 병이 있나요? – 고혈압/당뇨/간질환/심혈관질환 건강검진 받으셨나요? 당시에 결과에 대해 뭐라고 들으셨나요?
외	**[외상]** 복부나 항문을 다치신 적이 있나요? **[수술]** 복부나 항문 수술 받으신 적이 있나요?
사	직업이 어떻게 되시나요? – 스트레스 여부 음주/흡연/커피 평소 식사를 규칙적으로 하시나요?
가	가족 중 비슷한 증상을 보였던 분이 있나요? 가족 중 소화기 문제로 병원을 다니신 분이 있나요?
여	폐경하셨나요? 최근에 생리량이나 생리주기의 변화가 있나요?

신체진찰

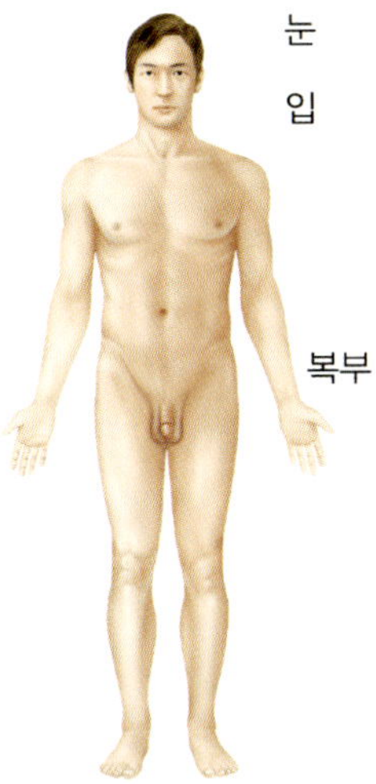

전신	출혈 부위 있는지 확인
눈	결막(빈혈) 공막(황달)
입	혀(탈수)
복부	시진 청진 타진 촉진 : 덩이, 압통 확인
필수 임상술기	항문직장진찰(모형에 시행) 혈압 측정(환자에 시행) 정맥 주사(모형에 시행) 안전수혈술기(모형에 시행)

환자교육

추정진단	ㅇㅇ님, 진찰 결과 □□한 점이 관찰되는데, 이러한 소견은 문진과 함께 생각해봤을 때 A병이 가장 의심이 됩니다.
감별진단	그 외에 B병, C병 또는 D병도 완전히 배제할 수는 없습니다.
검사	확실한 진단을 위해서는 **[기본 검사]**+**[질병별 검사]**가 필요합니다. **[기본 검사] CBC+coagulation panel+복부 X선**
치료	검사를 통해 A병으로 진단이 되면, 이에 대한 치료로 I, J, K가 필요합니다.
예후	지금부터 치료를 받으시면 별다른 지장 없이 지내실 수 있으실 것입니다.
주의점/생활교육, 응급	• 응급조치가 필요한 대량 출혈에서는 활력징후를 안정시키기 위한 조치가 필요함을 강조 • 출혈을 야기할 수 있는 약물이나 식품을 복용 시 중단해야 함을 설명 • 양성 질환의 경우 섬유소와 물을 충분히 섭취하도록 하고, 변기에 오래 앉지 않는 배변 습관에 대해 교육 • 금연의 중요성 설명 및 교육 • 가공육, 붉은 육류를 줄이고 채소가 풍부한 건강한 식습관에 대해서 교육
질문기회	혹시 이해 안 되시거나 궁금하신 점이 있으신가요?

1) 진단계획

(1) CBC, coagulation panel, 복부 X선
(2) 대장내시경
(3) 항문 : 배변조영술, 항문내압검사

2) 치료계획

(1) 대량 출혈 : 수액 공급, 수혈
(2) 항문 : 보존적 요법(변완화제, 좌욕, 배변습관 교정, 식이)
  [치핵] 고무밴드결찰술, 치핵절제술
  [치열] 측방 내괄약근 절개술
(3) 구조 이상
  [게실 출혈] 수액 공급, 내시경적 치료, 혈관조영술
  [혈관이형성증] 아르곤플라스마응고술
(4) 염증 : [허혈성 대장염] 수액 공급

3) 환자교육

(1) 어지럽거나 숨이 차면 바로 병원으로 내원하도록 교육
(2) 진단을 위해 대장내시경이 필요함을 설명
(3) 항문 질환의 경우 좌욕, 배변 습관 교정, 식습관 개선 등을 교육
(4) 악성신생물의 가능성을 반드시 설명

CPX 15

CLINICAL PERFORMANCE EXAMINATION

황 달

감별진단

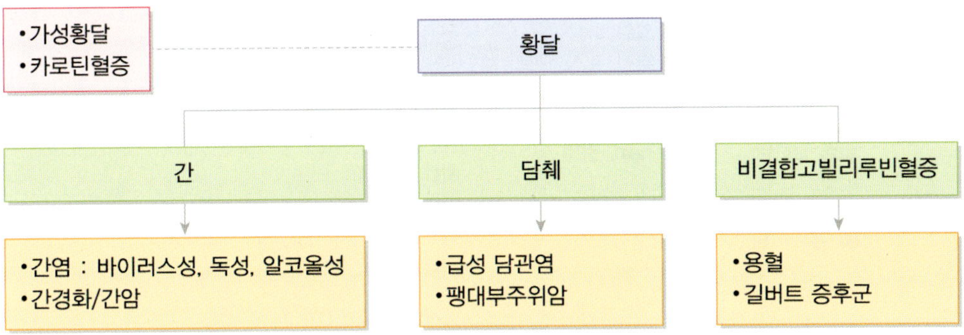

참고

황달은 혈중 빌리루빈이 과도하게 체내에서 쌓여 피부와 공막을 통해 노랗게 보이는 되는 것을 말한다. 황달로 내원한 환자는 우선 비슷한 색소 침착으로 인한 가성황달과 감별한 후에 유발요인에 따라 간내 원인인지, 담관계 원인인지, 또는 빌리루빈의 생성 또는 대사로 인한 것인지 알기 위한 병력청취와 신체진찰을 해야 한다.

주제별 감별진단

계통	질병명	감별키워드	검사/치료	
간	급성 바이러스성 간염	• 피로, 식욕 부진, 오심, 구토, 근육통, 복통, 발열 • [A형] 오염된 음식물 섭취 • [B형] 성접촉, 문신, 혈액투석, 수혈	검사	간염 바이러스 표지자 검사, 간기능검사
			치료	보존적 치료(안정, 충분한 영양공급)
	독성 간염	• 약물, 한약, 식품 첨가제 복용력	검사	재투여(gold standard), 임상적 진단
			치료	원인 약물 중단
	알코올성 간염	• 술을 많이 마심 • 식욕 부진, 오심, 구토, 체중감소, 복수	검사	간기능검사
			치료	금주, Prednisolone
담췌	급성 담관염	• RUQ pain, 발열	검사	복부 초음파, ERCP, MRCP
			치료	ERCP
	팽대부주위암	• 통증 없이 서서히 황달 진행, 체중 감소 • Courvoisier's sign	검사	복부 초음파, 복부 CT, ERCP
			치료	수술, 항암제
비결합 고빌리루빈혈증	용혈	• 호흡곤란, 어지러움 • 빈혈, 수혈 • 비장비대	검사	CBC, PBS
			치료	비장절제술, 스테로이드
	길버트 증후군	• 과로, 스트레스, 감염, 식이섭취 불량할 때 심해지고 쉬면 경해지는 반복되는 황달	검사	간기능검사
			치료	안심시키기

병력청취

L	몸의 어디가 노란가요?(눈, 양손, 전신)
O	언제부터 시작되었나요?
S	-
T	-
Co/Ex	처음 노래진 부위가 어디인가요? 노란 부위가 점점 퍼지기 시작했나요? 이전에도 이런 적이 있나요? 당시 진료를 받으셨나요?
C	[**감별진단**] 최근에 당근, 오렌지, 귤을 많이 드셨나요? [**양상**] 노래진 것이 밝은 노란색인가요, 어둡고 초록빛을 띄는 노란색인가요? 소변색이 어떤가요? 대변색은 어떤가요?
F	[**유발요인**] 최근에 날 것을 드신 적이 있나요?(생선회, 민물고기, 해산물) 최근에 여행을 다녀오거나, 단체생활을 하신 적이 있나요? 위험한 성관계? [**악화**] 과로, 스트레스, 감염, 금식 시 더 심하게 노래지나요?
Asso	[**황달 증상**] 가려움증 [**전신**] 발열/오한/체중변화/통증(관절, 근육) [**소화**] 식욕부진/오심/구토/설사/변비/토혈/흑색변/혈변/가려움증 복통/소화불량/속쓰림/복부팽만 * ANVDC-JA 속시소연통 [**용혈**] 호흡곤란/어지러움
약	드시고 계신 약, 한약, 약초, 건강보조식품이 있나요?
과	앓고 계신 병이 있나요? - 고혈압/당뇨/간질환/빈혈 건강검진 받으셨나요? 당시에 결과에 대해 뭐라고 들으셨나요? 간염 예방접종 받으셨나요? 수혈 받으신 적 있나요?
위	[**외상**] 복부를 다치신 적이 있나요? [**수술**] 복부 수술 받으신 적이 있나요?
사	직업이 어떻게 되시나요? - 스트레스 여부 음주/흡연/커피 평소 식사를 규칙적으로 하시나요?
가	가족 중 비슷한 증상을 보였던 분이 있나요? 가족 중 소화기 문제로 병원을 다니신 분이 있나요?
여	폐경하셨나요? 최근에 생리량이나 생리주기의 변화가 있나요?

신체진찰

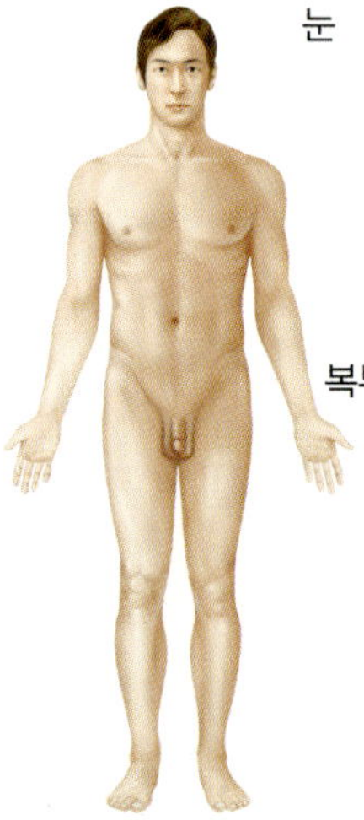

눈	결막(빈혈) 공막(황달)
–	목 림프절, 배꼽 주위 림프절 촉지
–	손바닥, 가슴앞부분 피부 시진 : 거미혈관종, 손바닥홍반
복부	시진 청진 타진 : 복수 확인, 간비종대 확인 촉진 : 덩이 유무 Murphy's sign, Courvoisier's sign
–	Flapping tremor

환자교육

추정진단	○○님, 진찰 결과 □□한 점이 관찰되는데, 이러한 소견은 문진과 함께 생각해봤을 때 A병이 가장 의심이 됩니다.
감별진단	그 외에 B병, C병 또는 D병도 완전히 배제할 수는 없습니다.
검사	확실한 진단을 위해서는 **[기본 검사]**+**[질병별 검사]**가 필요합니다. **[기본 검사] LFT+복부 초음파+간염 바이러스 표지자 검사**
치료	검사를 통해 A병으로 진단이 되면, 이에 대한 치료로 I, J, K가 필요합니다. 가려움증이 일상생활에 지장을 준다면, 가려움증 해소를 위해 약을 드리겠습니다.(콜레스티라민)
예후	지금부터 치료를 받으시면 별다른 지장 없이 지내실 수 있으실 것입니다.
주의점/생활교육	• 과도한 음주에 의해서 증상이 발생할 수 있음을 설명하고 적절한 음주 습관을 갖도록 교육 • 기질적 질환이 의심되는 경우 복부 CT를 비롯한 영상의학적 검사가 필요함을 교육 • 간독성을 유발할 수 있는 약물이나 건강식품의 복용을 중단할 것을 권고 • 감염 질환이 의심되는 경우 손 위생의 중요성을 강조하고 올바른 손 씻기 방법에 대해서 교육 – A형 간염의 경우는 법정감염병 2급으로 격리가 1주정도 필요하고 접촉자도 검사 필요 – B, C형은 법정감염병 3급으로 따로 격리할 필요는 없음
–	치료 이후에도 체내 빌리루빈 수치 증가로 인한 가려움증이 해소 되지 않는다면 병원에 내원
질문기회	혹시 이해 안 되시거나 궁금하신 점이 있으신가요?

1) 진단계획

(1) LFT, 복부 초음파, 간염 바이러스 표지자 검사

(2) 복부 CT

(3) 담췌 : ERCP, MRCP

(4) 용혈 : CBC, PBS

2) 치료계획

(1) 간 : 보존적 치료, 원인 약물 중단, 금주

(2) 담췌 : [급성 담관염] ERCP

(3) 비결합고빌리루빈혈증 : [길버트 증후군] 안심시키기 및 황달 유발 상황이 생기지 않도록(과도한 스트레스 X)

3) 환자교육

(1) 황달로 가려움증이 심하다면 담즙을 배출해주는 콜레스티라민 처방 가능

(2) 간독성을 유발할 수 있는 약물이나 건강식품을 중단하도록 교육

(3) 과도한 음주에 의해서 증상이 발생할 수 있음을 설명하고 적절한 음주 습관을 갖도록 교육

(4) 간염 예방접종 및 손 소독

(5) 급성 A형 간염은 법정감염병 2급에 해당하여, 의학적 판단에 따라 1주 정도 격리 가능. 접촉자에 경우에도 발병 여부를 관찰

CLINICAL PERFORMANCE EXAMINATION

04

CHAPTER

신장 · 비뇨

CPX

16-1

CLINICAL PERFORMANCE EXAMINATION

소변량변화(다뇨)

감별진단

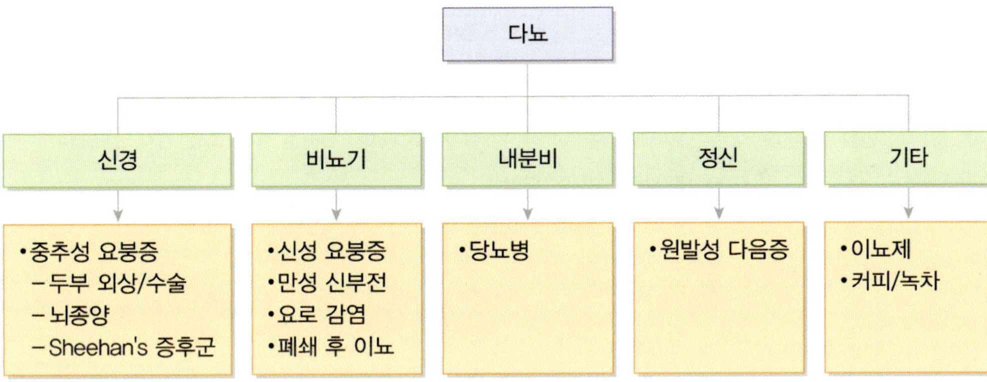

참고

다뇨란 하루 소변량이 3L(또는 50ml/kg) 이상인 경우를 말한다. 다뇨환자를 진찰할 때는 먼저 소량의 소변을 자주 보는 빈뇨는 아닌지 감별하고, 동반 증상 등 병력청취와 신체진찰을 통해 원인 질환을 감별한다.

주제별 감별진단

계통	질병명	감별키워드	검사/치료	
정신	원발성 다음증 (Primary polydipsia)	• 수분 과다 섭취 • 강박적인 물 섭취	검사	24시간 소변 검사, plasma AVP, brain MRI
			치료	수분섭취 제한
신경	중추성 요붕증 (Central diabetes insipidus)	• 두부외상력, 뇌수술력 • 두통, 시야장애 • 옅은 소변, 다음, 시한 증후군	검사	24시간 소변 검사, plasma AVP, brain MRI
			치료	데스모프레신
비뇨기	신성 요붕증 (Nephrongenic diabetes insipidus)	• 리튬 복용력 • 비뇨기 질환 과거력	검사	24시간 소변 검사, plasma AVP
			치료	thiazide, amiloride, NSAID
	만성 신부전 (Chronic kidney disease)	• 고혈압, 당뇨의 기저 질환 • 피로감 • 요독증(부종, 소양증, 구역/구토)	검사	BUN/Cr, 전해질 검사, 소변 검사, 신초음파
			치료	ACEi, ARB, 혈액 투석, 복막 투석
	요로 감염	• 발열 • 배뇨통, 질분비물	검사	CBC, 소변배양검사
			치료	경험적 항생제(fluoroquinolone)
	폐쇄 후 이뇨	• 도뇨관 삽입력	검사	소변 검사, 소변배양검사
			치료	경과 관찰
내분비	당뇨병	• 다갈, 다음, 다뇨 • 체중감소, 소변에서 단내 • 당뇨의 가족력	검사	혈당검사, 당화혈색소, 소변검사
			치료	혈당강하제(metformin), 인슐린 주사, 식이습관 조절
약물	이뇨제/커피	• 이뇨제, 커피, 녹차, 코코아 등	검사	전해질 검사, 소변 검사
			치료	약물 복용 중단

병력청취

L	–
O	언제부터 소변량이 증가했나요?(갑자기/서서히)
S	–
T	하루에 소변을 몇 번 보시나요?
Co/Ex	점점 더 증상이 심해지나요? 이전에도 이런 적이 있었나요?
C	**[양상]** 소변량/색/냄새/거품/혈뇨 소변 빈도의 증가인지, 소변량의 증가인지 감별할 것(빈뇨 vs 다뇨) **[정도]** 일상생활에 지장이 될 정도로 증상이 심한가요?
F	하루 물 섭취량, 물을 많이 마셔야 한다는 강박 관념 스트레스
Asso	**[전신]** 발열/오한/피로/체중 변화/부종 **[탈수]** 어지럼증/두근거림 **[중추성 요붕증]** 두통/시야장애 * 두 - 발 - 시 - 팔 **[당뇨]** 다음/다갈 **[요독증]** 가려움증/구역, 구토 **[비뇨기]** FUND-HIS/요실금/잔뇨감/옆구리 통증 * FUND-HIS : frequency(빈뇨), urgency(절박뇨), nocturia(야뇨), dysuria(배뇨통), hesitancy(주저뇨), intermittency(요 끊김), abdominal strain(아랫배에 힘을 줌) **[여성]** 질분비물
약	드시고 계신 약이 있나요?(리튬, 이뇨제)
과	앓고 계신 병이 있나요? – 고혈압/당뇨/고지혈증, 정신과 진료 여부(리튬) 최근에 건강검진 받으신 적 있나요?
외	**[외상]** 머리를 다친 적이 있으신가요? **[수술]** 머리 수술 받으신 적이 있나요? 수술 또는 입원을 하며 도뇨관을 삽입한 적이 있으신가요?
사	음주/흡연/커피, 녹차 직업이 어떻게 되시나요?
가	가족 중 비슷한 증상을 호소하시는 분이 있나요? 가족 중 당뇨병이나 신질환을 앓는 분이 계신가요?
여	**[월경]** 월경은 규칙적인가요? **[산과]** 출산 경험이 있으신가요? 출산 당시 출혈이 심했다는 얘기를 들으셨나요?(r/o 시한증후군)

신체진찰

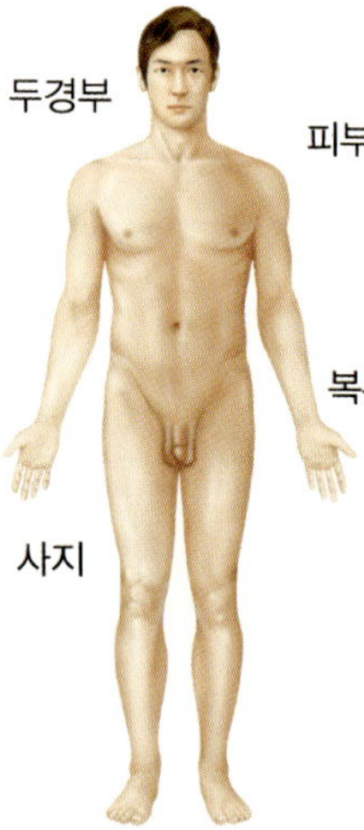

두경부	구강 점막(탈수), 결막 시진 시야 장애
피부	피부 긴장도(탈수)
복부	시진, 촉진(종괴, 방광 비대) CVAT
사지	양측 하지 pitting edema

환자교육

추정진단	○○님, 지금까지의 문진과 신체 진찰 결과를 바탕으로 생각해보았을 때 현재 A 질환이 가장 의심이 됩니다.
감별진단	하지만 그 외에 B 질환, C 질환도 완전히 배제할 수는 없습니다.
검사	그래서 정확한 진단을 위해서는 ○○○ 검사가 필요할 것으로 생각됩니다. 오늘 이렇게 검사 받고 가도 괜찮으실까요?
치료	검사를 통해 A 질환으로 진단이 되면 ○○○으로 치료를 시작하시면 좋을 것 같습니다.
예후	지금부터 치료를 받으시면 별다른 지장 없이 지내실 수 있으실 것입니다.
주의점/ 생활교육	• 탈수가 심한 경우 입원하여 수액치료를 받아 활력징후를 안정화시키는 것이 중요함을 강조 • 탈수를 유발할 수 있는 커피와 술을 삼가고 충분한 수분 섭취가 중요함을 강조 • 고혈압, 당뇨, 고지혈증이 관리되지 않는 경우 다뇨의 원인이 될 수 있음을 설명하고 신장 질환으로 이어질 수도 있으므로 잘 조절하는 것이 필요함을 설명 • 뇌의 문제에 의해서도 다뇨가 발생할 수 있음을 설명하고 추가적인 검사를 해야 함을 설명
질문기회	혹시 이해 안 되시거나 궁금하신 점이 있으신가요?

1) 진단계획

(1) 기본 검사

- 혈액검사 : 전해질, 혈중 오스몰 검사
- 소변검사 : 전해질, 소변 오스몰 검사, 단백뇨 검사

(2) 원발성 다음증과 요붕증에서의 검사

- 24시간 소변검사 : 24시간 소변량 측정
- Plasma AVP 검사 : AVP > 1pg/mL이면 신성 요붕증, AVP < 1pg/mL이면 중추성 요붕증과 원발성 다음증
- brain MRI : pituitary bright spot 있으면 원발성 다음증, 없으면 중추성 요붕증

(3) 요로 감염

- 소변 배양 검사

(4) 당뇨

- 공복혈당검사, 50g OGTT, 당화혈색소 검사

※ 수분제한검사 : 과거 요붕증의 감별진단을 위해 활용하던 검사
① 수분 제한 후 Uosm 300 이상으로 상승하면 원발성 다음증, 그렇지 않으면 요붕증
② 이후 데스모프레신 투여 검사를 통해 CDI와 NDI 감별

2) 치료계획

(1) 일차성 다음증 : 수분을 줄이도록 노력하고 환자 안심시키기
(2) 중추성 요붕증 : DDAVP(desmopressin)
(3) 신성 요붕증 : Thiazide, 충분한 수분 섭취 유지, 저염식/저단백 식이

3) 환자교육

(1) 탈수 교육 : 어지럼증, 두근거림 등 탈수 증상이 나타나면 반드시 병원 내원하여 수액 치료 받도록 설명. 평상시에도 탈수를 예방하기 위해 일상생활 중 목이 마르면 충분히 물을 마시고, 과일보다는 생수로 수분 보충하도록 설명
(2) 고혈압, 당뇨, 고지혈증이 관리되지 않고 있는 경우 신장 질환이 발생할 수 있음을 설명하고 생활 습관 조절 및 운동을 통한 개선이 필요함을 교육
(3) 배뇨일지 작성 및 오줌 누고 15~20분 후 또 한 번 오줌 누는 등 배뇨 증상 개선법 교육
(4) 커피, 녹차 등 이뇨 작용 있는 기호식품 자제
(5) 일차성 다음증이 아니라면 갈증 느낄 때 물을 마시도록 교육을 해도 되지만, 환자가 일차성 다음증이 의심되는 상황이라면 물을 많이 마셔야 한다는 강박관념에서 환자가 벗어날 수 있게끔 설명 드리는 것이 필요

CPX 16-2

CLINICAL PERFORMANCE EXAMINATION

소변량변화(핍뇨)

감별진단

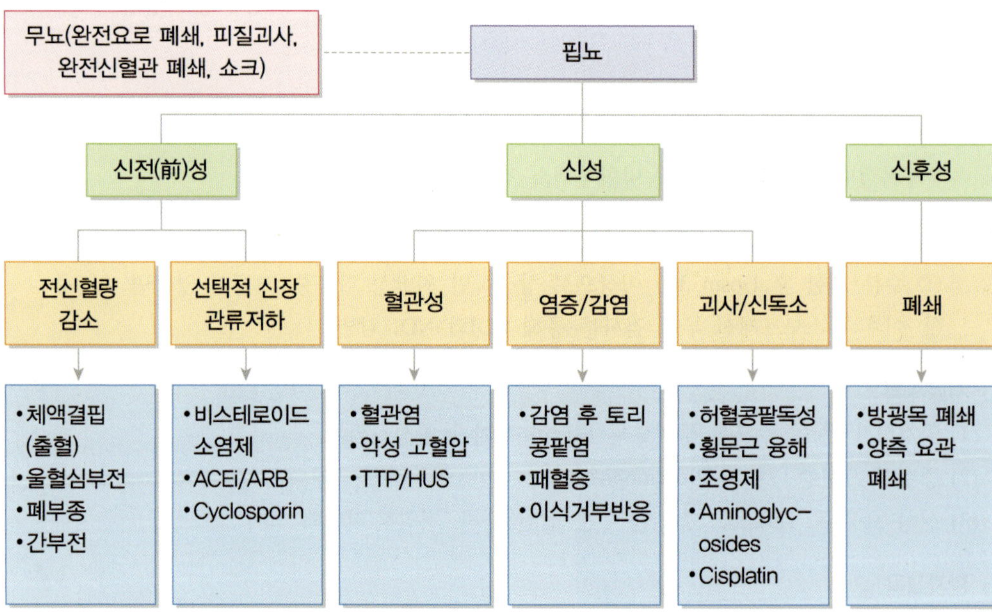

참고

핍뇨는 하루 소변량이 500mL 이하인 경우 핍뇨, 50~100mL 이하이면 무뇨(anuria)로 정의한다. 소변량이 감소하면 신속한 원인 교정이 필요한 상황인지 감별해야 한다. 급성신부전에 의한 핍뇨는 신장의 해부학적 위치에 따라 신전성, 신성, 신후성으로 나눌 수 있다.

주제별 감별진단

계통	질병명	감별키워드	검사/치료	
신전성	혈량저하증 (Hypovolemia)	• 탈수증상(어지럼증, 두근거림, 호흡곤란) • 탈수상황(설사, 구토) • 출혈상황(토혈, 혈변, 흑색변)	검사	소변검사, 전해질, CBC
			치료	수액 공급
	심부전	• 호흡곤란, 부종, 피로 • 심혈관질환 과거력	검사	심초음파, 흉부 X-ray
			치료	ACEi, ARB, spironolactone, beta blocker
	약물유발 급성 신부전	• ACEi, ARB • NSAID	검사	소변검사, BUN/Cr, 신초음파
			치료	약물 중단 및 교체, 수액 공급
신성	사슬알균 감염 후 토리콩팥염 (PSGN)	• 상기도/피부 감염(발열, 근육통, 인후염) 선행 후 혈뇨 • 옆구리 통증 • 고혈압, 부종	검사	ASO, 소변검사, BUN/Cr
			치료	수액 공급, 이뇨제
	횡문근융해증	• 과도한 운동, 사우나 • 근육통 • 적색뇨	검사	혈청 CK, 소변검사
			치료	수액 공급, 이뇨제
	신독성 약물유발 급성신부전	• 조영제, 항생제(Aminoglycoside), 항암제(Cisplatin)	검사	소변검사, BUN/Cr
			치료	약물 중단 및 교체, 수액 공급
	이식거부반응	• 신장이식 과거력	검사	소변검사, BUN/Cr, 신초음파
			치료	면역억제제 강화
	악성 고혈압	• 과도하게 올라간 혈압	검사	소변검사, 심초음파, 신초음파
			치료	Nitrate, beta blocker
신후성	방광목 폐쇄	• 전립선비대증 • 요도 협착, 도뇨관 삽입력 • 하복부 통증	검사	직장경유초음파, PSA, 신초음파
			치료	알파차단제, 수술

병력청취

L	–
O	언제부터 소변량이 줄었나요?(갑자기/서서히)
S	–
T	하루에 소변을 몇 번 보시나요?
Co/Ex	점점 더 증상이 심해지나요? 이전에도 이런 적이 있었나요?
C	**[양상]** 소변량(종이컵 기준)/색/냄새/거품/혈뇨 **[정도]** 일상생활에 지장이 될 정도로 증상이 심한가요?
F	하루 물 섭취량/짠 음식을 좋아하는지 (혈뇨라면) 사우나/심한 운동
Asso	**[전신]** 발열/오한/피로/체중 변화/부종 **[신전성 – 탈수 증상]** 호흡곤란/갈증/어지럼증/두근거림 * 어 - 두 - 호 **[신전성 – 탈수 상황]** 구토/토혈/설사/흑색변/혈변 **[신성]** 감기 증상/근육통/옆구리 통증 **[요독증]** 가려움증/구역, 구토 **[비뇨기]** FUND-HIS/요실금/잔뇨감 * FUND-HIS-DR : frequency(빈뇨), urgency(절박뇨), nocturia(야뇨), dysuria(배뇨통), hesitancy(주저뇨), intermittency(요 끊김), abdominal strain(아랫배에 힘을 줌)
약	드시고 계신 약이 있나요?(고혈압약, NSAID, 항생제, 항암제)
과	앓고 계신 병이 있나요? – 고혈압/당뇨/고지혈증, 신장이식 병력 최근에 건강검진 받으신 적 있나요? 병원에서 조영제를 사용한 적이 있으신가요?
외	**[외상]** 하복부를 다친 적이 있으신가요? **[수술]** 요도 수술을 받으신 적이 있나요? 수술 또는 입원을 하며 도뇨관을 삽입한 적이 있으신가요?
사	음주/흡연/커피, 녹차 직업이 어떻게 되시나요?
가	가족 중 비슷한 증상을 호소하시는 분이 있나요? 가족 중 신장질환을 앓는 분이 있으신가요?
여	**[월경]** 월경은 규칙적인가요? 월경량에 변화가 있나요?

신체진찰

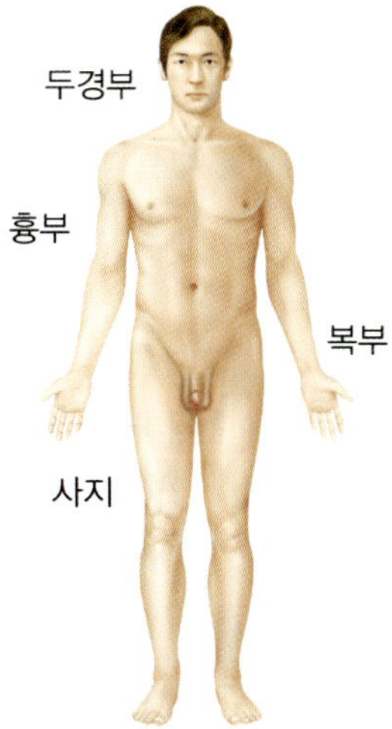

두경부	구강 점막(탈수), 결막 시진
흉부	심음/호흡음 청진
복부	시청타촉(신동맥 잡음, 종괴, 방광 비대) * 청진 : 신동맥 청진(bell을 이용, 앞쪽에서 renal a. 청진) * 촉진 : suprapubic 부위 눌러보기 CVAT
	DRE(혈변, 전립선비대증)
사지	피부긴장도, 양측 하지의 pitting edema

※ 양측 하지 오목부종을 확인할 때는 바지를 걷고 tibia 앞을 눌러 자세히 확인하는 것이 중요합니다.

04 CHAPTER

환자교육

추정진단	○○님, 지금까지의 문진과 신체 진찰 결과를 바탕으로 생각해보았을 때 현재 A 질환이 가장 의심이 됩니다.
감별진단	하지만 그 외에 B 질환, C 질환도 완전히 배제할 수는 없습니다.
검사	그래서 정확한 진단을 위해서는 ○○○ 검사가 필요할 것으로 생각됩니다. 오늘 이렇게 검사 받고 가도 괜찮으실까요?
치료	검사를 통해 A 질환으로 진단이 되면 ○○○으로 치료를 시작하시면 좋을 것 같습니다.
예후	지금부터 치료를 받으시면 별다른 지장 없이 지내실 수 있으실 것입니다.
주의점/생활교육, 응급	• 탈수가 심한 경우 입원하여 수액치료를 받아 활력징후를 안정화시키는 것이 중요함을 강조 • 도뇨관 삽입을 통해 소변이 나오지 않는 증상을 해결할 수도 있음 • 급성신부전에 의한 핍뇨 증상이 지속된 경우 투석치료가 필요할 수 있음을 설명 • 심혈관 위험인자가 있는 경우 주 3~5회, 30분 이상의 운동의 중요성에 대해 강조 • 신장에 독성이 있을 수 있는 약(소염제, 고혈압약제)은 중단하고 교체할 수 있도록 할 것
질문기회	혹시 이해 안 되시거나 궁금하신 점이 있으신가요?

1) 진단계획

(1) 혈액검사 : 전해질검사, 혈중 BUN/Cr, 혈중 PSA

(2) 소변검사, 소변 BUN/Cr

(3) 영상검사 : KUB, 복부 X-ray, 복부초음파, 방광경, 경직장초음파

※ 급성콩팥기능상실(Acute kidney injury)의 원인은 크게 아래의 3가지로 구분됩니다.

① 신전성(prerenal AKI) : 신장으로 가는 혈류 부족

② 신성(intrinsic AKI) : 신장 자체의 손상

③ 신후성(postrenal AKI) : 소변 유출로의 폐쇄

※ 그 중 신전성과 신성 AKI를 구분하는데 있어 FeNa와 BUN/Cr이 중요합니다. 신후성 AKI는 임상적인 상황을 고려하여 의심하게 되며, 의심될 경우 도뇨관을 넣거나 영상검사를 통해 확인하게 됩니다.

	FeNa	BUN/Cr
Prerenal AKI	<1%	>20
Intrinsic AKI	>1%	<10~15

$$* \text{FeNa}(\%) = \frac{(U_{Na} / P_{Na})}{(U_{Cr} / P_{Cr})} \times 100$$

2) 치료계획

(1) 수액요법

(2) 신독성 약물 중단, 또는 다른 약제로 변경(항고혈압제, NSAID, 항생제, 항암제 변경)

(3) 이뇨제

(4) 응급 혈액 투석

(5) 도뇨관 삽입

3) 환자교육

(1) 탈수 교육 : 어지럼증, 두근거림 등 탈수 증상이 나타나면 반드시 병원에 입원하여 수액 치료받도록 설명. 평상시에도 탈수를 예방하기 위해 일상생활 중 목이 마르면 충분히 물을 마시고, 과일보다는 생수로 수분 보충하도록 설명

(2) 입원하지 않는 경우 배뇨일지를 작성하도록 안내

(3) 급성 신손상에 의한 핍뇨 증상이 지속될 경우 투석 치료가 필요할 수 있음을 설명

CPX 17

CLINICAL PERFORMANCE EXAMINATION

배뇨 이상

감별진단

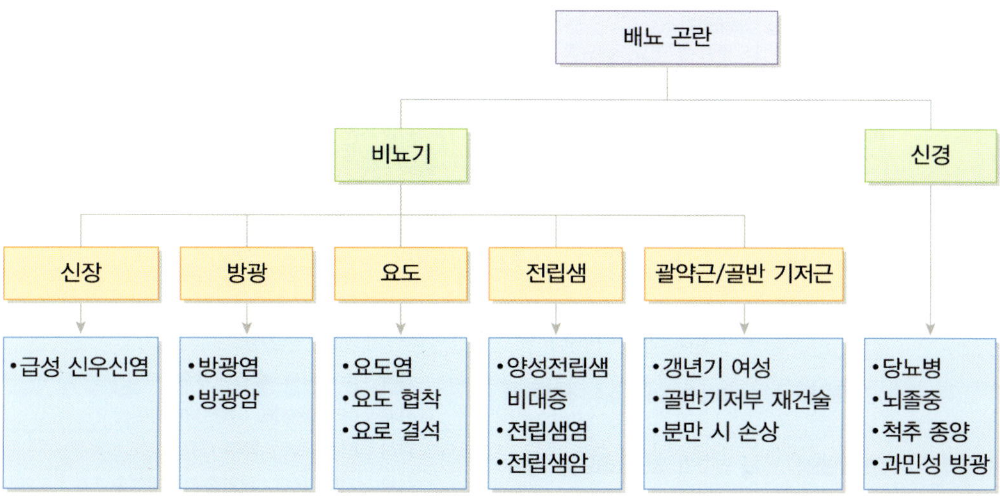

참고

소변 볼 때 불편한 증상이 있다고 호소하는 환자가 오면, 우선 배뇨증상(FUND & HIS)를 자세히 물어보아 어떤 점이 불편한 것인지 구체화하는 동시에, 어떤 기관의 문제인지 확인하는 것이 중요하다. 소변을 자주 보는 증상을 호소하는 경우, 먼저 다뇨를 감별하는 것이 필요하며, 이후 빈뇨의 병태생리에 초점을 맞추어 방광장애, 방광출구의 장애, 중추신경계 이상을 감별한다. 이번에 CPX 시험이 개정되며 이전에 소변찔끔증으로 분리되어 있던 항목이 배뇨이상 항목에 통합된 만큼, 환자가 해당 증상으로 내원하는 경우 복압성/절박성/혼합성/범람성/일과성 요실금의 가능성을 염두에 두고 자세히 증상을 문진하는 것이 필요하다. 또한 전립샘 비대에 의해서도 배뇨증상이 발생할 수 있으므로, DRE를 빼놓지 않고 시행해 전립샘 비대 여부를 확인하도록 한다.

주제별 감별진단

계통	질병명	감별키워드	검사/치료	
신장	급성 신우신염	• 발열, 옆구리 통증	검사	소변검사, 소변배양검사
			치료	ciprofloxacin, ceftriaxone, trimethoprim-sulfamethoxazole
방광	방광염	• 주로 여성 • 빈뇨, 절박뇨, 배뇨통	검사	소변검사, 소변배양검사
			치료	ciprofloxacin, ceftriaxone, trimethoprim-sulfamethoxazole
	방광암	• 오랜 기간 흡연 • 체중감소 • 무통성 혈뇨, 배뇨통, 잔뇨감	검사	요세포검사, 방광경 검사, 골반 CT
			치료	경요도 절제술(TURB), 방광 적출술
전립샘	양성 전립샘 비대증(BPH)	• 빈뇨, 소변 줄기 가늘어짐, 요주저, 소변 중간 끊김, 잔뇨감, 복압 배뇨 • DRE상 전립샘 비대	검사	소변검사, PSA, 경직장초음파, 전립샘 MRI
			치료	알파 차단제, 안드로젠 억제제, 경요도 전립샘 절제술
	전립샘염	• 샅통증, 근육통, 오한 • 빈뇨, 요절박, 야뇨 • DRE상 전립샘 비대	검사	소변검사, 경직장초음파
			치료	항생제, NSAID
	전립샘암	• 급성 요폐색, 혈뇨, 요실금 • 체중감소, 뼈 통증(뼈 전이) • DRE상 전립샘 비대	검사	PSA, 경직장초음파 및 생검, 전립샘 MRI
			치료	근치적 전립샘절제술, 방사선치료, 호르몬 치료, 항암치료
요도	요도염	• 배뇨통, 가려움증, 성관계력	검사	소변검사, 소변배양검사
			치료	ceftriaxone, azithromycin
	요로결석	• 옆구리 통증, 배뇨통, 혈뇨	검사	KUB, IVP, 복부 CT
			치료	기대 요법, 체외충격파쇄석술
신경	신경인성 방광	• 신경계 손상으로 인한 마비 증상 • 요절박, 빈뇨, 야뇨, 배뇨 곤란	검사	소변검사
			치료	요도 도뇨관
	과민성 방광	• 빈뇨, 추운 날씨에서 배뇨 증가, 절박뇨, 야뇨	검사	배뇨일지 작성, 소변검사
			치료	행동 치료
요실금	복압성(긴장성) 요실금	• 재채기/기침/운동 시 소변 샘 • 부인과 수술, 자연분만력 • 비만, 자궁탈출증	검사	요역동학 검사
			치료	케겔 운동, 수술적 치료(TVT, TOT)
	절박성 요실금	• 빈뇨(하루 8회 이상), 야간뇨 • 요절박, 소변이 마려우면 참지 못함	검사	방광내압 측정술
			치료	항콜린제, 행동치료(방광훈련)
	혼합성 요실금	• 복압성+절박성	검사	요역동학 검사, 방광내압 측정술
			치료	각각의 요소에 대한 치료
	범람성 요실금	• 당뇨신경병, 파킨슨병 • 요도협착, 전립샘 비대증	검사	요역동학 검사, 경직장초음파
			치료	간헐적 카테터 삽입, Foley 카테터 삽입
	일시적 요실금	• DIAPPERS : 섬망, 감염, 위축성 질염, 약물, 정신적, 과도한 소변 생성, 운동 제한, 변비	검사	–
			치료	경과관찰, 각각에 맞는 치료

병력청취

L	–
O	언제부터 소변 보는 것이 불편하셨나요?(갑자기/서서히)
S	어떤 상황에서 주로 증상이 나타나시나요? (요실금의 경우) 배에 힘이 가해질 때 소변이 새는지 갑자기 소변이 참기 어려우며 소변을 보게 되는 것인지 소변을 보고 싶은데 보지 못하는 경우가 있는지
T	하루에 소변을 몇 번 보시나요? 소변을 볼 때마다 불편한 증상이 있으신가요?
Co/Ex	점점 더 증상이 심해지나요? 이전에도 이런 적이 있었나요?
C	[**양상-1**] 소변 보는 것이 정확히 어떤 식으로 불편하신가요? FUND-HIS/요실금/잔뇨감 * FUND-HIS : frequency(빈뇨), urgency(절박뇨), nocturia(야뇨), dysuria(배뇨통), hesitancy(주저뇨), intermittency(요 끊김), abdominal strain(아랫배에 힘을 줌) [**양상-2**] 소변량(종이컵 기준)/색/냄새/거품/혈뇨 * 색-양-냄-피-거 [**정도**] 일상생활에 지장이 될 정도로 증상이 심한가요?
F	[**악화**] 언제 증상이 더 심해지나요?(스트레스/추울 때) 성접촉력/최근 감기 증상 * 요실금의 원인 : DIAPPERS, 기침, 복압상승
Asso	[**전신**] 발열/오한/피로/체중 변화 [**신장/방광**] 옆구리 통증/치골 상부 통증 [**외음부**] 통증/가려움증/분비물 [**신경**] 두통/시야장애/하지 감각 이상/하지 근력 저하/보행장애/대변실금 * 두-발-시-팔
약	드시고 계신 약이 있나요?
과	앓고 계신 병이 있나요? – 고혈압/당뇨/고지혈증/간질환 최근에 건강검진 받으신 적 있나요?(요로 결석/산부인과 검진)
외	[**외상**] 배나 요도를 다치신 적이 있나요? 척추를 다친 적이 있으신가요? [**수술**] 비뇨기계, 산부인과 수술을 받으신 적이 있나요?
사	음주/흡연/커피 직업이 어떻게 되시나요?
가	가족 중 비슷한 증상을 호소하시는 분이 있나요?
여	[**월경**] 규칙적/월경통/폐경 [**출산**] 출산 횟수/자연분만 했는지 [**성관계**] 최근 성관계 여부/성관계 시 통증

신체진찰

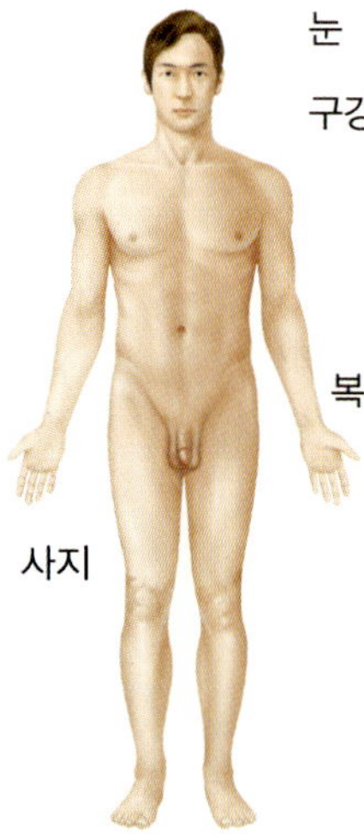

눈	결막(빈혈, 탈수)
구강	탈수 확인
복부	시청타촉 CVAT
	DRE/골반 진찰(요실금 시 기침 시켜보기)
사지	하지의 감각/운동/DTR

※ DRE를 시행하기에 앞서, 환자분께 전립샘 비대로 인해 증상이 발생한 것은 아닌지 확인하기 위한 목적임을 설명 드리며 양해를 구합니다.

※ 골반 진찰 시행 시에도 마찬가지로 필요성을 설명 드리며, 양해를 구합니다.

환자교육

추정진단	○○님, 지금까지의 문진과 신체 진찰 결과를 바탕으로 생각해보았을 때 현재 A 질환이 가장 의심이 됩니다.
감별진단	하지만 그 외에 B 질환, C 질환도 완전히 배제할 수는 없습니다.
검사	그래서 정확한 진단을 위해서는 ○○○ 검사가 필요할 것으로 생각됩니다. 오늘 이렇게 검사 받고 가도 괜찮으실까요?
치료	검사를 통해 A 질환으로 진단이 되면 ○○○으로 치료를 시작하시면 좋을 것 같습니다.
예후	지금부터 치료를 받으시면 별다른 지장 없이 지내실 수 있으실 것입니다.
주의점/생활교육	• 생식기, 비뇨기쪽에 다른 증상이 동반되면 병원에 와서 추가 검사를 하도록 교육 • 과도한 음주에 의해서 증상이 발생할 수 있음을 설명하고 적절한 음주 습관을 갖도록 교육 • 커피가 증상을 야기할 수 있음을 설명하고, 커피 섭취를 자제할 것을 교육 • 너무 오래 앉아 있지 않도록 하고, 전립샘을 압박하는 자전거나 오토바이를 삼갈 것 권유 • 복압 요실금의 경우 케겔 운동이 증상 호전에 도움이 됨을 설명하고, 골반기저근을 강화시킬 수 있는 운동법에 대해 교육 • 중등도 이상의 비만 환자의 경우 체중을 줄이는 것이 도움이 될 수 있고, 격렬한 운동이나 무거운 물건을 드는 것을 삼가는 것이 중요함을 강조
질문기회	혹시 이해 안 되시거나 궁금하신 점이 있으신가요?

1) 진단계획

(1) 소변검사 : 소변분석검사, 소변배양검사, 요역동학검사

(2) 혈액검사 : BUN/Cr, PSA

(3) 영상검사 : KUB, 복부 X-ray, 골반 CT, 골반 MRI, 경직장초음파, 방광경, VCUG(Voiding cystourethrogram), IVP(Intravenous pyelogram)

(4) 과민성 방광 : 배뇨일지 작성

※ 요실금의 경우 일시적으로 아래 원인에 의해 발생할 수도 있으므로 감별하기
DIAPPERS : 섬망(Delirium), 감염(Infection), 위축성 질염(Atrophic vaginitis), 약물(Pharmacological cause), 정신적(Psychological cause), 과도한 소변 생성(Excessive urine production), 운동제한(Restricted mobility), 변비(Stool impaction)

2) 치료계획

(1) 복압성(긴장성) 요실금 : 케겔 운동, 전기자극 치료, 수술(Transobturator tape, Tension free vaginal tape)

(2) 절박성 요실금 : 행동 치료, 전기자극 치료, 항콜린제

(3) 급성 방광염 : 경험적으로 3일 trimethoprim-sulfamethoxazole

(4) 과민성 방광 : 행동 치료가 중요하며, 외출하기 전에 화장실 다녀가기

(5) 양성전립샘비대증(BPH) : a-blocker(terazosin, tamsulosin), 5a-reductase inhibitor, 수술(TURP, transurethral resection of prostate)

3) 환자교육

(1) 체중을 조절하고 규칙적인 운동을 하며, 흡연과 금주를 삼가도록 권유

(2) 커피 등 카페인이 들어 있는 음료나 탄산음료를 삼가며, 충분한 수분을 섭취하는 것이 도움됨

(3) 배변이나 배뇨 후 회음부 및 항문 세척 시 앞에서 뒤로 세척하는 습관이 중요

(4) 양성전립샘비대증의 경우 꾸준히 약물 치료를 해야 하며, 효과가 없을 경우 수술할 수 있음을 안내

(5) 요실금의 경우 비만한 환자라면 체중을 줄이는 것이 도움이 될 수 있고, 격렬한 운동이나 무거운 물건을 드는 것을 삼가는 것이 좋음을 강조

(6) 요실금의 경우 약물요법만으로는 효과가 미미하므로 행동요법을 병행하도록 교육하기

(7) 케겔 운동 : 숨을 들이마시며 항문과 질 주위를 10초 정도 오므리는 느낌으로 힘을 주고, 숨을 천천히 내쉬며 근육을 10～15초 동안 이완시켜주세요. 이 동작을 30～50회 정도 반복해주시면 됩니다.

CPX

18

CLINICAL PERFORMANCE EXAMINATION

붉은색 소변

감별진단

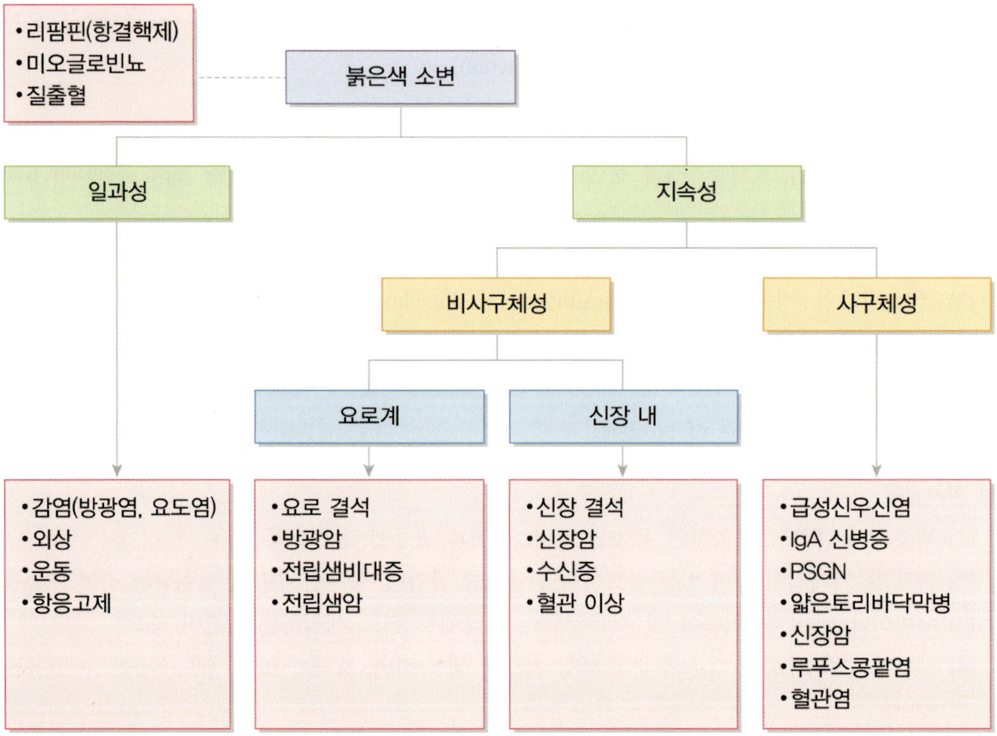

참고

붉은색 소변을 주소로 환자가 내원한 경우, 우선 가성 혈뇨는 아닌지 감별하기 위해, 환자가 최근에 심한 운동을 하거나 사우나를 갔다 온 적이 없는지, 결핵약을 복용한 적은 없는지 물어보는 것이 중요합니다. 또한 피의 색이 어떠한지, 소변의 처음에 섞여 나오는지 끝에 섞여 나오는지 물어봄으로써 사구체성 원인과 비사구체성 원인을 감별하는 것이 필요합니다.

주제별 감별진단

계통	질병명	감별키워드	검사/치료	
신장	급성 신우신염(APN)	• 발열, 오한 • 옆구리 통증	검사	소변검사, 소변배양검사
			치료	ciprofloxacin, ceftriaxone, trimethoprim-sulfamethoxazole
	IgA 신병증	• 상기도 감염 후 2~3일 내 혈뇨 • 통증 없음 • 혈뇨 과거력	검사	소변검사, 신장조직검사
			치료	혈압 조절, 수분/염분 제한
	사슬알균감염후 토리콩팥염(PSGN)	• 상기도 감염/피부 감염 후 7~14일 내 혈뇨 • 부종, 체중 증가	검사	ASO, 소변검사, 신장조직검사
			치료	혈압 조절, 수분/염분 제한
	신장암	• 체중 감소, 옆구리 통증	검사	신장 초음파, 복부 CT
			치료	신장절제술
	호두까기 증후군	• 마른 여성, 많은 양의 혈뇨 • 신장 정맥이 aorta와 SMA 사이에 눌리며 발생	검사	소변검사, 복부 CT
			치료	체중 증량
방광	방광암	• 체중감소, 오랜 흡연력 • 잔뇨감, 무증상 대량 혈뇨	검사	소변검사, 방광조영술, 골반 MRI
			치료	경요도절제술(TURB), 방광적출술
요로	요로 결석	• 간헐적 옆구리 통증 • 과거 요로 결석 진단	검사	KUB, 골반 CT
			치료	수분섭취하며 경과 관찰, 체외충격파쇄석술, 필요시 수술
	요로 감염	• 발열 • 배뇨통 • 질분비물, 외음부가려움증	검사	소변검사, 혈액배양검사
			치료	Fluoroquinolone계 항생제
	요도 손상	• 요도 외상력 • 소변 초기에만 혈뇨, 적은 양	검사	소변 검사, 골반 CT
			치료	수술
전립샘	전립샘염	• 샅통증, 근육통, 오한 • 빈뇨, 요절박, 야뇨 • DRE상 전립샘 비대	검사	소변검사, 경직장초음파
			치료	항생제, NSAID
	전립샘암	• 급성 요폐색, 소변 줄기 가늘어짐 • 체중감소 • DRE상 전립샘 비대	검사	PSA, 경직장초음파 및 생검, 전립샘 MRI
			치료	근치적 전립샘절제술, 방사선치료, 호르몬치료, 항암치료
가성 혈뇨	리팜핀 복용	• 결핵약 복용력	검사	소변검사
			치료	환자 안심
	횡문근융해증	• 심한 운동, 사우나	검사	혈중 CK, 소변검사, 전해질 검사
			치료	수액공급, 이뇨제

병력청취

L	–
O	언제부터 소변에서 피가 나왔나요?(갑자기/서서히)
S	–
T	하루에 소변을 몇 번 보시나요? 그 중 피는 몇 번이나 소변에 섞여 나오나요?
Co/Ex	점점 더 증상이 심해지나요? 이전에도 이런 적이 있었나요?
C	[**양상**] 소변량(종이컵 기준)/냄새/거품 피가 소변 초반(요로계)에 나오는지 끝에만 나오는지(신장 내) 피가 선홍색(하부요로) or 검붉은색(사구체성)/피덩어리 여부
F	최근 심한 운동/최근 사우나/색소 음식/최근 감기/다이어트
Asso	[**전신**] 발열/오한/피로/체중 변화/부종 [**탈수**] 어지럼증/호흡곤란/두근거림 [**출혈경향성**] 멍이 잘 듦/양치할 때 잇몸에 피가 잘 남 [**신장**] 옆구리 통증 [**비뇨**] FUND-HIS/요실금/잔뇨감 * FUND-HIS : frequency(빈뇨), urgency(절박뇨), nocturia(야뇨), dysuria(배뇨통), hesitancy(주저뇨), intermittency(요 끊김), abdominal strain(아랫배에 힘을 줌) [**외음부**] 통증/가려움증/분비물 [**여성**] 질 분비물/질 출혈
약	드시고 계신 약이 있나요? 결핵약을 드신 적이 있나요?
과	앓고 계신 병이 있나요? – 고혈압/당뇨/결핵/요로 결석 최근에 건강검진 받으신 적 있나요?
외	[**외상**] 배나 요도를 다치신 적이 있나요? [**수술**] 비뇨기계, 산부인과 수술을 받으신 적이 있나요?
사	음주/흡연/커피 직업이 어떻게 되시나요?
가	가족 중 비슷한 증상을 호소하시는 분이 있나요? 가족 중 신장, 비뇨기계 질환을 앓는 분이 있나요?
여	[**월경**] 규칙적/월경량 [**성관계**] 성관계 시 통증

신체진찰

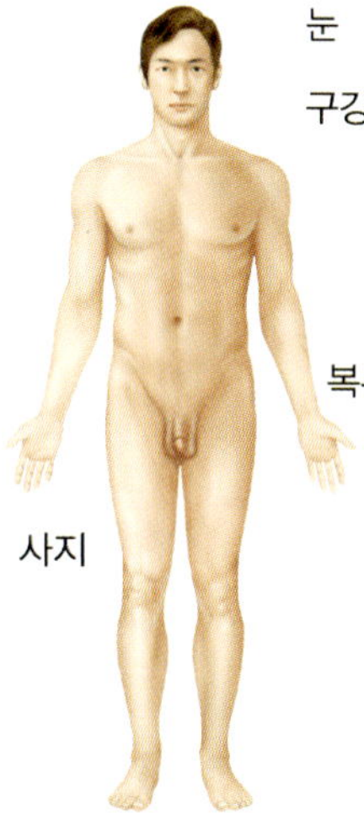

전신	키, 체중
눈	결막 시진(빈혈)
구강	탈수, 출혈 여부 편도 비대
복부	시청타촉 CVAT
	DRE/골반 진찰
사지	피부긴장도, 양측 하지의 pitting edema

※ 복부검진의 경우 환자가 번거롭지 않게 먼저 앉은 상태에서 CVAT를 진행한 뒤, 환자를 눕혀 시청타촉을 진행하면 매끄럽습니다.

※ 복부검진이 끝난 후, 환자가 무릎을 굽힌 채 누워있는 상태에서, 그대로 환자 분께 양해를 구하고 바지를 걷어 올려 종아리에서 함요부종 여부를 확인하면 됩니다.

환자교육

추정진단	○○님, 지금까지의 문진과 신체 진찰 결과를 바탕으로 생각해보았을 때 현재 A 질환이 가장 의심이 됩니다.
감별진단	하지만 그 외에 B 질환, C 질환도 완전히 배제할 수는 없습니다.
검사	그래서 정확한 진단을 위해서는 우선 정말 피가 나오는 것이 맞는지 소변검사를 해보고, 더 구체적으로 질환을 감별하기 위해 ○○○ 검사가 필요할 것으로 생각됩니다. 오늘 이렇게 검사 받고 가도 괜찮으실까요?
치료	검사를 통해 A 질환으로 진단이 되면 ○○○으로 치료를 시작하시면 좋을 것 같습니다.
예후	지금부터 치료를 받으시면 별다른 지장 없이 지내실 수 있으실 것입니다.
주의점/생활교육	• 환자가 불안해할 수 있으므로 환자를 안심시키고 추가적인 검사에 대해 설명 • 금연의 중요성 설명 및 교육 • 충분한 수분 섭취가 신기능 회복에 중요함을 강조 • 신장에 독성이 있을 수 있는 약(소염제, 고혈압약제)은 중단하고 교체할 수 있게 안내
질문기회	혹시 이해 안 되시거나 궁금하신 점이 있으신가요?

1) 진단계획

(1) 혈액검사 : CBC, 전해질, ASO titer, BUN/Cr, 혈액응고검사, 혈청 CK 검사

(2) 소변검사

(3) 영상검사 : KUB, IVP, 방광경, 복부 CT, 골반 CT, 골반 MRI, 경직장초음파

(4) 신장생검을 통한 조직검사

2) 치료계획

(1) 경과관찰 : 혈뇨만 있고 신기능 저하가 없는 경미한 단백뇨의 경우

(2) 급성 신우신염, 요로 감염, 전립샘염 : 항생제 치료

(3) PSGN : 혈압 조절, 수분/염분 제한

(4) 방광암 : 경요도 절제술(TURB, trans-urethral resection of bladder) 또는 방광적출술

(5) 전립샘암 : 근치적 전립샘 절제술(TURP, trans-urethral resection of prostate)

(6) 요로결석 : 기대요법 – 물 많이 마시며 자연 배출을 기다리기(5mm 이하)
체외충격파쇄석술(2.5cm 이하)/경피적신쇄석술, 수술(2.5cm 이상)

(7) 횡문근융해증 : 수액 치료, 전해질 교정, 급성신손상(Acute renal failure) 시 응급 투석

3) 환자교육

(1) 소변에 피가 더 많이 나오고, 어지럽거나 두근거리는 등 탈수 증상이 나타나면 바로 병원으로 내원할 것을 안내하기

(2) 우선 가성 혈뇨를 감별하기 위해 소변검사가 필요하며, 혈뇨를 진단하기 위해 3번 이상 소변검사에서 현미경적 혈뇨가 발견되어야 하므로 추적 소변검사가 필요함을 설명 드리기

(3) 평소 물을 많이 마시고 짜게 먹는 식습관을 고치는 것이 좋음을 설명 드리며, 혈압 관리를 철저히 하도록 교육하기

(4) 횡문근융해증의 경우 환자가 절대 안정을 취하고, 과음 및 운동을 피하도록 교육하기. 또한 소변량이 감소하거나 구역, 구토의 급성 신손상 증상이 나타나지는 않는지 환자를 관찰하며, 필요 시 혈액 투석 등 추가 치료를 시행할 수 있음을 설명하기

05

CHAPTER

내분비 · 전신증상

CPX 19

CLINICAL PERFORMANCE EXAMINATION

체중감소

감별진단

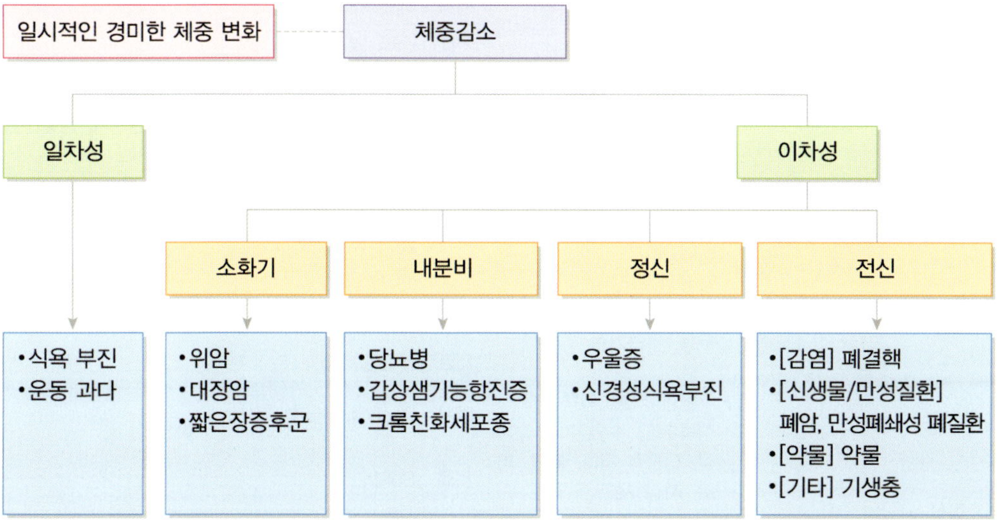

참고

임상적으로 의미 있는 체중감소는 **6~12개월 동안 5%(또는 5kg) 이상의 체중이 감소**한 것을 말한다. 체중감소는 다양한 원인에 의해 유발될 수 있으나, 심각한 질병의 징후일 수 있으므로 신중한 평가가 필요하다. 심각한 기질적 질환이 있을 때 함께 동반되는 증상과 신체징후를 숙지하자.

주제별 감별진단

<table>
<tr><th>계통</th><th>질병명</th><th>감별키워드</th><th colspan="2">검사/치료</th></tr>
<tr><td rowspan="2">일차성</td><td rowspan="2">일차성 체중감소</td><td rowspan="2">• 에너지 섭취 감소
• 에너지 소모 증가</td><td>검사</td><td>–</td></tr>
<tr><td>치료</td><td>생활 습관 개선</td></tr>
<tr><td rowspan="4">소화기</td><td rowspan="2">위암/대장암</td><td rowspan="2">• 소화 불량
• 혈변/흑색변
• 위궤양 병력
• DRE 상 종괴</td><td>검사</td><td>위/대장내시경, 복부 CT</td></tr>
<tr><td>치료</td><td>위/대장절제술, 항암치료</td></tr>
<tr><td rowspan="2">짧은장증후군</td><td rowspan="2">• 이전 장 절제 수술력
• 설사, 지방변</td><td>검사</td><td>대변 내 지방 검사</td></tr>
<tr><td>치료</td><td>정맥 영양, 영양 요법</td></tr>
<tr><td rowspan="6">내분비</td><td rowspan="2">당뇨병</td><td rowspan="2">• 다음, 다갈, 다뇨
• 당뇨병 가족력</td><td>검사</td><td>혈당 검사, 당화혈색소 검사</td></tr>
<tr><td>치료</td><td>혈당강하제(metformin 등), 인슐린주사, 생활습관 개선</td></tr>
<tr><td rowspan="2">갑상샘기능항진증</td><td rowspan="2">• 피로
• 더위 불내성
• 빈맥, 설사
• 갑상샘 촉진 상 이상</td><td>검사</td><td>갑상샘 기능검사, 갑상샘 스캔</td></tr>
<tr><td>치료</td><td>항갑상선제(Propylthiouracil, Methimazole), 방사성 요오드</td></tr>
<tr><td rowspan="2">크롬친화세포종</td><td rowspan="2">• 두통, 두근거림, 식은땀</td><td>검사</td><td>24시간 요중 메타네프린, 복부 CT</td></tr>
<tr><td>치료</td><td>부신절제술</td></tr>
<tr><td rowspan="4">정신</td><td rowspan="2">우울증</td><td rowspan="2">• 우울한 기분, 의욕 저하
• 식욕부진, 수면장애, 죄책감, 집중력 저하, 불안, 피로, 자살 사고</td><td>검사</td><td>Beck의 우울척도검사</td></tr>
<tr><td>치료</td><td>SSRI</td></tr>
<tr><td rowspan="2">신경성 식욕부진</td><td rowspan="2">• 젊은 여성
• 왜곡된 신체상
• 에너지 섭취 제한
• 구강 내 구토 흔적</td><td>검사</td><td>전해질 검사, EKG</td></tr>
<tr><td>치료</td><td>영양 공급, 입원치료</td></tr>
<tr><td rowspan="8">전신</td><td rowspan="2">폐결핵</td><td rowspan="2">• 발열, 피로, 야간 발한
• 기침, 객혈</td><td>검사</td><td>객담 항산염색, 투베르쿨린 검사, 흉부 X-ray</td></tr>
<tr><td>치료</td><td>항결핵제(Isoniazid, Rifampin, Pyrazinamide, Ethambutol)</td></tr>
<tr><td rowspan="2">폐암
/만성폐쇄성
폐질환</td><td rowspan="2">• 고령, 흡연력</td><td>검사</td><td>흉부 X-ray, 흉부 CT(폐암), 폐기능검사(COPD)</td></tr>
<tr><td>치료</td><td>금연, 수술, 항암치료(폐암), 기관지확장제(COPD)</td></tr>
<tr><td rowspan="2">약물</td><td rowspan="2">• 설사약 등 약물 복용력</td><td>검사</td><td>–</td></tr>
<tr><td>치료</td><td>약물 변경/중단</td></tr>
<tr><td rowspan="2">기생충</td><td rowspan="2">• 익히지 않은 음식
• 해외여행력</td><td>검사</td><td>대변검사</td></tr>
<tr><td>치료</td><td>구충제(praziquantel)</td></tr>
</table>

병력청취

L	–
O	언제부터 체중이 빠지기 시작했나요?
S	체중이 몇 kg에서 몇 kg으로 빠진 것인가요? 체중이 많이 빠질 만한 상황이 있었나요? 의도적 체중감량/식사량 감소/운동량 증가/씹거나 먹기 어려움
T	–
Co/Ex	체중이 일정하게 빠졌나요? 갑자기 빠졌나요? 이전에도 이런 적이 있나요? 당시 진료를 받으셨나요?
C	[**양상**] 현재 키, 몸무게, 허리둘레는 어떻게 되나요?
F	최근 해외여행을 다녀오셨나요? 날음식을 드신 적이 있나요?(기생충) 현재의 체형에 대해 어떻게 생각하시나요? 체중을 더 감량하고 싶으신가요?(신경성 식욕부진)
Asso	[**감염/호흡기**] 발열/기침/가래/호흡곤란 [**소화**] 식욕저하/오심/구토/설사/변비 복통/소화불량/속쓰림 * ANVDC 속시소연통 [**당뇨병**] 다음/다뇨/다갈 [**갑상샘기능항진증**] 더위불내성/두근거림 [**크롬친화세포종**] 두통/식은땀/두근거림 [**정신**] 우울감/불안/수면장애/의욕저하, 식욕저하 * 우 – 불 – 수 의도적 구토
약	드시고 계신 약이 있나요?
과	앓고 계신 병이 있나요? – 고혈압/고지혈증/당뇨/간질환/갑상샘 질환 과거 정신건강의학과 진료를 받은 적이 있나요? 건강검진 받으셨나요? 당시에 결과에 대해 뭐라고 들으셨나요?
외	[**수술**] 최근에 수술 받으신 적이 있나요? 위/대장 수술을 받으신 적이 있나요?
사	직업/스트레스 음주/흡연 평소 식사를 규칙적으로 하시나요? 식사량은 어느 정도 되나요? 운동은 일주일에 몇 번 정도 하시나요?
가	가족 중 비슷한 증상을 보였던 분이 있나요? 가족 중 당뇨나 고혈압을 앓고 계신 분이 있나요? 가족 중 암에 걸리신 분이 있나요?
여	[**월경력**] 마지막 월경일이 언제인가요? 월경은 규칙적인가요?

신체진찰

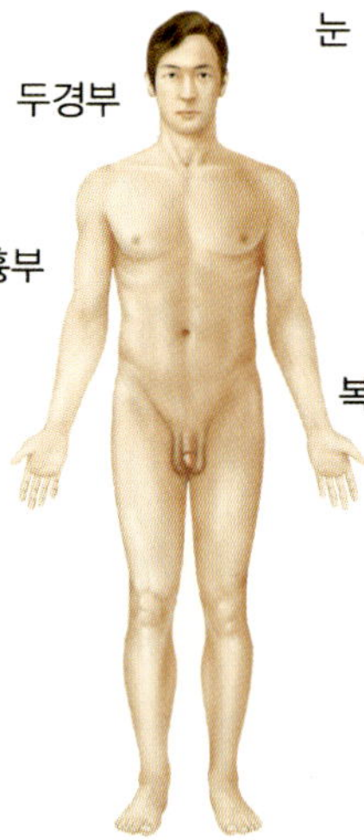

눈	결막, 안구돌출
두경부	구강, 치아 시진 갑상샘 촉진, 림프절
흉부	시진 : 호흡 대칭성 타진 : 호흡기계 타진(최소 6군데) 청진 : 심음(최소 5군데), 호흡음(최소 6군데)
복부	복부 시청타촉 시행 간/비 종대, 종괴 확인
필수 임상술기	항문직장진찰(모형에 시행)

환자교육

추정진단	○○님, 말씀해주신 것과 제가 신체진찰 □□한 것을 종합했을 때, ◇◇한 소견이 보여 A병이 가장 의심이 됩니다.
감별진단	그 외에 B병, C병 또는 D병도 완전히 배제할 수는 없습니다.
검사	확실한 진단을 위해서는 **[기본 검사]**+**[질병별 검사]**가 필요합니다.
치료	검사를 통해 A병으로 진단이 되면, 이에 대한 치료로 I, J, K가 필요합니다.
주의점/생활교육	[**생활습관 개선**] 일차성/소화기/내분비 체중감소에서는 건강한 식습관, 적절한 운동량 유지, 스트레스 해소 등을 통한 체중 증가가 중요합니다. 하루 3끼를 규칙적으로 식사하는 것이 좋고, 적당한 수면과 휴식도 꼭 필요합니다. [**우울증**] 현재의 체중 감소는 우울증으로 인해 의욕과 식욕이 저하되어 생기는 것일 가능성이 높습니다. 이러한 경우 우울증 치료로도 정상 체중으로 돌아올 수 있습니다. 너무 걱정 마시고 추가 검사와 치료를 진행해주시면 좋겠습니다. [**신경성 식욕부진**] 현재 ○○님은 극심한 저체중 상태로, 골다공증, 불임, 근력 약화 등이 유발되어 매우 위험할 수 있습니다. 환자분께는 정상 체중으로 돌아오는 것이 치료로, 과도하게 살을 찌우는 것이 아님을 말씀드리고 싶습니다.
질문기회	혹시 이해 안 되시거나 궁금하신 점이 있으신가요?

1) 진단계획

(1) 소화기 : 위/대장내시경, 복부 CT, 대변 검사(지방/잠혈)

(2) 내분비 : 공복 혈당 검사, 갑상샘 기능검사, 24시간 요중 메타네프린

(3) 정신 : Beck의 우울척도검사

(4) 호흡기 : CXR, 흉부 CT, 폐기능검사, 객담 검사, 투베르쿨린 검사

2) 치료계획

(1) 일차성 : 생활습관 개선

(2) 소화기 : 위/대장절제술, 영양 요법

(3) 내분비 : 약물치료(혈당강하제, 항갑상선제), 부신절제술(크롬친화세포종)

(4) 정신 : 약물치료, 영양 공급

(5) 호흡기 : 항결핵제, 수술, 약물 흡입

3) 환자교육

(1) 일차성, 소화기, 내분비

- 건강한 식습관과 적절한 운동량을 유지하도록 교육
- 위에 자극을 줄 수 있는 음식은 피하도록 교육
- [당뇨병] 합병증 발생을 막기 위해 철저한 혈당조절이 중요하며, 이를 위해 식단 관리와 약물치료가 필요함을 설명

(2) 정신

- [우울증] 우울증을 치료하면 식욕 부진과 이로 인한 체중 감소도 교정될 수 있음을 설명하여 환자를 안심시킴
- [신경성 식욕부진] 왜곡된 신체상 교정, 권장체중의 75% 이하이거나 내과적 문제가 심각한 경우 입원 치료 권유

(3) 호흡기

- 금연

CPX 20

CLINICAL PERFORMANCE EXAMINATION

체중증가 · 비만

감별진단

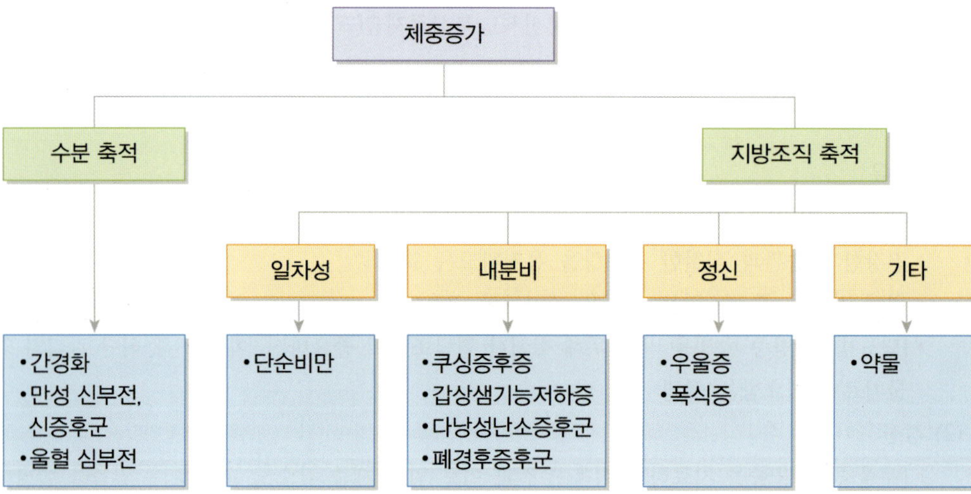

참고

체중증가를 호소하는 환자를 진찰할 때는 먼저 체중증가의 원인이 **수분 축적(부종)에 의한 것인지 지방축적(과체중/비만)에 의한 것인지 감별**한다. 수분 축적에 의한 체중증가는 간, 심장, 콩팥의 이상이 원인이 될 수 있으므로 감별한다. 지방축적에 의한 체중증가일 때는 유발인자 또는 원인질환을 확인한다. 또한 비만 정도, 건강위험도 및 동반질환유무를 평가하여 **관리원칙을 제시**하는 것이 중요하므로 시간안배에 주의하도록 한다.

주제별 감별진단

계통	질병명	감별키워드	검사/치료	
일차성	일차성 체중증가	• 에너지 섭취 증가 • 운동 부족	검사	혈당 검사, 지질 검사, 혈압 측정
			치료	생활습관 교정
수분 축적	간경화	• 간염 병력 • 황달, 복수 • 음주	검사	간기능검사, 간초음파, 복부 CT
			치료	항바이러스제, 금주
	만성 신부전	• 하지부종 • 고혈압, 당뇨 병력	검사	BUN/Cr, 소변검사, 전해질검사, 콩팥초음파
			치료	생활습관교정, ACEi/ARB, 투석
	신증후군	• 소변량 감소 • 거품뇨 • 하지부종	검사	소변검사, BUN/Cr, 혈청학적 검사
			치료	이뇨제, 염분섭취 제한, 스테로이드
	울혈 심부전	• 피로 • 호흡곤란(운동 시/누우면 악화) • 심질환 과거력	검사	심초음파, 심전도
			치료	ACEi, BB, Spironolactone, 이뇨제
내분비	쿠싱 증후군	• 중심성 비만(moon face) • 자색 선조 • 스테로이드 복약력	검사	dexa suppression test, 24h 소변 코티솔 농도, 혈중 ACTH 농도
			치료	부신절제술/뇌수술, 스테로이드 중단
	갑상샘기능저하증	• 추위 불내성 • 변비 • 갑상샘 촉진 시 종대	검사	갑상샘 기능검사, 갑상샘 초음파
			치료	Levothyroxine
내분비 (여성)	다낭성난소증후군	• 다모증, 여드름 • 무월경/희발월경	검사	골반초음파, 혈중 FSH/LH
			치료	클로미펜, metformin
	폐경후 증후군	• 월경 중단 • 안면 홍조, 화끈거림	검사	FSH, estradiol 검사
			치료	적절한 운동
정신	우울증	• 우울한 기분, 의욕 저하 • 식욕과다, 수면장애, 죄책감, 집중력 저하, 불안, 피로, 자살 사고	검사	Beck의 우울척도검사
			치료	SSRI
	신경성 폭식증	• 왜곡된 신체이미지 • 과도한 양 섭취 • 보상적 구토	검사	–
			치료	인지 행동 치료
기타	약물	• 여성 호르몬, 스테로이드 • 정신과 약물	검사	–
			치료	약물 중단 혹은 교체

병력청취

L	–
O	언제부터 체중이 증가하기 시작했나요?
S	체중이 몇 kg에서 몇 kg으로 증가한 것인가요? 체중이 증가할만한 상황이 있었나요? 식사량 증가/운동량 감소/따로 챙겨먹은 음식
T	–
Co/Ex	체중이 꾸준히 증가했나요? 갑자기 증가했나요? 이전에도 이런 적이 있나요? 당시 진료를 받으셨나요?
C	**[양상]** 살이 주로 어디에 찌나요?(전체적으로/사지) – 팔다리나 얼굴부위가 붓나요? 현재 키, 몸무게, 허리둘레가 어떻게 되나요? **[정도]** 코골이가 심하신가요?(수면무호흡증)
F	최근 스트레스가 심하신가요?
Asso	**[전신]** 발열/오한/피로 **[간경화]** 식욕저하/오심/구토/설사/변비/황달/복수 **[심부전]** 호흡곤란/orthopnea/부종 **[신증후군, 신부전]** 핍뇨/혈뇨/거품뇨/하지부종 **[쿠싱증후군]** 자색선조 **[갑상샘기능저하증]** 추위 불내성/변비 **[내분비 – 여성]** 여드름/다모증/안면홍조/화끈거림 **[정신]** 우울감/의욕저하/식욕과다/수면장애/보상적 구토
약	드시고 계신 약이 있나요? – 스테로이드, 호르몬제, 정신과약 한약이나 건강보조식품을 챙겨 드시나요?
과	앓고 계신 병이 있나요? – 고혈압/고지혈증/당뇨/간질환 정신건강의학과 진료를 받은 적이 있나요? 건강검진 받으셨나요? 당시에 결과에 대해 뭐라고 들으셨나요?
외	**[수술]** 최근에 수술 받으신 적이 있나요?
사	직업/스트레스 음주/흡연 식사 : 식사는 하루 몇 번 하시나요? 규칙적으로 하시나요? 식사량은 어느 정도 되나요? 외식은 얼마나 자주 하시나요? 육류와 기름진 음식을 자주 드시나요? 야식을 자주 드시나요? 운동 : 운동은 일주일에 몇 번 정도 하시나요? 어떤 운동을 얼마나 오래 하시나요?
가	가족 중 비슷한 증상을 보였던 분이 있나요? 비만하신 분이 있나요? 가족 중 당뇨나 고혈압을 앓고 계신 분이 있나요?
여	**[월경]** 마지막 월경일이 언제인가요? 월경은 규칙적인가요? **[임신]** 임신하셨을 가능성이 있나요?

신체진찰

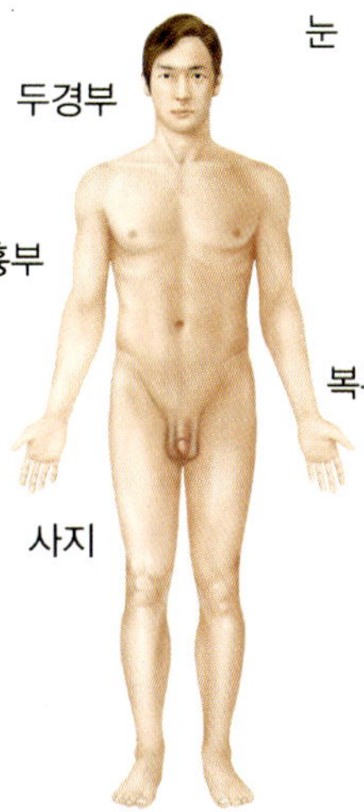

전신	키, 체중, 허리둘레 측정
눈	결막, 공막(황달)
두경부	갑상샘 촉진, buffalo hump
흉부	타진 : 심장 타진 청진 : 심음(최소 5군데), 호흡음(최소 6군데)
복부	복부 시청타촉 시행 간/비 종대 [복수] shifting dullness
사지	하지 오목부종

환자교육

추정진단	○○님, 말씀해주신 것과 제가 신체진찰 □□한 것을 종합했을 때, 6개월 이내에 5kg/체중의 10% 이상 체중이 증가하여 의미있는 체중 증가로 보입니다. 그 원인으로는 ◇◇한 점을 바탕으로 A병이 가장 의심이 됩니다.
감별진단	그 외에 B병, C병, 또는 D병도 완전히 배제할 수는 없습니다.
검사	확실한 진단을 위해서는 **[기본 검사]**+**[질병별 검사]**가 필요합니다.
치료	검사를 통해 A병으로 진단이 되면, 이에 대한 치료로 I, J, K가 필요합니다.
주의점/생활교육	[**생활습관 교정**] • 식습관 개선과 운동량 개선이 가장 필요합니다. 식사는 매일 일정한 시간에 하시고, 간식과 야식은 삼가는 것이 좋습니다. 기름지고 자극적인 음식을 피하고 염분이 낮고 채소가 풍부한 식사를 하실수록 좋습니다. • 운동은 매일 조금씩 하는 것이 좋습니다. 주 3~5회를 권장드리고, 한 번 할 때는 30분 이상 땀이 날 정도로 운동을 하시면 체중 감소에 많은 도움이 됩니다. 시간을 따로 내기 어려우시다면 대중교통 이용하기, 계단 이용하기, 이동 시에 많이 걷기 등을 추천드립니다. [**이차성 체중증가**] 원인질환의 교정으로 체중 조절이 가능합니다.
질문기회	혹시 이해 안 되시거나 궁금하신 점이 있으신가요?

1) 진단계획

(1) 소화기 : 위/대장내시경, 복부 CT, 대변 검사(지방/잠혈)

(2) 내분비 : 공복 혈당 검사, 갑상샘 기능검사, 24시간 요중 메타네프린

(3) 정신 : Beck의 우울척도검사

(4) 호흡기 : CXR, 흉부 CT, 폐기능검사, 객담 검사, 투베르쿨린 검사

2) 치료계획

(1) 일차성 : 생활습관 개선

(2) 소화기 : 위/대장절제술, 영양 요법

(3) 내분비 : 약물치료(혈당강하제, 항갑상선제), 부신절제술(크롬친화세포종)

(4) 정신 : 약물치료, 영양 공급

3) 환자교육

(1) 생활교육

- 체중증가는 만성질환으로, 심혈관질환, 당뇨병, 암, 관절질환, 수면무호흡증 등과 밀접한 관련이 있어 체중 조절이 필요함을 교육
- 주 3~5회, 30분 이상의 운동의 중요성에 대해 강조
- 매일 일정한 시간에 규칙적인 식사를 권장, 야식, 간식은 중단 권유
- 저염분, 채소가 풍부한 건강한 식습관에 대해 교육

(2) 이차성

- 원인질환 교정을 통해 체중 조절이 가능함을 설명
- 왜곡된 신체 이미지의 교정(정신)

(3) 수분 축적

- 이뇨제 사용과 염분섭취 제한(Na 기준 하루 2g 미만)이 필요함을 설명
- 체중감량, 규칙적인 운동, 금연을 통한 고혈압 조절이 필요함을 설명

CPX 21

CLINICAL PERFORMANCE EXAMINATION

발 열

감별진단

- 발열
  - 감염
    - 호흡기
      - 인플루엔자
      - 감기
    - 소화기
      - 급성 위창자염
      - 장티푸스
      - 비브리오 패혈증
    - 신장요로
      - 급성 신우신염
    - 신경계
      - 뇌수막염
    - 피부
      - 연조직염
    - 기타
      - 쯔쯔가무시
      - 말라리아
  - 비감염
    - 염증성(류마티스열, 전신홍반루푸스)
    - 종양(림프종, 백혈병)
    - 기타(약물유발열, 불명열)

참고

발열이란 **경구체온을 기준으로 아침체온 37.3℃ 이상, 저녁체온 37.7℃ 이상인 상태**이다. 발열 환자를 진찰할 때는 병력청취와 신체진찰을 통해 발열의 원인을 추정하고, 즉각적인 조치가 필요한 상황인지 판단해야 한다. 발열은 **여러 계통을 문진해야 하므로 어떤 계통인지 신속하게 파악**하고, 그에 대해서 추가적인 질문을 하는 것이 중요하다.

주제별 감별진단

계통	질병명	감별키워드	검사/치료	
호흡기	인플루엔자	• 고열, 두통 • 근육통, 전신쇠약감	검사	인플루엔자 신속항원검사, RT-PCR
			치료	수분 보충, 항바이러스제(Zanamivir, Oseltamivir)
	감기	• 코막힘, 재채기 • 인후통	검사	객담 검사
			치료	대증 치료
소화기	급성위창자염	• 설사, 복통, 구토	검사	혈액검사, 대변배양
			치료	수분 보충, 항생제
	비브리오감염증	• 해산물, 회 섭취 • 오한, 근육통, 구토 • 피부 수포	검사	혈액 배양, 대변 배양, 비브리오균 PCR
			치료	Tetracycline, Doxycycline, Ceftriaxone + Doxycycline, 필요 시 괴사조직제거/배농
	장티푸스	• 설사, 복통, 구토 • 피부 발진(장미진)	검사	혈액 배양, 대변/소변 배양
			치료	Ciprofloxacin, Ceftriaxone
신장	급성 신우신염	• 옆구리 통증 • 빈뇨, 야간뇨, 배뇨통 • CVAT 양성	검사	소변검사, 소변배양검사, 영상검사(재발성)
			치료	항생제(Ciprofloxacin, ampicillin, cephalosporin)
신경	뇌수막염	• 심한 두통, 구토 • 사지 위약 • 수막자극징후 양성	검사	뇌척수액검사, 뇌 CT
			치료	Cefotaxime, Ceftriaxone + Vancomycin, Dexamethasone
피부	연조직염	• 피부 병변 • 발적, 압통 • 외상력	검사	CBC, 혈액 배양, 피부조직생검
			치료	Cefazolin, 항염증제
기타	쯔쯔가무시	• 가피(eschar) • 발한, 두통, 설사 • 야외활동	검사	CBC, 면역형광검사, ELISA
			치료	Doxycycline, Tetracycline, Azythromycin
	말라리아	• 삼일열/사일열 • 해외여행력, 위험지역 방문 • 심한 고열, 오한	검사	PBS, ELISA
			치료	Chloroquine, Primaquine, Doxycycline
비감염	약물 유발열	• 약물 섭취 후 발열 • 특이 병력 없음	검사	CBC, 간기능검사
			치료	약물 중단
	림프종 /백혈병	• 빈혈, 어지러움, 피로 • 체중 감소, 야간 발한 • 림프절 종대	검사	CBC, PBS, 골수검사, CT
			치료	항암치료, 조혈모세포이식
	류마티스 질환 (RA, SLE 등)	• 피부발진 또는 다발성 관절통증 • 호흡곤란 동반가능	검사	CBC, 관절 X-ray, 류마티스인자
			치료	스테로이드, NSAID

병력청취

L	–
O	언제부터 열이 났나요? 열이 갑자기 나기 시작했나요?
S	열이 나기 시작한 시점에 특별한 일이나 상황이 있었나요? – 해외여행/야외 활동/동물 접촉/벌레물림/해산물 섭취/아픈 사람과 접촉/성관계 열을 직접 측정해보셨나요?
T	열이 계속 지속되나요? 올랐다 내렸다를 반복하나요? – 며칠 간격으로 열이 났나요?
Co/Ex	열이 점점 심해지나요? 이전에도 이런 적이 있나요? 당시 진료를 받으셨나요?
C	[**양상**] 열 외에 다른 불편한 것이 있나요? [**정도**] 열 때문에 일상생활이 많이 불편하신가요?
F	[**완화**] 해열제는 드셔보셨나요? 효과가 있던가요?
Asso	[**전신**] 오한/피로/부종/체중변화/전신 쇠약감/어지러움 [**탈수**] 어지러움/두근거림/호흡곤란 * 어 – 두 – 호 [**호흡**] 기침/가래/코막힘,콧물/쌕쌕거림 * 기 – 가 – 코 – 쌕 [**소화**] 식욕저하/오심/구토/설사/변비 복통/소화불량/황달 * ANVDC-JA 통 [**신장요로**] 빈뇨/절박뇨/야간뇨/배뇨통/혈뇨/옆구리 통증 * FUND-HIS + 옆구리 통증 [**신경**] 두통/사지 위약 [**피부**] 발진/관절통 ※ Asso sx이 있다면, '발열'에서는 어떤 양상인지도 물어보면 좋습니다. 예) 설사 : 지방변, 점액성, 수양성, 혈액성 피부발진 : 눌러서 없어짐, 통증, 가려움, 따가움, 열감
약	드시고 계신 약이 있나요?
과	앓고 계신 병이 있나요? – 고혈압/고지혈증/당뇨 건강검진 받으셨나요? 당시에 결과에 대해 뭐라고 들으셨나요? 올해 독감 예방접종은 맞으셨나요?
외	[**외상**] 최근에 부딪히거나 다치신 곳이 있나요? [**수술**] 최근 수술 받으신 곳이 있나요?
사	음주/흡연 살고계신 곳이 어디인가요? 직업이 무엇인가요?
가	가족 중 비슷한 증상을 보였던 분이 있나요? 가족 중 암 진단을 받으신 분이 있나요?
여	질분비물이 생겼나요? 임신하셨을 가능성이 있나요?

신체진찰

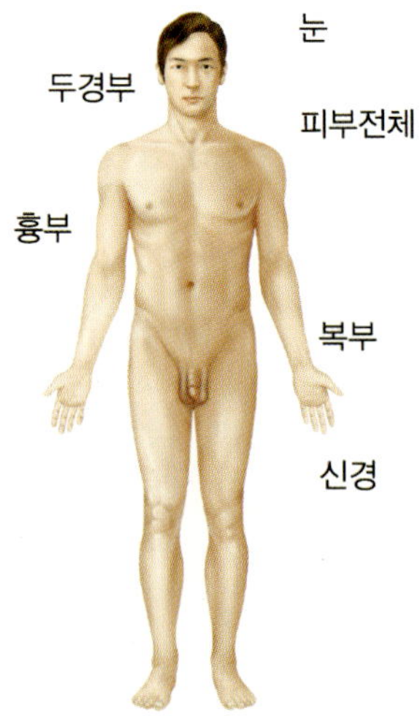

눈	결막(빈혈), 공막(황달)
두경부	구강 점막, 구인두 시진 부비동 압통 경부 림프절 촉진
피부전체	탈의시킨 후 발진, 벌레 물린 곳, 부은 곳 확인
흉부	호흡기계 시촉타청
복부	복부 시청타촉 CVAT
신경	뇌신경 검사(동공반사, 안구운동, 얼굴 운동/감각) 사지 검사(감각, 운동, DTR) 수막 자극 징후
필수 임상술기	혈액배양을 위한 채혈(모형에 시행)

※ 흉부, 복부, 신경 진찰의 경우 각각 발열의 원인으로 호흡기계, 소화기계/신장요로계, 신경계 질환이 의심될 경우에만 시행하면 됩니다.

환자교육

추정진단	○○님, 말씀해주신 것과 제가 신체진찰 □□한 것을 종합했을 때, ◇◇한 소견이 보여 A병이 가장 의심이 됩니다.
감별진단	그 외에 B병, C병 또는 D병도 완전히 배제할 수는 없습니다.
검사	확실한 진단을 위해서는 **[기본 검사]**+**[질병별 검사]**가 필요합니다. [**기본 검사**] CBC, 요검사, 배양검사(혈액, 소변, 대변, 객담) [**질병별 검사**] 계통별, 원인병원체별 검사
치료	검사를 통해 A병으로 진단이 되면, 이에 대한 치료로 I, J, K가 필요합니다.
주의점/생활교육	[**체온 측정**] 열이 날 때는 체온계를 이용해 정확하게 측정하시고, 열이 점점 더 심해지는 경우 내원해주세요. [**개인 위생**] 외출 후에는 손과 발을 잘 씻어 주시고, 가급적 사람이 많은 곳은 삼가 주세요. [**주변인**] 주변 분들 중 비슷한 증상을 보인 분이 있거나, 밀접하게 접촉하신 적이 있다면 병원을 방문하시는 것이 좋습니다. [**유행지역 방문**] 전염병 유행지역을 방문하시는 경우 의사와 상의하셔서 미리 예방접종 혹은 예방적 조치를 시행할 수 있도록 해 주세요. [**응급**] 어지러움, 두근거림, 입마름 등이 나타난다면 탈수가 의심되므로, 응급실 통해 내원하시면 필요한 경우 수액치료를 해 드릴 수 있습니다. 또 의식 변화가 있거나, 가래, 설사, 혈변 등 다른 증상이 나타나는 경우 즉시 내원해 주세요.
질문기회	혹시 이해 안 되시거나 궁금하신 점이 있으신가요?

1) 진단계획

(1) 기본 검사 : 일반 혈액 검사, 소변 검사, 배양 검사(혈액, 소변, 대변, 객담)

(2) 특이 검사 : 인플루엔자 신속항원검사, HIV 항원검사, PCR, ELISA, 면역형광검사

(3) 영상 검사 : 흉부/복부 X선 검사, 복부 초음파, 심초음파

(3) 골수 이상 : 말초혈액도말검사, 골수검사

2) 치료계획

(1) [감기, 인플루엔자] 대증요법, 수액치료

(2) 균 배양검사 결과에 따라 적절한 항생제 사용

(3) 농양이 있는 경우 Incision & Drainage

3) 환자교육

(1) 개인 위생 철저(손씻기, 사람 많은 곳 피하기)

(2) 전염성을 가진 병의 경우 주변인도 진료 권유

(3) 활력징후 불안정한 경우 입원치료 권유

(4) 전염병 유행지역 방문 시 미리 예방접종하기

(5) 체온계를 이용해 체온을 정확하게 측정하고, 발열 심하거나 의식변화 생기는 경우, 호흡기/소화기 증상 심해지는 경우 내원하도록 교육

(6) 감염병으로 의심될 시 법정감염병 여부를 확인하고 적절한 조치를 취함

- 1급 : MERS, SARS, COVID19, 신종인플루엔자 ; 즉시 신고 및 높은 수준의 격리(음압격리)
- 2급 : 결핵, 수두, 홍역, 콜레라, 장티푸스, 이질, 폐렴구균, 수막구균, A형 간염, 백일해 ; 24시간 이내 신고 및 격리 필요
- 3급 : 파상풍, B형 간염, C형 간염, 쯔쯔가무시, 렙토스피라, 신증후군출혈열, 비브리오패혈증 ; 격리까지는 필요 없음, 24시간 이내 신고
- 4급 : 기생충 감염, HPV, 매독, 독감 등

Scrub typhus vs. Leptospirosis vs. HFRS

Scrub typhus	Leptospirosis	Hemorrhagic fever
O. tsutsugamushi 1) transovarian infection! "bite of mite(chigger)" person to person transmission은 없다. 2) 10월, 11월 3) 잠복기 : 9~12일	*L. interrogans* 1) 인수공통전염병(zoonosis) : 상처, 결막, 비강/구강점막으로 감염(감염된 쥐, 가축, 야생동물들이 배설한 소변에 노출된 오염된 물이나 토양) : 20~40대 활동기의 성인남자+추수, 탈곡, 벌초, 성묘, 야산작업 등의 Hx 2) 8~11월 3) 잠복기 : 7~12일	Bunyaviridae, Hantavirus(genus) Hantaan virus, seoul virus 1) 인수공통전염병(zoonosis) : 호흡기/피부상처로 감염 (등줄쥐의 배설물) 2) bimodal(5~7월의 소유행, 10~12월의 대유행) 3) 잠복기 : 2~3주(virus)
1) rash → central necrosis → eschar * trunk → extremities 2) regional LN enlargement(만지면 아파함)	1) 물과 접촉한 상처 2) 10% 정도에서 jaundice 동반(우리나라에는 드묾)	1) 안면과 목, 흉부 상부에 홍조 2) soft palate, conjunctiva, axilla에 petechia
fever, myalgia, severe headache	가벼운 몸살증상으로부터 치명적인 Weil's ds.까지 다양 1) 1기(패혈증기 4~7일, 1~2일간 해열기) (1) blood, CSF, 대부분의 조직에서 발견 (2) 결막부종, 독감과 같은 증상(fever, chill, myalgia) 2) 제2기(면역기) (1) kidney, urine에서 발견, IgM(ELISA) 생성 시작 (2) 주요임상형 4가지 ① pneumonitis : hemoptysis, 폐출혈 interstitial pneumoniae(bilateral, 급속 진행, 소실) ② hepatitis ③ meningitis ④ AKI	1) 발열기(febrile phase, 3~7일), 몸살감기증상, acute abdomen, 홍조, 점상출혈, LN enlargement 2) 저혈압기(hypotensive phase, -3일) 두통, 안구통, 근육통 경감 G-I Sx↑, thrombocytopenia, proteinuria 3) 핍뇨기(oliguric phase, 3~5일) : AKI+hemorrhage+HiBP 가장 사망률이 높은 시기 4) 이뇨기(diuretic phase, 수일~수주) 5) 회복기(convalescent phase)
1) IFA 2) IIP, Weil-Felix test(OX-K)	1) anemia, leukocytosis 2) agglutination test 3) chest X-ray	1) IFA 2) ELISA
Doxycycline, azithromycin, chloramphenicol 1) 치료 안 하면, 2주 후 열이 떨어진다. 2) 항생제를 쓰면 24시간 후 열이 급격하게 떨어진다.	1) 예방 : doxycycline, azithromycin+장화, 장갑 2) mild : doxycycline, ampicillin, amoxicillin 3) severe : penicillin G(IV), ceftriaxone, cefotaxime	각 시기에 맞는 conservative management

CPX

22 피 로

CLINICAL PERFORMANCE EXAMINATION

감별진단

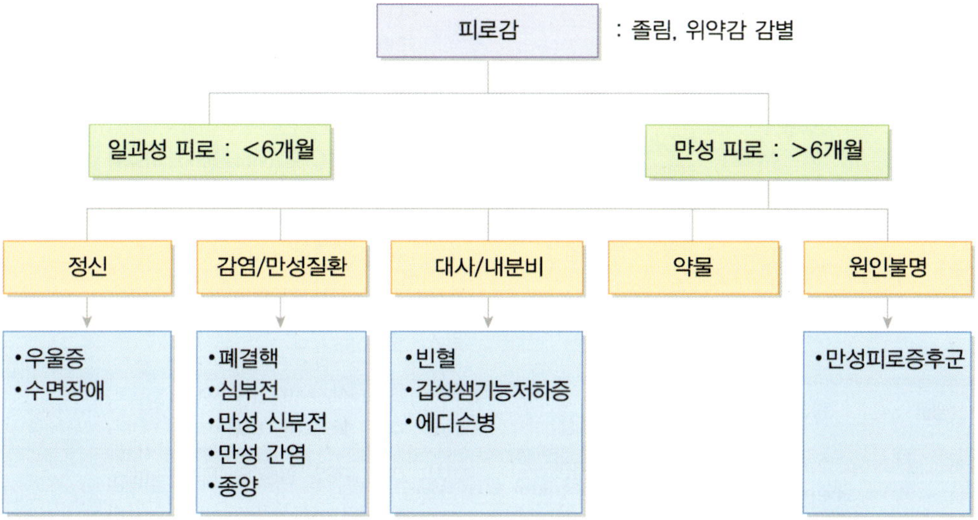

참고

피로는 활력이 없고 쉽게 지치며, 의욕상실 등 환자의 주관적인 표현으로, 졸림, 근무력감과 구별되어야 한다. 일시적인 피로와 6개월 이상 지속되는 만성피로로 분류할 수 있고, 만성피로를 유발할 수 있는 원인을 병인에 따라 정신, 감염/만성질환, 대사/내분비, 약물, 원인불명(만성피로증후군)으로 나누어 감별한다.

주제별 감별진단

계통	질병명	감별키워드	검사/치료	
일차성	일과성 피로	• 일시적 피로 • 피로 외 다른 증상 없음 • 휴식 시 완화	검사	–
			치료	안심시키기, 휴식, 유발요인 회피
정신	우울증 /수면장애	• 우울감, 의욕저하, 식욕 저하, 수면장애	검사	Beck의 우울척도검사, 수면다원검사
			치료	SSRI, 수면제
감염	폐결핵	• 발열, 기침, 가래, 객혈 • 체중 감소	검사	객담 항산염색, 투베르쿨린 검사, 흉부 X-ray
			치료	항결핵제(Isoniazid, Rifampin, Pyrazinamide, Ethambutol)
만성 질환	심부전	• 호흡곤란(운동 시/누우면 악화) • 심질환 과거력 • 경정맥 확장, 심잡음	검사	심초음파, 심전도
			치료	ACEi, BB, Spironolactone, 이뇨제
	만성 신부전	• 하지부종 • 고혈압, 당뇨 병력	검사	BUN/Cr, 소변검사, 전해질검사, 콩팥초음파
			치료	생활습관교정, ACEi/ARB, 투석
	만성 간염	• 간염 병력 • 황달, 복수 • 음주	검사	간기능검사, 간염바이러스검사(HBsAg, anti-HCV)
			치료	항바이러스제
신생물	종양	• 체중 감소 • 장기별 이상증상	검사	영상검사, tumor marker
			치료	수술, 항암치료, 방사선치료
대사 /내분비	빈혈	• 호흡곤란, 어지럼 • 위 수술 병력 • 결막 창백	검사	CBC, PBS, 혈중 Fe/TIBC/Ferritin
			치료	철분제, 코발라민/비타민B_{12}
	갑상샘기능저하증	• 추위 불내성 • 변비 • 갑상샘 촉진 시 종대	검사	갑상샘기능검사, 갑상샘 초음파
			치료	Levothyroxine
	부신피질기능저하증 (Adrenal insufficiency)	• 메스꺼움, 구토 • 위약감, 피로 • 기립성 저혈압	검사	Rapid ACTH stimulation test, 혈중 ACTH
			치료	Hydrocortisone, Fludrocortisone
약물	약물	• 항우울제, 항고혈압제	검사	–
			치료	약물 변경/중단
특발성	만성피로증후군	• 인기다경근두운잠* • 6개월 이상 지속	검사	다른 검사에서 이상 없을 시 배제 진단
			치료	생활습관, 수면위생, SSRI, 인지행동치료

* 만성피로증후군 – 우울증 – 수면장애 – 갑상선기능저하증 – 결핵 – 빈혈 – 심부전 – 간염 ; 만 – 우 – 수 – 갑 – 결 – 빈 – 시 – 간
* 인기다경근두운잠 : 인후통, 기억력/집중력 장애, 다발성 관절통, 경부/액와부 림프선 압통, 근육통, 두통, 운동 후 심한 권태감, 잠을 자도 피곤

병력청취

L	-
O	언제부터 피곤하다고 느끼셨나요?
S	피곤하다고 느끼기 시작한 시점에 큰 사건이나 일상생활에 변화가 있었나요?
T	하루 종일 피곤한가요?
Co/Ex	점점 더 피로감이 심해지나요? 이전에도 이런 적이 있나요?
C	[**양상**] 피곤한 게 정확히 어떤 느낌인가요? - 팔다리 힘빠짐, 집중력 저하, 졸림(수면부족) [**정도**] 피로 때문에 일상생활에 지장이 있나요?
F	[**악화**] 어떨 때 더 피곤한가요? - 스트레스, 과로 [**완화**] 어떻게 하면 피로가 나아지나요? - 휴식, 운동
Asso	[**전신**] 발열/오한/야간 발한/부종/체중변화/어지러움 [**호흡**] 기침/가래/객혈/호흡곤란 [**소화**] 식욕저하/오심/구토/설사/변비/속쓰림 황달/복수/복부덩이 [**내분비**] 추위불내성/변비 [**만성피로증후군**] 새로운 두통/인후통/경부 및 액와부 림프절 압통/근육통/다발성 관절통/ 기억력 및 집중력 저하/잠을 자도 피곤/운동 후 심한 권태감 [**수면장애**] 잠은 잘 주무시나요? - 수면시간/수면위생/코골이 [**정신**] 우울/의욕저하/식욕저하/수면변화/불안, 초조/피로/자책감/집중력 저하/자살사고 * 만 - 우 - 수 - 갑 - 결 - 빈 - 시 - 간
약	드시고 계신 약이 있나요? - 항우울제, 항고혈압제
과	앓고 계신 병이 있나요? - 고혈압/고지혈증/당뇨/간질환/결핵 건강검진 받으셨나요? 당시에 결과에 대해 뭐라고 들으셨나요?
외	[**외상**] 최근에 다치신 적이 있나요? [**수술**] 이전에 수술 받으신 적이 있나요?(위절제술)
사	음주/흡연/커피 직업 평소 식사를 규칙적으로 하시나요? 식사는 골고루, 충분히 하시나요? 운동은 일주일에 몇 번 정도 하시나요?
가	가족 중 비슷한 증상을 보였던 분이 있나요? 가족 중 암/결핵을 앓으신 분이 있나요?
여	월경량 과다/임신 가능성

신체진찰

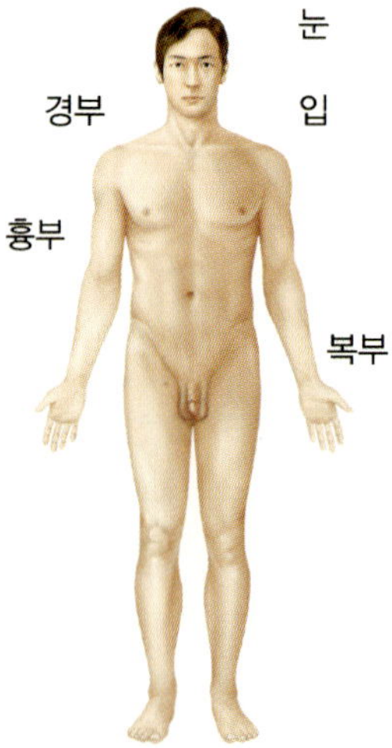

눈	결막(빈혈)/공막(황달)
입	점막 착색
경부	경부림프절 촉진 갑상샘 촉진
흉부	청진 : 심음/호흡음
복부	복부 시청타촉 시행 시간 부족한 경우, 간비대만 확인

환자교육

추정진단	○○님, 말씀해주신 것과 제가 신체진찰 □□한 것을 종합했을 때, ◇◇한 소견이 보여 A병이 가장 의심이 됩니다.
감별진단	그 외에 B병, C병 또는 D병도 완전히 배제할 수는 없습니다.
검사	확실한 진단을 위해서는 **[기본 검사]**+**[질병별 검사]**가 필요합니다. [**기본 검사**] CBC, TFT, LFT
치료	검사를 통해 A병으로 진단이 되면, 이에 대한 치료로 I, J, K가 필요합니다.
주의점/생활교육	[**생활습관 교정**] 적절한 운동은 피로의 가장 중요한 치료 중 하나입니다. 운동이 어렵거나 피곤하더라도 운동을 꾸준히 하시는 것이 결과적으로는 피로 개선에 도움이 됩니다. 하루 30분씩이라도 규칙적으로 진행하시는 것이 좋겠습니다. [**수면 위생**] 양질의 수면을 위해서는 수면환경이 중요합니다. 빛이 들어오지 않고, 소음이 없도록 커튼이나 이중창을 고려해보시고, 잠이 오지 않을 때에는 계속 누워있기보다는 침대 밖으로 나와서 따뜻한 음료를 드시거나 명상을 하시는 게 도움이 됩니다. [**이차성 피로**] 기질적 원인을 교정하면 피로가 호전됩니다. 너무 걱정 마시고 같이 해결해봅시다.
질문기회	혹시 이해 안 되시거나 궁금하신 점이 있으신가요?

1) 진단계획

(1) 기본 검사 : CBC, TFT, LFT

(2) 감염 : 객담 항산염색, 투베르쿨린 검사, 흉부 X선 검사

(3) 만성질환 : BUN/Cr, LFT, 심전도, 심/신장/간초음파

(4) 신생물 : 영상검사, tumor marker

(5) 내분비 : 혈중 Fe/TIBC/Ferritin 검사, 갑상샘 초음파, Rapid ACTH stimulation test

(6) 만성피로증후군 : 임상적 진단, 배제 진단

2) 치료계획

(1) 원인 질환 교정 : 항결핵제, 항우울제, ACEi, 항바이러스제, 철분제, L-thyroxine 등

(2) 수면 장애 : 수면위생 개선

(3) 일과성 피로 : 안심시키기, 유발요인 회피

3) 환자교육

(1) 적절한 유산소 운동

(2) 건강한 식습관 유지, 약물 남용 및 커피 과다 복용 금지

(3) 기질적 원인이 의심되는 경우 추가 검사가 필요함을 설명

(4) 수면 위생 개선 교육, 필요 시 수면다원검사 고려

만성 피로 증후군

1) 정의

(1) 특별한 원인 질환 없이 임상적으로 설명되지 않는 피로가 6개월 이상 지속적 또는 반복적으로 나타나

(2) 일상생활에 심각한 영향을 미치는 상태

2) 진단(미국 CDC 기준)

(1) 핵심 증상

① 임상적으로 평가되거나 설명되지 않는 피로가 6개월 이상 지속적 또는 반복적으로 나타남

② 현재의 힘든 일 때문에 생긴 피로가 아님

③ 휴식으로 증상이 호전되지 않음

④ 직업, 교육, 사회, 개인 활동이 만성 피로가 나타나기 전보다 실질적으로 감소

(2) 위와 같은 피로 이외에 다음 증상 중 4가지 이상이 동시에 6개월 이상 지속

① 기억력, 집중력 장애

② 인후통

③ 경부, 액와부 림프선 압통

④ 근육통

⑤ 다발성 관절통

⑥ 새로운 두통

⑦ 잠을 자도 상쾌한 느낌이 없음

⑧ 운동 또는 힘든 일을 한 이후에 나타나는 심한 권태감

※ 넘버링 : 인기다경 근두운잠

(3) 위 증상들이 다른 질환에 의해 발생한 경우 배제됨

3) 치료

(1) 인지 행동 치료

(2) 점진적 유산소 운동 치료

CPX

CLINICAL PERFORMANCE EXAMINATION

23 쉽게 멍이 듦

감별진단

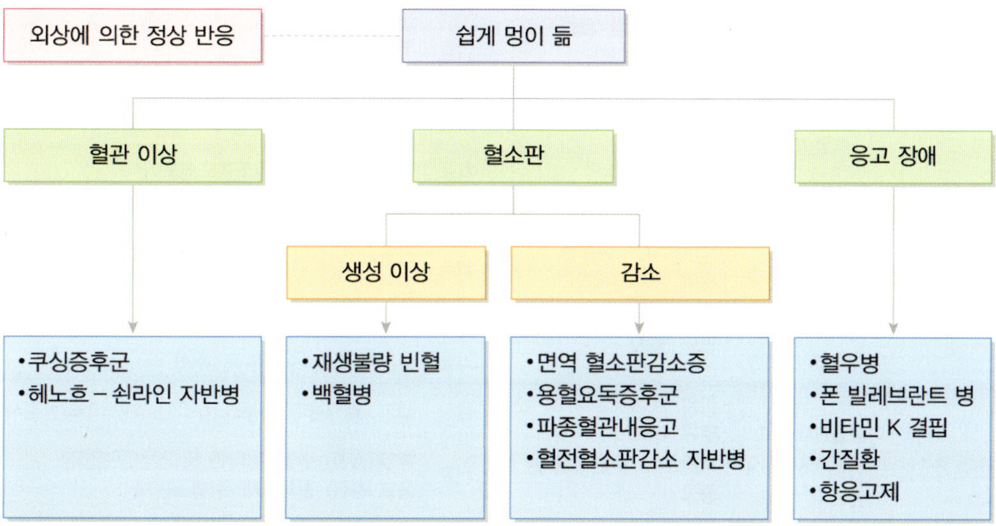

참고

멍이 쉽게 드는 것을 주소로 내원한 환자에서는 어느 부위에 멍이 생겼는지를 꼼꼼하게 확인하는 것이 가장 중요합니다. 멍이 생긴 위치에 따라 외상에 의한 정상 반응과 결합조직 이상, 출혈 경향에 의한 멍을 구분하는 단서가 되기도 합니다.

출혈 경향이 있는 경우 현재 출혈이 있지 않은지, 그로 인한 탈수 혹은 빈혈 증세가 동반되어있지 않은지 확인해야 합니다. 또한 환자가 여러 가지 이유로 항응고제 혹은 항혈소판제를 복용 중일 수 있습니다. 약물 복용력을 문진할 때 필요하다면 성분까지 확인해야 합니다.

주제별 감별진단

계통	질병명	감별키워드	검사/치료	
혈관	쿠싱 증후군	• 중심성 비만(moon face) • 자색 선조 • 스테로이드 복약력	검사	dexa suppression test, 24h 소변 코티솔 농도, 혈중 ACTH 농도
			치료	부신절제술/뇌수술, 스테로이드 중단
	헤노흐-쇤라인 자반병 (HSP)	• 종아리 자색반 • 복통, 구토, 관절통	검사	CBC, 소변검사, 필요 시 피부 생검
			치료	스테로이드
혈소판	재생불량 빈혈 (AA)	• 피로, 어지럼, 호흡곤란 • 코피, 월경과다	검사	CBC, PBS, 골수검사, 염색체검사
			치료	보존적 치료, 동종조혈모세포이식, 호르몬치료, 면역억제치료
	백혈병	• 피로, 체중감소 • 출혈 경향 • 발열	검사	CBC, PBS, 골수검사, 염색체검사
			치료	항암화학요법, 동종조혈모세포이식
	면역 혈소판감소증 (ITP)	• 이전 상기도 감염 • 잇몸이나 구강출혈 • 피부 점상 출혈반	검사	CBC, PBS, 혈액응고검사(PT, aPTT)
			치료	경과관찰, 필요 시 수혈, 스테로이드, 면역글로불린, 비장절제술
	용혈요독증후군 (HUS)	• 핍뇨, 설사	검사	소변검사, BUN/Cr, PBS
			치료	보존적 치료, 혈액투석, 수혈
	파종혈관내응고 (DIC)	• 감염, 악성종양 치료, 전신 염증 • 호흡곤란, 두근거림 등 쇽 증상	검사	CBC, 혈액응고검사(PT, aPTT), 피브리노겐 검사
			치료	출혈 경향) 수혈, 비타민 K, 신선동결혈장 응고 경향) 항응고제, 항혈소판제
	혈전혈소판감소 자반병 (TTP)	• 신경/신장 이상 • 발열, 점상 출혈	검사	CBC, PBS, 혈액응고검사(PT, aPTT), PBS
			치료	원인질환 치료, 혈장교환술, 면역치료
응고인자	혈우병	• 가족력, 남아 • 코피, 관절 부위 통증	검사	혈액응고검사, 응고인자검사, 항응고인자검사
			치료	부족한 응고인자 투여
	폰 빌레브란트 병	• 출혈 경향	검사	CBC, 혈액응고검사, vWF
			치료	Desmopressin, vWF
	간질환	• 황달, 복수 • 만성 간염, 음주력	검사	간기능검사, 복부초음파
			치료	항바이러스제, 금주
	비타민 K 결핍	• 출혈 경향	검사	혈액응고검사
			치료	비타민 K
	항응고제	• 항응고제 복용 • 출혈 경향	검사	혈액응고검사
			치료	비타민 K(와파린), Protamine sulfate(헤파린)

병력청취

L	멍이 있는 부위는 어디인가요? 어디에 멍이 주로 생기나요?
O	언제부터 멍이 잘 생겼나요?
S	멍이 잘 생기기 시작했을 때 특별한 상황이 있었나요? – [ITP] 상기도 감염 부딪힌 이후에 생긴 멍인가요?
T	부딪히고 어느 정도 지나서 멍이 생기나요? 여러 개의 멍이 동시에 생겼나요? 멍이 얼마나 지속되나요?
Co/Ex	점점 커지나요? 멍의 개수가 점점 많아지나요? 멍이 점점 더 오래 가나요? 이전에도 이런 적이 있나요? 원래 멍이 잘 들었나요?
C	**[양상]** 크기는 어떤가요? 모양이 어떤가요? 멍의 개수는 몇 개인가요? 색은 어떤가요? * 크 – 모 – 개 – 색 누르면 아픈가요? 가렵거나 따가운가요? 누르면 색이 변하나요? 열이 나지는 않나요? * 통증 – 가려움 – 따가움 – 색변화 – 열 ; 통 – 가 – 따 – 색 – 열
F	격한 운동을 자주 하시는 편인가요?

Asso	**[전신]** 발열/오한/피로/체중변화
	[빈혈] 어지러움/두근거림/호흡곤란/입마름/핍뇨 * 어 – 두 – 호
	[출혈 경향] 잇몸, 구강에서 피가 자주 나나요? 코피가 잘 나나요?
	[혈관이상]
	  [쿠싱증후군] 자색선조
	  [HSP] 복통, 관절통, 종아리 자색반
	[혈소판이상] 점상 출혈
	  [HUS] 설사/혈뇨
	  [TTP] 혈뇨/단백뇨, 두통/마비/감각이상/의식저하
	[혈우병] 관절 출혈
	[간질환] 소화불량/황달/복수

약	드시고 계신 약이 있나요? – 스테로이드, NSAIDs, 헤파린, 와파린, 건강보조식품(한약) * 구체적으로 확인하는 것이 좋습니다.
과	앓고 계신 병이 있나요? – 간질환, 암, 빈혈 건강검진 받으셨나요? 당시에 결과에 대해 뭐라고 들으셨나요?
외	**[외상]** 최근에 부딪히거나 다치신 곳이 있나요? **[수술]** 최근 수술 받으신 곳이 있나요?
사	음주/흡연 여부/직업
가	가족 중 비슷한 증상을 보였던 분이 있나요? 가족 중 혈우병/혈액암을 진단받으신 분이 있나요? 가족 중 간질환/암을 진단받으신 분이 있나요?
여	월경량이 증가했나요? 임신하셨을 가능성이 있나요?

신체진찰

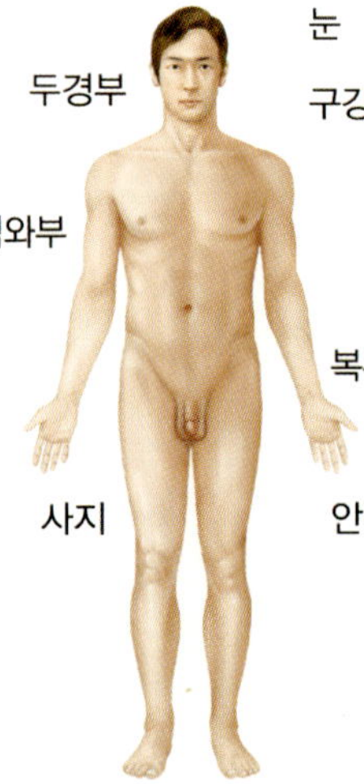

눈	결막(빈혈), 공막(황달) 시진
구강	잇몸 및 구강 시진
두경부	목 림프절 촉진, buffalo hump
액와부	겨드랑이 림프절 촉진
복부	시–청–타–촉(자색선조, 간)
사지	멍 시진/촉진(압통) : 몸 전체를 꼼꼼하게 확인 관절 촉진/움직여보기 하지 부종
필수 임상술기	안전수혈술기

환자교육

추정진단	○○님, 말씀해주신 것과 제가 신체진찰 □□한 것을 종합했을 때, ◇◇한 소견이 보여 A병이 가장 의심이 됩니다.
감별진단	그 외에 B병, C병 또는 D병도 완전히 배제할 수는 없습니다.
검사	확실한 진단을 위해서는 혈액을 채취하여 시행하는 **온혈구검사**, **혈액응고검사**, **말초혈액도말검사**가 필요합니다. **[질병별 검사]**도 추가로 시행해야 합니다. 괜찮으신가요?
치료	검사를 통해 A병으로 진단이 되면, 이에 대한 치료로 I, J, K가 필요합니다.
주의점/생활교육	[**출혈 위험 예방 교육**] • 출혈이 쉽게 일어나고 잘 멎지 않으니 격렬한 움직임, 운동은 삼가고 가급적 상처를 입지 않도록 주의해주세요. 부드러운 칫솔과 전기면도기 사용을 추천드립니다. • 발치 등 시술이나 수술 전에 반드시 의사와 상의하세요. • 머리 안쪽에 출혈이 생기는 것이 가장 위험합니다. 두통, 시야장애 등이 생기면 바로 병원에 내원하세요. 변에 피가 섞여 나오거나 토혈을 하시는 경우에도 내원하세요. [**응급**] 멍이 멈추지 않고 계속 커지거나 토혈, 객혈, 혈변 등 피가 나오는 증상이 추가로 생기는 경우, 혹은 어지럼, 입마름 등 탈수/빈혈 증세가 생기는 경우 반드시 병원에 방문하세요.
질문기회	혹시 이해 안 되시거나 궁금하신 점이 있으신가요?

1) 진단계획

(1) 혈소판 : CBC, PBS, 골수검사, 혈액응고검사(PT, aPTT)

(2) 응고인자 : 혈액응고검사, 응고인자검사

(3) 간질환 : 간기능검사, 간초음파

(4) 쿠싱 증후군 : dexa suppression test, 24h urine cortisol

2) 치료계획

(1) 골수장애 : 항암치료, 동종조혈모세포이식

(2) 혈소판 이상 : 보존적 치료, 스테로이드, 면역억제치료, 수혈/혈장교환술/투석
[ITP] glucocorticoid → IVIG → splenectomy

(3) 응고인자 이상 : 부족한 응고인자 투여, 원인질환 교정

3) 환자교육

(1) 출혈 위험 예방 교육 : 부드러운 칫솔, 전기면도기 사용, 격한 운동 지양

(2) 응급 상황 교육 : 멍이 커지는 경우, 혈변/흑색변/혈뇨 등 새로운 출혈이 발생한 경우, 시야장애/두통 등 뇌 관련 증상이 발생한 경우

(3) 아스피린 등의 약제는 혈소판 기능을 저하시킬 수 있으므로 새로운 약을 복용할 때 의사와 상의하도록 교육

(4) 발치를 포함한 수술 시에는 의사와 반드시 상의

(5) ITP의 경우 일시적으로 생기고, 자연스럽게 호전될 수 있음을 설명하고 안심시키기

(6) 골수이상의 경우 추가적인 검사와 치료가 이루어질 수 있음을 설명

CLINICAL PERFORMANCE EXAMINATION

06 CHAPTER

근골격 · 피부감각기

CPX

24-1 목 통증

CLINICAL PERFORMANCE EXAMINATION

감별진단

- 목 통증
  - 척추
    - 외상
      - 경추염좌/긴장
      - 채찍질손상
      - 경추골절
    - 퇴행
      - 추간판탈출증
      - 척추관협착증
    - 기타
      - 근막통증증후군
      - 류마티스관절염
      - 척추감염(골수염, 연조직감염)
      - 척추종양
  - 연관통
    - 수막염
    - 뇌신경통

참고

목통증은 통증의 발생 위치를 판단하는 것이 중요하다. 목통증은 경추부 이외에도 두부, 안면부, 어깨 질환에 의해서도 발생할 수 있어 진단에 유의해야 한다. 목통증 환자를 진료할 때는 환자의 증상이 즉각적인 조치를 취해야 하는 상황인지 먼저 확인하고 통증의 양상에 따라 유발요인을 추론한다.

주제별 감별진단

계통	질병명	감별키워드	검사/치료	
퇴행	경추 추간판 탈출증 (Herniated intervertebral disc)	• 상지 방사통 • 목을 젖히면 악화 • Spurling test(+)	검사	C-spine X-ray, C-spine 자기공명영상(MRI)
			치료	침상안정, 보조기착용, 진통제, 수술
	경추 척추관 협착증 (Spinal stenosis)	• 장년층 이상 • 서서히 악화됨 • 목, 어깨, 양팔 신경근 따라 나타남	검사	C-spine X-ray, C-spine MRI
			치료	침상안정, 보조기착용, 진통제, 수술
외상	채찍질손상	• 교통사고 후 목통증 • 두통, 어깨통증 • 구역, 구토 • 상지 방사통	검사	C-spine X-ray, C-spine MRI
			치료	침상안정, 보조기착용, 진통제
	경추염좌 (Cervical sprain)	• 뒷목 하부 양측에 둔하면서 쑤시는 통증 • 상지 방사통 없음 • 움직이면 악화, 쉬면 완화	검사	C-spine X-ray, C-spine MRI
			치료	마사지, 스트레칭, 진통제
기타 /연관통	근막동통증후군 (Myofascial pain syndrome)	• 스트레스로 인해 목이 뻐근하면서 뒤통수가 당김 • 통증유발점을 누르면 통증이 발생	검사	임상 증상으로 판단
			치료	마사지, 소염진통제, 온열치료, 활동성 근막 유발점에 바늘을 삽입하여 파괴
	류마티스관절염 (Rheumatoid arthritis)	• 조조강직(+) • 다른 부위에도 통증 척추에는 영향이 없으나 C1, C2 사이 염증으로 인하여 목통증이 나타남 (손가락 관절 등)	검사	항핵항체, anti-dsDNA 검사
			치료	Prednisone, Methotrexate, 소염제
	암의 경추 전이	• 체중감소 • 암 진단 과거력 • 배뇨장애	검사	C-spine X-ray, C-spine MRI
			치료	수술, 항암제
	전방구조물	• 체중감소 • 연하곤란 • 목소리 변화	검사	Neck CT
			치료	수술
	뇌수막염	• 발열 • 수막자극징후 • 이전 감기증상	검사	Brain MRI
			치료	항생제, dexamethasone
	삼차신경통	• 안면에 찌르는 듯한 통증	검사	Brain MRI
			치료	carbamazepine, 수술

병력청취

L	**[위치]** 아픈 부위를 정확히 짚어보세요 **[방사통]** 통증이 아픈 곳에서 뻗어나가는 느낌이 있나요? 다른 관절부위가 아프지는 않나요?
O	언제부터 아프셨나요? 통증이 갑자기/서서히 시작됐나요?
S	목이 아프게 된 상황이 있었나요? 예를 들자면~ 외상, 수술 등 잘못된 자세로 주무셨나요?
T	통증이 얼마나 지속되나요? 통증이 얼마나 자주 있나요?(간헐적, 지속적)
Co/Ex	통증이 점점 심해지나요? 이전에도 이런 적이 있나요? 당시 진료를 받으셨나요?
C	**[양상]** 목이 아픈 게 어떤 느낌인가요?(찌릿찌릿, 날카롭게 찌르듯, 둔하고 뻐근) *** 양 - 강 - 방** 발적/열감/부기/압통/움직일 때 소리/움직임 제한 *** 발 - 열 - 부 - 압 - 소 - 제** **[강도]** 가장 안 아픈 게 0점, 아파서 죽을 것 같은 게 10점이라고 할 때 지금 아픈 건 몇 점 정도인가요?
F	**[악화]** 통증이 어떨 때 더 심해지나요? - 활동/휴식 시, 기침(추간판탈출증), 스트레스(근육긴장) **[완화]** 어떻게 하면 통증이 좀 나아지나요? - 활동 시, 휴식 시(경추 or 근육질환) 어떤 자세에서 악화/완화되나요?(숙일 때, 젖힐 때, 좌우로 돌릴 때)
Asso	**[전신]** 발열/오한/체중변화 **[퇴행성]** 상지로 뻗치는 통증, 상지 감각이상 **[뇌수막염]** 감기증상/두통/목 뻣뻣/구역, 구토 **[종양 및 전방구조물]** 체중감소, 배뇨장애, 목소리 변화 **[근막동통증후군]** 특정 부위 누르면 타는 듯한 통증, 땀 **[RA]** 조조강직, 다른 관절부위 통증
약	드시고 계신 약이 있나요?(진통제, 스테로이드)
과	앓고 계신 병이 있나요? - 류마티스/근골격계 질환, 암, 고혈압/고지혈증/당뇨/간질환 건강검진 받으셨나요? 당시에 결과에 대해 뭐라고 들으셨나요?
외	**[외상]** 최근에 교통사고/운동 등으로 다치신 적 있으신가요? **[수술]** 수술 받으신 적이 있나요?
사	음주/흡연/운동, 직업력
가	가족 중 비슷한 증상을 보였던 분이 있나요?(류마티스질환)
여	

신체진찰

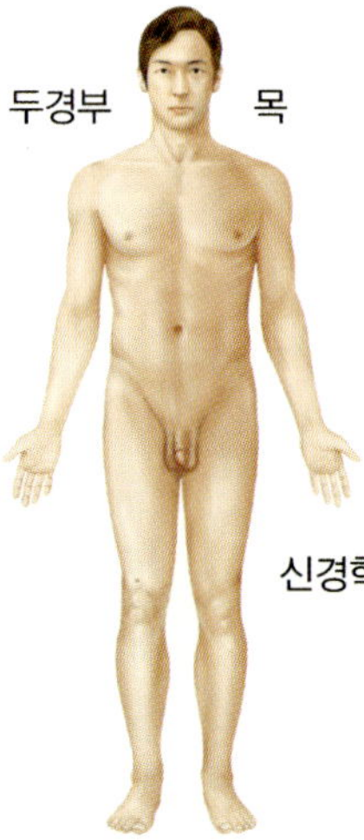

목 시진	목이나 상지의 자세 근위축 정도
두경부	목의 움직임 확인 (flexion(right, left까지), extension, rotation) 목 부위 압통/경련/덩이 촉진
신경학적 검사	상지의 근력약화/감각이상 검사 Spurling's test Lhermitte's sign 수막자극징후

※ 통증 환자의 경우 신체 진찰 시 PPI를 잘 챙기는 것이 중요합니다.

환자교육

추정진단	○○님, 진찰 결과 □□한 점이 관찰되는데, 이러한 소견은 문진과 함께 생각해봤을 때 A병이 가장 의심이 됩니다.
감별진단	그 외에 B병, C병 또는 D병도 완전히 배제할 수는 없습니다.
검사	확실한 진단을 위해서는 **[기본 검사]**+**[질병별 검사]**가 필요합니다. **[기본 검사] 단순 경부 방사선촬영+경부 CT+경부 MRI**
치료	검사를 통해 A병으로 진단이 되면, 이에 대한 치료로 I, J, K가 필요합니다.
예후	지금부터 치료를 받으시면 별다른 지장 없이 지내실 수 있으실 것입니다.
생활교육/응급	• 팔다리의 힘이 빠지거나 대소변 기능의 장애가 발생하는 경우 신속히 응급실로 내원하세요. • 수술이 필요한 경우를 제외하고는 대부분 물리치료 및 약물치료를 통해 치료합니다. • 주기적으로 목 스트레칭을 하는 것이 도움이 됩니다.
질문기회	혹시 이해 안 되시거나 궁금하신 점이 있으신가요?

1) 진단계획

(1) 공통 : 경부 단순촬영(X-ray), 경부 CT, 경부 자기공명영상(MRI)

(2) 류마티스 관절염 : CBC, 항핵항체, anti-dsDNA 검사

2) 치료계획

(1) 공통 : 안정, 물리 치료, NSAID

(2) 퇴행성 : 약물치료, 수술적 치료

(3) 외상성 : Neck brace

(4) 근막동통증후군 : 온열치료, 활동성 근막 유발점에 바늘을 삽입하여 파괴

(5) 종양 : 절제술, 방사선치료, 항암 치료

3) 환자교육

(1) 안정 및 올바른 자세, 스트레칭 및 적당한 운동을 할 것

(2) 갑작스러운 신경학적 이상(하지 근력 약화, 대소변 기능 장애) 발생 시 응급실로 내원할 것을 교육

CPX CLINICAL PERFORMANCE EXAMINATION

24-2 허리 통증

감별진단

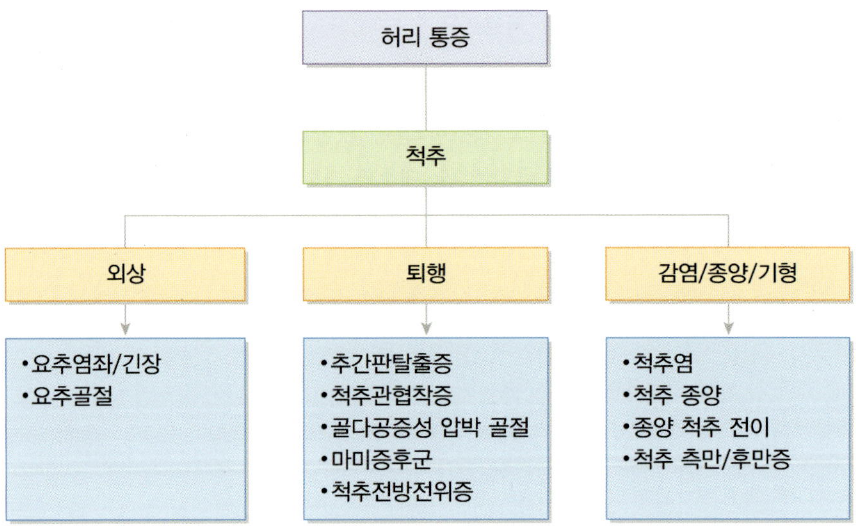

참고

요통 환자를 진료할 때는 통증이 응급상황인지 먼저 파악하는 것이 중요하다. 하지근력 약화나 감각 소실의 유무, 배뇨장애의 동반 여부 등의 신경학적인 이상 소견이 관찰되면 신속한 치료가 필요하다. 그 외의 경우 물리치료 및 진통제를 사용하여 치료하므로, 환자에게 적절한 자세와 운동을 교육하는 것이 중요하다.

주제별 감별진단

<table>
<tr><th>계통</th><th>질병명</th><th>감별키워드</th><th colspan="2">검사/치료</th></tr>
<tr><td rowspan="6">퇴행</td><td rowspan="2">요추
추간판 탈출증
(HIVD)</td><td rowspan="2">• 하지통증, 저림
• SLRT(+)(주로 단측)
• 근력 약화, 감각이상, 건반사 감소</td><td>검사</td><td>L-spine X-ray, L-spine CT/MRI</td></tr>
<tr><td>치료</td><td>침상안정, 물리치료, 약물치료, 필요시 수술</td></tr>
<tr><td rowspan="2">요추
척추관 협착증
(Spinal stenosis)</td><td rowspan="2">• 간헐적 파행증, 앉거나 누우면 완화
• 허리 젖히면 악화
• SLRT(+)(주로 양측)</td><td>검사</td><td>L-spine X-ray, L-spine CT/MRI</td></tr>
<tr><td>치료</td><td>침상안정, 물리치료, 약물치료, 필요시 수술</td></tr>
<tr><td rowspan="2">마미증후군
(Cauda equina syndrome)</td><td rowspan="2">• 요실금, 대변실금
• 양하지 근력, DTR 저하
• 안장무감각</td><td>검사</td><td>L-spine X-ray, L-spine CT/MRI</td></tr>
<tr><td>치료</td><td>응급수술로 완전히 감압</td></tr>
<tr><td rowspan="4">외상</td><td rowspan="2">요추염좌
(Lumbar sprain)</td><td rowspan="2">• 운동, 무거운 짐
• 요추부 운동제한
• 허리 근육 통증</td><td>검사</td><td>L-spine X-ray</td></tr>
<tr><td>치료</td><td>충분히 안정, 물리치료</td></tr>
<tr><td rowspan="2">요추압박골절
(Compression fracture)</td><td rowspan="2">• 골다공증 과거력
• 넘어지거나 꺾임
• 요추부 운동제한
• 보통 신경학적 증상 X</td><td>검사</td><td>L-spine X-ray, L-spine CT/MRI</td></tr>
<tr><td>치료</td><td>수술, 골다공증 치료</td></tr>
<tr><td rowspan="4">기타</td><td rowspan="2">암의 요추 전이</td><td rowspan="2">• 체중감소
• 이전 암 과거력
• 움직임과 무관한 통증 호소</td><td>검사</td><td>L-spine X-ray, L-spine CT/MRI</td></tr>
<tr><td>치료</td><td>방사선치료, 항암치료, 수술</td></tr>
<tr><td rowspan="2">강직척추염
(Ankylosing spondylitis)</td><td rowspan="2">• 젊은 남자(20, 30대)
• 아침에 허리 통증
• 운동 시 완화되고 휴식 시 악화됨
• Schober test(+)
• 눈에 포도막염</td><td>검사</td><td>Lumbar X-ray, ESR, HLA B27</td></tr>
<tr><td>치료</td><td>NSAID, infliximab, sulfasalazine</td></tr>
</table>

병력청취

L	**[위치]** 아픈 부위를 정확히 짚어보세요 **[방사통]** 다른 곳에도 통증이 있나요?
O	언제부터 아프셨나요? 통증이 갑자기/서서히 시작됐나요?
S	어떤 상황에서 허리가 아픈가요?(걸을 때, 무거운 짐을 옮길 때, 기침)
T	통증이 얼마나 지속되나요? 통증이 얼마나 자주 있나요?(간헐적, 지속적)
Co/Ex	통증이 점점 심해지나요? 이전에도 이런 적이 있나요? 당시 진료를 받으셨나요?
C	**[양상]** 허리가 아픈 게 어떤 느낌인가요?(찌릿찌릿, 날카롭게 찌르듯, 둔하고 뻐근) *** 양 – 강 – 방** 발적/열감/부기/압통/움직일 때 소리/움직임 제한 *** 발 – 열 – 부 – 압 – 소 – 제** **[강도]** 가장 안 아픈 게 0점, 아파서 죽을 것 같은 게 10점이라고 할 때 지금 아픈 건 몇 점 정도인가요?
F	**[악화]** 통증이 어떨 때 더 심해지나요? – 활동/휴식 시, 오래 서 있기, 기침 **[완화]** 어떻게 하면 통증이 좀 나아지나요? – 활동/휴식 시 어떤 자세에서 악화/완화되나요?(숙일 때, 젖힐 때, 좌우로 돌릴 때)
Asso	**[전신]** 발열/오한/피로/체중감소 **[응급 – 마미증후군]** 배뇨이상, 요실금, 대변실금 **[퇴행성]** [HIVD] 하지 감각이상(통증/저림), 근력 약화 [spinal stenosis] 파행(오래 걸으면 쉬다 가야함) **[외상성]** 허리 근육 통증 **[종양]** 체중감소, 움직임과 무관한 통증 **[강직성척추염]** 아침에 허리 통증, 운동 후 완화, 포도막염 병력
약	드시고 계신 약이 있나요?(진통제, 스테로이드)
과	앓고 계신 병이 있나요? – 류마티스/근골격계 질환, 암, 고혈압/고지혈증/당뇨/간질환 건강검진 받으셨나요? 당시에 결과에 대해 뭐라고 들으셨나요?
외	**[외상]** 최근에 교통사고/운동 등으로 다치신 적 있으신가요? **[수술]** 수술 받으신 적이 있나요?
사	음주/흡연/운동, 직업력
가	가족 중 비슷한 증상을 보였던 분이 있나요?(류마티스질환, 골다공증)
여	–

신체진찰

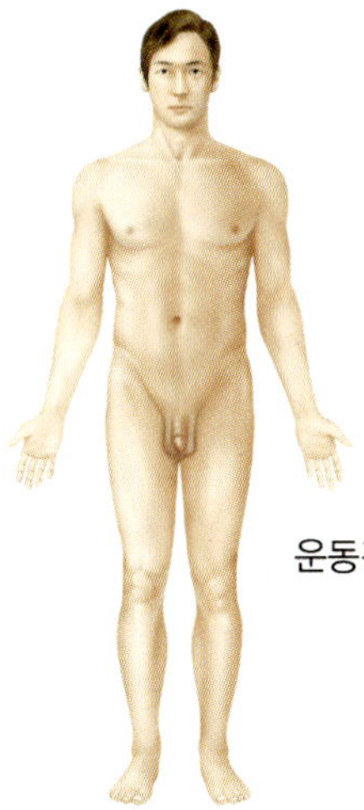

운동검사	척추 촉진(만곡정도/압통) 허리 관절의 운동범위(flextion, extension, rotation) 쇼버 검사
	자세/걸음걸이 시진
	근력, 감각이상 심부건반사/병적 반사 – knee, ankle 하지 직거상 검사 patrick test, thomas's test 하지 말초혈관 맥박 촉진 – 파행 있을시 혈관성 파행 배제 위함

※ 통증 환자의 경우 신체 진찰 시 PPI를 잘 챙기는 것이 중요합니다.

환자교육

추정진단	○○님, 진찰 결과 □□한 점이 관찰되는데, 이러한 소견은 문진과 함께 생각해봤을 때 A병이 가장 의심이 됩니다.
감별진단	그 외에 B병, C병 또는 D병도 완전히 배제할 수는 없습니다.
검사	확실한 진단을 위해서는 **[기본 검사]**+**[질병별 검사]**가 필요합니다. **[기본 검사] 단순 요추부 방사선촬영+요추부 MRI**
치료	검사를 통해 A병으로 진단이 되면, 이에 대한 치료로 I, J, K가 필요합니다.
예후	지금부터 치료를 받으시면 별다른 지장 없이 지내실 수 있으실 것입니다.
생활교육/응급	• 안정 및 적당한 운동(스트레칭)을 자주 하시고 올바른 자세로 활동하세요. • 허리에 무리가 가지 않는 운동(걷기, 수영, 자전거타기)을 꾸준히 하여 허리를 둘러싸는 근육의 근력을 키우셔야 합니다. • 팔다리 힘이 갑자기 빠지거나 감각이 이상해지면 응급실로 내원해주세요.
질문기회	혹시 이해 안 되시거나 궁금하신 점이 있으신가요?

1) 진단계획

(1) 공통 : 요추 단순촬영(X-ray), 자기공명영상(MRI)

(2) 강직성 척추염 : ESR, HLA-B27, Bone scan

2) 치료계획

(1) 공통 : 안정, 물리 치료

(2) 퇴행성 : 약물치료, 필요시 수술

(3) 종양 : 절제술, 방사선치료, 항암 치료

(4) 마미증후군 : 응급 감압술

(5) 강직성 척추염 : NSAID, infliximab, DMARD(sulfsalazine)

3) 환자교육

(1) 안정 및 올바른 자세, 스트레칭 및 적당한 운동을 할 것

(2) 갑작스러운 신경학적 이상 발생 시 응급실로 내원할 것을 교육

CPX 25

CLINICAL PERFORMANCE EXAMINATION

관절 통증·부기

감별진단

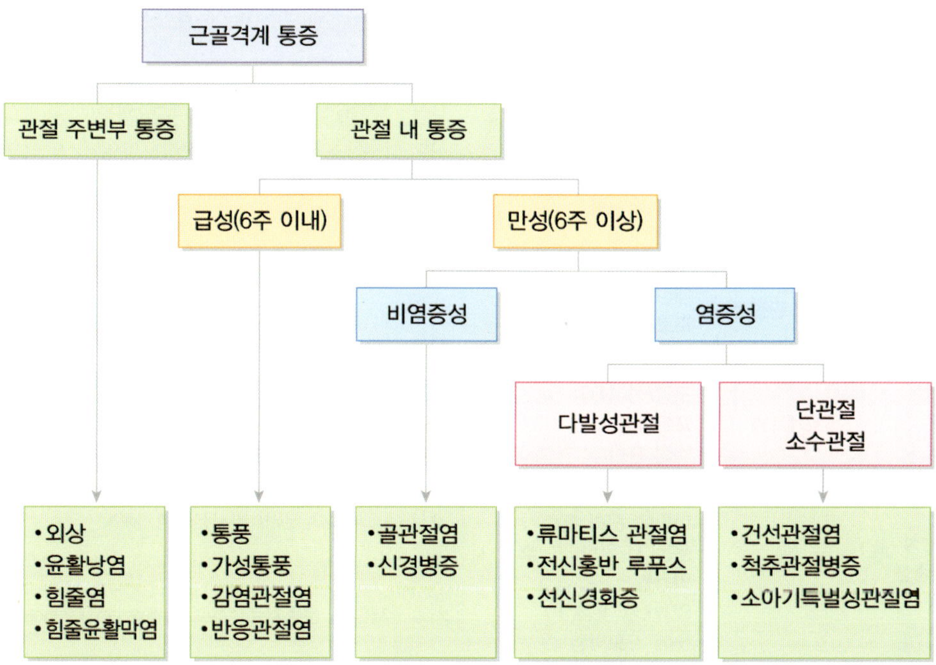

참고

통증이 급성인지 만성(6주 기준)인지를 먼저 구별한 후, 침범하는 관절의 수와 위치를 확인하여 어떤 질병에 의한 관절통인지 알 수 있어야 한다. 관절 통증은 여러 전신질환에서 발현되는 임상증상의 하나로서도 호소할 수 있으므로 동반되는 전신증상과 징후유무를 확인하는 것 역시 중요하다. 관절별로 신체진찰이 상이하므로 각 관절마다 신체진찰을 연습해두어야 한다. 최근에는 관절 문제가 아닌 관절외 조직이 문제가 되어 내원한 환자들의 증례들이 나오고 있으므로 정형외과적 질환들까지 폭넓게 공부해 두는 것이 좋겠다.

주제별 감별진단

<table>
<tr><th>계통</th><th>질병명</th><th>감별키워드</th><th colspan="2">검사/치료</th></tr>
<tr><td rowspan="8">급성 염증성</td><td rowspan="2">통풍</td><td rowspan="2">• 남성
• 주로 엄지발가락
• 과음
• 관절 발적, 부종</td><td>검사</td><td>활액검사, 혈청 요산농도</td></tr>
<tr><td>치료</td><td>colchicine, NSAID, allopurinol</td></tr>
<tr><td rowspan="2">가성통풍</td><td rowspan="2">• 통풍과 비슷한 임상상
• 주로 무릎</td><td>검사</td><td>활액검사</td></tr>
<tr><td>치료</td><td>NSAID</td></tr>
<tr><td rowspan="2">감염관절염</td><td rowspan="2">• 감염성 질병 과거력
• 관절주사력
• 발열, 오한</td><td>검사</td><td>활액검사, 관절경검사, 방사선촬영</td></tr>
<tr><td>치료</td><td>ceftriaxone, vancomycin</td></tr>
<tr><td rowspan="2">반응관절염</td><td rowspan="2">• 요도염/설사 이후
• 휴식 시 통증</td><td>검사</td><td>활액검사, 사람백혈구항원(HLA-B27)</td></tr>
<tr><td>치료</td><td>NSAID, azathioprine, methotrexate</td></tr>
<tr><td rowspan="2">급성 비염증성</td><td rowspan="2">외상관절염</td><td rowspan="2">• 관절 외상력</td><td>검사</td><td>단순방사선검사</td></tr>
<tr><td>치료</td><td>NSAID, 재활 및 운동치료</td></tr>
<tr><td rowspan="10">만성 염증성</td><td rowspan="2">류마티스관절염</td><td rowspan="2">• 주로 MCP, PIP
• 대칭적
• 조조강직(≥1h)
• 피로감, 식욕부진</td><td>검사</td><td>류마티스인자, CBC, ESR, CRP</td></tr>
<tr><td>치료</td><td>NSAID, prednisone, methotrexate, infliximab</td></tr>
<tr><td rowspan="2">베흐체트병</td><td rowspan="2">• 구강/성기궤양
• 포도막염
• 결절 홍반</td><td>검사</td><td>Pathergy 검사</td></tr>
<tr><td>치료</td><td>colchicine, prednisone, NSAID</td></tr>
<tr><td rowspan="2">강직척추염</td><td rowspan="2">• 젊은 남자(20, 30대)
• 아침에 허리 통증
• 운동 시 완화되고 휴식 시 악화됨
• Schober test(+)
• 눈에 포도막염</td><td>검사</td><td>HLA-B27, 골반 방사선촬영, MRI</td></tr>
<tr><td>치료</td><td>재활 및 운동치료, NSAID, infliximab, methotrexate</td></tr>
<tr><td rowspan="2">루푸스관절염</td><td rowspan="2">• 루푸스 증상(Malar rash, Oral ulcer, Discoid rash, Photosensitivity 등)
• 이전 유산력 가능?</td><td>검사</td><td>CBC, LFT, BUN/Cr, 항핵항체</td></tr>
<tr><td>치료</td><td>NSAID, prednisone, azathioprine, cyclophosphamide</td></tr>
<tr><td rowspan="2">쇼그렌증후군</td><td rowspan="2">• 눈, 입 안 건조증</td><td>검사</td><td>Schirmer 검사, anti-Ro/La, 침샘생검</td></tr>
<tr><td>치료</td><td>NSAID, hydroxychloroquine</td></tr>
<tr><td rowspan="2">만성 비염증성</td><td rowspan="2">골관절염</td><td rowspan="2">• 고령
• 비대칭적
• 관절 많이 쓰고 나면 아픔(주로 저녁)</td><td>검사</td><td>단순방사선검사, 골 스캔, MRI</td></tr>
<tr><td>치료</td><td>NSAID, 생활습관 개선, 재활 및 운동치료</td></tr>
</table>

계통	질병명	감별키워드	검사/치료	
관절 주변부 통증	관절낭 – 유착관절낭염	• 40~60대 – 오십견 • 어깨관절 둔통 • 수동, 능동 관절운동제한	검사	단순방사선검사, 초음파 검사, MRI
			치료	스트레칭, 근력강화운동, 수술
	힘줄 – 상과염 (epicondylitis)	• 팔꿈치 힘줄 손상 팔꿈치 안/밖 통증이 아래 팔로 방사? • 손목운동 시 통증 • 팔꿈치 밑 압통점	검사	단순방사선검사, 초음파 검사, MRI
			치료	휴식, NSAID, 열치료, 수술
	힘줄 – 회전근개파열	• 어깨 관절 통증 • 팔을 들어올리기 힘듦 • 능동 관절운동제한(수동 제한 없음)	검사	어깨 X-ray, 어깨 MRI
			치료	찜질, 진통제, 수술
	인대 – 인대손상	• 과도한 외력이 가해지며 인대가 손상 • 주로 무릎의 collateral lig. 혹은 십자인대 손상	검사	무릎 MRI
			치료	NSAID, 부목고정, 휴식, 수술
	연골 – 무릎연골연화증	• 무릎 앞쪽이 뻐근 • 오래 앉아있을 때 아픔 • 안정 시에 통증 없고 운동 시 염발음 가능	검사	단순방사선검사
			치료	NSAID, 근력강화운동, 관절경수술
	윤활막 – 윤활막염	• 운동할수록 통증 • 관절 종창	검사	MRI, ESR/CRP
			치료	휴식, 부목고정
	섬유근육통	• 피로, 불안, 우울과 같은 신경정신증상과 연관 • 만성적인 전신성 통증	검사	배제 진단
			치료	항우울제, 운동프로그램

병력청취

L		**[위치]** 아픈 관절을 모두 정확히 짚어보세요/다른 곳에도 통증이 있나요? **[개수/대칭성]** 아픈 관절이 총 몇 군데인가요?/양쪽 다 아픈가요? (대칭 : RA, SLE / 비대칭 : gout, OA, SA 등) **[방사통]** 아픈 부위가 이동하나요?
O		언제부터 아프셨나요? 통증이 갑자기/서서히 시작됐나요?
S		어떤 상황에서 관절이 아픈가요? 최근 관절을 많이 쓰거나 하셨나요?
T		통증이 얼마나 지속되나요? 통증이 얼마나 자주 있나요?(간헐적, 지속적) 하루 중 언제 관절이 가장 아픈가요? 아침에 뻣뻣해지는 증상이 있나요?
Co/Ex		통증이 점점 심해지나요? 이전에도 이런 적이 있나요? 당시 진료를 받으셨나요?
C		**[양상]** 관절이 아픈 게 어떤 느낌인가요?(찌릿찌릿, 날카롭게 찌르듯, 둔하고 뻐근) *** 양 - 강 - 방** 발적/열감/부기/압통/움직일 때 소리/움직임 제한 *** 발 - 열 - 부 - 압 - 소 - 제** **[강도]** 가장 안 아픈 게 0점, 아파서 죽을 것 같은 게 10점이라고 할 때 지금 아픈 건 몇 점 정도인가요?
F		**[악화]** 통증이 어떨 때 더 심해지나요? – 활동/휴식 시 **[완화]** 어떻게 하면 통증이 좀 나아지나요? – 활동/휴식 시
Asso	급성 염증성	**[통풍, 가성통풍]** 엄지발가락 부위 통증, 관절 발적, 부종 **[감염 관절염]** 감염성 질병 과거력, 발열, 오한, **[반응성 관절염]** 요도염/설사 이후
	만성 염증성	**[전신]** 발열/오한/체중감소 **[RA]** 기침/호흡곤란 **[SLE]** 루푸스 증상(얼굴에 발진/구강궤양/광과민성) 추운 곳에서 손/발가락 끝 새파랗게 됨(Raynaud's phenomenon) **[배체트]** 구강/성기궤양, 포도막염 **[쇼그렌]** 눈/입 안 건조증,
	만성 비염증성	**[골관절염]** 비대칭적인 통증, 관절 많이 쓰고 나면 아픔
	관절 외	**[유착관절낭염/회전근개증후군]** 어깨 부위 둔통, 어깨 관절 운동 제한 **[섬유근육통]** 전신적인 통증와 함께 인지 기능 저하, 우울, 불안 등
약		드시고 계신 약이 있나요?(진통제, 스테로이드) / 관절 치료를 받으신 적은 있으신가요?
과		앓고 계신 병이 있나요? – 류마티스/근골격계 질환, 암, 고혈압/고지혈증/당뇨/간질환 건강검진 받으셨나요? 당시에 결과에 대해 뭐라고 들으셨나요?
외		**[외상]** 최근에 교통사고/운동 등으로 다치신 적 있으신가요? **[수술]** 수술 받으신 적이 있나요?
사		음주(통풍 – 최근 과도한 음주를 하신적이 있나요?)/흡연/운동 – 과도한 활동 여부, 직업력
가		가족 중 비슷한 증상을 보였던 분이 있나요?(류마티스질환, 골다공증)
여		월경력(마지막생리/월경량/월경기간/월경주기), 임신여부, 유산여부

신체진찰

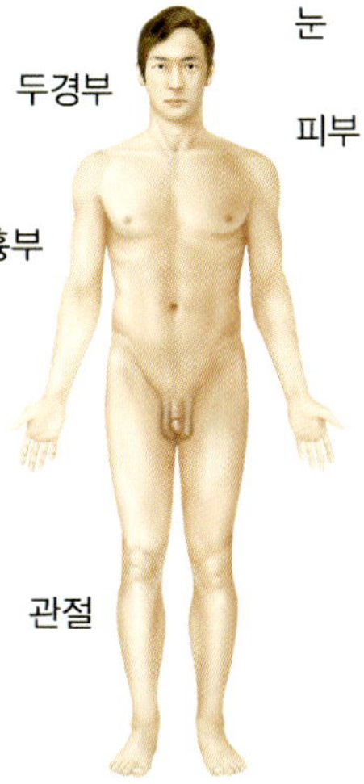

관절	시진(발적, 변형) 촉진(부종, 발열, 비빔소리, 불안정성, 잠김현상) ROM : 신전, 굴곡, 내외전/수동, 능동 : 반드시 양측 모두 관찰 관절 주변부 확인+근력 확인

전신성 질환 감별

눈	각막/결막/공막
두경부	구강, 침샘 시/촉진
피부	비뇨생식계 궤양, 피부, 손발톱
흉부	청진

※ 시간이 부족하면 흉부청진은 생략할 수도 있습니다.

※ 부위 별로 신체진찰이 상이 하므로 반드시 연습하고 가야합니다. 어깨, 손가락, 손목, 무릎이 출제될 것으로 생각됩니다. 각 부위의 ROM 확인하는 신체진찰, 부위별 특이 신체진찰에 관한 영상을 찾아보면서 올바른 신체진찰을 연습하도록 합니다.

[**어깨**] neer's impingement test, jobe's test, apprehension test

[**손가락**] finkelstein's test

[**손목**] Phalen's test

[**무릎**] varus stress test, valgus stress test, Mcmurray test, Lachman's test

환자교육

추정진단	○○님, 진찰 결과 □□한 점이 관찰되는데, 이러한 소견은 문진과 함께 생각해봤을 때 A병이 가장 의심이 됩니다.
감별진단	그 외에 B병, C병 또는 D병도 완전히 배제할 수는 없습니다.
검사	확실한 진단을 위해서는 **[기본 검사]**+**[질병별 검사]**가 필요합니다. **[기본 검사] 관절 있는 부분의 단순 방사선촬영+MRI**
치료	검사를 통해 A병으로 진단이 되면, 이에 대한 치료로 I, J, K가 필요합니다.
예후	지금부터 치료를 받으시면 별다른 지장 없이 지내실 수 있으실 것입니다.
주의점/생활교육	• 관절에 무리가 가지 않는 운동(수영, 자전거타기)을 꾸준히 하여 관절을 둘러싸는 근육의 근력을 키우는 것이 중요합니다. • 스테로이드 주사를 너무 자주 맞으면 감염이나 부작용이 발생할 수 있으므로 3달에 한 번 이상 맞지 않도록 주의해주세요.
질문기회	혹시 이해 안 되시거나 궁금하신 점이 있으신가요?

1) 진단계획

(1) 공통 : 관절부위 단순촬영(X-ray), 자기공명영상(MRI)

(2) 류마티스 관절염 : 혈중 류마티스인자(Rheumatoid factor), anti-CCP

(3) 루푸스 : CBC, 혈중 항핵항체, dsDNA 검사

(4) 통풍 : 관절낭액 천자 및 현미경 검경

(5) 강직성척추염 : HLA-B27

(6) 감염성/반응성 : 관절낭액 천자

2) 치료계획

(1) 류마티스 관절염 : NSAIDs, DMARDs

(2) 퇴행성 관절염 : NSAIDs, 물리치료

(3) 루푸스 : NSAIDs, Prednisone, Cyclophosphamide, Azathioprine

(4) 통풍 : Colchicine, NSAIDs, Allopurinol

(5) 강직성척추염 : NSAIDs, Methotrexate, anti-TNFα

(6) 감염성/반응성 : 항생제/NSAIDs, Azathioprine, Methotrexate

3) 환자교육

(1) 관절에 큰 무리가 가지 않는 운동을 꾸준히 할 것(체중이 많이 나가는 경우 체중 감량 권유)

(2) 스테로이드 주사는 감염 및 여러 부작용을 야기할 수 있으므로 3달에 1번 이상 맞지 않도록 권고

(3) 통풍의 경우 금주 및 저단백 식이를 할 것을 권고

(4) 류마티스 질환의 경우 다른 장기에 합병증이 발생할 수 있으므로 주기적인 검진이 필요함을 교육

(5) 여성의 류마티스 질환의 경우 임신 계획이 있는지 확인하고, 질환에 의해 반복적 유산이 발생할 수 있음을 교육하고 임신 시 사용할 수 있는 약으로 치료할 것임을 교육

※ 신체진찰 예시

ROM	• 편안한 자세에서 환자가 스스로 관절을 굴곡시켜 보게 한다. • 검사자가 팔을 움직여 저항이 느껴질 때까지 굴곡시켜본다. • 경관절 신전, 외전, 내전에 대해서도 같은 방법으로 시행한다. – 능동적 운동범위는 수동보다 대략 10도 가량 낮음 – 어깨는 앉아서, 무릎은 prone position으로 측정하는 것이 편하다. – 어깨 수동 정상치 : 굴곡 0~170, 신전 0~50, 외전 0~180, 내전 0~50 – 무릎 : 굴곡 0~135, 신전 0도
무릎 effusion	• 환자를 앙와위로 눕힌 후 무릎을 90도 굴곡시킨다. 긴장을 풀도록 한다. • 무릎 관절면을 따라 엄지손가락으로 무릎을 촉진한다. 환자가 동통을 호소한 경우 연골판 파열, 또는 인대 손상을 의미한다. • effusion 관찰 : 한손으로 spurapatellar pouch 압박, 다른 한 손으로 손가락 두 개를 이용하여 슬개골을 하방으로 누른다. effusion이 있는 경우 슬개골이 effusion 위에 떠있는 느낌이 든다.

CPX 26

CLINICAL PERFORMANCE EXAMINATION

피부 발진

감별진단

피부발진

- 류마티스
  - 전신홍반루푸스
- 알레르기
  - 약물발진
  - 고정약물발진
  - 아토피피부염
- 감염
  - 바이러스 발진
  - 대상포진
  - 옴진드기
  - 2기 매독
- 염증
  - 장미색 비강진
  - 건선
  - 접촉피부염

참고

피부발진 환자를 진료할 때는 먼저 피부의 융기 여부를 확인하고, 비융기형 피부발진의 경우 홍반인지, 색소침착 이상에 의한 것인지 감별한 다음 피부발진의 특징(위치, 모양, 분포, 크기, 시간에 따른 변화)에 따라 유발요인의 병태생리를 구분한다. SP가 분장을 굉장히 리얼하게 하기 때문에 대표적인 피부발진들(홍역, 수두, 매독, 대상포진, 장티푸스 등)은 공부할 때 사진을 놓고 공부하면 좋다.

주제별 감별진단

계통	질병명	감별키워드	검사/치료	
면역	약물 알레르기	• 약물 복용력 • 전신 피부발진	검사	의심되는 약의 사용 금지
			치료	약 끊고 steroid, antihistamine
	아토피피부염	• 가려움증 • 아토피 과거/가족력 • 얼굴, 목, 사지 굽힘쪽 발진(2세 이상)	검사	피부단자시험, 혈청 IgE
			치료	항히스타민제, 로션 바르기, 국소 스테로이드제
	전신홍반루푸스 (SLE)	• 루푸스 증상(Malar rash, Discoid rash, Oral ulcer, Photosensitivity 등)	검사	anti-dsDNA, ANA, CBC
			치료	NSAIDs, prednisolone, sulfasalazine
	피부근염	• Heliotrope rash, gottron papule 같은 특징적 피부발진 • 근위부 근력저하(머리빗기 안됨)	검사	근전도, 근육 효소, 근육 생검
			치료	국소 스테로이드 전신 스테로이드
감염	바이러스 발진 (홍역, 수두 등)	• 전신 피부발진 • 발열 • 감기 증상	검사	혈액 WBC, Serologic test
			치료	대증치료, 아시클로버
	옴진드기	• 사타구니, 하복부, 겨드랑이 가려움증 • 잠 잘 때 가려움 • 가족 중 유사증상	검사	병변부위 긁어서 현미경으로 봄
			치료	가족 동시 치료, crotamiton cream, benzene hexachloride cream
	대상포진	• 노인, 면역억제자 • 피부절을 따라 띠 모양의 홍반성 구진 • 포진 후 신경통	검사	검사 불필요
			치료	대증요법(아스피린, 코데인, calamine lotion), 아시클로버
	2기 매독	• 위험한 성관계 • 손바닥, 발바닥발진 • 발열, 림프절종대	검사	VDRL, RPR test, FTA-ABS, THPA, 뇌척수액검사
			치료	Benzathine penicilin G
염증	장미색 비강진 (Pityriasis rosea)	• 10~40대, 봄, 가을 • 가장자리 인설 있는 발진, 진행시 트리 모양 • 몸통, 사지에 발생 • 가려움증	검사	조직검사, CBC, 진균검사
			치료	경과 관찰, 국소 스테로이드제, 전신 항바이러스제 단기 사용
	건선 (Psoriasis)	• 구진이 생겨 점차 뭉쳐 판이 됨 • 위에 은백색 비늘이 겹겹이 쌓여 나타남 • 심하지 않은 가려움증	검사	우드등 검사
			치료	Anthralin, Tar, steroid+광치료요법, Retinoid
	접촉피부염	• 비누, 세제, 화장품, 벨트, 목걸이 등의 접촉부위 발진	검사	patch test, provocation test
			치료	Prednisolone, Topical steroid, Topical tacrolimus

병력청취

L	[**위치**] 발진이 있는 부위를 모두 보여주세요. 처음 발진이 발생한 위치가 어디인가요? 발진 위치가 변하나요?
O	언제 처음 발진이 발생했나요?
S	어떤 상황에서 발진이 시작되었나요?(새로운 비누, 화장품, 로션, 벨트 접촉부위 피부염 여부) 병변이 생기기 전 먹은 음식/운동/접촉/위험한 성관계 여부/여행력/벌레물림/예방접종력
T	발진이 얼마나 지속되나요?(간헐적, 지속적)
Co/Ex	발진이 점점 심해지나요? 주간/야간에 따른 변화(옴) 이전에도 이런 적이 있나요? 당시 진료를 받으셨나요?
C	[**양상**] 발진의 모양/수/크기/색깔이 어떤가요?/사라지기도 하나요?/물집이나 딱지가 있나요?/흰 비늘같은 게 있지는 않나요?/발진이 합쳐지기도 하나요? * 크 - 모 - 개 - 색 [**동반증상**] 가렵거나 따가우신가요?/누르면 아픈가요?/열감이 느껴지시나요? * 통증 - 가려움 - 따가움 - 색변화 - 열 ; 통 - 가 - 따 - 색 - 열
F	언제 발진이 더 심해지나요? 어떻게 하면 발진이 사라지나요?
Asso	[**전신**] 발열/오한/근육통, 관절통 [**감염**] 기침, 가래, 인후통 설사, 림프절 종대 [**염증**] 트리 모양 발진(장미색 비강진), 비누/세제/화장품/악세사리 접촉부위 발진 [**면역**] 루푸스 증상(Malar rash/구강 궤양/광과민성), 알레르기 - 가려움, 얼굴/목/사지 발진
약	드시고 계신 약이 있나요? 최근 새롭게 먹은 약이 있다면?
과	앓고 계신 병이 있나요? - 류마티스, 천식/알레르기/비염, 수두, 고혈압/고지혈증/당뇨/간질환 건강검진 받으셨나요? 당시에 결과에 대해 뭐라고 들으셨나요?
외	[**외상**] 최근에 다치신 적 있으신가요? [**수술**] 수술 받으신 적이 있나요?
사	음주/흡연/커피, 직업력(야외 작업)
가	가족 중 비슷한 증상을 보였던 분이 있나요?(알레르기 비염, 천식, 아토피 피부염)
여	월경력, 질분비물, 성관계시 통증

신체진찰

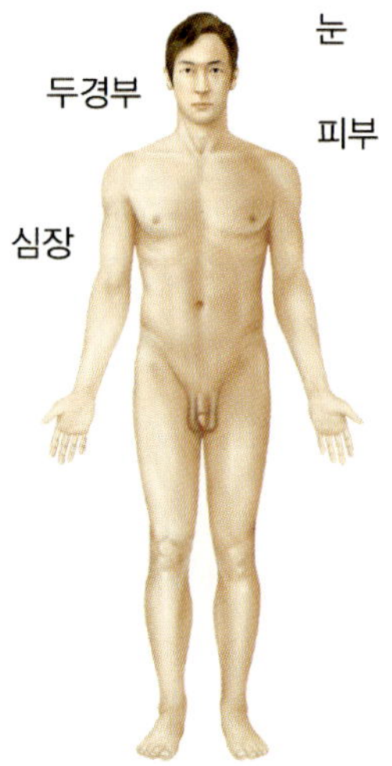

피부	시진 : 발진의 종류/분포/색조 → 병변의 종류 구분 (팔, 다리, 가슴 등 발진이 날 수 있는 부위를 세세하게 확인하는 것이 중요함) 촉진 : 병변을 눌러보면서 색이 없어지는지? 압통 동반?
눈	결막, 공막 시진
두경부	두경부 림프절 촉진
심장	폐/심음 청진

※ 가능한 탈의하여 전신을 진찰하도록 한다.

※ 식중독이나 식품에 의한 발진일 경우 복부 진찰과, DRE를 추가한다.

※ 2기 매독 의심될 경우 외음부 진찰 추가

환자교육

추정진단	○○님, 진찰 결과 □□한 점이 관찰되는데, 이러한 소견은 문진과 함께 생각해봤을 때 A병이 가장 의심이 됩니다.
감별진단	그 외에 B병, C병 또는 D병도 완전히 배제할 수는 없습니다.
검사	확실한 진단을 위해서는 **[기본 검사]**+**[질병별 검사]**가 필요합니다. **[기본 검사] 피부단자검사+CBC**
치료	검사를 통해 A병으로 진단이 되면, 이에 대한 치료로 I, J, K가 필요합니다.
예후	지금부터 치료를 받으시면 별다른 지장 없이 지내실 수 있으실 것입니다.
주의점/생활교육	• 알레르기를 유발하는 ○○물질을 가능한 피하세요. • ○○약에 의해 발생한 경우 약을 중단할 수도 있고, 반드시 사용해야 하는 약은 면역치료가 필요할 수도 있습니다. • 병변이 생긴 부위를 긁거나 자극하지 않도록 해주세요.
질문기회	혹시 이해 안 되시거나 궁금하신 점이 있으신가요?

1) 진단계획

(1) 공통 : 전혈구검사, 피부단자검사, 우드등검사

(2) 류마티스질환 : 혈중 학행항체, dsDNA 검사

(3) 감염성 : 혈액 배양검사, 소변 배양검사, 질병 특이항체검사

2) 치료계획

(1) 원인 물질 회피

(2) 아토피 : 항히스타민제, 스테로이드제제, 보습제

(3) 류마티스질환 : NSAIDs, prenisolone

(4) 감염성 : 항생제/항바이러스제

(5) 건선 : vitamin D analogues, 스테로이드, 광선치료, 심한 경우 retinoids, cyclosporine A, Methotrexate

3) 환자교육

(1) 가능한 병변을 긁지 않도록 교육하고, 보습을 꾸준히 할 것을 교육

(2) 원인 물질을 회피하도록 하고 약에 의해서 발생한 경우 약물을 중단하거나 면역 치료가 필요할 수 있음을 교육

(3) 알레르기 질환의 경우 아나필락시스 증상에 대해 교육하고 증상 발생 시 에피네프린 펜 사용 후 응급실로 내원할 것을 교육

(4) 류마티스 질환의 경우 다른 장기에 합병증이 발생할 수 있으므로 주기적인 검진이 필요함을 교육

(5) 감염성 질환의 경우 가족 동시 치료 해야하는 경우가 있음을 밝히고(옴진드기) 홍역의 경우 발진 4일 후까지 격리, 수두는 모든 병변이 가피로 앉을 때까지 격리하여야 한다는 것을 알림

CLINICAL PERFORMANCE EXAMINATION

07
CHAPTER

산부 · 소아

CPX 27

CLINICAL PERFORMANCE EXAMINATION

유방통 · 유방덩이

감별진단

- 유방통증
  - 호르몬 영향
    - 생리적
      - 월경 주기에 따른 유방통
    - 약물/식이
      - 피임약
      - 호르몬대체 요법
      - 카페인
      - 담배
      - 동물성 지방
  - 유방
    - 염증/외상
      - 유선염
      - 유방농양
      - 유관확장증
      - 몬도르병
      - 유방 외상
    - 종양
      - 유방암
      - 유방 양성종양

참고

유방통은 가장 흔한 유방증상 중 하나이다. 유방통 환자들은 단순히 불편감 뿐만 아니라 혹시 유방암이 아닐까 하는 불안감을 가지고 방문하게 되는 경우가 많다. 그렇기 때문에 비록 빈도는 드물더라도 유방암과의 감별진단은 매우 중요하며 유방암이 아닌 것이 확인되면 특별한 치료 없이 안심시키거나 심리적 안정만으로도 대부분 호전된다. 하지만 유방암이 의심되는 경우 유방암 검진의 필요성에 대해서도 설명하고 시행하는 것이 바람직하다.

주제별 감별진단

유방덩이

<table>
<tr><th>계통</th><th>질병명</th><th>감별키워드</th><th colspan="2">검사/치료</th></tr>
<tr><td rowspan="10">양성</td><td rowspan="2">섬유낭성변화</td><td rowspan="2">• 치밀하고 단단하게 만져지는 조직
• 30~40대
• 월경 전 주기적 유방통, 압통</td><td>검사</td><td>유방촬영술, 유방초음파</td></tr>
<tr><td>치료</td><td>경과 관찰, 절제 생검</td></tr>
<tr><td rowspan="2">유방낭종</td><td rowspan="2">• 물렁, 이동성 조직
• 30~40대
• 월경 주기에 따른 크기 변화</td><td>검사</td><td>유방촬영술, 유방초음파, 세침흡인</td></tr>
<tr><td>치료</td><td>경과 관찰</td></tr>
<tr><td rowspan="2">섬유선종
(Fibroadenoma)</td><td rowspan="2">• 단발성, 고무 같음
• 압통 X, 유동성
• 30세 미만</td><td>검사</td><td>유방촬영술, 유방초음파, 세침흡인, 절제 생검</td></tr>
<tr><td>치료</td><td>절제 생검</td></tr>
<tr><td rowspan="2">관내유두종
(Intraductal papilloma)</td><td rowspan="2">• 혈성 유두분비물
• 단일 유두관
• 유륜하부 주위의 작은 종괴</td><td>검사</td><td>유방촬영술, 유방초음파, 세침흡인</td></tr>
<tr><td>치료</td><td>유륜주위절개를 통한 전절제</td></tr>
<tr><td rowspan="2">젖낭종
(Galactocele)</td><td rowspan="2">• 수유중단 후 1년내
• 둥글고 경계 명확
• 유즙으로 찬 낭종</td><td>검사</td><td>유방촬영술, 유방초음파, 세침흡인</td></tr>
<tr><td>치료</td><td>세침흡인</td></tr>
<tr><td rowspan="2">악성</td><td rowspan="2">유방암</td><td rowspan="2">• 한쪽 유방의 단단한 종괴
• 폐경 이후에 발생
• 혈성유두 분비물
• 피부 당김</td><td>검사</td><td>유방촬영술, 유방초음파, 유방 생검, 유방 MRI</td></tr>
<tr><td>치료</td><td>수술, 방사선치료, 항암치료</td></tr>
<tr><td rowspan="4">감염성</td><td rowspan="2">유방농양</td><td rowspan="2">• 극심한 통증
• 빨갛게 부은 조직
• 발열, 오한</td><td>검사</td><td>유방촬영술, 유방초음파</td></tr>
<tr><td>치료</td><td>절개 배농, 광범위 항생제</td></tr>
<tr><td rowspan="2">유선염
(Mastitis)</td><td rowspan="2">• 통증, 열감
• 빨갛게 부은 조직</td><td>검사</td><td>유방촬영술, 유방초음파</td></tr>
<tr><td>치료</td><td>핫팩, 아이스팩, 진통제, 항생제, 수유 지속</td></tr>
</table>

유방통

계통	질병명	감별키워드	검사/치료	
양성	월경 주기에 따른 유방통	• 월경 시작과 함께 발생한 유방통 • 양쪽 유방 • 다발성 낭종도 동반	검사	–
			치료	안심, 심하면 진통소염제
	피임약 호르몬대체요법	• 호르몬치료 이후 • 양쪽 유방이 부풀어오르는 느낌	검사	–
			치료	안심
악성	유방암	• 한쪽 유방의 단단한 종괴 • 폐경 이후에 발생 • 혈성유두 분비물 • 피부 당김	검사	유방촬영술, 유방초음파, 유방 생검, 유방 MRI
			치료	수술, 방사선치료, 항암치료
감염성	유방농양	• 극심한 통증 • 빨갛게 부은 조직 • 발열, 오한	검사	유방촬영술, 유방초음파
			치료	절개 배농, 광범위 항생제
	유선염 (Mastitis)	• 모유수유 후 유두 통증, 열감 • 빨갛게 부은 조직	검사	유방촬영술, 유방초음파
			치료	핫팩, 아이스팩, 진통제, 항생제, 수유 지속

병력청취

유방덩이

L	멍울이 만져지는 부위를 손으로 정확히 짚어보세요. 단발성 : 섬유선종, 관내유두종, 유방암 양측성 : 섬유낭성변화
O	언제부터 멍울이 있었나요? 갑자기 생겼나요?
S	–
T	월경 주기에 따라 크기가 변하나요? (월경 전 주기적 유방통 → 섬유낭성변화)
Co/Ex	점점 크기가 커지나요?/점점 개수가 많아지나요? 이전에도 이런 적이 있었나요?
C	멍울은 몇 개나 만져지나요?/멍울이 딱딱한가요?/멍울이 만져지는 경계가 명확한가요? /멍울의 크기가 어느 정도인가요?/누르면 아픈가요?/만지면 잘 움직여지나요? 유두에서 분비물이 나오나요?(색, 편측/양측)
F	현재 수유중이신가요?
Asso	[**전신**] 발열/오한/체중감소 [**유방암**] 피부함몰/겨드랑이 멍울/유두함몰/혈성 유두분비물 *** 피 – 겨 – 유 – 유** [**감염성**] 피부 발적/피부 열감/유방통
약	복용 중인 약물이 있나요?(경구피임약, 호르몬제제)
과	이전에 유방암이나 유방 질환을 진단 받은 적이 있나요? 난소 질환은요? 이전에 유방검진/산부인과 검진을 받은 적 있나요? 결과가 어땠나요?
외	유방을 부딪히거나 다친 적 있으신가요?/유방 수술을 받으신 적이 있으신가요?
사	음주/흡연/커피, 직업력
가	가족분들 중 비슷한 증상이 있었던 분이 있나요? 가족분들 중 유방/난소암이 있었던 분이 있나요?
여	현재 월경중이신가요? [**월경력**] 초경/폐경 시기, 월경 주기/양/기간/마지막 생리/월경통 [**산과력**] 만–조–유–생, 첫 자녀 출산 나이, 모유수유 여부

유방통

L	통증이 느껴지는 부위가 있나요? 한쪽인가요 양쪽인가요? 단발성 : 유방암, 유선염, 유방 농양 양측성 : 섬유낭성변화, 월경주기에 따른 유방통, 피임약/호르몬대체요법
O	언제부터 아프기 시작했나요? 갑자기 그랬나요?
S	어떤 상황에서 아프기 시작했나요?
T	통증은 한 번 생기면 얼마나 지속되나요? 하루에 몇 번 아픈가요? 통증에 주기가 있나요?(월경 주기에 따라 통증이 변하나요?) (월경 전 주기적 유방통 → 섬유낭성변화)
Co/Ex	점점 통증이 심해지나요? 이전에도 이런 적이 있었나요?
C	만져지는 멍울이 있나요? **[양상]** 가슴이 아픈 게 어떤 느낌인가요?(찌릿찌릿, 날카롭게 찌르듯, 둔하고 뻐근) **[정도]** 가장 안 아픈 게 0점, 아파서 죽을 것 같은 게 10점이라고 할 때 지금 아픈 건 몇 점 정도인가요?
F	스트레스를 많이 받으시나요? 현재 수유중이신가요?
Asso	**[전신]** 발열/오한/체중감소 **[유방암]** 피부함몰/겨드랑이 멍울/유두함몰/혈성 유두분비물 *** 피 - 겨 - 유 - 유** **[감염성]** 피부 발적/피부 열감/유방통 **[정신]** 우울/스트레스/수면장애
약	복용 중인 약물이 있나요?(경구피임약, 호르몬제제)
과	이전에 유방암이나 유방 질환을 진단 받은 적이 있나요? 난소 질환은요? 이전에 유방검진/산부인과 검진을 받은 적 있나요? 결과가 어땠나요?
외	유방을 부딪히거나 다친 적 있으신가요?/유방 수술을 받으신 적이 있으신가요?
사	커피나 카페인 음료를 자주 드시나요? 음주/흡연, 직업력
가	가족분들 중 비슷한 증상이 있었던 분이 있나요? 가족분들 중 유방/난소암이 있었던 분이 있나요?
여	현재 월경중이신가요? **[월경력]** 초경/폐경 시기, 월경 주기/양/기간/마지막 생리/월경통 **[산과력]** 만-조-유-생, 첫 자녀 출산 나이, 모유수유 여부

신체진찰

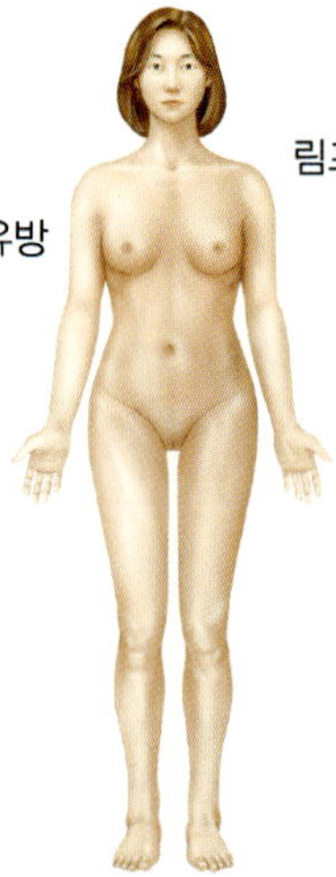

유방	시진 : 팔 내린 자세, 팔 머리 위, 양팔 양쪽 골반, 어깨 밀기 촉진 : 쇄골, 겨드랑이 림프절 촉진 누운 채로 두 가지 자세에서 덩이 및 통증을 확인 (유방 내측 검진 시에는 동측 손을 목 뒤로, 외측 검진 시에는 동측 손의 손등을 이마에 놓고 골반을 돌린 자세에서 'ㄹ'자 혹은 원을 그리며 누른다.) 유륜 부위를 짜본다(분비물).

환자교육

추정진단	○○님, 진찰 결과 □□한 점이 관찰되는데, 이러한 소견은 문진과 함께 생각해봤을 때 A병이 가장 의심이 됩니다.
감별진단	그 외에 B병, C병 또는 D병도 완전히 배제할 수는 없습니다.
검사	확실한 진단을 위해서는 **[기본 검사]**+**[질병별 검사]**가 필요합니다. **[기본 검사] 유방촬영술+유방초음파**
치료	검사를 통해 A병으로 진단이 되면, 이에 대한 치료로 I, J, K가 필요합니다.
예후	지금부터 치료를 받으시면 별다른 지장 없이 지내실 수 있으실 것입니다.
주의점/생활교육	• 유방에 멍울이 만져지는 것이 모두 암인 것은 아니므로 미리 불안해하실 필요 없습니다. • 유방암은 조기 검진이 중요합니다. 40세 이후부터는 1~2년 간격으로 유방촬영술 검사를 받으셔야 합니다. – 30세 이상의 여성 : 매월 유방 자가 검진 – 35세 이상의 여성 : 2년 간격으로 의사에 의한 임상 진찰 – 40~69세 여성 : 1~2년 간격으로 의사에 의한 임상 진찰 및 유방촬영술 • 자가검진법을 교육해드릴 테니, 주기적으로 확인해보세요. • 지방, 알코올, 카페인 섭취는 유방통증을 악화시킬 수 있으니 자제하시는 것이 좋습니다. 활발한 신체활동을 하는 것이 도움이 됩니다.
질문기회	혹시 이해 안 되시거나 궁금하신 점이 있으신가요?

1) 진단계획

(1) 기본 : 유방초음파 + 유방촬영술

(2) 유방농양 : 전혈구검사

(3) 유방암 : 유방세침흡인세초검사

2) 치료계획

(1) 유선염 : 핫팩, 아이스팩, 마사지, 진통제, 항생제

(2) 유방농양 : 항생제, 절개배농

(3) 유방암 : 수술적 절제, 항암치료

3) 환자교육

(1) 유방 자가검진 및 국립암센터 권고에 따른 유방검진 스케줄

(2) 지방, 알코올 섭취를 줄이고 활발한 신체활동을 하도록 교육

CPX 28

CLINICAL PERFORMANCE EXAMINATION

월경이상 · 월경통

감별진단

- 무월경
  - 일차성
    - 이차성징×
      - 터너증후군
      - 칼만증후군
      - 생리적 지연
    - 이차성징○
      - 안드로겐 불감성 증후군
      - 뮐러관 무발생
      - 처녀막 막힘증
  - 이차성
    - 내분비
      - 고프로락틴혈증
      - 뇌하수체기능저하
      - 갑상선기능이상
      - 쿠싱증후군
      - 임신
    - 난소
      - 다낭성 난소증후군
      - 조기 폐경
      - 난소낭
    - 자궁
      - 아셔만 증후군
      - 자궁경부 협착

- 월경과다
  - 사춘기 전
    - 질과 외음부 염증
    - 이물질
    - 조발 사춘기
    - 종양
  - 사춘기
    - 무배란성 기능성 자궁출혈
    - 호르몬제의 복용
    - 임신합병증
    - 혈액질환
  - 가임기
    - 호르몬제의 복용
    - 임신합병증
    - 무배란성 기능성 자궁 출혈
    - 자궁근종
    - 자궁경부와 내막의 용종
    - 갑상선 기능 이상
  - 갱년기
    - 자궁근종
    - 자궁경부와 내막의 용종
    - 갑상선 기능 이상
  - 폐경기
    - 호르몬제의 복용
    - 자궁내막 병변
    - 위축성 질염
    - 종양

참고

무월경은 2차 성징이 나타나지 않고 만 13세까지 초경이 없는 일차성 무월경과 초경을 시작하고 나서 6개월 이상 무월경이거나 평소 주기의 3배 이상 기간에 월경이 없는 이차성 무월경으로 나눈다. 무월경 환자를 진료할 때는 무엇보다도 가장 먼저 임신 여부를 확인하고, 월경력과 사춘기, 신체발달 등에 대한 자세한 병력청취를 해야 한다.

월경과다를 호소하는 경우에도 임신 여부를 확인하고, 산과력, 월경력, 피임 방법 등을 구체적으로 문진하여야 한다. 연령에 감별해야 할 질환이 조금씩 달라지므로 염두하며 병력청취에 임한다.

주제별 감별진단

계통	질병명	감별키워드	검사/치료	
무월경	임신	• 임신가능성	검사	임신검사
			치료	임신교육(산전 진찰 참조)
	다낭성 난소증후군 (PCOS)	• 다모증, 여드름 • 체중증가 • 초음파 이상 소견	검사	골반초음파
			치료	체중감량, 임신 원하면 클로미펜, 메트포민
	조기폐경	• 생리주기 불규칙 • 안면홍조, 야간발한 • 조기폐경 가족력	검사	혈중 FSH
			치료	호르몬 대체요법
	자궁유착증	• 자궁소파술 과거력	검사	자궁난관조영술
			치료	소파술, 고용량 에스트로겐+프로게스테론
	쿠싱증후군	• 중심성 비만 • 자색선조, 멍 잘듦 • 체중 증가	검사	24시간 소변 코티솔, 덱사메타손 억제검사
			치료	부신절제술, 경접형동 샘종절제술
	뇌하수체질환 (Prolactinoma)	• 유즙분비 • 시야장애 • 두통	검사	혈중 프로락틴
			치료	bromocriptine, cabergoline
	갑상샘기능항진증	• 체중감소 • 더위불내성 • 피로	검사	갑상샘호르몬검사
			치료	항갑상샘약제
	터너 증후군	• 저신장 • 사춘기 안 옴 • 익상경, 외반주	검사	혈청 FSH, 핵형 검사
			치료	재조합 성장 호르몬, 에스트로겐 & 프로게스틴 공급
	신경성 식욕부진증 (Anorexia Nervosa)	• 매우 마름(정상 체중의 85% 미만) • 체중증가 두려워함	검사	전해질검사
			치료	입원치료, 정신치료, SSRI

계통	질병명	감별키워드	검사/치료	
월경통	일차성 월경통	• 월경 시작 후 48~72시간 지속 • 하복부 통증, 오심	검사	임상적 진단
			치료	진통제, 운동, 필요시 경구피임제
	자궁내막증 (Endometriosis)	• 불임 • 월경통, 성교통 • 내진상 자궁 후굴	검사	자궁난관조영술, 혈중 CA-125, 복강경 수술을 통한 조직학적 검사
			치료	복강경하 수술, 프로게스틴, 다나졸 등
	자궁근종 (Uterine myoma)	• 25~40세 • 월경과다	검사	골반초음파, 자궁난관조영술
			치료	GnRH agonist, 자궁근종절제술
	자궁샘근육증 (Adenomyosis)	• 40세 이상 • 월경과다	검사	골반초음파
			치료	임신 원할 경우 진통제, 피임제, 자궁내장치, 원하지 않으면 자궁절제술
월경과다	호르몬제제 사용	• 호르몬제제 사용 후 1~3개월 동안	검사	–
			치료	호르몬제제 규칙적 복용
	자궁외 임신	• 하복부 복통 • 생리주기 변화 • 임신가능성	검사	소변 β-hCG, 질초음파, 복강경
			치료	경과관찰, 약물치료(methotrexate), 수술(난관 절개술 등)
	자궁근종	• 25~40세 • 월경과다	검사	골반초음파, 자궁난관조영술
			치료	GnRH agonist, 자궁근종절제술
	갑상샘기능저하증	• 추위불내성 • 피로 • 체중증가	검사	갑상샘호르몬검사
			치료	levothyroxine
	자궁경부암	• 성교후 질출혈 • 배뇨곤란, 혈뇨	검사	pap smear, biopsy, cystoscopy, proctoscopy 등
			치료	수술, 항암치료, 방사선치료

병력청취

무월경

"오늘 문진 내용은 제가 기록하기는 하지만 타인은 절대 볼 수 없고, 비밀이 유지되므로 걱정하지 마시고 편하게 대답해주시면 됩니다. 몇 가지 질문 드려도 괜찮을까요?"

L	–
O	[**무월경**] 언제부터 언제까지 월경이 없었나요? ([**선천적–터너**] 저신장/사춘기없음/익상경/외반주)
S	–
T	평소 월경 주기가 어떻게 되나요?
Co/Ex	이전에도 비슷한 증상이 있었나요?
C	[**월경력**] 초경/폐경 시기, 월경 주기/양/기간/마지막생리/월경통 [**결혼력**] 결혼하셨나요?/실례지만 평소 성관계가 있으신가요?/임신 가능성이 있나요?/피임은 어떻게 하시나요? [**산과력**] 만–조–유–생, 분만 당시 문제
F	최근에 스트레스를 많이 받았나요? 최근에 과도한 운동/다이어트를 하셨나요? 최근에 체중이 많이 줄거나 늘었나요?
Asso	[**부인과**] 다모증/여드름/안면홍조/야간발한/성격예민 [**내분비–쿠싱, 갑상선**] 중심성비만/복부 자색선조/멍 잘듦/유즙분비/두통/시야장애/더위불내성/체중증가/피로 [**정신과**] 체중증가에 대한 두려움/자발적 구토
약	드시고 계신 약물이 있나요?(피임약, 여성호르몬제제, 정신과 약물)
과	앓고계신 병이 있나요?(당뇨/고혈압/갑상샘질환) 이전에 산부인과 건진을 받은 적 있나요? 결과가 어땠나요?(PAP smear)
외	[**외상**] 최근에 다치신 적 있으신가요? [**수술**] 산부인과에서 수술 받으신 적이 있나요?
사	음주/흡연/커피, 직업력
가	가족분들 중 유사한 증상을 가진 분이 있나요?(어머니 조기폐경)
여	–

월경통/월경과다

"오늘 문진 내용은 제가 기록하기는 하지만 타인은 절대 볼 수 없고, 비밀이 유지되므로 걱정하지 마시고 편하게 대답해주시면 됩니다. 몇 가지 질문 드려도 괜찮을까요?"

L	**[월경통]** 통증이 있는 위치를 정확히 짚어보시겠어요?
O	증상이 언제부터 나타났나요?/갑자기 나타났나요? 아니면 서서히 생겼나요?
S	**[월경통]** 통증을 유발하는 상황이 있나요? 월경을 할 때 통증이 있나요? 무배란 시기에도 통증이 있나요?
T	평소 월경 주기가 어떻게 되나요? **[월경통]** 통증이 하루에 몇 번 있나요?/한 번 발생하면 얼마나 지속되나요?
Co/Ex	증상이 점점 더 심해지나요? 이전에도 비슷한 증상이 있었나요?
C	**[양상]** 월경통이 어떤 느낌인가요?(찌릿찌릿, 날카롭게 찌르듯, 둔하고 뻐근) **[정도]** 가장 안 아픈 게 0점, 아파서 죽을 것 같은 게 10점이라고 할 때 지금 아픈 건 몇 점 정도인가요? **[월경력]** 월경량(하루에 패드를 몇 번 갈아야 하나요?)/초경/폐경 시기, 월경 주기/기간/LMP
F	최근에 스트레스를 많이 받았나요? 최근에 과도한 운동/다이어트를 하셨나요? 성관계를 하면 더 심해지나요? 진통제를 먹으면 효과가 있나요?
Asso	**[월경통]** 불임/성교통/월경과다/오심/구토 **[월경과다]** **[탈수 증상]** 어지럼증/호흡곤란/소변량감소 **[자궁 - 자궁외임신, 근종, 경부암]** 하복부 통증/하복부 덩어리/월경 주기변화 **[갑상선저하증]** 추위불내성/피로/체중증가/배뇨곤란/혈뇨
약	드시고 계신 약물이 있나요?(피임약, 여성호르몬제제, 정신과 약물)
과	앓고계신 병이 있나요?(응고장애/당뇨/고혈압) 이전에 산부인과 검진을 받은 적 있나요? 결과가 어땠나요?(PAP smear)
외	**[외상]** 복부를 다치시거나 부딪히신 적 있으신가요? **[수술]** 산부인과에서 수술 받으신 적이 있나요?
사	음주/흡연/커피, 직업력
가	가족분들 중 유사한 증상을 가진 분이 있나요?(부인과 암)
여	**[결혼력]** 결혼하셨나요?/실례지만 평소 성관계가 있으신가요?/임신 가능성이 있나요?/피임은 어떻게 하시나요? **[산과력]** 만-조-유-생, 분만 당시 문제

신체진찰

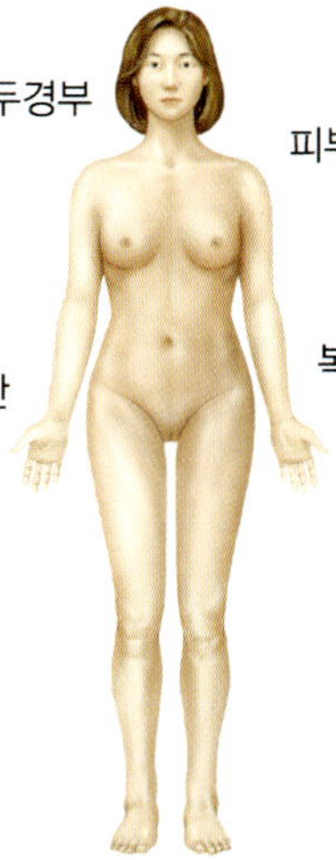

피부	이차성징 확인(유방발육 정도/외음부 음모) 피부(여드름, 다모증) 시진
두경부	결막 시진, 갑상샘 시/촉진
복부	시/청/타/촉
골반	골반진찰
필수 임상술기	자궁경부 펴바름 검사(모형에 시행) 질분비물 검사(모형에 시행)

환자교육

추정진단	○○님, 진찰 결과 □□한 점이 관찰되는데, 이러한 소견은 문진과 함께 생각해봤을 때 A병이 가장 의심이 됩니다.
감별진단	그 외에 B병, C병 또는 D병도 완전히 배제할 수는 없습니다.
검사	확실한 진단을 위해서는 **[기본 검사]**+**[질병별 검사]**가 필요합니다. **[기본 검사] 임신반응검사+혈중 성호르몬 검사+질초음파**
치료	검사를 통해 A병으로 진단이 되면, 이에 대한 치료로 I, J, K가 필요합니다.
예후	지금부터 치료를 받으시면 별다른 지장 없이 지내실 수 있으실 것입니다.
주의점/생활교육	• 증상이 있을 때 병원에 잘 오셨습니다. • 월경량이 많은 경우 피가 부족하여 어지러움/호흡곤란/두근거림 등이 발생할 수 있고, 위험한 상황이 발생할 수 있으니 이런 경우 응급실에 내원하여 수액/수혈 치료를 받으시길 바랍니다. • 스트레스를 많이 받거나 과도한 운동을 하면 증상이 악화될 수 있습니다. • 유산이 반복되는 등 산부인과적 문제가 자주 발생한 경우 질 초음파 등의 추가적인 영상검사가 필요할 수 있습니다.
질문기회	혹시 이해 안 되시거나 궁금하신 점이 있으신가요?

월경이상

1) 진단계획

(1) 기본 : 임신반응검사 + 혈중 성호르몬검사(FSH, LH) + 질초음파

(2) 내분비이상 : 갑상샘기능검사, 혈중 프로락틴

(3) 자궁기형 : 자궁조영술

2) 치료계획

(1) 다낭성 난소증후군 : 경구피임약, 체중감량, 클로미펜, 메트포민

(2) 내분비이상 : 고프로락틴혈증(bromocroptine), 쿠싱증후군(부신절제술), 갑상샘이상(항갑상샘제/갑상샘호르몬)

(3) 조기 폐경 : 호르몬 대체요법

월경통

1) 진단계획

(1) 기본 : 질초음파

(2) 자궁내막증 : 자궁난관조영술, 혈중 CA-125, 자궁내막생검

(3) 자궁근종 : 자궁난관조영술

2) 치료계획

(1) 일차성 월경통 : 진통제, 운동, 필요시 경구피임제

(2) 자궁내막증 : Progesterone 경구제제, 복강경 수술

(3) 자궁근종 : GnRH agonist, 자궁근종 절제술

3) 환자교육

(1) 과도한 스트레스나 운동에 의해 월경이 중단될 수 있음을 설명

(2) 내분비적 문제가 의심되는 경우 다른 합병증이 발생할 수 있으며 약물/수술적 치료가 필요함을 설명

(3) 자궁내 문제가 의심되는 경우 필요시 수술적 치료가 가능함을 설명

질분비물

감별진단

참고

냉이 많은 경우 분비물의 색깔, 냄새, 양상 등에 따라 정상인지 비정상인지를 감별하는 것이 중요하다. 질분비물의 특징과 양은 나이, 월경 주기, 임신과 자궁 내 장치, 약물 복용 등 다양한 변화 요인이 있으며, 특히 여성호르몬(에스트로젠) 노출 여부에 따라 다양하다. 잘못된 질 세척법 등에 의해서도 감염 질환이 발생할 수 있으므로 이에 대해서 교육하는 것도 중요하다.

주제별 감별진단

<table>
<tr><th>계통</th><th>질병명</th><th>감별키워드</th><th colspan="2">검사/치료</th></tr>
<tr><td rowspan="10">감염</td><td rowspan="2">세균질증</td><td rowspan="2">• 회색, 생선비린내 나는 질 분비물
• 질 세척 자주함</td><td>검사</td><td>젖은 경부도말검사, Whiff test, 배양</td></tr>
<tr><td>치료</td><td>Metronidazole</td></tr>
<tr><td rowspan="2">편모충질염
(트리코모나스)</td><td rowspan="2">• 화농성, 고약한 냄새의 질 분비물, 거품
• Strawberry cervix
• 질 가려움증</td><td>검사</td><td>젖은 경부도말검사, 배양</td></tr>
<tr><td>치료</td><td>Metronidazole, 파트너도 같이 치료</td></tr>
<tr><td rowspan="2">칸디다질염</td><td rowspan="2">• 치즈형태 질분비물
• 가려움증, 화끈거림
• 당뇨병 과거력</td><td>검사</td><td>젖은 경부도말검사, 배양</td></tr>
<tr><td>치료</td><td>Clotrimazole, Miconazole, Fluconazole</td></tr>
<tr><td rowspan="2">골반내 감염
(PID)</td><td rowspan="2">• 발열
• 하복부압통, 배뇨통
• 자궁경부 움직일 때 통증</td><td>검사</td><td>혈중 WBC, CRP, ESR, 질분비물 배양, 골반 초음파</td></tr>
<tr><td>치료</td><td>안정, 수액, 진통제, 항생제(3세대 Cepha)</td></tr>
<tr><td rowspan="2">자궁경부염</td><td rowspan="2">• 노란색, 초록색 화농성 질 분비물
• 검진시 질 경부 통증</td><td>검사</td><td>질분비물 gram staining</td></tr>
<tr><td>치료</td><td>성교 파트너도 같은 약제로 치료, ceftrixaxone + doxycycline</td></tr>
<tr><td rowspan="2">비감염</td><td rowspan="2">위축질염
(Atropic vaginitis)</td><td rowspan="2">• 폐경 이후
• 화끈거림
• 성교통, 성교후 출혈
• 위축된 질 경부</td><td>검사</td><td>–</td></tr>
<tr><td>치료</td><td>Topical estrogen cream</td></tr>
</table>

병력청취

"오늘 문진 내용은 제가 기록하기는 하지만 타인은 절대 볼 수 없고, 비밀이 유지되므로 걱정하지 마시고 편하게 대답해주시면 됩니다. 몇 가지 질문 드려도 괜찮을까요?"

L	-
O	언제부터 질 분비물이 많아지셨나요?
S	증상이 생기기 전 성관계가 있었나요?
T	얼마나 자주 질 분비물이 나오나요?
Co/Ex	점점 심해지나요? 이전에도 이런 적이 있나요?/당시 치료를 받았었나요?
C	**[양상]** 분비물이 물처럼 흐르나요?/끈적한가요? **[양]** 양은 어느정도 되나요?(팬티라이너 수) **[색]** 색은 어떤가요?(회색 : 세균성 / 하얀색 : 칸디다 / 노란색, 초록색 : 자궁경부염) / 피가 섞여있지는 않나요? **[냄새]** 냄새가 나나요?(생선 냄새 : 세균성 / 악취 : 트리코모나스)
F	생리주기에 따라 양이 변하나요? 성관계 전/후로 심해지거나 피가 나나요? 질세척을 하시나요? 질 세정제/비누로 하나요? 실례지만 성관계 파트너가 여러명이거나 처음 보는 사람과 성관계를 한 적이 있나요?
Asso	**[감염]** 외음부 가려움증/열감/따가움/성교통/아랫배통증/발열/오심/구토 **[위축성]** 식은땀/안면홍조/야간 발한/질건조함 **[비뇨기계]** 배뇨통/빈뇨/절박뇨/야간뇨
약	드시고 계신 약물이 있나요?(피임약, 여성호르몬제제)
과	앓고계신 병이 있나요?(당뇨/고혈압/간질환/결핵) 이전에 산부인과 검진을 받은 적 있나요? 결과가 어땠나요?(PAP smear)
외	**[외상]** 복부나 외음부를 다치거나 부딪히신 적 있으신가요? **[수술]** 산부인과에서 수술 받으신 적이 있나요?
사	음주/흡연/커피, 직업력
가	성관계 파트너분도 분비물/배뇨시 불편감 등을 호소하시나요?
여	**[월경력]** 월경 주기/양/기간/마지막생리/월경통 **[결혼력]** 결혼하셨나요?/임신 가능성이 있나요?/피임은 어떻게 하시나요? **[산과력]** 만-조-유-생, 분만 당시 문제

신체진찰

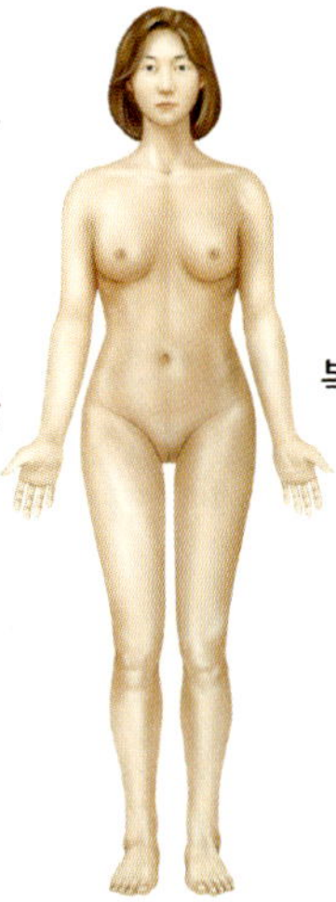

복부	복부 진찰, 하복부(치골 상부) 촉진/압통
골반	골반진찰
필수 임상술기	질분비물 검사(모형에 시행)

환자교육

추정진단	○○님, 진찰 결과 □□한 점이 관찰되는데, 이러한 소견은 문진과 함께 생각해봤을 때 A병이 가장 의심이 됩니다.
감별진단	그 외에 B병, C병 또는 D병도 완전히 배제할 수는 없습니다.
검사	확실한 진단을 위해서는 **[기본 검사]+[질병별 검사]**가 필요합니다. **[기본 검사] 질분비물 배양검사+CBC**
치료	검사를 통해 A병으로 진단이 되면, 이에 대한 치료로 I, J, K가 필요합니다.
예후	지금부터 치료를 받으시면 별다른 지장 없이 지내실 수 있으실 것입니다.
주의점/생활교육	• 질염을 예방하기 위해선 위생적인 성생활과 적절한 피임이 중요합니다. • 잦은 질 세척은 질 내부 환경 유지에 좋지 않으니 질세정제로 가끔씩만 하는 것이 좋습니다. • 세균성/칸디다 질염은 성관계 파트너에게 전염되지 않으므로 같이 치료받지 않으셔도 됩니다. • **트리코모나스 질염은 성관계 파트너에게도 옮는 병이므로 같이 치료받으셔야 합니다.** • 당뇨가 있으면 질분비물이 발생할 수 있기 때문에 당 조절을 잘하셔야합니다.
질문기회	혹시 이해 안 되시거나 궁금하신 점이 있으신가요?

1) 진단계획

(1) 기본 : 젖은경부도말검사+질분비물 배양검사+전혈구검사

2) 치료계획

(1) 세균성 질염 : 경구 Metronidazole

(2) 트리코모나스 질염 : 경구 Metronidazole, 파트너도 치료

(3) 위축성 질염 : 에스트로겐 크림

(4) PID : 입원 및 정맥항생제

3) 환자교육

(1) 잦은 질세척, 꽉 끼는 하의 등은 질염을 유발할 수 있음을 교육

(2) 위생적인 성생활, 피임 교육

(3) 필요시 성교 파트너 치료 필요성에 대해 교육

	Bacterial vaginosis	Trichomonas vulvovaginitis	Vulvovaginal candidiasis	Atrophic vaginitis
원인	*Gardnerella vaginalis*, mixed anaerobes	*Trichomonas vaginalis*	*Candida albicans*	estrogen deficiency
주 증상	냄새나는 질분비물	거품 많음 burning sensation	가려움증	discharge, dyspareunia
분비물의 성상	thin, homogenous, gray, moderate amount	copious, frothy, yellow-green	adherent to side walls	thin, blood-tinged
진단	wet smear Whiff test(KOH 첨가) culture	wet smear : 편모가 보이는 미생물 culture	임상상 with 10~20% KOH culture	
Whiff test	+	±	−	−
질 pH			정상(3~4)	정상(<4.5)
현미경적 소견	few WBCs	motile trichomonas, numerous WBCS	budding hyphae, spores	parabasal epithelial cell, increased WBCs
치료	topical 또는 경구약제 파트너는 치료 안 해도 됨	경구약제	Clotrimazole, Miconazole, Fluconazole	

CPX

29-2

CLINICAL PERFORMANCE EXAMINATION

질출혈

감별진단

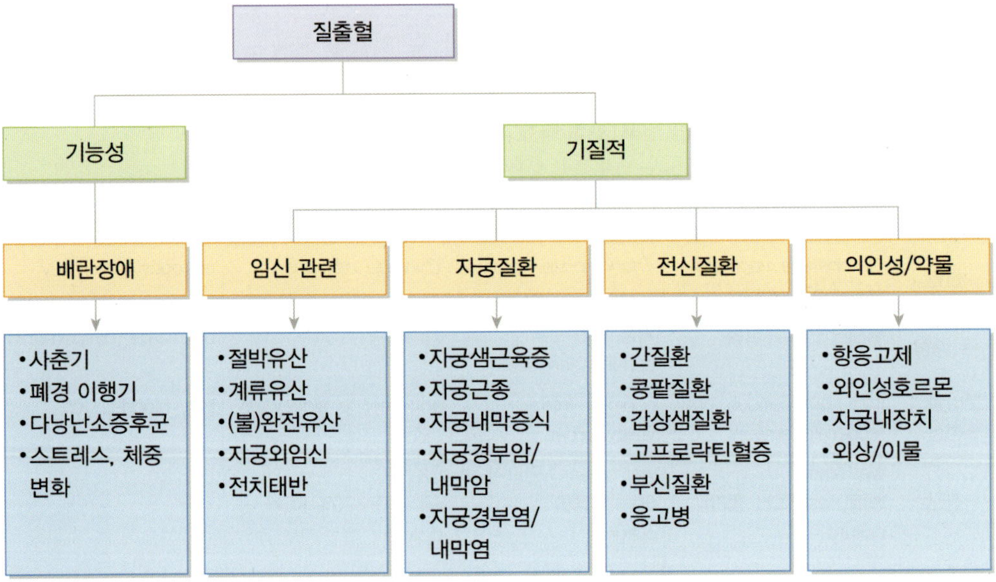

참고

질출혈은 매우 흔한 부인과적 증상으로, 기질적 원인의 감별이 중요하다. 기질적 원인으로는 임신 관련 문제나 내과적 질환, 자궁 내 병변 등이 있을 수 있으며 임신여부를 반드시 확인하여야 한다. 기능성 자궁출혈은 기질적 원인을 모두 감별하고 나서 진단 가능하다.

주제별 감별진단

계통	질병명	감별키워드	검사/치료	
임신	유산	• 임신 중 질출혈	검사	태아 초음파
			치료	bed-rest, D & C, methotrexate
	자궁외임신	• 하복부 복통 • 생리주기 변화 • 임신가능성	검사	소변 β-hCG, 질초음파, 복강경
			치료	경과관찰, 약물치료(methotrexate), 수술(난관 절개술 등)
	전치태반	• 임신 중 과도한 질출혈 • 하복부 복통	검사	질초음파, 복부초음파
			치료	수혈, 응급제왕절개술
자궁 이상	자궁샘근육증 (adenomyosis)	• 40세 이상 • 월경과다, 월경통, 성교통	검사	골반초음파
			치료	임신 원할 경우 진통제, 경구피임약, 자궁내장치 임신 원하지 않을 경우 자궁절제술
	자궁근종 (Uterine myoma)	• 25~40세 • 월경과다, 월경통	검사	골반초음파, 자궁난관조영술
			치료	GnRH agonist, 자궁근종절제술
	자궁내막증식 /자궁내막암	• 폐경후 질출혈	검사	endometrial aspiration biopsy, pap smear, 자궁난관조영술 등
			치료	수술, 항암치료, 방사선치료
	자궁경부암	• 성교후 질출혈 • 배뇨곤란, 혈뇨	검사	pap smear, biopsy, cystoscopy, proctoscopy 등
			치료	수술, 항암치료, 방사선치료
감염	자궁경부염	• 노란색, 초록색 화농성 질 분비물 동반 • 검진시 질 경부 통증	검사	질분비물 gram staining
			치료	성교 파트너도 같은 약제로 치료, ceftrixaxone+doxycycline
	골반내 감염 (PID)	• 발열 • 하복부압통, 배뇨통 • 자궁경부 움직일 때 통증	검사	혈중 WBC, CRP, ESR, 질분비물 배양, 골반 초음파
			치료	안정, 수액, 진통제, 항생제(3세대 Cepha)
의인성	호르몬제제 복용	• 호르몬제제 사용 후 1~3개월 동안	검사	–
			치료	안심, 호르몬제제 규칙적 복용
	자궁내장치	• 자궁내장치 시술여부	검사	골반초음파, 복부 CT
			치료	자궁내장치 제거술

병력청취

"오늘 문진 내용은 제가 기록하기는 하지만 타인은 절대 볼 수 없고, 비밀이 유지되므로 걱정하지 마시고 편하게 대답해주시면 됩니다. 몇 가지 질문 드려도 괜찮을까요?"

L	–
O	증상이 언제부터 나타났나요?/갑자기 나타났나요? 아니면 서서히 생겼나요?
S	증상이 생기기 전 성관계가 있었나요?/임신 가능성이 있나요?
T	(임산부의 경우) 임신 주수가 어떻게 되나요? 평소 월경 주기가 어떻게 되나요? 마지막 월경일이 언제인가요?
Co/Ex	출혈의 빈도나 양이 점점 더 심해지나요? 이전에도 비슷한 증상이 있었나요?
C	[**출혈량**] 하루에 패드를 몇 번 갈아야하나요? [**양상**] 피의 색이 어떤가요?/다른 분비물과 섞여 나오지는 않나요?/냄새가 나나요?
F	최근에 스트레스를 많이 받았나요? 최근에 과도한 운동/다이어트를 하셨나요? 성관계를 하면 더 심해지나요?
Asso	[**응급**] 어지러움/두근거림/호흡곤란 [**임신**] 임신가능성/하복부 통증 [**자궁이상**] 월경과다/월경통/성교통/폐경 후 질출혈/배뇨곤란/혈뇨 [**의인성**] 혹시 자궁내장치 시술을 받으셨나요?
약	드시고 계신 약물이 있나요?(피임약, 여성호르몬제제)
과	앓고계신 병이 있나요?(응고장애/고혈압/당뇨) 이전에 산부인과 검진을 받은 적 있나요? 결과가 어땠나요?(PAP smear)
외	[**외상**] 외음부나 복부를 다치시거나 부딪히신 적 있으신가요? [**수술**] 산부인과에서 수술 받으신 적이 있나요?
사	음주/흡연/커피, 직업력
가	가족분들 중 유사한 증상을 가진 분이 있나요?(부인과 암)
여	[**결혼력**] 평소 피임을 하시나요? 피임은 어떻게 하시나요? [**산과력**] 만–조–유–생, 분만 당시 문제 [**월경력**] 실례지만 폐경하셨나요? 언제 하셨나요?

신체진찰

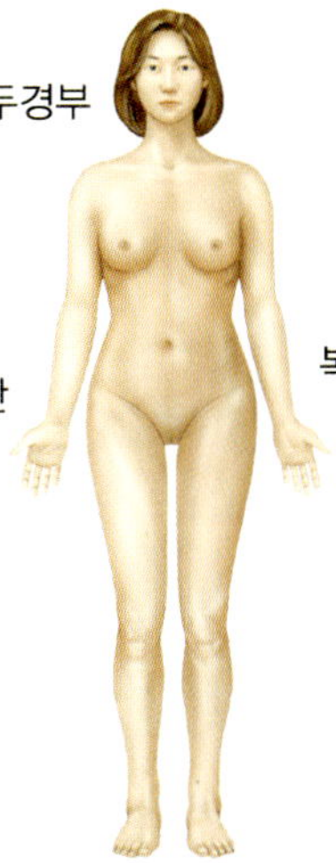

머리	탈수여부 확인 : 구강, 혀, 입술 마름 확인
경부	경부 림프절 촉진
복부	시/청/타/촉
골반	골반진찰
필수 임상술기	자궁경부 펴바름 검사(모형에 시행) * 분비물 있는 경우 질분비물 검사(모형에 시행)

환자교육

추정진단	○○님, 진찰 결과 □□한 점이 관찰되는데, 이러한 소견은 문진과 함께 생각해봤을 때 A병이 가장 의심이 됩니다.
감별진단	그 외에 B병, C병 또는 D병도 완전히 배제할 수는 없습니다.
검사	확실한 진단을 위해서는 **[기본 검사]**+**[질병별 검사]**가 필요합니다. **[기본 검사]** 골반초음파+CBC
치료	검사를 통해 A병으로 진단이 되면, 이에 대한 치료로 I, J, K가 필요합니다.
예후	지금부터 치료를 받으시면 증상이 호전될 수 있습니다.
주의점/생활교육	• 갑자기 피가 나서 많이 놀라셨을텐데, 적절한 때에 병원에 잘 오셨습니다. • 출혈이 심한 경우 피가 부족하여 어지러움/호흡곤란/두근거림 등이 발생할 수 있고, 위험한 상황이 발생할 수 있으니 이런 경우 응급실에 내원하여 수액/수혈 치료를 받으시길 바랍니다. • (임산부의 경우) 영상 검사 후 경우에 따라 수술이 필요할 수도 있습니다.
질문기회	혹시 이해 안 되시거나 궁금하신 점이 있으신가요?

1) 진단계획

(1) 기본 : 전혈구검사 + 질초음파

(2) 자궁이상 : 질초음파, 자궁난관조영술

(3) 임산부 : 복부초음파, 태아안녕검사

(4) 감염 : 젖은펴바른표본검사, 질분비물 배양검사

2) 치료계획

(1) 자궁이상 : 약물치료, 수술적치료

(2) 임산부 : 경과관찰, 응급제왕절제술

(3) 감염 : 항생제/항진균제 사용(트리코모나스 질염은 파트너도 함께 치료)

3) 환자교육

(1) 어지럼증, 호흡곤란, 두근거림 등의 증상이 있을 경우 즉시 응급실로 내원하여 수혈/수액치료를 받을 것을 교육

(2) 호르몬제제 사용에 의한 질출혈의 경우 1～3개월 이내 자연호전될 것이므로 안심하도록 교육

(3) 자궁 이상에 의한 질출혈은 영상의학적 검사가 필요하며 경우에 따라 수술적 치료가 필요할 수 있음을 설명

CPX 30

CLINICAL PERFORMANCE EXAMINATION

산전 진찰

감별진단

- 산전 진찰
  - 위험도 평가
    - 기본 평가
      - 나이
      - 산과력
      - 가족력
      - 과거병력
      - 영양 평가
      - 사회환경 평가
      - 예방접종
    - 위험인자 관리
      - 영양/식습관
      - 고혈압, 당뇨 갑상선질환
      - 비만
      - 고령산모
      - 약물복용
      - 음주/흡연
    - 첫 방문
      - 신장, 체중, 혈압
      - 부인과진찰 (외부 생식기, 골반 장기)
      - 자궁경부 펴바름검사
      - Rh혈액형, 빈혈
      - 소변검사
      - 매독, B형감염 에이즈, 풍진
      - 분만 예정일 산정
      - 생활습관 교육
  - 임신 분기별 평가
    - 1분기
      - 체중, 혈압
      - 단백뇨, 당뇨 검사
      - 초음파(임신낭 위치, 태아심 박동, 자궁/부속기 확인)
      - 질출혈, 복통, 구토 확인
    - 2분기
      - 체중, 혈압, 부종
      - 단백뇨, 당뇨 검사
      - 임신성당뇨병 선별검사
      - 기형아 선별 검사
      - 태아 성장, 기형 유무, 양수량 확인
      - 태동, 질출혈, 복통, 양수 누출 확인
    - 3분기
      - 체중, 혈압, 부종
      - 단백뇨, 당뇨 검사
      - 태아위치, 크기, 양수량, 태반 위치 확인
      - 태동, 질출혈, 진통, 양수 누출 확인
      - 자궁경부개대 확인
      - 진통과 분만 과정교육

참고

임산부의 기본적인 사항들과 월경력, 병력, 약물력 등을 꼼꼼히 문진하고 임신 주수에 맞는 신체진찰을 수행합니다. 병력청취와 신체진찰을 끝낸 후, 분기별 검사해야 할 항목도 설명해줘야 하기 때문에 시간이 촉박할 수 있으므로 효율적으로 진료를 수행할 수 있도록 합시다. 임산부에게 도움이 될 수 있는 여러 교육들을 정리해서 설명할 수 있도록 하는 것도 중요합니다.

주제별 감별진단

계통	질병명	감별키워드	검사/치료	
1분기	임신 입덧	• 구역, 구토	검사	전해질 검사(탈수 심할 때)
			치료	식습관 교정, 탈수 심하면 수액
	유산	• 임신 중 질출혈 (절박유산 : 임신 전반기에 자궁 경부 닫힌 상태에서 혈성 질분비물 발생)	검사	질초음파, 혈중 HCG 검사, 황체호르몬 검사
			치료	절대 안정, 태아 죽어서 계류유산 시 자궁 소파 수술
	고령 임신	• 35세 이상의 고령 산모	검사	선별검사 하지 않고 융모막검사나 양수검사
			치료	산전관리 철저
2/3분기	임신성 고혈압/ 전자간증 (Preeclampsia)	• 임신 중 고혈압 • 부종, 두통, 우측 상복부 통증, 시력변화 등 동반증상 확인	검사	소변검사, 간기능검사, 혈액검사
			치료	Hydralazine, Labetalol, 황산마그네슘, 필요시 유도분만
	태반조기박리/ 전치태반	• 임신 중 심한 질출혈 • 복통	검사	질초음파, 복부초음파
			치료	수혈, 응급 제왕절개수술
	임신성 당뇨	• 임신 중 소변검사에서 당이 나옴	검사	50g, 100g 경구당부하검사, 당화혈색소(HbA1c) 검사
			치료	식이요법, 인슐린
	조기 양막 파수(PROM)/ 조기 진통	• 임신 중 질분비물 나옴 • 조기 규칙적 산통	검사	자궁경부검사, 니트라진 검사
			치료	절대안정, 상황에 따라 출산, Glucocorticoid

병력청취

L	-
O	임신반응검사를 언제 해보셨나요?(소변검사 키트에서 확실히 두 줄이 보였나요?)
S	-
T	마지막 월경일이 언제였나요?(출산예정일 확인 : 월-3 or +9, 일+7)
Co/Ex	이전에 산전 진찰을 받으신 적이 있나요?
C	[**평가**] 어머니와 아버지의 키/체중/혈액형(Rh, ABO 모두)이 어떻게 되시나요? [**산과력**] 만-조-유-생, 분만 방법, 임신 주수/체중 [**결혼력**] 결혼하셨나요?/원하는 임신이신가요?
F	-
Asso	발열/오한/체중변화/식욕변화/배뇨증상(FUND-HIS) [**입덧**] 구역/구토 [**유산**] 임신 12주 이내 질출혈/복통 [**전자간증**] 부종/두통/우상복부 복통/시력 변화/거품뇨 [**임신성 당뇨**] 다음/다갈/다뇨/부종 [**조기 양막 파수**] 질에서 물 같은 분비물
약	현재 복용하시는 약물이 있나요?/철분제, 엽산제는 드시나요?
과	이전에 진단 받은 병이 있나요?(고혈압/당뇨/갑상샘/알레르기/뇌전증/유전질환) [**주산기력**] 이전 임신/출산 시 어머니/아이에게 문제가 있었나요? • 산모 : 전자간증/임신성당뇨, 출혈/조기진통/난산 등 • 태아 : 유전 질환, 기형 여부 [**예방접종력**] 예방접종은 다 맞으셨나요?(풍진, B형 간염은 임신하기 3개월 전 완료) [**성병**] 실례지만 성병에 걸리신 적이 있으신가요?/치료는 다 하셨나요?
외	[**외상**] 복부를 다치시거나 부딪히신 적 있으신가요? [**수술**] 산부인과에서 수술 받으신 적이 있나요?
사	음주/흡연/커피, 직업력
가	유전 질환, 선천성 기형의 가족력, 갑상샘 질환
여	[**월경력**] 월경 주기/양/기간/월경통

* 병력 청취 전 태명 정도 물어보는 것이 PPI에 도움이 될 수 있습니다.

신체진찰

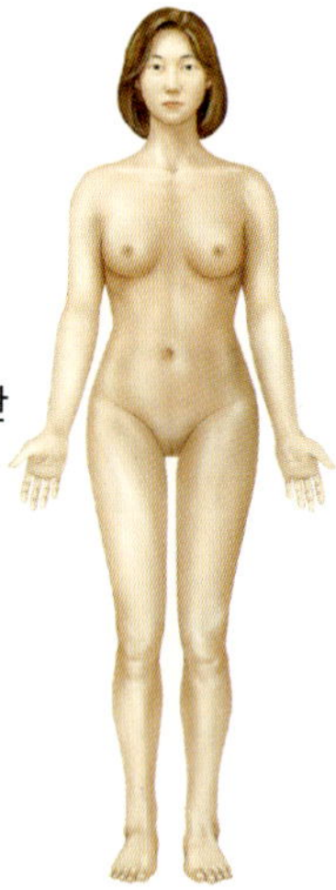

필수 임상술기	자궁경부 펴바름검사(모형에 시행) 질분비물검사(모형에 시행) 분만 진행단계 진찰(모형에 시행)

※ 대부분 검사지를 주기 때문에 말로 설명하면 됩니다.
※ 전치태반이 의심되는 경우 내진 금기입니다.

환자교육

추정진단	○○님, 진찰 결과 □□한 점이 관찰되는데, 이러한 소견은 문진과 함께 생각해봤을 때 A병이 가장 의심이 됩니다.
감별진단	그 외에 B병, C병 또는 D병도 완전히 배제할 수는 없습니다.
검사	확실한 진단을 위해서는 **[임신 주수별 검사]**가 필요합니다. * 임신 주수별 검사는 다음 장 배경 지식 참조
치료	검사를 통해 A병으로 진단이 되면, 이에 대한 치료로 I, J, K가 필요합니다.
예후	지금부터 치료를 받으시면 별다른 지장 없이 지내실 수 있으실 것입니다.
주의점/생활교육	〈배경 지식 참조〉
질문기회	혹시 이해 안 되시거나 궁금하신 점이 있으신가요?

배경 지식

임산부 방문 시기별 검사

첫 방문 시 해야 하는 일	• 위험 평가 • 분만 예정일(estimated due date) 계산 • 일반적인 진찰 : pelvic and cervical examination 등 • 검사 : Hct(Hb), Blood type and Rh factor, Ab screen, urinalysis, urine culture, Rubella, syphilis, chlamydia, HBsAg, HIV, Pap smear • 환자 교육
방문마다 해야 하는 검사	• Maternal – BP, Maternal weight, Uterine size(fundal height), Contraction – Bleeding, Membrane rupture • Fetal – HR, Fetal movement, Size, 양수량, 양막 파열 여부, 선진부 및 하강도
8~16주	• 8주부터 시작 : 초음파 • 10~12주 : 융모막 생검
16~18주	• 양수검사, MSAFP(triple test)
24~28주	• Hct(Hb) • GDM screening(50g OGTT)
28주	• D(−)인 여성에서 Ab screening → 적응이 되면 anti-D Ig 투여

임산부 진찰 간격

- 28주까지(~7개월) : 4주마다
- 29~36주(8~9개월) : 2주마다
- 37주부터(9개월 이후) : 매주

임산부가 의사에게 보고해야 할 위험한 징후

- 질출혈 → abortion 의심
- 질을 통한 fluid의 유출 → PROM 의심
- Pre-eclampsia 의심 소견
  - 얼굴과 손가락의 부종
  - 심하거나 지속적인 두통
  - 시력 저하
  - 복통

- 지속적인 구토
  → 단, 하지 부종은 정상적으로 발생할 수 있으므로 red flag sign은 아닙니다.
- 오한, 열, 배뇨곤란 → infection 또는 pyelonephritis 의심
- 태아 운동 횟수와 강도의 확연한 변화 → fetal distress 의심

임산부의 식이요법

- 임신 전기간에 걸쳐 공통적인 사항은 먹고 싶은 음식을 골고루 섭취
- 임신 초기에는 입덧이 심하여 잘 못 먹는 경우가 많으나, 대부분의 경우 별 문제는 없음
  → 적은 양을 여러 번 먹음, 산모가 먹어서 편한 음식을 먹으면 됨
- **엽산제** : 임신 전부터 임신 초기까지 복용. 임신 계획때부터 300μg 엽산제 복용
- **철분제** : 임신 20주 이후부터

임산부의 생활 습관

임신 1분기	• 약물 복용에 민감한 시기이므로 의사와 반드시 상담하고 약물을 복용할 것 • 음주, 흡연은 금기 • 속옷에 묻는 정도의 질 출혈이나 경미한 하복부 통증은 있을 수 있으나 정도가 심하고 지속되는 경우 의사와 상의
임신 2분기	• 아기에게 끊임없이 말을 걸고 교감을 나누는 것이 중요 • 5개월 정도에 태아의 청각이 완성되므로 좋은 태교
임신 3분기	• 목욕 시에 미끄러지지 않게 주의 • 임신 36주까지는 여행을 할 수 있으나 장시간 앉아 여행하는 것은 안 좋음 • 부담이 되는 중노동은 피하고, 노동 기간 중 적절한 휴식

기타

- 운동 : 하루에 30분 이상 중등도의 신체적 활동, 넘어지기 쉬운 운동은 자제
- 변비 : 식습관 개선, 적절한 운동, 약물 사용 가능(불안한 경우 의사와의 상담)
- 목욕 : 목욕탕도 나쁘다는 증거는 없으나 샤워를 권장함, 낙상 위험 주의
- 성관계 : 유산 위험 있거나 조기분만진통 의심되는 경우 말고는 큰 문제없음

CPX

31 - 1 성장 지연

CLINICAL PERFORMANCE EXAMINATION

감별진단

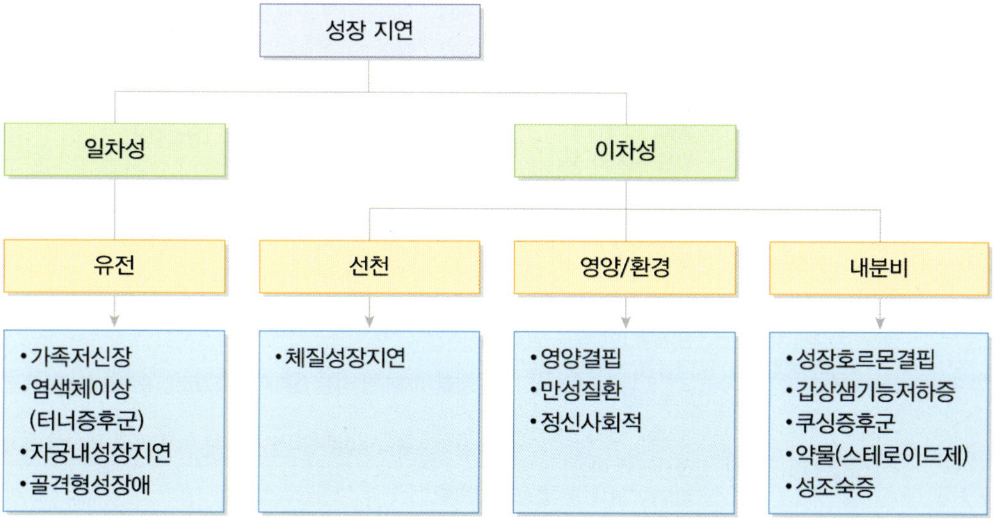

참고

성장·발달지연이 의심되는 소아를 진료할 때는 소아의 성장 곡선을 이용하여 소아의 성장 상태를 평가하고, 소아의 정상발달 과정에 대한 이해를 바탕으로 운동, 언어, 사회성 영역에서 발달지연의 범위와 정도를 평가하여야 한다. 이를 통하여 성장·발달지연의 여러 가지 유발인자 또는 원인질환을 확인하고 동반질환 유무를 평가하여야 한다.

주제별 감별진단

계통	질병명	감별키워드	검사/치료	
성장속도 정상 (>4cm/yr)	가족성 저신장	• 부모님이 키 작음 • 성장속도 정상	검사	–
			치료	경과 관찰
	체질성 성장 지연	• 아버지 키가 늦게까지 큼/엄마 초경 늦음 • 성장속도 정상	검사	–
			치료	안심
성장속도 감소 (<4cm/yr)	골격형성 장애	• 이유 없는 골절 등 골격의 이상	검사	전신 단순 방사선 촬영
			치료	정형외과적 수술, 운동, 물리치료
	성장호르몬 결핍	• 뇌손상 과거력 • 소하악증, 저혈당력	검사	혈중 IGF-1 농도, 인슐린 유발 저혈당 검사
			치료	성장호르몬 투여
	갑상샘기능저하증	• 황달, 얼룩덜룩 • 짧은 사지와 목 • 지능저하	검사	갑상샘기능검사(T_3, T_4, TSH, fT_4)
			치료	Levothyroxine 투여
	정신사회성 저신장	• 과도한 스트레스 주는 성장 환경	검사	–
			치료	심리치료
	염색체 이상 (터너 증후군)	• 생후 첫 3년간은 성장 정상이다 성장속도 감소 • 익상경, 작은턱, 외반주, 요로기형	검사	혈청 FSH, 핵형 검사
			치료	재조합 성장 호르몬, 에스트로겐 & 프로게스틴 공급
	선천성 대사 이상	• 신생아 대사이상 선별검사에서 이상 • 쥐오줌 냄새 등 증상	검사	혈중 암모니아 농도 검사 이후 개별 대사체 검사
			치료	–
	자궁내 성장 지연	• 난산의 병력 • 중환자실 입원력 • 임신 중 감염력	검사	–
			치료	태아 상태에 따라서 치료

〈참고〉

- 같은 연령, 같은 성의 어린이의 **평균 신장보다 3백분위 수 미만**인 경우 저신장
- 유전적으로 키 기대치 : **부모 키 평균 ± 6.5cm(남자는 +, 여자는 −)**
- 3세 이상 사춘기 이전 소아의 성장률은 1년에 4cm 이상
  → 가족성 저신장, 체질성 성장 지연은 모두 정상 범위 성장 속도
- 1년에 4cm도 못 자란다면 성장호르몬 결핍을 의심
- 성장 속도가 매우 증가하고 골연령도 앞서 있다면 성조숙증을 의심

병력청취

아이 생년월일이 어떻게 되나요?(만 나이 확인)

L	–
O	성장이 느린 것 같다고 생각하기 시작한 게 언제부터인가요?
S	–
T	–
Co/Ex	또래와 점점 심하게 차이가 나는 것 같으신가요?
C	어떠한 점이 늦다고 생각되시나요? 성장 지연/발달 지연의 감별(키, 몸무게가 또래보다 늦는지/운동, 언어 등이 늦는지) 출생시/현재 키/몸무게/머리둘레 1년 동안의 성장 속도 백분위 확인 골연령 확인
F	–
Asso	**[정상]** 부모님이 키가 작음/부모님 2차 성징이 늦음(아버지 늦게까지 키 큼/엄마 초경 늦음) **[지연]** 이유 없는 골절/뇌손상/소하악증/황달/지능저하/피부병변/익상경/외반주/난산 병력
약	아이가 먹고 있는 약이 있나요?(영양제)
과	**[산모]** 임신중 어머니 나이가 몇세셨나요?/술/담배 하셨나요?/임신기간동안 아픈 적 있었나요? **[출생]** 분만 방법/출생시 아이에게 특별한 문제는 없었나요?/선천 기형이 있었나요? **[생후]** 출생 후 아픈 적이 있나요?(황달, 영양 결핍, 위장관장애, 심폐질환, 예방접종 부작용) **[검사]** 신생아 대사이상검사/청력검사를 시행했나요?/결과가 어떤가요? **[예방접종]** 예방접종은 스케줄에 맞게 시키고 계신가요?
외	**[외상]** 아이가 다치거나 사고가 난 적이 있나요? **[수술]** 아이가 수술을 받은 적이 있나요?
사	**[양육 환경]** 아이의 주 양육자는 누구인가요? **[영양]** 모유수유 여부/이유식 시작 시기/먹는 양
가	가족 중에 성장이 느렸던 사람이 있나요?/지금은 어떤가요? 아버지/어머니의 키는 어떤가요?/아버지의 사춘기/어머니의 초경 나이는 언제인가요? 가족 중에 선천 기형/유전 질환이 있는 사람이 있나요?
여	–

신체진찰

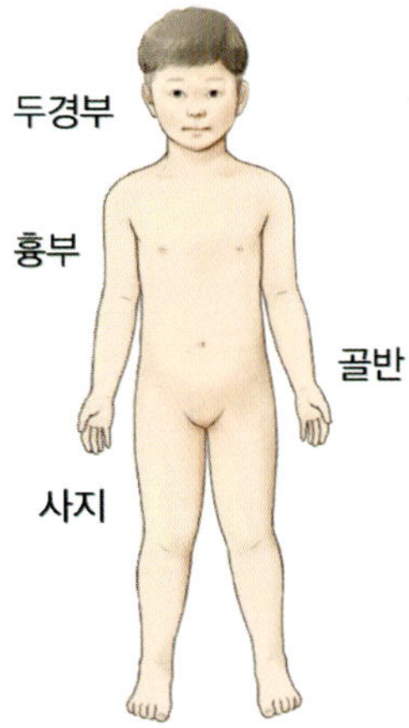

두경부	표정, 피부, 혀 크기, 턱 크기, 양쪽 고막(중이염)
흉부	심음 청진
사지	근골격계 진찰, 신생아 반사검사, 보행검사
골반	생식기 진찰

※ 보호자만 온 경우에는 시행하지 않습니다.

환자교육

추정진단	진찰 결과 □□한 점이 관찰되는데, 이러한 소견은 문진과 함께 생각해봤을 때 A병이 가장 의심이 됩니다.
감별진단	그 외에 B병, C병 또는 D병도 완전히 배제할 수는 없습니다.
검사	확실한 진단을 위해서는 **[기본 검사]**+**[질병별 검사]**가 필요합니다. **[기본 검사] 골연령검사+TFT+인슐린 투여 후 성장호르몬 검사**
치료	검사를 통해 A병으로 진단이 되면, 이에 대한 치료로 I, J, K가 필요합니다.
예후	지금부터 치료를 받으시면 별다른 지장 없이 지내실 수 있으실 것입니다.
주의점/생활교육	• 소아의 경우 조기 진단이 중요한데, 일찍 발견하셔서 오신 것은 잘하신 일입니다. • 이후에도 아이가 나이에 맞게 성장/발달하고 있는지 확인하셔야 합니다. 소아 성장과 발달 지연은 한두 번의 검사로 정확히 알 수 있는 사항이 아니기 때문에, 주기적으로 방문하셔서 추적 관찰하는 것이 가장 중요합니다. • (가족성/체질성 성장지연 등) 아이의 몸에 문제가 있는 것이 아니므로, 안심하셔도 됩니다. • (문제가 있는 성장지연) 추가적인 검사를 통해 원인을 확인하고, 치료할 수 있습니다. 원인 치료가 불가능하더라도 꾸준한 재활 치료 등을 통해서 경과가 개선될 수 있으니 너무 불안해하시거나 죄책감을 갖지 않으셔도 됩니다. 의료진도 아이를 계속 지켜보며 아이의 생활에 불편함이 없도록 노력하겠습니다.
질문기회	혹시 이해 안 되시거나 궁금하신 점이 있으신가요?

1) 진단계획

(1) 기본 : 골연령검사, 갑상샘기능검사, 성장호르몬검사

(2) 내분비적 이상 : 성장호르몬검사, 갑상샘기능검사

(3) 성장/발달 전반적 지연 : 전해질검사, 염색체검사, 유전자검사

2) 치료계획

(1) 정상 성장 : 경과 관찰

(2) 성장 이상 : 원인에 따른 치료

3) 환자교육

(1) 소아 성장발달은 주기적 추적관찰을 통해서만 판단할 수 있음을 설명

(2) 원인 질환이 있을 경우 그에 대한 치료를 할 것이고, 치료가 불가능한 원인인 경우 재활 치료를 할 수 있음을 설명

(3) 향후 아이의 성장과 발달에 도움을 줄 수 있는 생활습관 교육

소아의 성장 곡선(남아)

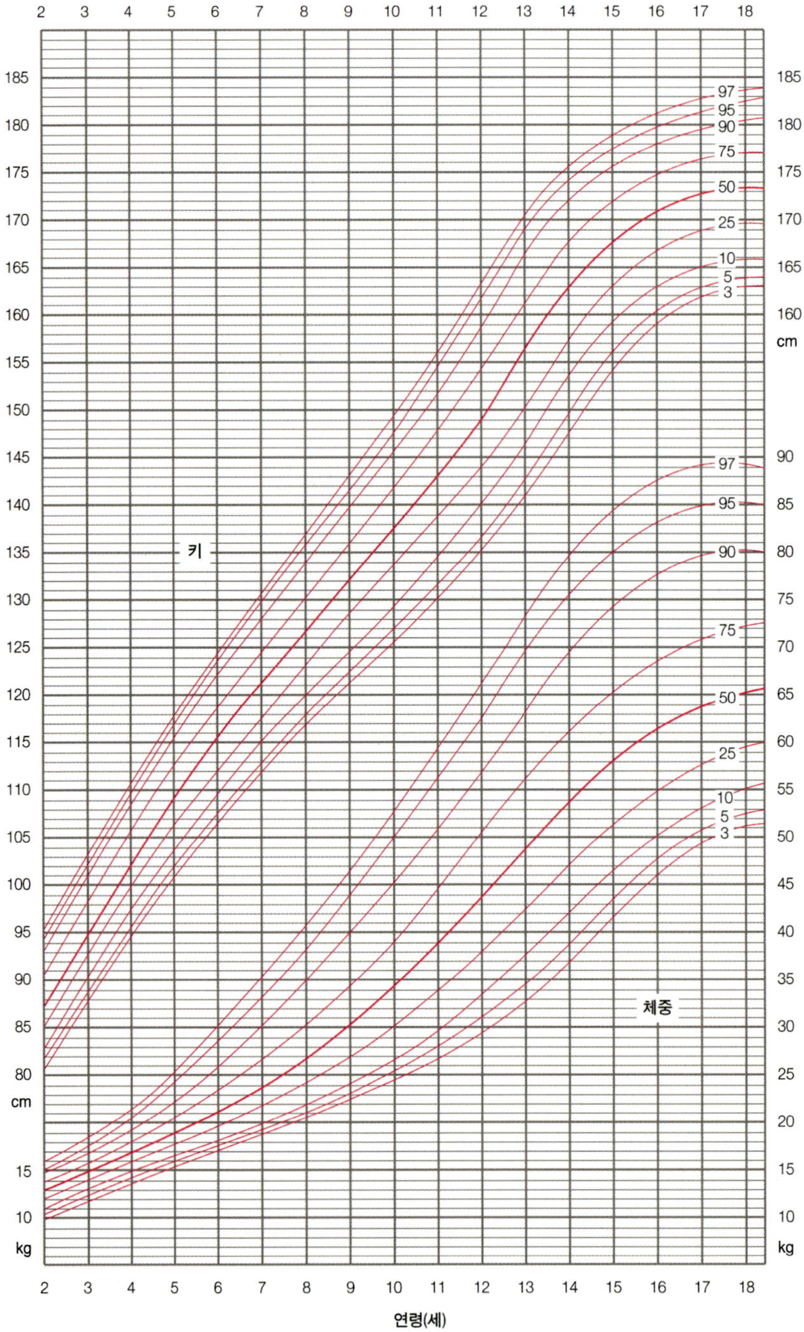

소아의 성장 곡선(여아)

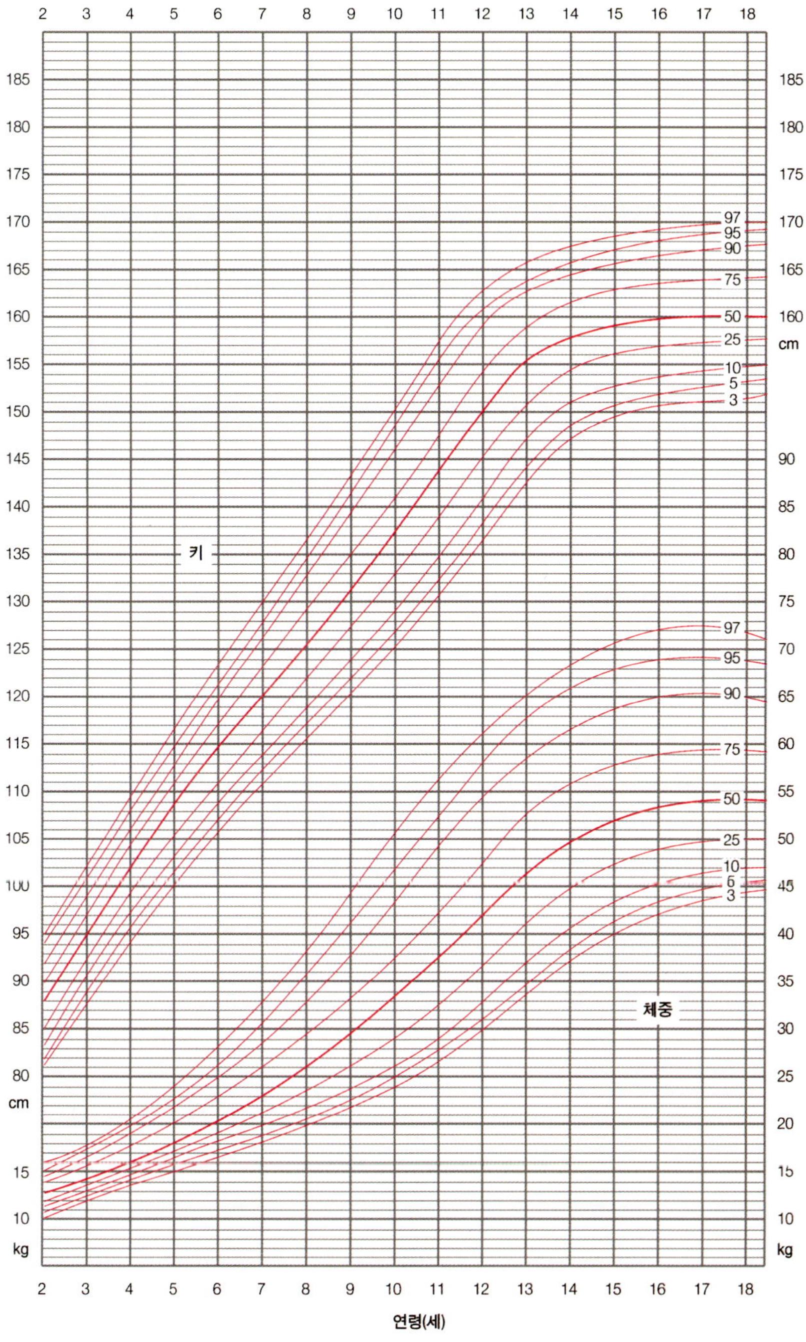

CPX CLINICAL PERFORMANCE EXAMINATION

31-2 발달 지연

감별진단

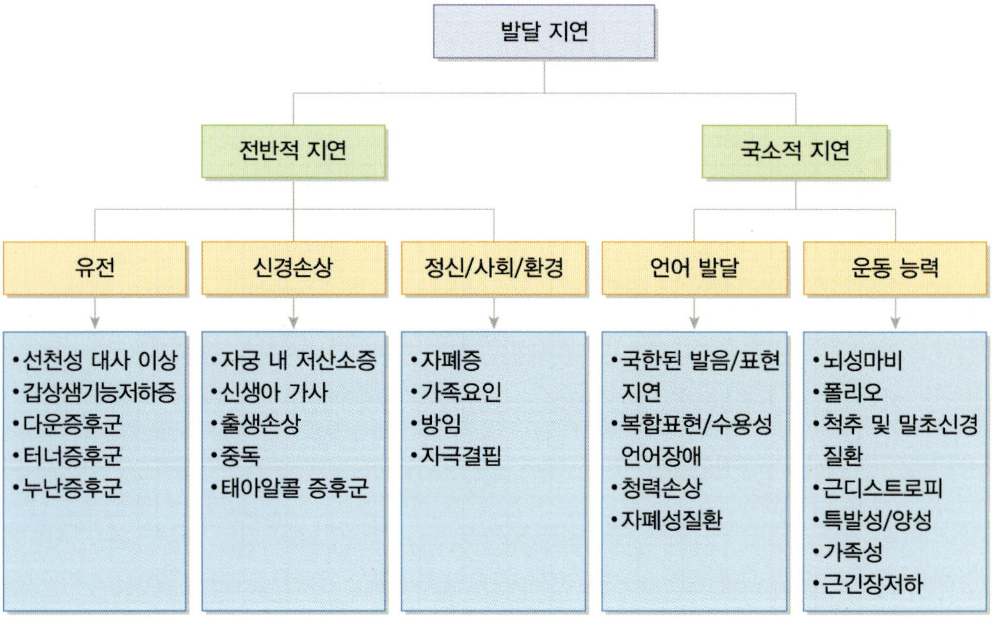

참고

성장·발달지연이 의심되는 소아를 진료할 때는 소아의 성장 곡선을 이용하여 소아의 성장 상태를 평가하고, 소아의 정상발달 과정에 대한 이해를 바탕으로 운동, 언어, 사회성 영역에서 발달지연의 범위와 정도를 평가하여야 한다. 이를 통하여 성장·발달지연의 여러 가지 유발인자 또는 원인질환을 확인하고 동반질환 유무를 평가하여야 한다.

주제별 감별진단

계통	질병명	감별키워드	검사/치료	
전반적 지연	다운증후군	• 둥글고 납작 얼굴 • 낮은 코, 양 눈 사이가 멀어 보임 • 비만, 지능 저하	검사	염색체 검사
			치료	주기적 검진, 예방접종
	터너증후군	• 사춘기 늦음 • 저신장 • 익상경, 작은턱, 외반주, 요로기형	검사	염색체 검사
			치료	재조합 성장 호르몬, 에스트로겐 & 프로게스틴 공급
	갑상샘기능저하증	• 황달, 얼룩덜룩 • 짧은 사지와 목 • 지능저하	검사	갑상샘기능검사(T_3, T_4, TSH, fT_4)
			치료	Levothyroxine 투여
	자궁내 성장 지연	• 난산의 병력 • 중환자실 입원력 • 임신 중 감염력	검사	–
			치료	태아 상태에 따라서 치료
언어	청력장애	• 큰 소리가 나도 잘 돌아보지 못함 • 신생아 청력검사 이상 소견	검사	청력 검사
			치료	중이염 관련 수술, 언어교육
	발음장애	• 말은 할 수 있으나 발음이 정확치 않음	검사	후두경으로 성대 이상 확인
			치료	안면구강 기형 동반 시 치료, 언어치료
	체질지연	• 부모 사춘기 늦음 • 말만 느리고 나머지는 다 정상적 소견	검사	–
			치료	안심
	자폐장애	• 친구들과 잘 놀지 못함(사회성 저하) • 언어 장애, 상동행동, 특이한 행동 반복	검사	청력검사, 뇌파검사, SPECT, PET
			치료	부모 및 가족 교육 상담, 행동치료
운동	뇌성마비	• 경직성 양측 운동 마비 또는 편마비형	검사	뇌 초음파, 자기공명영상
			치료	재활 운동, 후방신경근 절개술
	척수근육위축(Spinal muscular atrophy)	• 대칭적 근력저하 • 개구리 다리 자세	검사	혈액 내 SMN 유전자 결손 확인
			치료	보조 요법

병력청취

아이 생년월일이 어떻게 되나요?(만 나이 확인)

L	–
O	발달이 느린 것 같다고 생각하기 시작한 게 언제부터인가요?
S	–
T	–
Co/Ex	발달 지연이 퇴행하는 양상인가요?/그대로인가요?/점점 심해지나요?
C	어떠한 점이 늦다고 생각되시나요? 성장 지연/발달 지연의 감별(키, 몸무게가 또래보다 늦는지/운동, 언어 등이 늦는지) 출생시/현재 키/몸무게/머리둘레 현재/과거 지연 영역 확인 : 대근육/소근육/언어/사회
F	–
Asso	**[전반]** 특징적 얼굴(둥글고 납작, 낮은 코, 넓은 미간, 지능저하)/늦은 사춘기/저신장/익상경/소하악증/황달/피부병변/난산 **[언어]** 큰 소리가 나도 돌아보지 않음/이름을 불러도 돌아보지 않음/사회성 저하/의미 없는 행동 반복 **[운동]** 팔다리 마비/근력 저하/개구리 다리 자세
약	아이가 먹고 있는 약이 있나요?(영양제)
과	**[산모]** 임신중 어머니 나이가 몇세셨나요?/술/담배 하셨나요?/임신기간동안 아픈 적 있었나요? **[출생]** 분만 방법/출생시 아이에게 특별한 문제는 없었나요?/선천 기형이 있었나요? **[생후]** 출생 후 아픈 적이 있나요?(황달, 영양 결핍, 위장관장애, 심폐질환, 예방접종 부작용) **[검사]** 신생아 대사이상검사/청력검사를 시행했나요?/결과가 어떤가요? **[예방접종]** 예방접종은 스케줄에 맞게 시키고 계신가요?
외	**[외상]** 아이가 다치거나 사고가 난 적이 있나요? **[수술]** 아이가 수술을 받은 적이 있나요?
사	**[양육 환경]** 아이의 주 양육자는 누구인가요?/동거하는 가족은 누구누구인가요? **[관계]** 유치원/어린이집에 다니고 있나요?/또래와 잘 어울려 노나요? **[영양]** 모유수유 여부/이유식 시작 시기/먹는 양
가	가족 중에 발달이 느렸던 사람이 있나요?/지금은 어떤가요? 가족 중에 선천 기형/유전 질환/신경학적 질환이 있는 사람이 있나요?
여	–

신체진찰

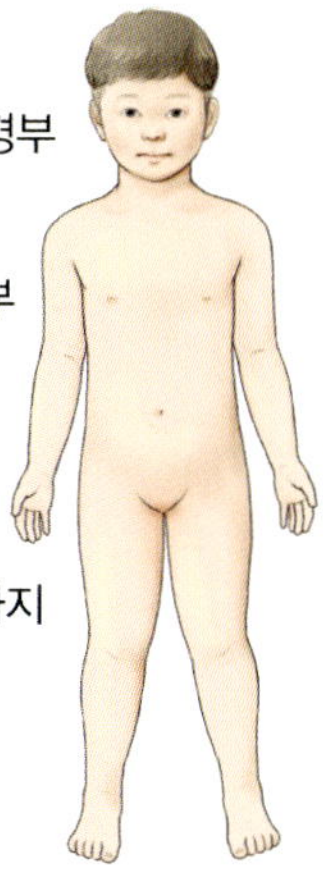

두경부	표정, 피부, 혀 크기, 턱 크기, 양쪽 고막(중이염)
흉부	심음 청진
사지	근골격계 진찰, 신생아 반사검사, 보행검사
골반	생식기 진찰

※ 보호자만 온 경우에는 시행하지 않습니다.

환자교육

추정진단	진찰 결과 □□한 점이 관찰되는데, 이러한 소견은 문진과 함께 생각해봤을 때 A병이 가장 의심이 됩니다.
감별진단	그 외에 B병, C병 또는 D병도 완전히 배제할 수는 없습니다.
검사	확실한 진단을 위해서는 **[기본 검사]**+**[질병별 검사]**가 필요합니다. **[기본 검사] 한국형 영유아 발달검사, 조기언어 선별검사, 지능검사**
치료	검사를 통해 A병으로 진단이 되면, 이에 대한 치료로 I, J, K가 필요합니다.
예후	지금부터 치료를 받으시면 별다른 지장 없이 지내실 수 있으실 것입니다.
주의점/생활교육	• 소아의 경우 조기 진단이 중요한데, 일찍 발견하셔서 오신 것은 잘하신 일입니다. • 이후에도 아이가 나이에 맞게 성장/발달하고 있는지 확인하셔야 합니다. 소아 성장과 발달 지연은 한두 번의 검사로 정확히 알 수 있는 사항이 아니기 때문에, 주기적으로 방문하셔서 추적 관찰하는 것이 가장 중요합니다. • 추가적인 검사를 통해 원인을 확인하고, 치료를 시도할 수 있습니다. 원인 치료가 불가능하더라도 꾸준한 재활 치료 등을 통해서 경과가 개선될 수 있으니 너무 불안해하시거나 죄책감을 갖지 않으셔도 됩니다. 의료진도 아이를 계속 지켜보며 아이의 생활에 불편함이 없도록 노력하겠습니다.
질문기회	혹시 이해 안 되시거나 궁금하신 점이 있으신가요?

1) 진단계획

(1) 기본 : 한국형 영유아 발달검사, 조기언어 선별검사, 지능검사

(2) 성장/발달 전반적 지연 : 전해질검사, 염색체검사, 유전자검사

(3) 언어 장애 : 청력 검사

(4) 자폐증 : 뇌파 검사, 자폐 스펙트럼 검사, 뇌 MRI

2) 환자교육

(1) 소아 성장발달은 주기적 추적관찰을 통해서만 판단할 수 있음을 설명

(2) 원인 질환이 있을 경우 그에 대한 치료를 할 것이고, 치료가 불가능한 원인인 경우 재활 치료를 할 수 있음을 설명

(3) 향후 아이의 성장과 발달에 도움을 줄 수 있는 생활습관 교육

배경 지식

소아의 정상 행동 발달표

연령	운동 (Motor behavior)	적응 (Adaptive behavior)	언어 (Language)	사회적 행동 (Social behavior)
~4주	• 팔다리를 구부리고 있는다. • Moro 반사, 파악 반사가 활발하다.	• 얼굴이나 불빛을 응시한다.	• 목소리에 반응을 보인다.	• 사람의 얼굴을 선호한다.
4주	• 엎어 놓으면 턱을 들고, 머리를 좌우로 돌린다. • 긴장성 경반사의 자세로 누워 있는다.	• 사람을 쳐다본다. • 움직이는 물체를 따라 본다.	• 미소 짓기 시작한다.	• 목소리에 반응하여 몸을 움찔거린다.
8주	• 엎어 배를 받쳐 들어올리면 머리를 몸과 수평이 되도록 든다. • 긴장성 경반사의 자세로 누워 있는다.	• 움직이는 물체를 180° 까지 따라 본다.	• 다른 사람의 목소리를 듣고, 자신의 목소리를 낸다.	• 주위의 자극에 반응하며 미소짓는다(social smile).
12주	• 엎어 놓으면 머리와 가슴을 든다. • 팔을 펴고 있는다. • 엎어 배를 받쳐 들어올리면 머리를 몸 위치보다 위로 든다. • 머리를 약간 가눈다.	• 물체를 보면 접근하지만 잡지는 못한다. • 장난감을 보면 손을 흔든다.	• 음악 소리에 귀 기울인다. • "아~" 소리를 낸다.	• 사회적 반응 시간이 길어진다.
16주	• 엎어 놓으면 머리와 가슴을 들어 머리를 수직으로 든다. • 다리를 펴고 있는다. • 머리를 가운데로 하고 대칭 자세로 누워 있는다. • 바로 누운 자세에서 붙잡아 일으켜 앉히면 머리를 가눈다.	• 물체에 손을 뻗어 잡고, 입을 가져간다. • 작은 물체를 보기는 하나 잡으려 하지는 않는다.	• 크게 소리 내어 웃는다.	• 먹을 것을 보면 좋아한다.
28주	• 뒤집는다. • 앉혀 놓으면 혼자 앉아 있는다. • 배밀이 또는 네 발로 긴다. • 세우면 다리를 뻗어 몸을 지탱한다.	• 다른 손을 물건을 옮겨 쥔다. • 작은 물체를 보면 갈고리 모양으로 손에 옮겨 쥔다.	• 여러 음절의 모음 소리를 낸다. • 의미 없이 재잘거린다.	• 엄마를 더 좋아한다. • 거울을 좋아한다. • 상대방의 감정변화에 반응한다.

(계속)

연령	운동 (Motor behavior)	적응 (Adaptive behavior)	언어 (Language)	사회적 행동 (Social behavior)
40주	• 혼자 일어나 앉는다. • 기어 다닌다. • 붙잡고 일어선다. • 가구 등을 붙잡고 걷는다.	• 엄지손가락과 집게손가락을 사용한다. • 손수건 밑에 장난감을 감추면 찾아낸다.	• 반복되는 자음 발음을 한다(마마, 빠빠). • 이름을 부르면 반응을 한다.	• "까꿍", "짝짜꿍", "바이바이" 놀이를 한다.
12개월	• 혼자 일어선다. • 혼자 걷는다.	• 알약 크기의 작은 물건을 엄지와 집게손가락만으로 집어 든다. • 달라고 하면 손에 쥐고 있던 물건을 손을 펴서 놔 준다.	• "마마", "빠빠" 말고 다른 말을 몇 개 정도 말한다.	• 간단한 공놀이를 한다. • 옷을 입힐 때 자세를 맞춘다.
15개월	• 혼자 잘 걷는다. • 층계를 기어 올라간다.	• 종이에 그리는 시늉을 한다. • 입방체를 2개 쌓아 올린다.	• 친숙한 물건의 이름을 말한다(예, 공). • 뜻을 알 수 없는 말을 지껄인다. • 간단한 것으로 한 가지를 지시하면 맞게 수행한다.	• 원하는 것을 손가락으로 가리키며 달라고 한다.
18개월	• 한 손 잡고 층계를 올라간다. • 서툴게 뛴다.	• 입방체를 3~4개 쌓아 올린다. • 휘갈기는 것을 흉내 내어 그린다. • 병을 거꾸로 하여 작은 물체를 꺼낸다.	• 신체 부위를 1개 이상 알고 말한다. • 10개 정도의 단어를 말한다.	• 혼자 먹는다. • 소변을 보고 알려 준다. • 문제가 있으면 도움을 청한다. • 부모에게 입을 오므려 뽀뽀한다.
2년	• 잘 뛴다. • 층계를 오르내린다.	• 입방체를 6~7개 쌓아 올린다. • 직선을 흉내 내어 그린다.	• 간단한 문장을 말한다. • 그림 이야기책을 읽어 주면 귀 기울여 듣는다.	• 숟가락질을 한다. • 간단한 옷은 혼자 벗는다.
3년	• 세발자전거를 탄다. • 한 발로 잠깐 서 있는다.	• 입방체 3개로 다리 모형을 만든다. • 원을 보고 그린다.	• 이름, 성별, 나이를 말한다. • 물건 수를 셋까지 맞게 센다.	• 혼자 옷을 입는다(단추를 풀고, 신발을 신는다). • 손을 씻는다.
4년	• 한 발로 뛴다. • 가위질하여 그림을 오려 낸다.	• 십자형과 사각형을 보고 그린다. • 머리 외에 몸의 2~4 부분을 그린다.	• 줄거리가 있는 말을 한다. • 반대말을 안다. • 전치사를 안다.	• 혼자 용변을 해결한다. • 양치질, 세수를 한다. • 다른 아이들과 협조적으로 논다.
5년	• 한 발씩 번갈아 들고 뛴다. • 줄넘기를 한다.	• 삼각형을 보고 그린다. 머리 외에 몸의 여섯 부분을 그린다. • 둘 중 더 무거운 것을 가려낸다.	• 열까지 센다. • 4가지 색깔을 알고 말한다. • 단어의 의미를 묻는다.	• 혼자 옷을 입고 벗는다. • 소꿉놀이를 한다. • 다른 아이들과 경쟁적 놀이를 한다.

미세운동발달

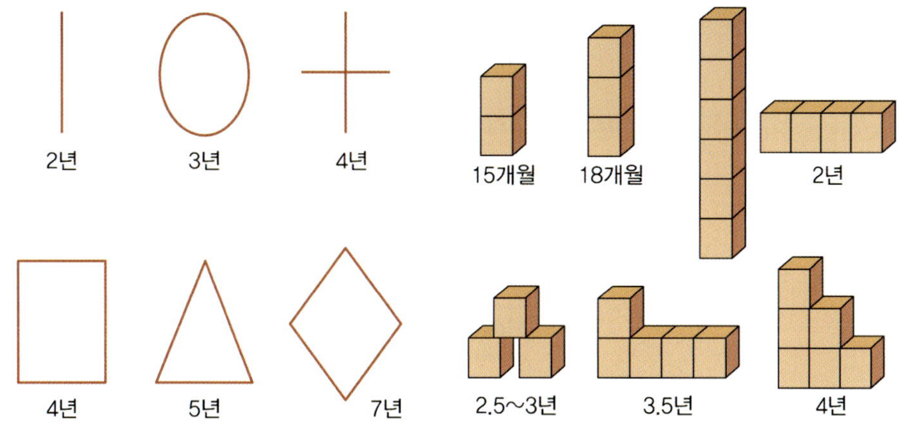

운동 발달 종목	개월 수
• 주먹을 쥐고 있는다.	출생 시
• 손을 펴고 있는다.	3개월
• 물체를 보면 팔과 손을 뻗는다.	4개월
• 손바닥과 척골 측 손가락들로 입방체를 잡는다.	4~5개월
• 작은 알을 갈고리 같은 손의 움직임으로 움켜쥔다.	6~7개월
• 손바닥과 요골 측 손가락들로 입방체를 잡는다.	6~7개월
• 요골 측 손가락들로 입방체를 잡는다.	7~8개월
• 작은 알을 엄지와 다른 손가락의 일부분으로 집어 든다.	7~9개월
• 작은 알을 엄지와 집게손가락의 끝 부분으로만 집어 든다.	9~10개월
• 손에 쥐고 있던 물건을 의도적으로 놓아준다.	10~12개월

CPX

32 예방접종

CLINICAL PERFORMANCE EXAMINATION

감별진단

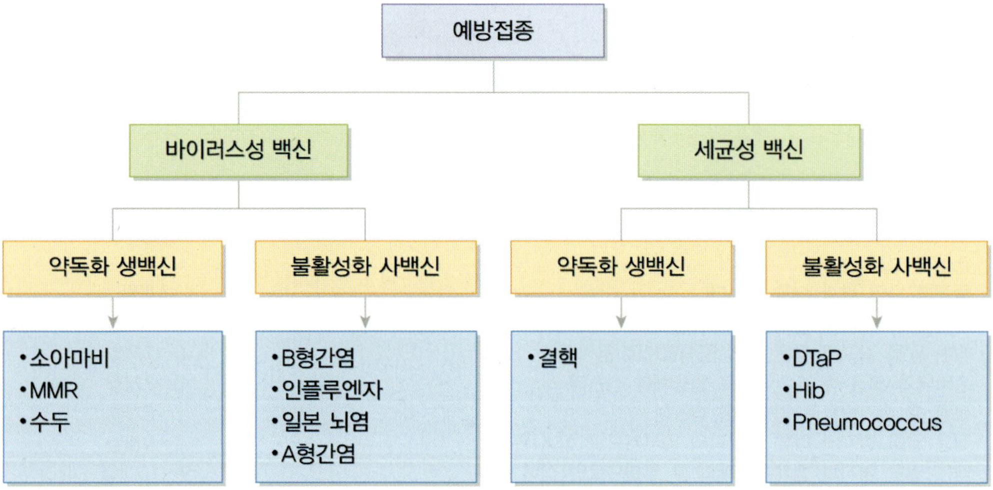

참고

피접종자의 면역 상태를 확인하고 이전 예방접종력과 접종 후 이상 반응 등을 파악하기 위한 병력청취를 시행한다. **적응증과 금기사항**을 고려하여 필요한 예방접종이 무엇인지 판단하고 예방접종할 백신의 권장 접종방법과 예방접종 후의 주의사항과 금기에 대해 설명한다.

병력청취

소아 예방접종

<table>
<tr><td>환자 정보</td><td colspan="2">• 생년월일
• 예방접종수첩, 없을 시 구두로 예방접종력 확인하기
• 오늘 계획 중인 예방접종</td></tr>
<tr><td rowspan="4">현재 상태</td><td>성장력</td><td>키, 몸무게 확인</td></tr>
<tr><td>발달력</td><td>주수에 맞는 운동, 언어, 사회성 발달</td></tr>
<tr><td>식생활</td><td>6개월 이후 이유식, 돌 이후 일반 식사</td></tr>
<tr><td>현재 몸 상태</td><td>발열, 기침, 가래, 쌕쌕거림 등</td></tr>
<tr><td>과거 병력</td><td colspan="2">• 출생력 : 임신주수/체중, 분만 방법, 임신/출산시 문제
• 선천성 질환 여부(선천성 심질환, 폐질환, 대사성 질환 등)
• 출생 이후 앓았던 병
• 1개월 내 홍역, 볼거리, 수두, 풍진 여부 → 생백신 금기</td></tr>
<tr><td>금기사항</td><td colspan="2">• 면역 결핍 질환, 악성 종양, 백혈병 등
• 신경계 질환(경련, 간질)
• 스테로이드/수혈/면역 억제제/면역 글로불린
• 달걀, 젤라틴, 네오마이신 알레르기
• 이전 백신 접종 후의 이상 반응</td></tr>
<tr><td>가족력</td><td colspan="2">• 경련/간질, 면역 결핍자, 과거 예방접종 후 이상반응</td></tr>
<tr><td>교육</td><td colspan="2">• 오늘 접종 가능한 예방 접종(예방 접종 표 참조)
• 다음번에 맞아야 할 예방 접종(예방 접종 표 참조)
• 접종 부위(근육, 피하, 피내)
• 이상 반응 설명
– 급성 이상 반응 : 아나필락시스, 실신 → 접종 후 30분간 병원에서 관찰
– 지연 이상 반응 : 전신 발열, 전신 쇠약감, 접종 부위 발적/부종/통증/농양 등
심한 후유증 시 국가에서 보상해 줌을 알림
• 환자 교육
– 접종 후 하루 동안 무리한 운동 피하고 안정 취하도록 한다.
– 이상반응(지나치게 울고 보챔, 구역, 구토, 심한 발열)시 언제라도 병원 방문이 필요함
– 예방 접종 당일에는 주사 부위 피부 감염을 막기 위하여 물이 닿지 않도록 한다.
– 생백신의 경우 감기 유사 증상이 나타날 수 있음을 설명하여 안심시킨다.</td></tr>
<tr><td rowspan="3">특수 상황</td><td>지연접종</td><td>• 경과된 기간에 상관없이 남은 접종을 한다.
• 로타바이러스 접종은 생후 2개월이 지나면 접종하지 않는다.</td></tr>
<tr><td>동시접종</td><td>• 생백신 – 생백신, 생백신 – 사백신, 사백신 – 사백신의 동시접종이 모두 가능
• 단, MMR(생백신)은 수두백신(생백신)과 한 달간의 접종간격을 두고 접종</td></tr>
<tr><td>접종연기</td><td>• 면역저하 질환, 면역억제제, 장기적 스테로이드 전신요법 시생백신 금기
• 수혈, 면역글로불린, 면역억제제 투여 경험 있으면 생백신 접종 간격에 영향</td></tr>
</table>

성인 예방접종

<table>
<tr><td>환자 정보</td><td colspan="2">• 생년월일
• 예방접종력 확인(소아 예방접종력＋성인이 돼서 맞은 예방접종)(성인추가)
• 오늘 계획 중인 예방접종</td></tr>
<tr><td>현재 상태</td><td colspan="2">• 현재 몸 상태 : 발열, 기침, 가래, 쌕쌕거림 등
• 약물 복용력/직업력/해외 여행력(성인추가)</td></tr>
<tr><td>과거 병력</td><td colspan="2">• 출생 이후 앓았던 병
• 1개월 내 홍역, 볼거리, 수두, 풍진 여부 → 생백신 금기
• 만성 질환 여부(천식, COPD, 당뇨, 신질환)(성인추가)</td></tr>
<tr><td>금기사항</td><td colspan="2">• 면역 결핍 질환, 악성 종양, 백혈병 등
• 신경계 질환(경련, 간질)
• 스테로이드/수혈/면역 억제제/면역 글로불린
• 달걀, 젤라틴, 네오마이신 알레르기
• 이전 백신 접종 후의 이상 반응</td></tr>
<tr><td>가족력</td><td colspan="2">• 경련/간질, 면역 결핍자, 과거 예방접종 후 이상반응</td></tr>
<tr><td>교육</td><td colspan="2">• 오늘 접종 가능한 예방 접종(예방 접종 표 참조)
• 다음번에 맞아야 할 예방 접종(예방 접종 표 참조)
• 접종 부위(근육, 피하, 피내)
• 이상 반응 설명
- 급성 이상 반응 : 아나필락시스, 실신 → 접종 후 30분간 병원에서 관찰
- 지연 이상 반응 : 전신 발열, 전신 쇠약감, 접종 부위 발적/부종/통증/농양 등
심한 후유증 시 국가에서 보상해 줌을 알림
• 환자 교육
- 접종 후 하루 동안 무리한 운동 피하고 안정 취하도록 한다.
- 이상반응(주사 부위 통증, 발적, 부종, 심한 발열)시 언제라도 병원 방문이 필요함(성인 추가)
- 예방 접종 당일에는 주사 부위 피부 감염을 막기 위하여 물이 닿지 않도록 한다.
- 생백신의 경우 감기 유사 증상이 나타날 수 있음을 설명하여 안심시킨다.</td></tr>
<tr><td rowspan="3">특수 상황</td><td>지연접종</td><td>• 경과된 기간에 상관없이 남은 접종을 한다.
• 로타바이러스 접종은 생후 2개월이 지나면 접종하지 않는다.</td></tr>
<tr><td>동시접종</td><td>• 생백신－생백신, 생백신－사백신, 사백신－사백신의 동시접종이 모두 가능
• 단, MMR(생백신)은 수두백신(생백신)과 한 달간의 접종간격을 두고 접종</td></tr>
<tr><td>접종연기</td><td>• 면역저하 질환, 면역억제제, 장기적 스테로이드 전신요법 시생백신 금기
• 수혈, 면역글로불린, 면역억제제 투여 경험 있으면 생백신 접종 간격에 영향</td></tr>
</table>

신체진찰(성인만 수행)

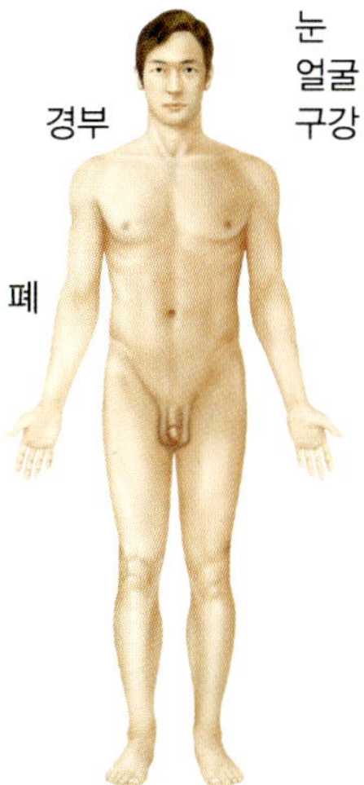

눈	결막, 공막 확인
얼굴	촉진 : 부비동 압통, 안면부 압통
구강	점막 발적 인후부 → 조약돌 모양/후비루
경부	촉진 : 목주위림프절 비대 확인
폐	시진 : 호흡양상, 곤봉지 촉진 : 증가시 폐렴 의심 타진 : 6군데 이상 청진 : 6군데 이상

※ 신체진찰은 성인의 경우만 수행하는데 이 경우는 기본적인 호흡기 검진 정도를 해 주면 될 것 같습니다.

배경 지식

신생아 소아예방접종표

시기	접종	시기	접종
0~1주	B형 간염(1차)	12~15개월	MMR(1차), 수두(1회), Hib(추가4차)
0~4주	BCG(1회)	15~18개월	DTaP(추가4차)
1개월	B형 간염(2차)	4~6세	DTaP(추가5차), 폴리오(추가4차), MMR(2차)
2개월	DTaP(1차), 폴리오(1차), Hib(1차), PCV(1차)	11~12세	성인용 Td(추가6차)
4개월	DTaP(2차), 폴리오(2차), Hib(2차), PCV(2차)	A형간염	생후 12개월 이후 1차 접종, 6~18개월 후 추가접종
6개월	B형 간염(3차) DTaP(3차), 폴리오(3차), Hib(3차), PCV(3차) 인플루엔자(매년접종)	일본뇌염	사백신, 생백신에 따라 다름

※ 일본뇌염
- 사백신(12~36개월) : 1차 접종 후 7~30일 간격으로 2차 접종을 실시. 2차 접종 후 12개월 후 3차 접종. 6세 4차, 12세 5차 접종
- 생백신(12~36개월) : 1차 접종 후 12개월 후 2차 접종

표준예방접종표

예방접종종류	참고사항
A형간염	40세 미만에서는 검사 없이, 40세 이상에서는 항체 검사 상 음성일 경우 2회 접종(0, 6~12개월)
B형간염	항체검사결과가 음성이면 3회 접종(0, 1, 6개월)
파상풍 - 디프테리아(Td백신)	10년마다 1회 접종, 처음 접종이면 3회 접종(0, 1, 6~12개월)
인플루엔자	모든 성인 매년 10~11월에 1회
폐렴사슬알균	65세 이상에서 1회 / 65세 이하 고위험군*
대상 포진	60세 이상 성인 생백신 1회

* 고위험군(천식 포함한 만성폐질환, 만성심질환, 당뇨병, 만성간질환, 만성신질환, 무비증, 면역저하자, CSF 누출 환자 등)

연령별 성인예방접종표

구분	만 19~29세	만 30~39세	만 40~49세	만 50~59세	만 60~64세	만 60세 이상
인플루엔자						
폐렴사슬알균						
파상풍 - 디프테리아 - 백일해						
대상포진						
A형간염						
B형간염						
수두						
홍역 - 볼거리 - 풍진						
인유두종바이러스						

- 해당 연령군에서 면역의 증거(백신 접종력, 과거 감염력 또는 항체 검사 양성)가 없는 경우
- 해당 연령군 중 고위험군(해당 기저질환이나 상황)에서 면역의 증거(백신 접종력, 과거 감염력 또는 항체 검사 양성)가 없는 경우
- 고려할 필요 없음

지연접종

- 경과된 기간에 상관없이 남은 접종을 하면 된다.
- 로타바이러스 접종은 첫 회 접종을 놓치면, 이후 접종은 할 수 없음(첫 로타바이러스 접종은 생후 15주 전에만 시행)

동시접종

- 생백신의 접종간격
  - 생백신－생백신, 생백신－사백신, 사백신－사백신의 동시접종이 모두 가능하다.
  - 단, 생백신인 MMR(생백신)은 수두백신(생백신)과 동시 접종하거나, 따로 접종할 경우 한 달 간의 접종간격을 두고 접종한다.

접종연기

- **면역저하 질환(혹은 상태), 면역억제제, 장기적인 스테로이드 전신요법** : 생백신(MMR, 수두, 로타바이러스, 결핵) 접종이 금기
- 수혈, 면역글로불린, 또는 면역억제제를 투여받은 적이 있으면 생백신의 접종 간격에 영향

<table>
<tr><th colspan="2">면역글로불린, 수혈</th><th>용량(투여방법)</th><th>접종간격</th></tr>
<tr><td rowspan="4">정맥용
면역글로블린</td><td>특발성 혈소판감소성자반증</td><td>400mg/kg(IV)
100mg/kg(IV)
1600～2000mg/kg(IV)</td><td>8개월
10개월
11개월</td></tr>
<tr><td>가와사끼병</td><td>1600～2000mg/kg(IV)</td><td>11개월</td></tr>
<tr><td>면역결핍치료</td><td>300～400mg/kg(IV)</td><td>8개월</td></tr>
<tr><td>CMV-IG</td><td>3mL/kg</td><td>6개월</td></tr>
<tr><td rowspan="5">수혈</td><td>RBCs, Washed</td><td>10mL/kg(IV)</td><td>0개월</td></tr>
<tr><td>RBCs, adenine-saline 첨가</td><td>10mL/kg(IV)</td><td>3개월</td></tr>
<tr><td>Packed RBCs</td><td>10mL/kg(IV)</td><td>5개월</td></tr>
<tr><td>전혈</td><td>10mL/kg(IV)</td><td>6개월</td></tr>
<tr><td>혈장/혈소판 제품</td><td>10mL/kg(IV)</td><td>7개월</td></tr>
</table>

- 최근에 경련한 적이 있거나 신경계질환을 가진 경우 백신 접종을 연기해야 할 수도 있다.

07 CHAPTER

CLINICAL PERFORMANCE EXAMINATION

CHAPTER 08

신 경

CPX 33

CLINICAL PERFORMANCE EXAMINATION

어지럼

감별진단

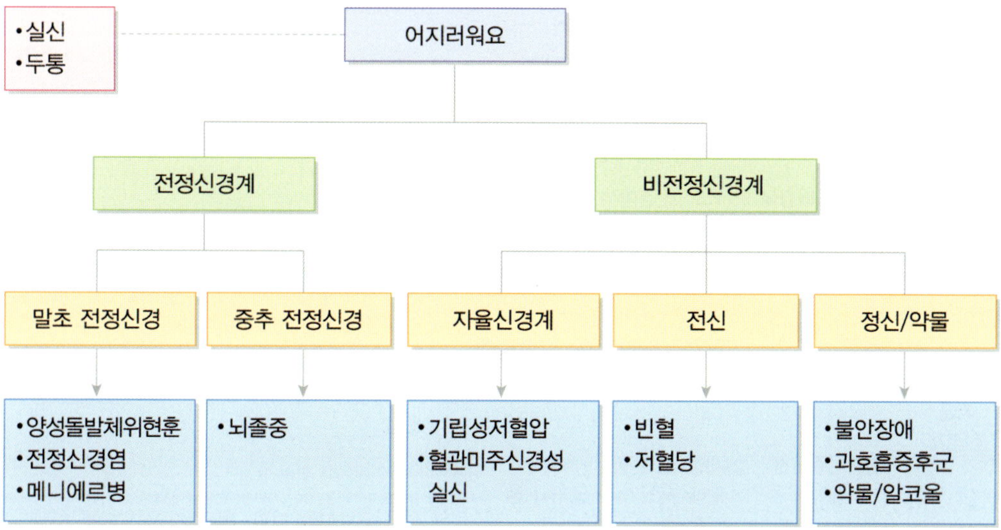

참고

신경계 환자의 경우는 DDx base로 Associated Sx.에서 반드시 문진해야할 질환들이 있다. 어지럼을 호소하는 환자에서 먼저 확인해야 할 것은 어지럼이 전정신경계 이상인지 신경계 이상인지 확인하는 것이다. 신경계 이상에 의한 어지럼은 응급조치가 필요할 수 있으므로 주의해야 한다. 이 외에도 어지럼은 빈혈, 실신 등 전신질환, 심리적 불안 등에 의해서도 유발될 수 있으므로 원인을 감별하기 위한 다양한 병력청취가 필요하다. 또한 소뇌기능검사 및 청력검사를 포함한 신체검진을 통하여 어지럼의 원인을 정확히 감별하고, 그에 따른 치료계획을 설명할 수 있어야 한다.

주제별 감별진단

계통	질병명	감별키워드	검사/치료	
말초전정 신경	양성돌발 체위현훈 (BPPV)	• 30초 정도 지속 • Dix-Hallpike 안진 • 잠자리에서 돌아누울 때, 앉았다 누울 때	검사	Dix-Hallpike test, Roll test
			치료	이석치환술(Epley maneuver, Barbeque maneuver)
	전정신경염 (Vestibular neuritis)	• 최근 상기도감염 • 난청, 이명 × • 수시간~하루 지속 • 심한 어지러움, 구토	검사	대체로 필요 없음
			치료	Diazepam, 항구토제, 전정재활운동
	메니에르병 (Meniere's disease)	• 몇십 분~수 시간 지속 • 이명, 이충만감, 난청 • 반복적 재발 • 두부충동검사 병변 쪽 양성	검사	청력검사, 탈수검사, 측두골 CT 촬영이나 MRI(해부학적 기형 감별)
			치료	Thiazide, Diphenhydramine, 내림프 감압술, Diazepam
중추전정 신경	뇌졸중/소뇌경색 (stroke/cerebellar infarction)	• 국소 신경학적 이상/소뇌 기능 검사 상 이상 • 심혈관 위험인자	검사	뇌 MRI, CT
			치료	혈전용해제, 뇌감압술 등
자율 신경계	기립성 저혈압 (Orthostatic hypotension)	• 앉았다 일어설 때 • 일시적 어지러움	검사	누운 상태 혈압에 비해 일어선 직후 3분 이내 측정한 혈압이 20/10 이상 감소
			치료	움직이기 전에 다리 먼저 움직이고 천천히 일어나게, 충분한 수분섭취, 고혈압 약 복용 중인 경우 조절
	혈관미주신경 실신 (Vasovagal syncope)	• 채혈 후 실신 • 오래 서있거나, 덥거나 혼잡한 환경 • 젊고 평소 건강	검사	Head-up tilt test
			치료	실신 유발상황 회피, 베타차단제, SSRI, Bupropion
전신	저혈당/빈혈	• 두근거림, 호흡곤란 • 목마름(저혈당)	검사	혈중 포도당 검사/전혈구검사
			치료	당류 공급/철분 보충
정신	불안장애	• 평소 강박인격, 불안하거나 가슴이 답답	검사	–
			치료	SSRI

병력청취

L	–
O	어지러운 증상이 언제 발생했나요?(갑자기/서서히)
S	어떤 상황에서 어지러웠나요? 특별히 어지러운 상황이 있을까요?
T	어지럼이 얼마 동안 지속되나요? 얼마나 자주 어지럼이 생기나요?
Co/Ex	어지럼이 점점 심해지나요? 이전에도 이런 적이 있나요? 당시 진료를 받으셨나요?
C	[**양상**] 어떤 식으로 어지러우신가요?(빙빙 도는 느낌/눈앞이 캄캄해지는 느낌) [**정도**] 어지러우면서 의식을 잃었나요? 일상생활에 지장을 받나요?
F	[**악화**] 어지럼이 어떨 때 더 심해지나요? – 일어설 때/머리 젖히거나 돌릴 때/오래 서 있을 때 [**완화**] 어떻게 하면 어지럼이 좀 나아지나요? – 앉기/휴식
Asso	[**탈수/실혈**] 목마름/두근거림/혈변/흑색변 [**뇌경색**] 두통/시야장애/팔다리 힘빠짐/구음 장애/보행 장애 * **두 – (발) – 시 – 팔** [**전정신경염**] 최근 감기 증상 [**메니에르병**] 이명/이충만감/청력저하 [**저혈당**] 공복감/식은땀 [**정신**] 우울/불안
약	드시고 계신 약이 있나요?
과	앓고 계신 병이 있나요? – 고혈압/고지혈증/당뇨 건강검진 받으셨나요? 당시에 결과에 대해 뭐라고 들으셨나요?
외	[**외상**] 최근 머리를 다치신 적이 있나요? [**수술**] 수술 받으신 적이 있나요?
사	음주/흡연/커피 스트레스
가	가족 중 비슷한 증상을 보였던 분이 있나요? 가족 중 뇌 관련 질환으로 병원을 다니신 분이 있나요?
여	최근 월경량이 많아졌나요?

신체진찰

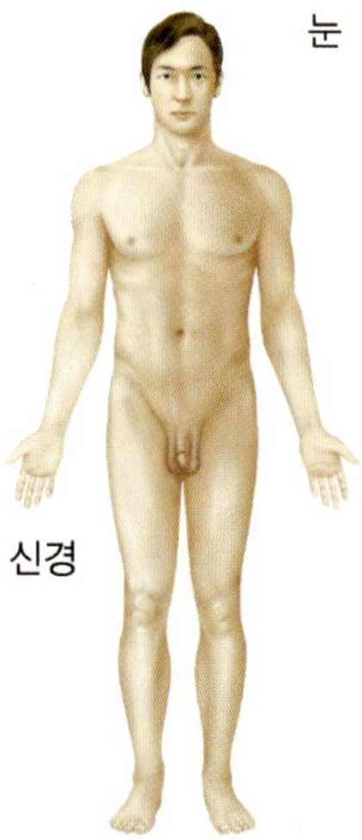

눈	결막(빈혈)/자발안진 관찰 [**Head impulse test**] 환자는 정면 주시하도록 하고, 고개를 좌우로 각각 빠르게 돌려 안진 방향 관찰
신경	[**뇌신경검사**] 안구운동/동공반사/얼굴 감각/얼굴 운동 [**청력검사**] 린네/웨버 검사 [**소뇌기능검사**] Finger to nose/Rapid alternating movement Romberg test/Tandem gait [**Dix-Hallpike test**] 환자 고개를 검사자 쪽으로 45도 돌린 채로 빠르게 눕힘. 좌우 모두 시행
필수 임상술기	안저검사(모형에 시행) 이경검사(모형에 시행) 혈압측정(환자에 시행)

※ 서서 시행하는 검사는 환자가 넘어질 수 있으므로 부축할 준비를 하고 있어야 합니다.

환자교육

추정진단	ㅇㅇ님, 진찰 결과 □□한 점이 관찰되는데, 이러한 소견은 문진과 함께 생각해봤을 때 A병이 가장 의심이 됩니다.
감별진단	그 외에 B병, C병 또는 D병도 완전히 배제할 수는 없습니다.
검사	확실한 진단을 위해서는 **[기본 검사]+[질병별 검사]**가 필요합니다. **[기본 검사] 청력검사+측두골 CT+뇌 CT**
치료	검사를 통해 A병으로 진단이 되면, 이에 대한 치료로 I, J, K가 필요합니다.
예후	지금부터 치료를 받으시면 별다른 지장 없이 지내실 수 있으실 것입니다.
주의점/생활교육	• 어지럼증을 유발할 수 있는 원인으로 스트레스, 과로, 피로가 있음을 설명 • 기질적 원인이 의심되는 경우 추가적인 검사가 필요함을 설명 • 어지럼 발생시 낙상이 발생할 위험이 높으므로 머리를 다치지 않도록 주의가 필요함을 강조
질문기회	혹시 이해 안 되시거나 궁금하신 점이 있으신가요?

1) 진단계획

(1) 말초 전정신경 : 청력검사, 전정기능검사, Dix-Hallpike test

(2) 중추 전정신경 : Brain CT/MRI

2) 치료계획

(1) BPPV : Epley maneuver, Barbeque maneuver

(2) 전정신경염 : 대증치료(BDZ, 항구토제)

(3) 메니에르병 : 염분제한, 이뇨제, 항구토제

3) 환자교육

(1) 스트레스, 불면 등에 의해 악화될 수 있으므로 충분한 휴식 취하기

(2) 어지럼이 발생할 경우 부상의 위험이 있으므로 안정된 곳으로 옮기거나 빠르게 주저앉아 머리를 다치지 않도록 주의

(3) BPPV의 경우, maneuver 후에 상체를 약 45도 높인 자세로 하루 정도 쉬는 것이 좋음

CPX 34

CLINICAL PERFORMANCE EXAMINATION

두 통

감별진단

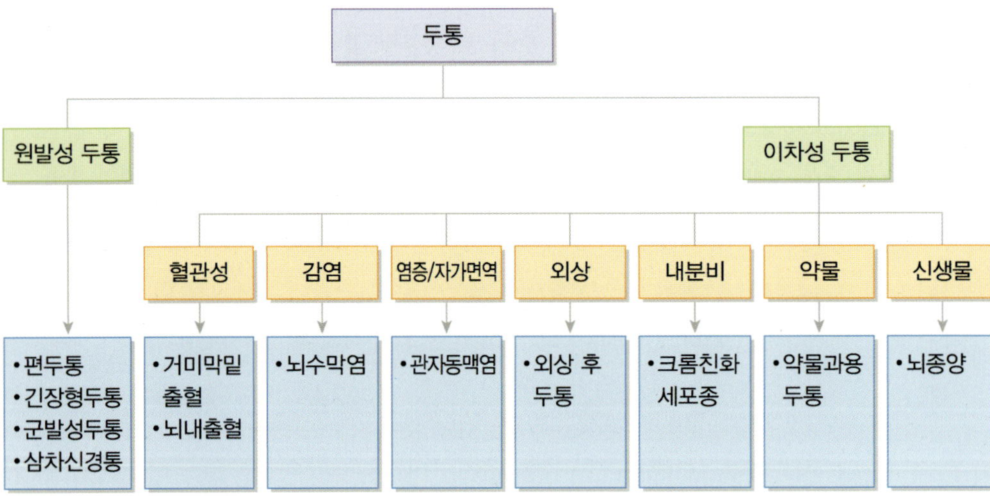

참고

두통은 매우 흔한 증상으로 원발성과 이차성으로 나뉜다. 원발성 두통은 특징적인 증상을 단서로 감별할 수 있다. 이차성 두통 중에는 진단과 치료가 늦어질 경우 심각한 상태를 초래할 수 있는 것들이 많으므로 먼저 확인하여야 한다. 두통의 원인에 따라 응급 치료나 수술이 필요한지 먼저 파악하고, 유발요인에 따른 병태생리를 구분하여 두통을 유발할 수 있는 인자들을 피할 수 있도록 교육한다.

주제별 감별진단

계통	질병명	감별키워드	검사/치료	
원발형	편두통 (Migraine)	• 박동성/편측성 • 전조증상 • 반나절 이상 지속 • 활동에 의해 악화 • 눈부심/고성공포증	검사	임상적으로 진단
			치료	장기예방 : Topiramate, Beta-blocker, 칼슘길항제 급성치료 : NSAID, Triptan
	긴장형두통 (Tension type headache)	• 조이는 듯/양측성 • 저녁에 특히 심함 • 통증의 부위가 변함 • 활동과 관련성 적음	검사	임상적으로 진단
			치료	행동요법, 근육이완제, NSAID
	삼차신경통 (Trigeminal neuralgia)	• 안면근육 감각저하 • 찌르는 듯한 통증 • 씹기 근육 근력약화 • 수초 간 지속	검사	임상적으로 진단
			치료	항뇌전증제(carbamazepine), 필요시 고주파신경 절차단술
	군발성두통 (Cluster headache)	• 눈 주위 심한 두통 • 눈 충혈, 콧물(자율신경문제를 동반) • 주기적	검사	임상적으로 진단
			치료	100% O_2, sumatriptan, 예방은 steroid
이차성	거미막밑출혈 /뇌내출혈	• 극심한 두통 • 수막자극징후 • 고혈압 • 구역, 구토 • 두부외상	검사	응급 뇌 CT, 요추 천자, 뇌동맥 조영술
			치료	혈압 조절, 산소 공급, 내혈관적 시술, 필요시 파열 동맥류 결찰 수술
	뇌수막염	• 발열 • 수막자극징후 • 이전 감기증상	검사	요추 천자, 뇌척수액 검사, 뇌 CT
			치료	스테로이드(dexamethasone), 경험적 항생제, 만니톨
	측두동맥염	• 관자놀이 수변 통증 • 갑작스런 시력저하 발생 • 턱관절 통증	검사	혈액검사(ESR, CRP), 관자동맥초음파
			치료	고용량 스테로이드
	외상 후 두통	• 머리 외상력	검사	뇌 CT, MRI
			치료	혈압조절, 뇌압조절, 필요 시 두개골감압술
	크롬친화세포종	• 심한 고혈압 • 두근거림, 식은땀	검사	24시간 소변 메타네프린, 복부 CT
			치료	부신절제술
	약물 과용 두통	• 만성 두통 • 진통제 과다복용력	검사	기본 검사
			치료	약 중단하도록 교육 후 안심시키기 두통 재발 시 다른 종류 약으로 조절
	뇌종양	• 심한 통증이 만성적 • 구역, 구토, 체중 감소 • 국소 신경학적 이상	검사	뇌 CT, 뇌 MRI
			치료	뇌수술, 방사선치료

병력청취

L	머리의 어느 부분이 아픈가요? 손으로 짚어보시겠어요? 양측이 다 아픈가요? 한쪽만 아픈가요? **[방사통]** 목이나 다른 곳으로 통증이 퍼지나요?
O	언제부터 머리가 아프기 시작했나요?
S	어떤 상황에서 머리가 아픈가요?
T	두통이 얼마 동안 지속되나요? 얼마나 자주 두통이 생기나요?
Co/Ex	두통이 점점 심해지나요? 이전에도 이런 적이 있나요? 당시 진료를 받으셨나요?
C	**[양상]** 어떤 식으로 머리가 아픈가요?(욱신거림, 박동성/조이듯이/전기 오르듯이, 찌르듯이) **[강도]** 가장 안 아픈 게 0점, 아파서 죽을 것 같은 게 10점이라고 할 때 지금 아픈 건 몇 점 정도인가요? 두통으로 일상생활에 장애가 있나요? * 양 - 강 - 방
F	**[악화]** 두통이 어떨 때 더 심해지나요? - 일상적인 활동, 양치 **[완화]** 어떻게 하면 통증이 좀 나아지나요? - 휴식
Asso	**[편두통]** 머리가 아프기 전에 다른 이상이 있었나요?(전조증상) 1. 눈앞이 반짝거림, 2. 이상한 소리가 들림, 3. 오심, 구토 **[삼차신경통]** 얼굴에도 통증이 있나요? **[군발두통]** 눈물/콧물/안구통증 **[뇌출혈/거미막내출혈]** 경련 및 발작/시야이상/팔 다리 근력저하/말 어눌해짐 * (두) - 발 - 시 - 팔 **[종양]** 체중감소 **[감염]** 발열/오한/설사/최근 감기 **[염증 - 측두동맥염]** 관자놀이 주변 압통/발열/근육통 **[크롬친화세포종]** 두근거림/식은땀
약	진통제는 사용해보셨나요? 효과가 어땠나요? 드시고 계신 약이 있나요?
과	앓고 계신 병이 있나요? - 고혈압/고지혈증/당뇨 건강검진 받으셨나요? 당시에 결과에 대해 뭐라고 들으셨나요?
외	**[외상]** 머리를 어딘가에 세게 부딪히거나 다치신 적이 있나요? **[수술]** 수술 받으신 적이 있나요?
사	음주/흡연/커피 평소 스트레스를 많이 받으시나요?
가	가족 중 비슷한 증상을 보였던 분이 있나요? 가족 중 뇌졸중이나 뇌 관련된 질환을 앓으셨던 분이 있나요?
여	두통이 월경주기와 관련이 있나요?

신체진찰

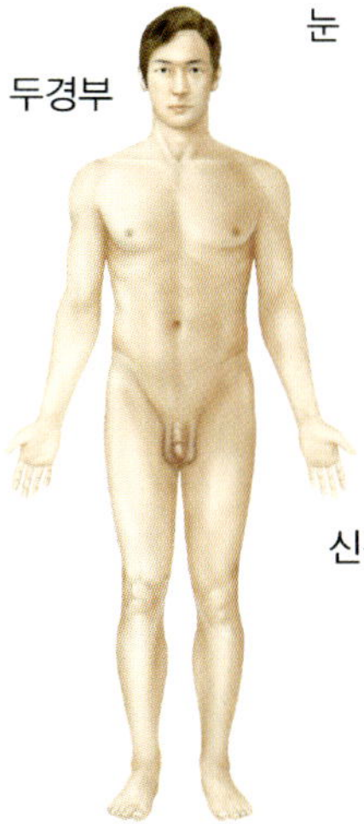

눈	안구충혈, 눈물 안저검사 – 뇌압상승징후 확인
두경부	두통 부위 시진/촉진 관자동맥 촉진 – 측두동맥염 감별 뇌막자극징후
신경	**[뇌신경검사]** 안구운동/동공반사/얼굴 감각/얼굴 운동 **[근력검사]** 양측 상지 근력검사 C5 : Elbow flex, C6 : Wrist ext, C7 : Elbow ext, C8 : Finger flex, T1 : Finger abd.
필수 임상술기	안저검사(모형에 시행) – 뇌압 상승 여부를 확인하기 위함

※ 안저 검사 상 papilloedema 소견이 나오는지 잘 관찰해봅시다.

환자교육

추정진단	○○님, 진찰 결과 □□한 점이 관찰되는데, 이러한 소견은 문진과 함께 생각해봤을 때 A병이 가장 의심이 됩니다.
감별진단	그 외에 B병, C병 또는 D병도 완전히 배제할 수는 없습니다.
검사	확실한 진단을 위해서는 **[기본 검사]**+**[질병별 검사]**가 필요합니다. **[기본 검사]** **뇌 CT+뇌 MRI**
치료	검사를 통해 A병으로 진단이 되면, 이에 대한 치료로 I, J, K가 필요합니다.
예후	지금부터 치료를 받으시면 별다른 지장 없이 지내실 수 있으실 것입니다.
주의점/생활교육	• 응급조치가 필요한 두통에서는 뇌영상검사를 비롯한 추가적인 검사가 필요함을 설명 • 원발성 두통의 경우 환자를 안심시키고, 스트레스 및 식습관 개선을 통한 악화인자 제거가 중요함을 설명 • 심혈관 위험인자가 있는 경우 주 3~5회, 30분 이상의 운동의 중요성에 대해 강조
질문기회	혹시 이해 안 되시거나 궁금하신 점이 있으신가요?

1) 진단계획

(1) 원발성 두통 : 병력청취로 진단

(2) 이차성 두통 : Warning sign이 있는 경우 Brain CT/MRI 시행

※ Warning sign

- 급작스러운 두통의 시작
- 55세 이후에 새로 발생한 두통
- 발열, 경부강직, 발진 등 전신증상을 동반한 두통
- 국소신경증상 또는 징후가 있는 두통

2) 치료계획

(1) 원발성 : 진통제 & 예방약물, 안정, 수액공급

- 편두통 : 진통제(NSAID), TCA, Ergotamine/장기 예방 치료(propranolol)
- 긴장성두통 : 진통제(NSAID), 항불안제, 근육이완제, 마사지, 이완요법
- 군발두통 : O_2 100%, Triptan(sumatriptan)
- 삼차신경통 : Carbamazepine, 고주파신경차단술

(2) 이차성 : 원인질환의 치료

3) 환자교육

(1) 원발성

- 환자 안심, 진통제와 예방약으로 적절히 조절하도록 교육
- 편두통에서 예방약의 경우, 오래 복용해야 효과가 나타나므로 꾸준히 복용하도록 교육
- 스트레스 관리 및 유발인자 회피하도록 교육

(2) 이차성

- 뇌내출혈, 지주막하출혈 등이 의심되는 경우 응급상황임을 알리고 빠른 영상검사 및 처치의 필요성 강조

CPX 35

CLINICAL PERFORMANCE EXAMINATION

실 신

감별진단

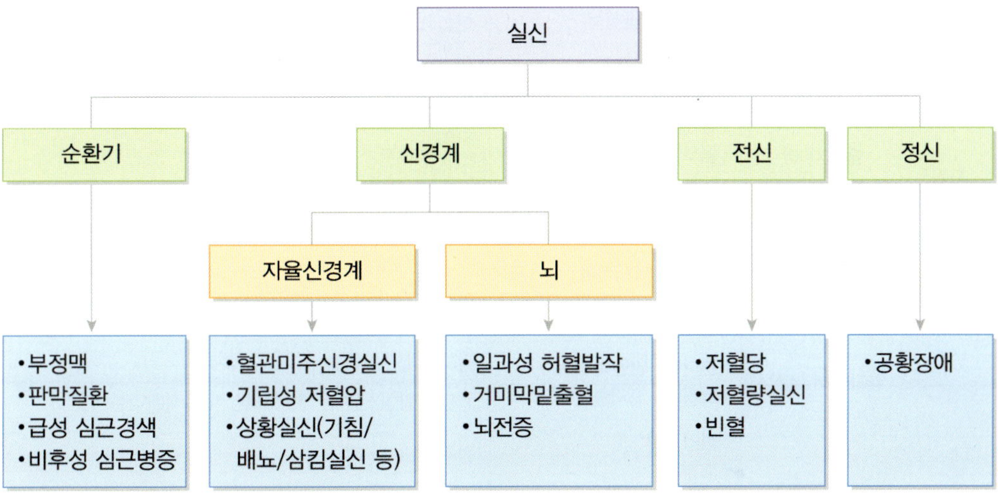

참고

실신은 뇌혈류의 일시적인 감소로 인해 자신도 모르게 의식소실이 발생하는 증상을 뜻한다. 갑자기 발생할 수도, 전조증상이 있을 수도 있으며 의식 소실 후 자연스럽게 회복된다. 실신에는 생명이 위급한 뇌혈관질환부터 1분 이내의 짧은 의식소실이 반복되는 혈관미주신경 실신까지 다양한 종류가 있다. 일시적으로 발생하는 혈관미주신경 실신이나 기립성 저혈압의 경우 환자를 진정시키고, 다른 기질적 원인이 없는지 추가 검사가 필요함을 교육하는 것이 중요하다. 실신을 유발할 수 있는 약물이 있을 수 있기 때문에 복용하는 약물에 대해서도 자세하게 문진하여야 한다.

주제별 감별진단

계통	질병명	감별키워드	검사/치료	
순환기	부정맥 (두근거림 참조)	• 두근거림 후 실신 • 호흡곤란	검사	심전도
			치료	베타차단제, 칼슘채널길항제
	급성 심근경색	• 매우 심한 흉통 • 고지혈증/흡연	검사	ECG, 심근효소검사
			치료	관상동맥재개통술, 아스피린, NG, 클로피도그렐, 베타차단제
	비후성 심근병증 (HCMP)	• 운동 시 호흡곤란 • 가족 중 급사력	검사	심전도, 심초음파
			치료	베타차단제
자율 신경계	혈관미주신경 실신 (Vasovagal syncope)	• 채혈 후 실신 • 오래 서있거나, 덥거나 혼잡한 환경 • 젊고 평소 건강	검사	Head-up tilt test
			치료	실신 유발상황 회피, 베타차단제, SSRI, Bupropion
	기립성 저혈압 (Orthostatic hypotension)	• 앉았다 일어설 때 • 일시적 어지러움	검사	누운 상태 혈압에 비해 일어선 직후 3분 이내 측정한 혈압이 20/10 이상 감소
			치료	움직이기 전에 다리 먼저 움직이고 천천히 일어나게, 충분한 수분섭취, 고혈압 약 복용 중인 경우 조절
뇌	일과성허혈발작	• 편마비, 안면마비 • 고혈압, 고지혈증	검사	혈관조영술, 뇌 CT, MRI
			치료	항혈소판제, 항응고제, 목동맥내막절제술
	거미막밑출혈	• 벼락두통 • 고혈압 • 구토, 의식소실 • 수막자극징후	검사	Brain CT
			치료	뇌동맥류 결찰술, 산소공급, 혈압조절
	뇌전증	• 경련 증상(사지경직, 안구편위 등) • 발작 후 피로 • 뇌 외상력/뇌질환	검사	비디오 – 뇌파 검사
			치료	항뇌전증약물
전신	저혈당	• 당뇨병 • 목마름 • 두근거림	검사	전해질검사, 요중 케톤
			치료	사탕 주스, 5% 덱스트로스 용액
	저혈량실신	• 실혈 증상(토혈, 혈변, 흑색변, 설사 등) • 어지러움, 두근거림	검사	CBC, 위내시경(위장관 출혈 의심 시), 전해질검사
			치료	수액 정주, 출혈 원인 해결

병력청취

L	(많이 놀라셨겠어요 등 공감표현 후) 쓰러지면서 다치신 곳은 없나요?
O	언제 쓰러지셨나요?
S	쓰러질 당시는 어떤 상황이었나요? 오래 서있기(VVS), 앉았다 일어섬(기립성저혈압), 배뇨/기침/대변, 장시간 공복(저혈당)
T	얼마나 오래 쓰러져있었나요?
Co/Ex	이전에도 쓰러진 적이 있나요? 그때는 어떤 상황이었나요? 최근에 점점 심해지나요?
C	[**실신 전**] 쓰러지기 전에 다른 이상이 있었나요?(전조증상) – 눈앞이 캄캄해짐/오심/식은땀/어지럼 [**실신 중**] 목격자가 있나요? 쓰러질 당시 어떤 모습이었나요? – 팔다리 떨기/눈이 한 쪽으로 돌아감(안구편위)/혀 깨물음/대소변 지림 [**실신 후**] 의식을 차리고 나서 몸에 다른 이상이 있었나요? – 말 어눌해짐/손발저림/피로
F	[**악화**] 쓰러질 것 같은 느낌을 더 받는 때가 있나요? [**완화**] 앉거나 누웠을 때 호전되나요?
Asso	[**전신**] 발열/오한/갈증 [**탈수, 순환기**] 어지러움/두근거림/호흡곤란, 입마름+[탈수 원인] 구토/설사/토혈/혈변/흑색변 [**뇌신경**] 심한 두통/시야장애/팔다리 힘빠짐 * **두 – (발) – 시 – 팔** [**정신**] 불안/숨 헐떡임
약	드시고 계신 약이 있나요? – 고혈압약
과	앓고 계신 병이 있나요? – 고혈압/고지혈증/당뇨 건강검진 받으셨나요? 당시에 결과에 대해 뭐라고 들으셨나요?
외	[**외상**] 최근 다치신 적이 있나요? [**수술**] 수술 받으신 적이 있나요?
사	음주/흡연/커피 스트레스
가	가족 중 비슷한 증상을 보였던 분이 있나요? 가족 중 심장 쪽 문제/뇌 관련 질환으로 병원을 다니신 분이 있나요? 가족 중 고혈압/고지혈증/당뇨를 앓으신 분이 있나요?
여	최근 월경량이 늘었나요?

08 CHAPTER

신체진찰

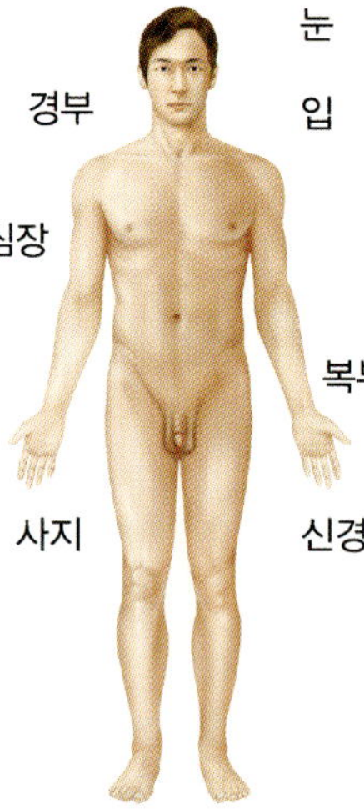

눈	결막 : 빈혈
입	탈수
경부	목동맥 촉진, 청진
신경	**[뇌신경검사]** 안구운동/동공반사/얼굴 감각/얼굴 운동 **[근력검사]** 팔다리 감각/근력/DTR 수막자극징후
팔다리	피부긴장도
심장	* 심장 문제 의심 시 시행 4군데 이상 청진 : 이상 심음 확인
복부	* 위장관 출혈 의심 시 시행 복부 촉진 → 복통 및 종괴유무 확인
필수 임상술기	혈압측정(환자에 시행)

※ 시간이 모자랄 수 있으므로 병력청취를 조금 줄이고 신체검진을 한 후에 2분전 방송 전까지 병력청취를 마저 하는 것이 좋습니다.

환자교육

추정진단	○○님, 진찰 결과 □□한 점이 관찰되는데, 이러한 소견은 문진과 함께 생각해봤을 때 A병이 가장 의심이 됩니다.
감별진단	그 외에 B병, C병 또는 D병도 완전히 배제할 수는 없습니다.
검사	확실한 진단을 위해서는 **[기본 검사]**+**[질병별 검사]**가 필요합니다. **[기본 검사] 심전도**
치료	검사를 통해 A병으로 진단이 되면, 이에 대한 치료로 I, J, K가 필요합니다.
예후	지금부터 치료를 받으시면 별다른 지장 없이 지내실 수 있으실 것입니다.
주의점/생활교육	• 실신을 일으킬 수 있는 상황에 대해서 환자와 보호자에게 교육하고 피할 수 있도록 교육 • 낙상이 발생할 위험이 높으므로 머리를 다치지 않도록 주의가 필요함을 강조 • 실신 전조 증상(눈앞 깜깜 등)이 생기는 경우 안전한 장소에서 휴식 및 안정을 취하도록 교육 • 기립성 저혈압이 있는 경우 수분 섭취를 충분히 하도록 하고 일어날 때 천천히 일어나도록 교육(다리 꼬고 서기, 쭈그려 앉기, 양손을 서로 잡아당기는 등의 자세 교육) • 실혈이 의심되는 경우 실혈을 야기할 수 있는 부위에 대한 추가 검사(내시경 등)가 필요함을 교육 • 뇌졸중 증상이 발생한 경우 재빨리 응급실로 방문할 것을 교육
질문기회	혹시 이해 안 되시거나 궁금하신 점이 있으신가요?

1) 진단계획

(1) 순환기 : ECG, 심초음파

(2) 자율신경계 : Head-up tilt test, 자세에 따른 혈압 측정

(3) 뇌 : 뇌 CT, MRI

(4) 전신 : 혈당검사, 전해질검사, CBC

2) 치료계획

(1) 비약물치료 : 실신 상황 회피 가능한 질환은 회피가 우선

(2) 약물치료 : Beta-blocker(실신 유발하는 대부분 질환에서 사용 가능)

3) 환자교육

(1) 실신이 일어나는 상황을 피하기

(2) 실신 전조 증상이 느껴질 경우, 낙상의 위험이 있으므로 빠르게 주저앉거나 누워 휴식 및 안정 취하도록 교육

(3) 술은 탈수를 유발할 수 있으니 멀리하고, 물 자주 마시기

(4) TIA 환자의 경우 stroke이 올 수 있으므로, 한쪽 팔을 들어올리지 못할 정도로 힘이 빠진 다거나, 얼굴 한쪽이 마비되었다거나 하면 빨리 응급실에 방문할 것

경 련

감별진단

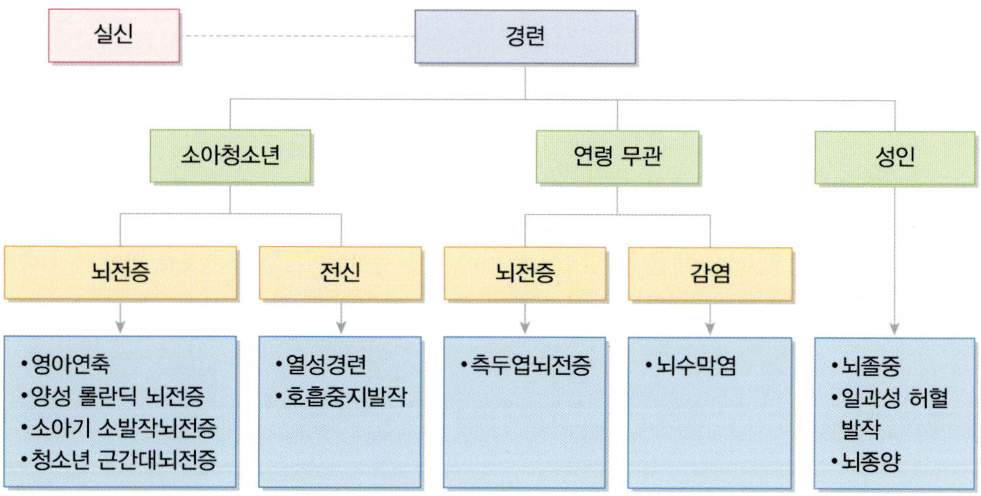

참고

경련 발작은 뇌신경세포의 비정상적 흥분성과 전기신호 전달로 인해 급작스럽게 발생하는 증상으로 자신의 의지와 상관없는 의식변화나 경련으로 나타난다. 따라서 뇌전증이 아니더라도 발작 발생이 가능하다는 걸 염두하고 진단한다. 나이마다 흔한 경련질환이 다르므로, 환자의 나이를 보고 가능한 질환을 떠올린 후 감별진단을 하는 것이 도움이 된다. 먼저 응급상황인지 확인하고, 발작 양상에 따라 유발요인을 구분한다.

주제별 감별진단

<table>
<tr><th>계통</th><th>질병명</th><th>감별키워드</th><th colspan="2">검사/치료</th></tr>
<tr><td rowspan="4">소아 청소년 비뇌전증</td><td rowspan="2">열성경련 (Febrile seizure)</td><td rowspan="2">• 6개월~5세
• 감기 후 열이 갑자기 오르면서 전신발작
• 15분 이내</td><td>검사</td><td>별다른 검사 필요 없음</td></tr>
<tr><td>치료</td><td>해열제, Benzodiazepine</td></tr>
<tr><td rowspan="2">호흡 중지 발작 (Breath holding spells)</td><td rowspan="2">• 놀람, 아픔, 분노 등으로 울던 아이가 호흡 정지하면 발생</td><td>검사</td><td>별다른 검사 필요 없음</td></tr>
<tr><td>치료</td><td>부모 안심</td></tr>
<tr><td rowspan="10">뇌전증</td><td rowspan="2">영아연축 (Infantile Spasm)</td><td rowspan="2">• 3~8개월
• 갑작스런 근수축(잠들 무렵이나 깰 때, 사지의 동시굴곡)
• 하루 수십 번 이상</td><td>검사</td><td>비디오-뇌파 검사(EEG), 뇌 CT, MRI</td></tr>
<tr><td>치료</td><td>ACTH</td></tr>
<tr><td rowspan="2">양성 롤란딕 뇌전증 (Benign Rolandic Epilepsy)</td><td rowspan="2">• 2~14세
• 밤에 발생하고 얼굴에 국한된 증상(감각이상, 과도한 침 분비)</td><td>검사</td><td>비디오-뇌파 검사(EEG), 뇌 CT, MRI</td></tr>
<tr><td>치료</td><td>Carbamazepine, Gabapentin</td></tr>
<tr><td rowspan="2">소아기 소발작뇌전증</td><td rowspan="2">• 5~10세
• 갑자기 5~15초간 멍해짐
• 과호흡, 빛으로 유발</td><td>검사</td><td>비디오-뇌파 검사(EEG), 뇌 CT, MRI</td></tr>
<tr><td>치료</td><td>Ethosuximide, Valproate</td></tr>
<tr><td rowspan="2">청소년 근간대 뇌전증(Juvenile Myoclonic Epilepsy)</td><td rowspan="2">• 12~18세
• 자고 깬 후에 상지의 근간대성 경련, 소발작도 동반 가능</td><td>검사</td><td>비디오-뇌파 검사(EEG), 뇌 CT, MRI</td></tr>
<tr><td>치료</td><td>Valproate</td></tr>
<tr><td rowspan="2">측두엽 뇌전증 (Temporal Lobe Epilepsy)</td><td rowspan="2">• 청소년~성인
• 치밀어 오르는 전조증상 후 전신발작, 자동증(멍하니 응시, 입맛, 손쓰담)
• 발작 후 혼돈 보임</td><td>검사</td><td>비디오-뇌파 검사(EEG), 뇌 CT, MRI</td></tr>
<tr><td>치료</td><td>Carbamazepine, Phenytoin, Valproate</td></tr>
<tr><td rowspan="2">감염</td><td rowspan="2">뇌수막염</td><td rowspan="2">• 발열
• 수막자극징후
• 이전 감기증상</td><td>검사</td><td>CSF tapping, Brain CT</td></tr>
<tr><td>치료</td><td>Cefotaxime+Vancomycin, Steroid</td></tr>
<tr><td rowspan="2">혈관성</td><td rowspan="2">뇌졸중</td><td rowspan="2">• 뇌졸중 과거력</td><td>검사</td><td>EEG, 뇌 CT/MRI</td></tr>
<tr><td>치료</td><td>항경련제</td></tr>
<tr><td rowspan="2">신생물</td><td rowspan="2">뇌종양</td><td rowspan="2">• 두통, 시야장애
• 오심/구토</td><td>검사</td><td>EEG, 뇌 CT/MRI</td></tr>
<tr><td>치료</td><td>수술적 절제</td></tr>
<tr><td rowspan="2">대사</td><td rowspan="2">저나트륨혈증</td><td rowspan="2">• 저혈량증
• SIADH, 갑상선기능저하증, glucocorticoid def.
• CHF, LC</td><td>검사</td><td>전해질 검사</td></tr>
<tr><td>치료</td><td>수액 치료</td></tr>
</table>

병력청취

L	(많이 놀라셨겠어요 등 공감표현 후) 경련하면서 다치신 곳은 없나요?
O	언제 경련을 했나요?
S	어떤 상황에서 발생했나요? – 열/심하게 울기/잘 때, 잠에서 깰 때/서 있다가 – 피로, 수면부족 여부, 장기간 공복
T	얼마나 오래 경련을 했나요? 몇 번 경련을 했나요?
Co/Ex	이전에도 경련한 적 있나요? 그 때는 어떤 상황이었나요? 최근에 점점 심해지나요?
C	[**경련 전**] 경련하기 전에 다른 이상이 있었나요?(전조증상) – 눈앞이 캄캄해짐 가슴 답답함/오심/식은땀/어지럼 [**경련 중**] 발작 중에 의식을 잃었나요? 발작 당시 상황이 어디까지 기억나세요? 목격자가 있나요? 발작 당시 어떤 모습이었나요? – 팔다리 떨기/눈이 한 쪽으로 돌아감/혀 깨물음/대소변 지림/손으로 반복적 행동을 하거나 입맛 다심 [**경련 후**] 의식을 차리고 나서 몸에 다른 이상이 있었나요? – 말 어눌해짐/손발저림/피로/혼란
F	[**악화**] 경련이 유발될 때가 있나요? – 과호흡, 과도한 빛 자극, 수면 부족
Asso	[**전신**] 발열/오한/체중 변화 [**저나트륨혈증**] [**탈수**] 어지러움/두근거림/호흡곤란/입마름/핍뇨+실혈 원인 감별 [**갑상선기능저하증**] 추위 불내성/식욕저하 [**뇌신경**] 심한 두통/시야장애/보행장애/말 어눌해짐/팔다리 힘빠짐
약	드시고 계신 약이 있나요?
과	[**소아**] 태어날 때 문제는 없었나요? 크면서 특별히 이상은 없었나요? 열성경련을 한 적이 있나요? 앓고 계신 병이 있나요? – 고혈압/고지혈증/당뇨/뇌졸중 건강검진 받으셨나요? 당시에 결과에 대해 뭐라고 들으셨나요?
외	[**외상**] 최근 머리를 다치신 적이 있나요? [**수술**] 수술 받으신 적이 있나요?
사	음주/흡연/커피 스트레스
가	가족 중 비슷한 증상을 보였던 분이 있나요? 가족 중 뇌 관련 질환으로 병원을 다니신 분이 있나요?
여	최근 월경량에 변화가 있나요? 실례지만 지금 임신 가능성이 있나요? – 항경련제 선택 시 고려

신체진찰

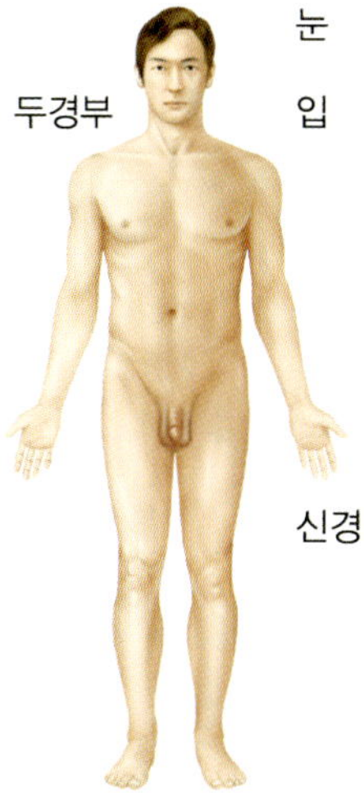

눈	결막(빈혈)
입	탈수, 혀 깨문 흔적
두경부	외상 확인
신경	**[뇌신경검사]** 안구운동/동공반사/얼굴 감각/얼굴 운동 **[소뇌기능검사]** Finger to nose/Rapid alternating movement Romberg test/Tandem gait **[근력검사]** 팔다리 감각/근력/DTR 수막자극징후

※ 소아의 경우, 신체검진을 하지 않으므로 주산기력, 발달력에 대한 추가문진을 진행합니다.

환자교육

추정진단	○○님, 진찰 결과 □□한 점이 관찰되는데, 이러한 소견은 문진과 함께 생각해봤을 때 A병이 가장 의심이 됩니다.
감별진단	그 외에 B병, C병 또는 D병도 완전히 배제할 수는 없습니다.
검사	확실한 진단을 위해서는 **[기본 검사]**+**[질병별 검사]**가 필요합니다. **[기본 검사] 비디오-뇌파 검사+뇌 CT+뇌 MRI**
치료	검사를 통해 A병으로 진단이 되면, 이에 대한 치료로 I, J, K가 필요합니다.
예후	지금부터 치료를 받으시면 별다른 지장 없이 지내실 수 있으실 것입니다.
주의점/생활교육	• 환자가 불안해할 수 있으므로 환자를 안심시키고 추가적인 검사에 대해서 설명 • 환자가 발작을 하는 경우 환자를 즉시 안전한 곳으로 옮기고 강제로 발작을 막으려 하지 않도록 교육할 것 • 경련을 유발할 수 있는 스트레스, 수면박탈, 피로, 눈부심 등의 상황을 회피하도록 권고 • 생명에 지장을 주는 운전, 수영은 검사 후 원인이 밝혀질 때까지 자제 • 장기 치료에 잘 반응하는 경우 운전 및 다른 사회적 기능이 회복됨을 말하되, 항경련제는 꾸준히 먹어야 함을 설명
질문기회	혹시 이해 안 되시거나 궁금하신 점이 있으신가요?

1) 진단계획

(1) 신경계 : 뇌파검사 or 비디오뇌파검사, Brain CT/MRI, CSF 검사

(2) 전신 : CBC, Electrolyte, 혈당검사

2) 치료계획

(1) 비약물치료 : 열성경련, 호흡중지발작 등 예후가 좋은 경련질환의 경우, 안심시키기

(2) 약물치료 : 항경련제

3) 환자교육

(1) 경련을 유발할 수 있는 수면박탈, 스트레스, 피로, 과음 등은 피하도록 함

(2) 발작이 5분 이상 지속되거나 2번 이상 의식의 회복 없이 발작할 경우 응급실로 바로 내원하도록 교육

(3) 약으로 조절하면서 최소한 2년은 치료가 필요하고, 평생 약을 복용해야 할 수도 있음을 미리 교육

(4) 보호자 교육

- 경련 시에 무리하게 개입하지 않도록 하고, 경련은 시간이 지나면서 멈추므로 경련 중 환자가 다치지 않도록 안전한 곳으로 옮기도록 교육
- 경련 발생 시 고개를 옆으로 돌려 기도 확보하고, 환자 입에 손을 넣지 않도록 교육

CPX 37

CLINICAL PERFORMANCE EXAMINATION

의식장애

감별진단

- 의식장애
  - 신경계
    - 혈관성
      - 뇌경색
      - 뇌내출혈
      - 거미막밑 출혈
      - 고혈압 뇌병증
    - 감염/염증
      - 뇌수막염
      - 뇌염
    - 신생물
      - 뇌종양
  - 전신
    - 대사이상
      - 요독증
      - 간성혼수
      - 저나트륨혈증
      - 저산소증
      - 저체온증
      - 티아민결핍
    - 약물
      - 알코올중독
      - 약물중독
      - 일산화탄소 중독
    - 내분비
      - 저혈당 혼수
      - 당뇨병성 케톤산증
      - 고삼투압 고혈당 상태

참고

환자와 보호자가 같이 있는 경우가 많다. 이 때는 대부분 응급상황이므로 신속하고 정확한 판단과 대처가 필요하다. 환자 확인을 하자마자 V/S, ABC를 평가해 환자 상태를 대략적으로 확인한 후, GCS를 평가하여 현재 상태를 평가해야한다. 환자가 의식이 없기 때문에 보호자를 통하여 핵심적인 병력을 파악하는 것이 중요하다. 보호자가 환자에 대해서 알 수 없는 부분이 많기 때문에 면담시에 이 점을 유의하도록 하고, 환자의 의식적인 협조가 필요한 신체검진은 다른 방식으로 수행해야 함을 사전에 생각해서 필요한 검사는 모두 수행해야 한다.

주제별 감별진단

계통	질병명	감별키워드	검사/치료	
뇌	거미막밑출혈/뇌내출혈 (SAH/ICH)	• 극심한 두통 • 수막자극징후 • 고혈압/두부외상 • 구역, 구토	검사	Brain CT, 뇌혈관조영술
			치료	개두술, 뇌동맥류 결찰술, 산소공급, 혈압조절
	뇌수막염	• 발열 • 수막자극징후 • 이전 감기증상	검사	CSF tapping, Brain CT
			치료	Cefotaxime + Vancomycin, Steroid
대사이상	요독증	• 만성 신부전 병력 • 피로, 오심, 구토	검사	BUN/Cr, 신장초음파, 소변검사, 전해질검사
			치료	혈액투석
	간성혼수 (Hepatic encephalopathy)	• 간 질환 과거력 • 복수, 황달 • Flapping tremor	검사	전해질, BUN/Cr, 포도당, 암모니아
			치료	단백섭취 제한, Lactulose, 항생제
	저나트륨혈증	• 최근 구토, 설사 • 이뇨제 사용	검사	전해질검사, 소변전해질검사
			치료	3% hypertonic saline
	티아민결핍	• 만성 알코올 복용 • 안구 운동장애 • 운동조화불능	검사	혈중 pyruvate, 전해질 등
			치료	티아민 + Glucose, 코발라민
약물	알코올 중독	• 과도한 음주	검사	피검사, 요검사
			치료	호흡억제 예방, 심하면 혈액투석
	약물 중독	• 발견시 약병 확인 • 호흡억제, 동공축소	검사	독성선별검사
			치료	해독제(flumazenil 등)
내분비	저혈당 혼수	• 당뇨병, 인슐린 치료 • 무리한 운동, 결식 • 식은땀	검사	혈당 검사
			치료	의식 없을 때 glucose 25g 정주, 힘든 경우 glucagon, 의식 있으면 설탕
	당뇨병성 케톤산증 (Diabetic ketoacidosis)	• 젊은 나이 당뇨병 • 인슐린 사용 중단 • 아세톤 냄새	검사	혈당 검사, ABGA, 소변 ketone, 전해질 검사
			치료	생리식염수 정주, Regular insulin, K 공급
	저나트륨혈증	• 저혈량증 • SIADH, 갑상선기능저하증, glucocorticoid def. • CHF, LC	검사	전해질 검사
			치료	수액 치료

병력청취

※ 다른 증례와 달리 환자 상태 평가 및 조치 후 보호자에게 문진을 시행합니다. 보호자가 놀랐을만한 상황이므로 보호자를 안심시키고, 효율적으로 질문하는 것이 중요합니다.

환자상태 평가	1. V/S 확인 2. ABC 평가 • 기도 개방(A), 호흡 확인(B), 피부 청색증 확인(C) • 산소 공급, 수액 공급 3. 외상 여부 확인 • 머리, 팔다리 외상 확인 4. 의식 수준 확인(GCS score) **[Eye]** 자발적 4점/음성 반응 3점/통증 반응 2점/무반응 1점 **[Verbal]** 정상 5점/혼란스러움 4점/동문서답 3점/신음소리 2점/무반응 1점 **[Motor]** 지시 따름 6점/통증 국소반응 5점/통증에 움츠림 4점/굴곡 3점/신전 2점/무반응 1점 많이 놀라셨을 텐데, 우선 당장 필요한 조치는 시행했습니다. 원인을 알고 적절히 조치하기 위해 환자분에 대해 몇 가지 질문드리겠습니다.
L	쓰러지면서 다친 곳이 있나요?
O	언제 의식을 잃었나요? 보호자가 발견한 것이 언제인가요? 갑자기 의식이 떨어졌나요? 서서히 의식을 잃었나요?
S	어떤 상황에서 의식을 잃었나요? 환자 주변 상황은 어땠나요? – 약병, 술병 등 / [저혈당] 환자가 최근 식사는 어떻게 했나요?
T	–
Co/Ex	의식이 계속 떨어진 상태인가요? 좋아졌다 나빠졌다 하나요? 이전에도 이런 적이 있나요?
C	의식을 잃었을 당시 어떤 모습이었나요? – 팔다리 떨기/눈이 한 쪽으로 돌아감/혀 깨물음/대소변 지림
F	–
Asso	**[전신]** 발열/오한/체중변화/피로/식은땀/목마름/두근거림 **[뇌신경]** 심한 두통/시야장애/보행장애/말 어눌해짐/팔다리 힘빠짐 *** 두 – (발) – 시 – 팔** **[소화기]** 구토/설사/황달/복수/토혈/흑색변 * ANVDC-JA
약	드시고 계신 약이 있나요?
과	앓고 계신 병이 있나요? – 고혈압/고지혈증/당뇨
외	**[외상]** 최근 머리를 다치신 적이 있나요? **[수술]** 수술 받으신 적이 있나요? 오래 입원하신 적이 있나요?
사	음주(술 문제 의심 시 자세히 문진)/흡연/직업
가	가족 중 뇌 관련 질환으로 병원을 다니신 분이 있나요?
여	–

신체진찰

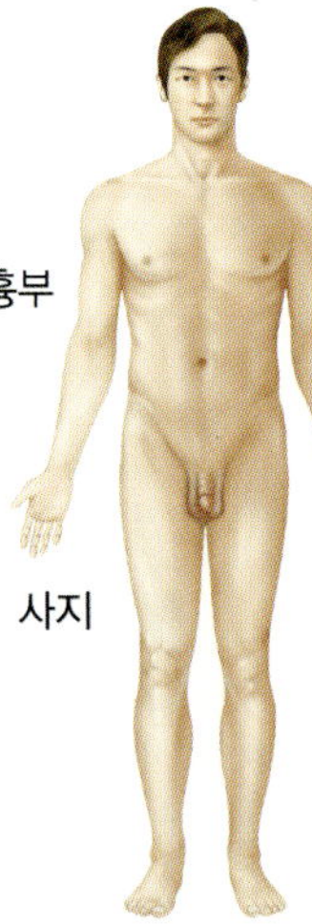

입	혀(탈수, 혀 깨물) 날숨 냄새
신경	**[뇌신경검사]** 안구운동/동공반사/얼굴 감각/얼굴 운동 **[소뇌기능검사]** Finger to nose/Rapid alternating movement Romberg test/Tandem gait **[근력검사]** 팔다리 감각/근력/DTR 수막자극징후
흉부	* 부정맥 등 심장 문제 의심 시 시행 심음/호흡음
복부	* 간성혼수 의심 시 시행 복부 촉진, 간, 비장 비대 확인
사지	피부 긴장도
필수 임상술기	안저검사(모형에 시행) – 뇌압 상승 여부 확인 위함

환자교육

추정진단	○○님, 진찰 결과 □□한 점이 관찰되는데, 이러한 소견은 문진과 함께 생각해봤을 때 A병이 가장 의심이 됩니다.
감별진단	그 외에 B병, C병 또는 D병도 완전히 배제할 수는 없습니다.
검사	확실한 진단을 위해서는 **[기본 검사]+[질병별 검사]**가 필요합니다. **[기본 검사] 뇌 CT+혈당검사+전해질검사**
치료	검사를 통해 A병으로 진단이 되면, 이에 대한 치료로 I, J, K가 필요합니다.
예후	지금부터 치료를 받으시면 별다른 지장 없이 지내실 수 있으실 것입니다.
주의점/생활교육	• 보호자가 불안해할 수 있으므로 보호자를 안심시키고 성실한 진료를 할 것임을 약속 • 동행한 보호자에게 진단과 치료계획 교육, 검사와 치료에 대한 동의를 구하고 응급 검사 및 처치를 수행할 것임을 설명 • 음주가 원인일 수 있음을 설명하고 퇴원 후 생활습관 개선에 대해서도 언급
질문기회	혹시 이해 안 되시거나 궁금하신 점이 있으신가요?

1) 진단계획

(1) 신경계 : Brain CT/MRI, CSF 검사

(2) 대사이상 : CBC, Electrolyte, ABGA, LFT, serum BUN/Cr, 혈중 ammonia

(3) 내분비 : 혈당, 소변 ketone

2) 치료계획

(1) ABC : 기도확보(GCS 8점 이하면 기관삽관), 산소공급, 수액 공급

(2) 신경계 : 뇌압 상승 시 IV mannitol, 혈압 조절

(3) 약물 중독 : 위세척, activated charcoal, 길항제 투여

3) 환자교육

(1) 추가 검사가 필요함을 안내, 보호자 안심시키기

(2) 이후 다시 의식이 떨어질 경우 바로 응급실 내원하도록 환자, 보호자 교육

Glasgow coma scale(GCS)

Eye	Verbal	Motor
"눈떠보세요!"	"환자분 여기가 어디에요!"	"팔다리 좀 움직여보세요!"
4 : 자발적 3 : 음성에 반응 2 : 통증에 반응 1 : 무반응	5 : 정상 4 : 지남력 ×, 혼란스러움 3 : 동문서답 2 : 신음소리 1 : 무반응	6 : 정상 5 : 통증국소반응 4 : 통증에 움츠림 3 : 굴곡(Flexion, decorticate) 2 : 신전(Extension, decerebrate) 1 : 무반응

※ 10점 이상 : Alert, 7점 이하 : Comatouse, 3점 이하 : Deep coma

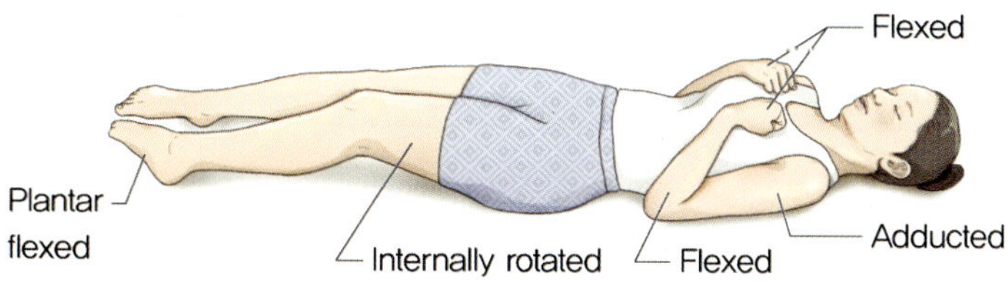

Decorticate rigidity

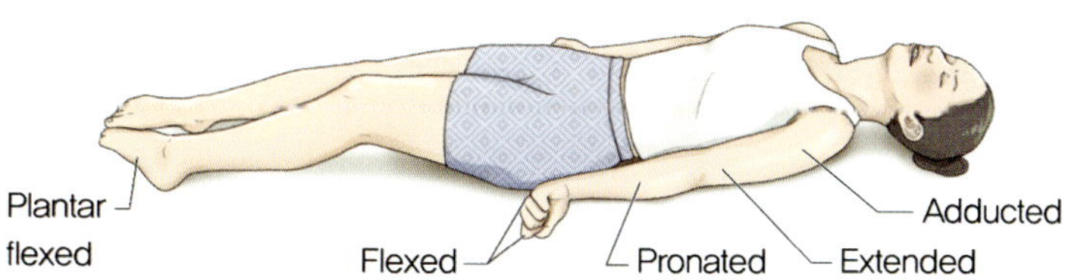

Decerebrate rigidity

CPX 38

CLINICAL PERFORMANCE EXAMINATION

떨림 · 운동이상

감별진단

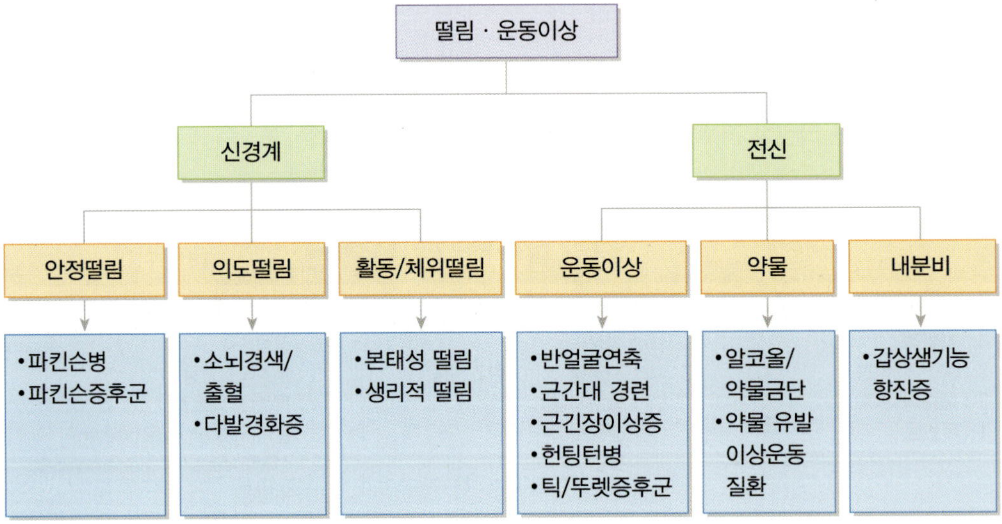

참고

손떨림은 반복적으로 발생하는 병적 떨림 외에 일시적인 감정 상태나 불안, 육체적 피로에 의해서도 발생할 수 있다. 진료 시 떨림이 안정(resting) 시, 의도된 행동을 할 때(intention), 특정한 체위나 행동(postural/action) 중 언제 나타나는지 관찰하고 이에 따른 질환을 감별한다. 떨림을 유발할 수 있는 여러 신경계 질환을 생각하고, 가능한 동반 증상에 대해서도 자세히 문진하는 것이 중요하다. SP분이 떨림의 양상도 생생하게 재현하므로, 대표적인 질환(파킨슨, 본태성 떨림)에서 떨림의 양상이 어떤지 공부해두자.

주제별 감별진단

계통	질병명	감별키워드	검사/치료	
신경계	파킨슨병/파킨슨증후군	• 운동 완만, 근경직 • 자세 불안정, 종종 걸음 • Resting tremor • pill-rolling tremor	검사	임상적 진단이 기본, Brain PET
			치료	Levodopa+Carbidopa, Deep brain stimulation, Dopamine agonist, 항콜린제
	소뇌 병변/뇌졸중	• Intetion tremor • 소뇌검사 이상소견 • 목표에 근접시 더 떨림	검사	Brain MRI
			치료	보존적 치료
	다발경화증	• 20~40세 여성 • 시력저하, 시야이상 • 다발성 신경학적 증상	검사	Brain MRI, 뇌척수액검사, 유발전위검사
			치료	High dose glucocorticoid, 인터페론
	본태성 떨림 (Essential tremor)	• action/postural tremor • 글씨 쓸 때 손떨림 • 가족력 있음 • 다른 이상 없음/술로 완화	검사	임상적 진단이 기본
			치료	베타 차단제(propranolol), 벤조디아제핀, Deep brain stimulation
	생리적 떨림	• 스트레스, 불안, 과도한 운동 시 발생하는 몸의 정상적인 떨림	검사	임상적 진단이 기본
			치료	안심
	반얼굴연축 (hemifacial spasm)	• 한쪽 안면근육의 불수의적 수축이 반복 • 눈꺼풀 → 눈 주위 → 얼굴 아래로 진행	검사	EMG, Brain MRI
			치료	경증에서는 Carbamazepine, BDZ Botulinum toxin, Microvascular decompression
	근간대경련 (myoclonus)	• 돌발적이고 짧은 근수축(움찔거림)	검사	EMG, EEG, LFT, serum BUN/Cr
			치료	보존적 치료, 원인 교정, 항경련제
	근긴장이상증 (dystonia)	• 지속적/반복적으로 꼬인 자세 • 움직임에 의해 악화	검사	EMG
			치료	항콜린제, Botulinum toxin, L-dopa
	헌팅턴병 (Huntingtun's disease)	• 무도증 • 가족력 • 정신증상(우울증, 강박)	검사	임상적 진단이 기본, MRI와 유전자 검사로 확진(잘 안 함)
			치료	Haloperidol, BZD, Valproate
	틱/뚜렛증후군	• 갑자기 빠르게 불규칙한 운동이나 소리 반복 • 참을수록 욕구가 쌓임	검사	임상적 진단이 기본
			치료	일시적 틱은 대체로 저절로 사라짐 항정신병제 사용 가능
약물	알코올/약물 금단증상	• 알코올이나 약물 남용의 과거력	검사	독성선별검사
			치료	Benzodiazepine(알코올 중독)
	약물유발 이상운동질환	• 항정신병제, 리튬, 위장약	검사	임상적 진단이 기본
			치료	약물 조절
내분비	갑상샘기능항진증	• 더위불내성 • 체중감소 • 피로	검사	TFT
			치료	항갑상샘제

병력청취

L	어디가 떨리나요? 처음에는 어디가 떨렸나요? 그 다음에는요? 다른 곳도 떨리는 곳이 있나요?
O	언제부터 증상이 발생했나요?(갑자기/서서히)
S	어떤 상황에서 떨리나요? 가만히 있을 때(resting)/팔을 움직일 때(postural) – 본태성/글씨 쓸 때(action) – 본태성/물건을 집으려 할 때, 숟가락질(intetion)
T	떨림/운동이상이 얼마나 자주 있나요? 한 번 떨리면 얼마나 오래 지속되나요?
Co/Ex	이전에도 증상이 있던 적이 있나요? 당시 치료는 받으셨나요? 최근에 점점 심해지나요?
C	[**양상**] 규칙적으로 떨리나요? 불규칙하게 움찔거리나요? 몸이 꼬이는 느낌인가요? [**정도**] 일상생활에 지장을 받나요?
F	[**악화**] 떨림/운동이상이 심해지는 상황이 있나요? – [생리적]긴장, 커피, [저혈당] 장시간 공복 [**완화**] 떨림/운동이상이 나아지는 때가 있나요? – 술(본태성 떨림)
Asso	[**신경계 – 파킨슨**] 걸음 느려짐/중심을 잡지 못함/무표정/변비 [**신경계 – 뇌졸중**] 말 어눌해짐/팔다리 힘빠짐/시야장애 [**내분비**] 더위불내성/체중변화/두근거림 [**정신**] 우울/수면/환시, 환청
약	드시고 계신 약이 있나요?(베타작용제, 항우울제, 리튬, 항정신병제, 위장약) 최근에 끊은 약이 있나요?
과	앓고 계신 병이 있나요? – 고혈압/고지혈증/당뇨/뇌졸중 건강검진 받으셨나요? 당시에 결과에 대해 뭐라고 들으셨나요?
외	[**외상**] 최근 머리를 다치신 적이 있나요? [**수술**] 수술 받으신 적이 있나요?
사	음주(술 문제 의심 시 자세히 문진)/흡연/커피/녹차 직업/스트레스
가	가족 중 비슷한 증상을 보였던 분이 있나요?
여	월경 변화 떨리는 증상과 생리 주기가 관련이 있나요?

신체진찰

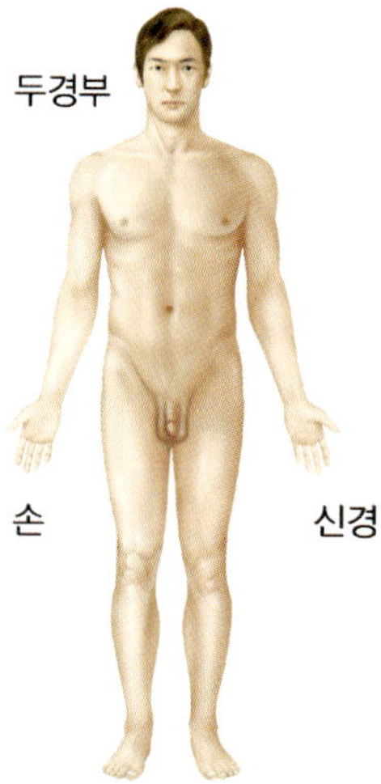

손	떨림 확인 1. 손을 무릎이나 탁자에 올려놓고 2. 팔을 앞으로 뻗은 채 (본태성 : 뻗자마자/파킨슨 : 2~3초 후) 3. 원 그리기, 이름쓰기
두경부	갑상샘 시/촉진
신경	**[소뇌기능검사]** Finger to nose/Rapid alternating movement Romberg test/Tandem gait **[근력검사]** 팔다리 감각/근력/DTR

※ 환자가 중심을 잡기 어려워할 수 있으므로 부축할 준비를 한 채로 검사를 진행합니다.

환자교육

추정진단	ㅇㅇ님, 진찰 결과 □□한 점이 관찰되는데, 이러한 소견은 문진과 함께 생각해봤을 때 A병이 가장 의심이 됩니다.
감별진단	그 외에 B병, C병 또는 D병도 완전히 배제할 수는 없습니다.
검사	확실한 진단을 위해서는 **[기본 검사]**+**[질병별 검사]**가 필요합니다. **[기본 검사]** 뇌 CT+뇌 MRI+TFT
치료	검사를 통해 A병으로 진단이 되면, 이에 대한 치료로 I, J, K가 필요합니다.
예후	지금부터 치료를 받으시면 별다른 지장 없이 지내실 수 있으실 것입니다.
주의점/생활교육	• 환자가 불안해할 수 있으므로 환자를 안심시키고 추가적인 검사에 대해서 설명 • 병의 종류에 따라서 손떨림이 손만의 문제는 아니므로 다른 추가검사가 필요함 안내 • 금연의 중요성 설명 및 교육 • 커피, 녹차 등 카페인 음료가 증상을 악화시킬 수 있음을 설명하고, 커피 섭취를 자제할 것을 교육
질문기회	혹시 이해 안 되시거나 궁금하신 점이 있으신가요?

1) 진단계획

(1) 신경계 : Brain CT/MRI, EMG, NCS

(2) 전신/내분비 : CBC, Electrolyte, 혈당검사, TFT

2) 치료계획

(1) 비약물치료 : 본태성 떨림, 생리적 떨림 등은 예후가 좋으므로 환자 안심시키기

(2) 약물치료 : L-dopa(파킨슨), Propranolol(본태성)

3) 환자교육

(1) 환자를 안심시키고, 약물치료로 떨림/운동이상을 조절할 수 있음을 교육

(2) 커피, 녹차 등의 카페인 음료, 알코올, 담배는 손떨림을 악화시킬 수 있으니 줄이도록 교육

(3) 기질적 이상이 의심되는 경우, 원인을 찾기 위해 추가적인 검사가 필요함을 교육

(4) 파킨슨이 의심되는 경우, 앞으로의 기능장애가 예상되므로 집안 환경을 바꾸는 등 이에 대한 대비 필요

CPX 39

CLINICAL PERFORMANCE EXAMINATION

근력 · 감각이상

감별진단

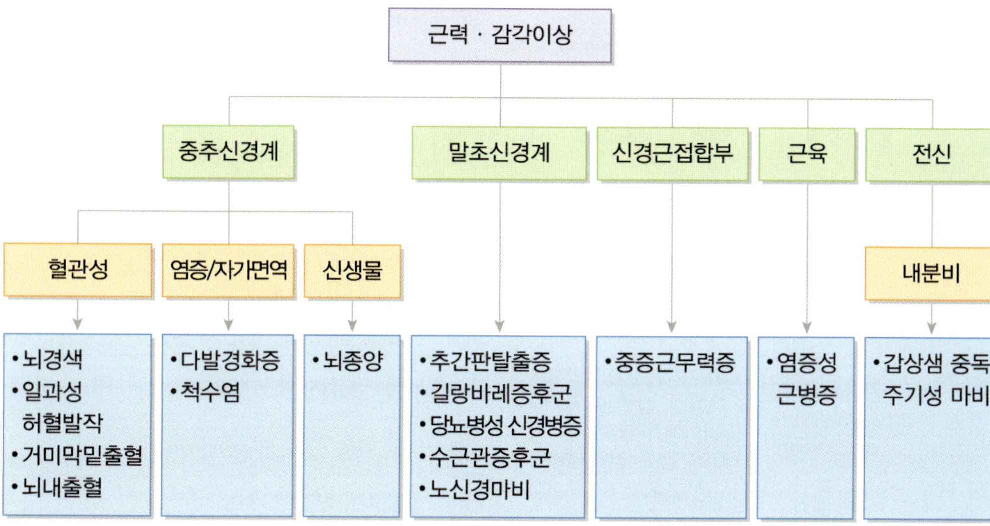

참고

운동마비는 마비의 형태에 따라 뇌병변에서부터 말초신경질환까지 다양하므로 그 원인을 감별하는 것이 중요하다. 뇌졸중 이외에도 뇌종양, 척수염, 다발성경화증 등의 여러 질환이 발생할 수 있으므로 우선 응급상황인지 먼저 확인하고, 양상에 따라 유발요인과 병태생리를 구분할 수 있도록 병력청취와 신체진찰을 한다.

주제별 감별진단

계통	질병명	감별키워드	검사/치료	
중추 신경계	뇌경색/일과성 허혈발작	• 편측마비 • 심혈관 위험인자 • 안면이상/발음장애	검사	Brain CT, MRI, 혈관조영술
			치료	혈전용해제, 항응고제, 항혈소판제
	거미막밑출혈/뇌내출혈 (SAH/ICH)	• 극심한 두통 • 수막자극징후 • 고혈압/두부외상 • 구역, 구토	검사	Brain CT, 뇌혈관조영술
			치료	개두술, 뇌동맥류 결찰술, 산소공급, 혈압조절
	다발경화증 (Multiple sclerosis)	• 20~40세 여성 • 안구통, 시력저하, 감각, 운동, 소뇌기능저하 등 다발성	검사	Brain MRI, CSF oligoclonal band
			치료	High dose steroid, Interferon β, Natalizumab
	척수염	• 팔/다리 근력약화 • 배변 및 배뇨장애 • DTR 증가	검사	Whole spine MRI
			치료	Glucocorticoid, 면역억제제
	뇌종양	• 심한 두통이 만성적 • 구역, 구토 • 체중 감소	검사	Brain CT, MRI
			치료	Glucocorticoid, 수술, 방사선치료
말초 신경계	추간판탈출증	• 목/허리통증 • 상/하지 방사통	검사	Spine X-ray/CT/MRI
			치료	진통제, 침상안정, 필요 시 수술
	길랑바레 증후군 (Guillain-Barre syndrome)	• 최근 감기/설사/예방접종 후 • 대칭성 상행성 사지마비 (다리에서 팔로) • DTR 감소, 감각저하	검사	뇌척수액 검사, 신경전도속도
			치료	입원 치료, IVIG, Plasmapheresis
	당뇨병성 신경병증	• 당뇨병력 • 서서히 진행 • Glove-stocking pattern	검사	혈당검사, 신경전도속도
			치료	철저한 혈당조절, TCA, Pregabalin
	수근관증후군 (Carpal tunnel syndrome)	• Median n.가 지배하는 부분만 이상 • 손 많이 쓰는 직업, 타이핑	검사	신경전도속도, 근전도, 손목초음파
			치료	팔목 보호대, 물리치료
	노신경 마비 (Radial n. palsy)	• Radial n.가 지배하는 부분만 이상 • 팔베개 하고 오랫동안 누워 있음	검사	신경전도속도, 근전도
			치료	팔목 보호대, 물리치료
신경근 접합부	중증근무력증	• 오후에 악화, 쉬면 완화 • 복시 • Thymoma 동반 가능	검사	Jolly's test, 텐시론검사, 흉부 CT
			치료	Pyridostigmine, Glucocorticoid, 가슴샘절제술
근육	염증성근병증	• 근위부 근육의 근력 약화 • 호흡, 연하곤란	검사	신경전도속도, 근전도
			치료	스테로이드, 면역억제제
내분비	갑상샘 중독 주기성 마비	• 운동, 탄수화물 섭취 후 아침에 몸에 힘이 빠짐	검사	근전도, 전해질검사
			치료	칼륨 보충(주로 경구)

병력청취

L	어디의 힘이 빠지나요? 어디의 감각이 이상한가요?(상지/하지, 양측/편측, 근위/원위) 어디서부터 힘이 빠지기/감각이 이상하기 시작해 어디로 진행했나요?
O	언제부터 증상이 발생했나요?(갑자기/서서히)
S	어떤 상황에서 증상이 발생했나요?
T	힘빠짐이 계속 지속되나요?
Co/Ex	이전에도 힘이 빠진 적이 있나요? 당시 치료는 받으셨나요? 최근에 점점 심해지나요?
C	[**양상**] 힘이 빠지는 게 구체적으로 어떤 느낌인가요? - 움직이기 힘이 드나요? 현재 어느 정도까지 움직일 수 있나요? 감각이 이상한 게 구체적으로 어떤 느낌인가요? - 저린 느낌/감각 저하/내 몸이 아닌 것 같은 느낌/통증 [**정도**] 일상생활에 지장을 받나요?(통증인 경우 NRS)
F	[**악화**] 힘빠짐/감각이상이 심해지는 상황이 있나요? [**완화**] 힘빠짐/감각이상이 나아지는 때가 있나요?
Asso	[**뇌졸중**] 두통/구역/구토/말 어눌해짐/팔다리 힘빠짐/시야장애 [**척수**] 배변 및 배뇨장애 [**말초신경 – 길랑바레**] 최근 발열/오한/감기증상/예방접종 [**중증근무력증**] 안검하수/복시 [**염증성 근병증**] 양쪽 눈 주위 홍반/손등 발진 [**갑상샘**] 더위불내성/체중변화/두근거림
약	드시고 계신 약이 있나요?
과	앓고 계신 병이 있나요? – 고혈압/고지혈증/당뇨/뇌졸중 건강검진 받으셨나요? 당시에 결과에 대해 뭐라고 들으셨나요?
외	[**외상**] 최근 머리를 다치신 적이 있나요? [**수술**] 수술 받으신 적이 있나요?
사	음주/흡연/커피 직업/스트레스 평소 어떤 음식을 즐겨 드시나요?(기름진 음식이나 자극적인 음식)
가	가족 중 비슷한 증상을 보였던 분이 있나요? 가족 중 뇌 질환으로 병원 다녔던 분이 있나요?
여	–

신체진찰

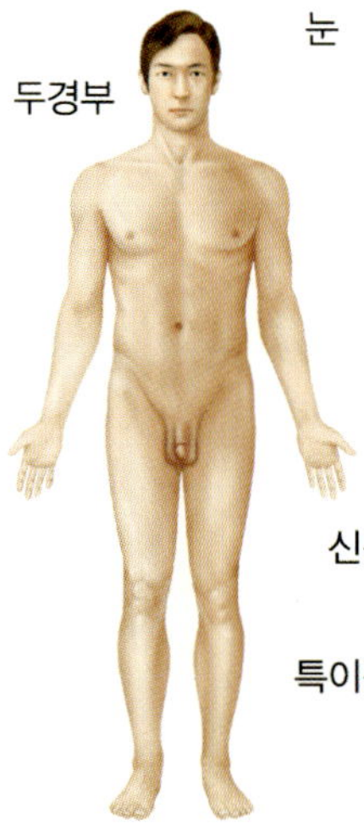

눈	결막(빈혈)
두경부	경동맥 잡음 청진
신경	**[뇌신경검사]** 안구운동/동공반사/얼굴 감각/얼굴 운동 **[소뇌기능검사]** Finger to nose/Rapid alternating movement Romberg test/Tandem gait **[근력검사]** 팔다리 감각/근력/DTR 수막자극징후
특이검사	**[추간판탈출증]** 경추 : Spurling's test, Lhermitte sign 요추 : SLRT **[수근관증후군]** Tinel sign, Phalen test

※ 항목이 많아 시간이 많이 걸릴 수 있으니 미리 신체검진을 하고 끝나고 병력청취를 마무리하는 것도 좋습니다.

※ 손이나 발 문제인 경우, 각각 상지나 하지 검사만 하여 시간을 절약할 수 있습니다.

※ 감각검사의 경우 촉각, 온도감각, 통각, 진동감각, 위치감각 5개로 나누어 각각 검사해야 합니다.

※ 환자가 중심을 잡기 어려워할 수 있으므로 부축할 준비를 한 채로 검사를 진행합니다.

환자교육

추정진단	○○님, 진찰 결과 □□한 점이 관찰되는데, 이러한 소견은 문진과 함께 생각해봤을 때 A병이 가장 의심이 됩니다.
감별진단	그 외에 B병, C병 또는 D병도 완전히 배제할 수는 없습니다.
검사	확실한 진단을 위해서는 **[기본 검사]**+**[질병별 검사]**가 필요합니다. **[기본 검사] 뇌 CT+뇌 MRI**
치료	검사를 통해 A병으로 진단이 되면, 이에 대한 치료로 I, J, K가 필요합니다.
예후	지금부터 치료를 받으시면 별다른 지장 없이 지내실 수 있으실 것입니다.
주의점/생활교육	• 환자가 불안해할 수 있으므로 환자를 안심시키고 추가적인 검사에 대해서 설명 • 뇌졸중을 비롯한 응급 상황에서는 신속한 검사 및 응급 처치가 필요함을 설명 • 심혈관 위험인자가 있는 경우 주 3~5회, 30분 이상의 운동의 중요성에 대해 강조 • 금연의 중요성 설명 및 교육 • 말초신경의 문제인 경우 문제가 발생한 부위를 많이 쓰지 않도록 교육
질문기회	혹시 이해 안 되시거나 궁금하신 점이 있으신가요?

1) 진단계획

(1) 신경계 : Brain CT/MRI, Cerebral angiography, Spine MRI
EMG, NCS, 10g monofilament test

(2) 신경근접합부 : Jolly test, Tensilon test

(3) 근육 : CK-MB, Myoglobin, LDH

(4) 전신 : CBC, Electrolyte, TFT, LFT, Glucose, HbA1c

2) 치료계획

(1) 중추신경계 : 혈전용해제, 개두술

(2) 말초신경계 : 보호대, 물리치료

(3) 신경근접합부 : Pyridostigmine, Glucocorticoid, 가슴샘절제술

(4) 근육 : 스테로이드, 면역억제제

3) 환자교육

(1) 뇌출혈, 뇌졸중 의심 시 빠른 검사와 치료가 필요함을 교육

(2) 심혈관 위험인자가 있을 시 교정

(3) 말초신경병증에서는 이상 부위를 많이 쓰지 않도록 하고, 필요 시 보조구를 착용할 수 있도록 교육

CLINICAL PERFORMANCE EXAMINATION

09 CHAPTER

정 신

CPX 40

CLINICAL PERFORMANCE EXAMINATION

기분변화

감별진단

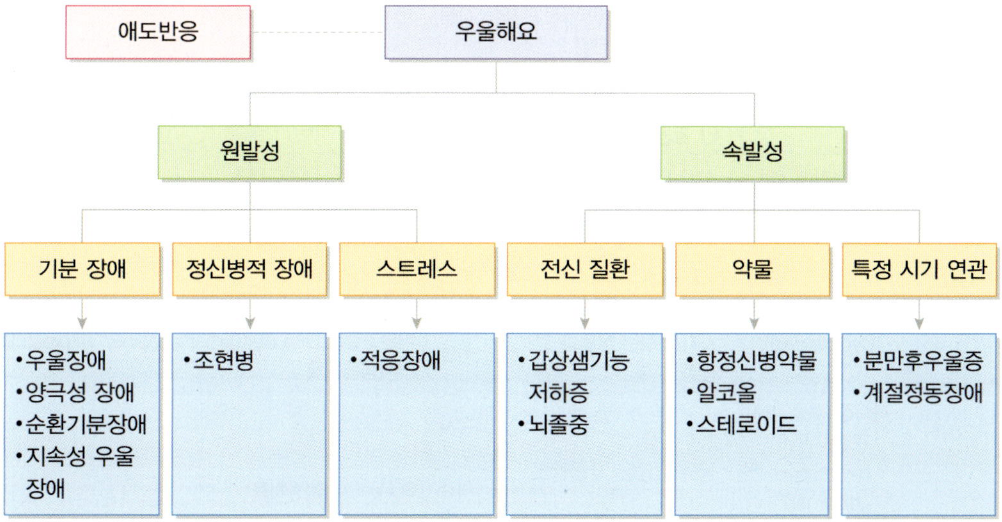

참고

기분저하의 경우 그 원인이 신체적 질환에 의한 이차적인 증상인지를 확인한 후 우울증인지 확인하는 것이 중요하다. 또한 우울증의 주된 양상이 기분저하이긴 하지만 대부분의 환자들은 신체적 증상을 호소하며 병원을 찾게 되는 경우가 흔하므로 불면, 피로, 만성 통증, 최근 스트레스, 설명하기 힘든 신체증상 등을 호소하는 경우에 우울증을 반드시 고려해야만 한다. 따라서 MDD 진단 기준에 해당하는 9가지 항목은 빼놓지 않고 물어보고, BPD 내용은 3가지 정도 물어보면 좋다. 다만, 질문할 게 많다고 질문을 마구 쏟아내면 안된다. 우울증으로 온 환자의 경우는 대답하는 것이 힘들 수 있기 때문에 반드시 기분에 적절히 공감해주어야 한다. 한편 양극성장애나 조현병이 우울증과 유사한 증상으로 올 수 있으므로 이에 대해서도 반드시 감별해 주어야 한다.

주제별 감별진단

계통	질병명	감별키워드	검사/치료	
원발성	주요 우울장애 (Major depressive disorder)	• 2주 이상 • 주요 우울 삽화만 존재 • '우울, 의욕 저하, 식욕부진, 수면장애, 불안, 피로, 죄책감, 사고력 장애, 자살사고' 중 5가지 이상	검사	Beck의 우울척도 검사
			치료	SSRI, 전기경련요법, 정신사회적 치료, 자살 위험 시 입원
	양극성 장애 I형 (Bipolar I disorder)	• 1주 이상 or 입원 요함 • 조증삽화 1번이라도 존재 • '자존심↑, 수면감소, 말↑, 사고의 비약, 주의산만, 목표 지향적 활동↑, 쾌락적인 활동↑' 중 3가지 이상	검사	TFT, LFT, ECG, BUN/Cr
			치료	기분조절제(Lithium, Valproate, Carbamazepine), 인지행동치료, 입원 치료
	양극성장애 II형 (Bipolar II disorder)	• 4일 이상 • 경조증 삽화 • 기능저하 심하지 않음	검사	TFT, LFT, ECG, BUN/Cr
			치료	기분조절제(Lithium, Valproate, Carbamazepine), 인지행동치료, 입원 치료
	순환기분장애 (Cyclothymia)	• 2년 이상 • 주요 우울장애 기준에 미치지 못하는 우울과 경조증 삽화 반복	검사	TFT, LFT, ECG, BUN/Cr
			치료	기분조절제(Lithium, Carbamazepine, Valproate), 인지행동치료
	지속성 우울장애 (Persistent depressive disorder)	• 2년 이상 • 심하지 않은 우울정도	검사	-
			치료	SSRI, 인지행동치료
	조현병 (Schizophrenia)	• 6개월 이상(1개월 이상의 active symptom) • 망상, 환시/환청, 정돈되지 않은 말이나 행동, 음성 증상(무의욕, 무쾌감)	검사	TFT, 전해질검사
			치료	항정신병약물(Risperidone, Aripiprazole 등), 입원치료
	적응장애 (Adjustment disorder)	• 3개월 이내 • 누구나 겪을 수 있는 스트레스에 부적합한 반응	검사	불필요
			치료	스트레스 대처 훈련, 단기 약물 치료(SSRI)
속발성	갑상샘 기능저하증	• 추위불내성, 변비 • 하지부종, 체중 증가	검사	TFT
			치료	Levothyroxine
	약물 유발 우울증	• 알코올/스테로이드/항정신병약물	검사	약물중단 후 확인
			치료	약물중단 또는 변경
	뇌졸중 (Stroke)	• 국소신경학적 이상 • 고혈압, 당뇨의 기저질환	검사	뇌 CT, MRI, 혈관조영술
			치료	혈전용해제, 재활치료

병력청취

<table>
<tr><td>L</td><td colspan="2">–</td></tr>
<tr><td>O</td><td colspan="2">언제부터 기분이 가라앉았나요?</td></tr>
<tr><td>S</td><td colspan="2">–</td></tr>
<tr><td>T</td><td colspan="2">하루 중 얼마나 오래 기분이 가라앉나요?</td></tr>
<tr><td>Co/Ex</td><td colspan="2">우울감이 시작된 이후로 계속 우울한가요? 이상하게 기분이 들뜨는 경우는 없었나요?
이전에도 이런 적이 있었나요? 당시 진료를 받으셨나요?</td></tr>
<tr><td>C</td><td colspan="2">[정도] 기분 변화가 일상생활에 지장을 줄 정도로 심한가요?</td></tr>
<tr><td>F</td><td colspan="2">[스트레스] 6개월 내 특별한 스트레스/이별, 사별/최근 출산력
[계절성] 계절에 따른 기분의 주기적 변화가 있나요?</td></tr>
<tr><td rowspan="5">Asso</td><td colspan="2">[원발성] – [우울장애_MDD], [양극성 장애_BPD] [불안장애]</td></tr>
<tr><td>우울 삽화</td><td>• (key 증상) 하루 종일 우울한 기분/거의 모든 일에 대해 의욕 저하
• 체중 or 식욕 변화/수면 장애, 불면증/불안, 초조/피로/죄책감/사고력 장애, 집중력 저하/자살 사고, 계획, 시도 (*DeSIGECAPS – 환자교육 참고)
* key 증상 중 1개가 반드시 포함되어 있고 9개 항목 중 5개 이상 만족 – MDD</td></tr>
<tr><td>조증 삽화</td><td>• 팽창된 자존심/수면욕구 감소/평소보다 말이 많음/사고의 비약/주의 산만/목표 지향적 활동 증가/고통스러운 결과 초래될 가능성 높은 쾌락적인 활동에 몰두(충동구매, 성적문란, 사업추진 등) (*조증 삽화는 3가지 정도 뽑아서 물어보기)
* 이 중 3가지 이상 만족 – BPD</td></tr>
<tr><td>혼재성 /
급속 순환성</td><td>• 우울 증상과 조증 증상이 함께 나타나지는 않는지
• 1년에 4번 이상 우울증, 조증/경조증의 증상이 나타나지는 않는지</td></tr>
<tr><td colspan="2">[조현병] 망상/환시/환청
[내분비] 추위 불내성/하지 부종/체중 증가
[신경] 팔다리 힘 빠짐</td></tr>
<tr><td>약</td><td colspan="2">드시고 계신 약이 있나요?(스테로이드, 항우울제, 항정신병약물)</td></tr>
<tr><td>과</td><td colspan="2">앓고 계신 병이 있나요? – 고혈압/당뇨/정신과 질환
최근에 건강검진 받으셨나요?</td></tr>
<tr><td>외</td><td colspan="2">[외상] 어디 크게 다친 적이 있으신가요?
[수술] 이전에 수술 받은 적 있으신가요?</td></tr>
<tr><td>사</td><td colspan="2">음주/흡연/커피
직업이 어떻게 되시나요?
운동은 일주일에 몇 번 정도 하시나요?</td></tr>
<tr><td>가</td><td colspan="2">가족 중 정신건강의학과 치료를 받으신 분이 있나요?</td></tr>
<tr><td>여</td><td colspan="2">[산과] 출산하신 적이 있나요? 출산 후 우울증은 없으셨나요?
[월경] 규칙적/생리통/폐경 여부</td></tr>
</table>

신체진찰

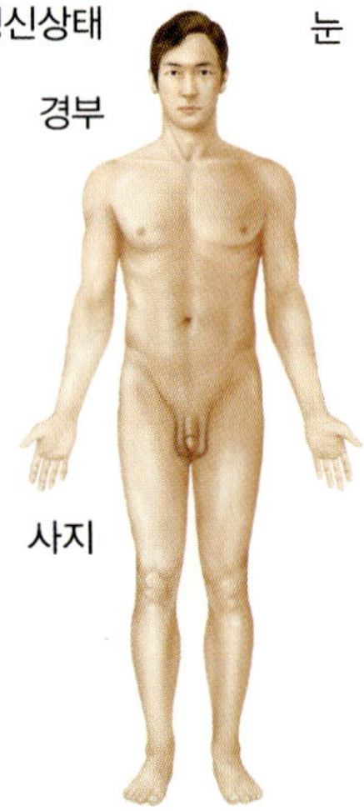

정신상태	지남력 확인
눈	결막, 공막 시진
경부	갑상샘 촉진
사지	팔다리 근력 확인 피부 긴장도, 하지 부종(Pitting edema)

※ 신체검진 할 항목이 많지는 않으나 갑상샘 정도는 확인해 주는 것이 좋습니다.

※ 환자가 신체적 무력감, 피로감 등을 호소하는 경우 팔다리 근력도 자세히 확인해보는 것이 좋습니다.

환자교육

추정진단	ㅇㅇ님, 지금까지의 문진과 신체 진찰 결과를 바탕으로 생각해보았을 때 현재 A 질환이 가장 의심이 됩니다.
감별진단	하지만 그 외에 B 질환, C 질환도 완전히 배제할 수는 없습니다.
검사	그래서 정확한 진단을 위해서는 우울증 척도검사, 갑상샘 기능검사, 혈액검사 등이 필요할 것으로 생각됩니다. 오늘 이렇게 검사 받고 가도 괜찮으실까요?
치료	검사를 통해 A 질환으로 진단이 되면, 약물 치료를 시작하게 되며, 약을 시작하고 몇 주 지나야 효과가 있으므로 중간에 약을 끊지 말고 꾸준히 복용해주시는 것이 중요합니다.
예후	지금부터 치료를 받으시면 별다른 지장 없이 지내실 수 있으실 것입니다. 증상이 있을 때 병원에 잘 오셨습니다.
주의점/ 생활교육	• 우울증에서 충분히 회복하기 전까지는 중요한 일이나 의무, 책임을 맡지 않도록 하고 중대한 결정은 치료가 끝난 뒤에 하는 것이 좋습니다. • 증상이 심하거나 자살의 위험이 있는 경우, 내과적 병발질환이 있는 경우 자신과 타인의 안전을 위해서 입원치료가 필요할 수 있습니다.
질문기회	혹시 이해 안 되시거나 궁금하신 점이 있으신가요?

1) 진단계획

(1) 혈액 검사 : CBC, TFT, LFT

(2) 정신과적 면담 : MMPI(다면적 인성검사), 우울척도검사(BDI, Beck's Depression Inventory)

(3) ECG, Brain CT, MRI

2) 치료계획

(1) 증상 심하고 자살 위험 높을 시 입원 치료 권유

(2) 주요 우울장애

- 약물치료 : 항우울제(SSRI, 불면이 심할 경우 Mirtazapine, Trazodone)
- 행동치료, 정신치료

(3) 양극성 장애

- 약물치료
  - 기분조절제(Lithium, Valproate, Carbamazepine)
  - 비전형 항정신병 약물(Risperidone, Aripiprazole) – 정신과적 증상 동반 시
  - Lamotrigine – 양극성 우울증 치료제
- 정신 치료, 인지 행동치료

(4) 전기경련 요법 : 치료 저항성 우울증에서 시행

(5) 갑상샘기능저하증 : L-Thyroxine

3) 환자교육

(1) 현재 기분 변화의 원인이 내과적 문제나 현재 복용 중이신 약물에 의한 것일 수도 있습니다. 그래서 이를 감별하기 위해 추가 검사(TFT 등)를 진행해야 합니다.

(2) 우울증 및 치료에 대한 교육 : 우울증은 치료를 받아야 하는 병이며, 우울증 약은 중독되거나 내성이 생기지 않습니다. 최소 2~3주는 지나야 효과가 나오므로 중간에 끊지 않아야 하며, 증상 호전 후에도 6개월 이상 복용해야 재발을 막을 수 있습니다.

(3) 기분 조절제에 대한 설명 : 기분 조절제는 기분이 지나치게 올라가지도, 내려가지도 않고 일정하게 유지되도록 조절해주는 약물입니다. 기분 조절제 한 가지로 부족할 것 같으면 두 가지 이상의 약물을 같이 사용할 수도 있으며, 재발 방지를 위해 급성기에 가장 효과가 좋았던 기분 조절제를 장기간 복용하게 됩니다.

(4) 정신사회적 치료 : 약물치료가 가장 중요한 치료법이지만 가족치료, 인지행동치료, 대인관계 개선 및 규칙적인 생활 등의 정신사회적 치료도 도움이 되는 것으로 알려져 있으므로 이들을 병행해볼 수도 있습니다.

(5) 필요 시 입원 : 증상이 심하거나 자살의 위험이 있는 경우, 내과적 병발 질환이 있는 경우 자신과 타인의 안전을 위해 입원 치료가 필요합니다.
(6) 운동 권유 : 가벼운 운동, 걷기, 수영 등의 운동이 기분을 호전시킬 수 있습니다.
(7) 충분히 회복되기 전까지는 중요한 일이나 의무, 책임을 맡지 않도록 하고 중대한 결정은 치료가 끝난 뒤에 하는 것이 좋습니다.

꿀! 팁! c/h/e/c/k | 우울 삽화 진단 기준 9가지

하루종일 우울감(**De**pression)/수면장애(**S**leep disturbances)/의욕 저하(**I**nterest)/죄책감(**G**uilt)/피로(Energy decreased)/집중력 저하(**C**oncetration)/식욕 저하 및 체중(**A**ppetite)/불안(**P**asychomotor agitation)/자살 사고(**S**uicidal ideation)
→ 앞글자를 따서 **DeSIGECAPS**라고 외워보세요!

CPX 41

CLINICAL PERFORMANCE EXAMINATION

불 안

감별진단

- 불안해요 (― 정상적인 불안 반응)
  - 원발성
    - 불안장애
      - 공황장애/광장공포증
      - 외상 후 스트레스 장애
      - 적응장애
      - 범불안장애
      - 강박장애
      - 사회불안증
      - 특정 공포증
    - 다른 정신질환
      - 기분장애
      - 정신증
  - 속발성
    - 신체질환
      - 심장질환(협심증, 부정맥)
      - 천식
      - 갑상샘기능항진증
      - 크롬친화세포종
      - 뇌전증
    - 약물
      - 알코올 금단
      - 벤조다이아제핀 금단

참고

불안은 두려움, 공포감과 더불어 스트레스나 갈등 상황에서 사람이 좀 더 각성하거나 예민해져서 문제를 효율적으로 해결할 수 있도록 하는 정상적인 감정이다. 그러나 이러한 불안의 정도가 심해서 오히려 문제 해결에 장애가 생기는 경우도 있다. 불안한 환자를 진찰할 때에는 이것이 정상적인 반응인지 병적 불안인지 먼저 판단한 후, 약물이나 전신질환, 스트레스 등의 유발요인이 있는지, 정신 질환인지를 확인하기 위한 병력청취가 중요하다.

주제별 감별진단

계통		질병명	감별키워드	검사/치료	
원발성		공황장애	• 반복적이고 예기치 못한 공황발작 • 1달 이상 예기불안/발작에 대한 근심 or 부적응적 행동 변화	검사	–
				치료	벤조디아제핀, 베타 차단제, 인지행동치료
		외상 후 스트레스 장애 (PTSD)	• 1개월 이상(* 1개월 이하 : 급성 스트레스 장애) • 자신이나 타인의 죽음, 신체손상 등 외상사건에 직접/간접적 노출 • 극심한 공포, 무력감 • 재경험/회피/과각성/인지와 감정의 부정적 변화	검사	–
				치료	SSRI, TCA, 인지행동치료(안구운동 민감소실 및 재처리), 지지적 정신치료, 역동적 정신치료
		범불안장애	• 6개월 이상 • 스스로 조절이 안 되는 지나친 걱정과 불안 증상 • 안절부절 못함, 피로감, 근육의 긴장	검사	–
				치료	SSRI, 벤조디아제핀, buspirone, 인지행동치료(인지치료, 근육이완법, 바이오피드백)
		강박장애	• 강박사고 or 강박행동 • 일상생활에 지장	검사	–
				치료	고농도의 SSRI, 행동치료(노출과 반응방지 요법)
		적응장애	• 3개월 이내 • 누구나 겪을 수 있는 스트레스에 대한 부적합한 반응	검사	–
				치료	스트레스 대처 훈련, 단기 약물 치료(SSRI)
		사회 불안장애	• 사회적 활동에 대한 두려움 • 사회적 상황에 처하면 불안 유발	검사	–
				치료	베타 차단제, 인지치료, 노출 치료
		광장공포증	• 6개월 이상 • '대중교통 이용/열린 공간/밀폐된 공간/군중 속에 있기/집 밖에 혼자 있기' 중 2가지 이상 상황에서 극심한 공포와 불안	검사	–
				치료	벤조디아제핀, 베타 차단제, 인지행동치료
속발성	호흡기	천식	• 봄/야간 악화 • 기침, 호흡곤란, 쌕쌕거림 • 아토피/알레르기	검사	폐기능검사, 메타콜린 자극유발검사, 기관지확장제 검사
				치료	SABA, ICS
	내분비	갑상샘 기능항진증	• 더위불내성, 체중감소, 두근거림	검사	TFT
				치료	Propylthiouracil, Methimazole, 방사성 요오드 치료
		크롬세포 친화종	• 두통, 두근거림, 식은땀	검사	24시간 요중 메타네프린, 복부 CT
				치료	Phenoxybenzamine, Propranolol, 부신절제술

<table>
<tr><th colspan="2">계통</th><th>질병명</th><th>감별키워드</th><th colspan="2">검사/치료</th></tr>
<tr><td rowspan="8">속발성</td><td rowspan="4">순환기</td><td rowspan="2">협심증</td><td rowspan="2">• 흉통(운동시 악화), 호흡곤란
• 고혈압, 당뇨의 기저 질환</td><td>검사</td><td>ECG, 운동유발 ECG, 심근 SPECT</td></tr>
<tr><td>치료</td><td>스텐트 삽입술</td></tr>
<tr><td rowspan="2">빈맥성 부정맥</td><td rowspan="2">• 두근거림</td><td>검사</td><td>ECG, 운동유발 ECG, 심근 SPECT</td></tr>
<tr><td>치료</td><td>스텐트 삽입술</td></tr>
<tr><td rowspan="2">신경</td><td rowspan="2">뇌전증</td><td rowspan="2">• 발작
• 두부 외상력</td><td>검사</td><td>EEG, 뇌 MRI</td></tr>
<tr><td>치료</td><td>항뇌전증제</td></tr>
<tr><td rowspan="2">약물</td><td rowspan="2">약물 금단증상</td><td rowspan="2">• 약물 남용 병력(술, 진정제)</td><td>검사</td><td>–</td></tr>
<tr><td>치료</td><td>Diazepam, Clonazepam(벤조디아제핀 금단 증상 해소)/Lorazepam(알코올 금단 증상 해소)</td></tr>
</table>

09 CHAPTER

병력청취

<table>
<tr><td>L</td><td colspan="2">–</td></tr>
<tr><td>O</td><td colspan="2">언제부터 불안감이 시작되었나요?(갑자기/서서히)</td></tr>
<tr><td>S</td><td colspan="2">어떤 상황에서 불안감을 느끼시나요?(특정 상황이 있는지, 이유 없이 불안한지)</td></tr>
<tr><td>T</td><td colspan="2">얼마나 자주 증상을 경험하시나요?
한 번 불안하면 얼마나 지속되나요?</td></tr>
<tr><td>Co/Ex</td><td colspan="2">갈수록 증상이 더 자주 발생하나요?
이전에도 이렇게 불안했던 적이 있나요? 당시 증상에 대해 진료를 보셨나요?</td></tr>
<tr><td>C</td><td colspan="2">[양상] 어떤 식으로 불안한지 자세히 설명해주세요.(구체적인 느낌/신체 증상 동반 유무)
[정도] 일상생활에 지장이 생길 정도로 증상이 심한가요?
불안할 때 죽고 싶은 생각도 드나요?</td></tr>
<tr><td>F</td><td colspan="2">[악화] 불안이 더 심해지는 상황이 있나요?
• 광장공포증 : 대중교통/열린 공간/밀폐된 공간/군중 속/혼자 있을 때
• 사회공포증 : 남들 앞에서 발표할 때
• 특정공포증 : 특정 동물/물건/상황
[스트레스] 최근 스트레스를 받은 일이 있었나요?</td></tr>
<tr><td rowspan="2">Asso</td><td>원발성</td><td>[공황장애] 갑자기 죽을 것 같은 느낌/숨이 막히거나 답답/예기 불안/어지럼증/오심, 구토/식은땀
[강박장애] 하지 않으려고 해도 계속 반복되는 생각이나 행동
[범불안장애] 피로감/안절부절 못함/수면 장애</td></tr>
<tr><td>속발성</td><td>[순환기] 두근거림/호흡곤란/흉통
[호흡기] 기침/쌕쌕거림
[내분비; 갑상선, Pheo] 체중 감소/더위 불내성/두통/식은땀/두근거림
[신경] 의식 소실/발작
[정신] 우울/환시, 환청</td></tr>
<tr><td>약</td><td colspan="2">드시고 계신 약이 있나요?(진정제, 수면제)
(실례가 아니라면) 혹시 대마초나 마약 같은 것을 복용하신 적은 없으신가요?</td></tr>
<tr><td>과</td><td colspan="2">앓고 계신 병이 있나요? – 고혈압/당뇨/천식/내분비 질환/정신과 질환
최근에 건강검진 받으신 적 있나요?</td></tr>
<tr><td>외</td><td colspan="2">[외상] 최근에 머리를 다친 적이 있으신가요?
[수술] 이전에 입원 또는 수술 받은 적 있으신가요?</td></tr>
<tr><td>사</td><td colspan="2">음주/흡연/커피
직업이 어떻게 되시나요?</td></tr>
<tr><td>가</td><td colspan="2">가족 중 비슷한 증상을 호소하시는 분이 있나요?
가족 중 정신건강의학과 치료를 받으신 분이 있나요?</td></tr>
<tr><td>여</td><td colspan="2">[월경] 증상이 생리 주기와 연관 있나요?
폐경 여부/폐경기 증상(안면홍조, 식은땀, 불면, 질 위축)이 있나요?</td></tr>
</table>

신체진찰

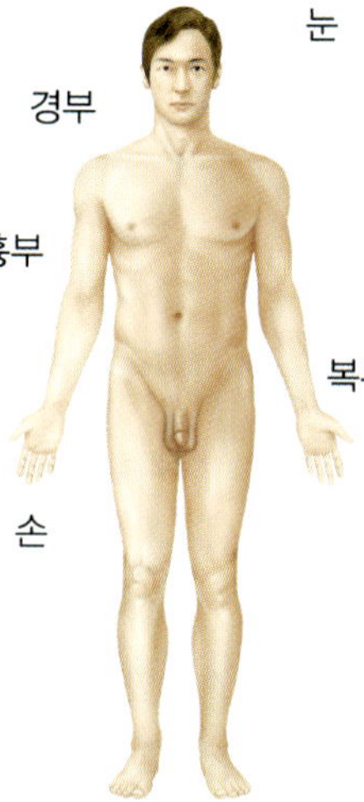

눈	결막, 공막 시진/안구 돌출 시진
경부	갑상샘 촉진
손	손떨림 관찰
흉부	맥박 촉진, 심음 청진 호흡음 청진
복부	복부 시진/촉진(종괴 여부 확인)

※ 복부 진찰의 경우 두근거림, 식은땀 등이 함께 동반되었을 때 갈색세포종을 감별하기 위한 것으로, 의심되지 않는 경우 시행하지 않아도 크게 감점되지는 않을 것으로 보입니다.

환자교육

추정진단	○○님, 지금까지의 문진과 신체 진찰 결과를 바탕으로 생각해보았을 때 현재 A 질환이 가장 의심이 됩니다.
감별진단	하지만 그 외에 B 질환, C 질환도 완전히 배제할 수는 없습니다.
검사	그래서 정확한 진단을 위해서는 기저에 다른 신체질환이 없는지 감별을 위해 심전도 검사, 갑상샘 기능검사, 소변 및 혈액검사 등이 필요할 것으로 생각됩니다. 오늘 이렇게 검사 받고 가도 괜찮으실까요?
치료	검사를 통해 A 질환으로 진단이 되면, 약물 치료를 시작할 것이며 약물치료 이외에도 인지행동 치료를 병행하여 증상을 완화하고자 합니다.
예후	현재 증상 때문에 많이 걱정되셨겠지만, 절대 죽는 병은 아니므로 너무 걱정하지 마시고 지금부터 치료를 받으시면 증상이 좋아지실 수 있을 것입니다.
주의점/생활교육	• 커피나 녹차 등 카페인이 함유된 음료를 많이 섭취할 경우 증상이 악화될 수 있으므로, 섭취를 줄이시는 것이 좋습니다. • 임의로 약을 중단하시면 증상이 재발할 수도 있으므로, 증상이 좋아졌다고 혼자서 약을 중단하시면 안 되며, 꾸준히 약을 복용하시는 것이 중요합니다.
질문기회	혹시 이해 안 되시거나 궁금하신 점이 있으신가요?

1) 진단계획

(1) 혈액검사 : CBC, TFT, 전해질 검사

(2) 갈색세포종 : 소변 메타네프린 검사, 복부 CT

(3) 협심증/부정맥 : ECG, 24시간 holter monitoring, 심근 SPECT

(4) 정신 : 정신상태검사, BDI 우울척도검사

2) 치료계획

(1) 공황장애/광장공포증

- 약물치료 : 벤조디아제핀, 베타 차단제, 항우울제
- 인지행동 치료 : 사소한 신체 변화를 공황장애와 연관시키지 말기, 생명에 위협되지 않음을 인식

(2) 범불안장애

- 약물치료 : Buspirone과 벤조디아제핀(BDZ)을 함께 쓰다가 2~3주 지나면 BDZ 줄이기
- 인지행동치료 : 인지치료, 근육이완법, 바이오피드백

(3) 외상 후 스트레스 장애(PTSD)

- 약물치료 : SSRI(최소 8주 이상)
- 인지행동 치료 : 안구운동 민감소실 및 재처리(Eye movement desensitization and reprocessing) －괴로운 기억을 회상하는 동안 양눈을 좌우로 움직임
- 필요시 입원 치료

(4) 특정 공포증

- 약물치료 : SSRI
- 인지행동치료 : 체계적 탈감작, 홍수 기법

(5) 사회불안장애

- 약물치료 : SSRI, 노출 직전에 베타 차단제
- 인지행동치료

(6) 강박장애

- 약물치료 : 고농도의 SSRI, 항정신병약물(틱, 망상 장애 동반되었을 경우)
- 인지행동치료 : 노출과 반응방지 요법(Exposure and response prevention)

3) 환자교육

(1) 죽는 병이 아니라고 알려주며 환자를 안심시키기

(2) 기질적 원인에 의한 것을 감별하기 위해 여러 검사들을 시행할 것임을 설명하기

(3) 치료 효과가 나타나기까지 약을 꾸준히 복용하는 것이 중요하며 임의 중단 시 재발 가능하다는 점을 설명해주고, 증상이 좋아지면 점차 감량해 나갈 것임을 설명하기
(4) 술, 담배, 커피 줄이도록 교육하기
(5) 약물 부작용으로 입마름, 변비, 불면, 성기능 장애 등이 발생 가능하며 이 경우 약을 조절/변경할 수 있게끔 병원에 방문하도록 안내하기
(6) 불안장애는 만성화되기가 쉬우므로 장기간 치료가 필요하다는 점 설명하기

CPX 42

CLINICAL PERFORMANCE EXAMINATION

수면장애

감별진단

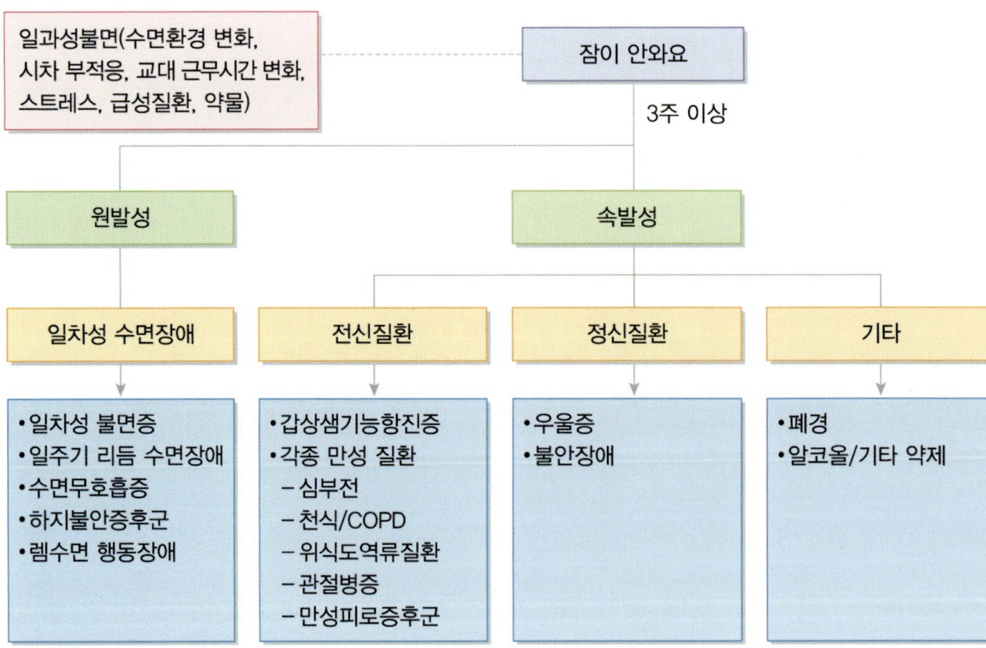

참고

수면장애는 입면이나 유지가 어려워 충분한 수면을 취하지 못하거나, 수면 후에도 피로 회복 등이 되지 않는 상태를 말한다. 3주 미만이면 일과성(단기성), 3주 이상 지속되면 만성으로 정의하며, 먼저 일시적 수면장애인지 감별한 뒤 신체적 질환/정신질환/약물에 의한 이차적인 증상 또는 원발성 수면장애를 구분하기 위한 병력청취와 신체진찰이 필요하다. 입면 전 다리가 불편하거나 코골이를 하는 것과 같은 동반 증상 및 평소 수면 습관에 대해서도 문진하여 잘못된 수면 습관을 갖고 있는 경우 수면 위생을 개선할 수 있는 방법에 대해서 교육하는 것이 좋다.

주제별 감별진단

계통		질병명	감별키워드		검사/치료
원발성		불면증 (Insomnia disorder)	• 주 3회 이상+3달 이상 지속 • 충분히 잘 수 있는 기회가 있음에도 발생하는 수면장애	검사	수면다원검사
				치료	수면 위생 개선, 인지행동치료, Zolpidem
		일주기 리듬 수면장애	• 낮에 자고 밤에 깨는 등 수면 패턴의 변화 • 교대 근무, 시차 적응 등의 병력	검사	수면다원검사
				치료	목표에 맞추어 수면-각성주기 조절, 광치료, 멜라토닌
		수면무호흡증 (Sleep apnea)	• 코골이, 비만 • 주간 졸림증, 자고 일어나도 개운하지 않음	검사	수면다원검사
				치료	CPAP, 체중 감량
		하지불안증후군 (Restless legs syndrome)	• 자기 전 다리의 이상 감각(다리를 움직이면 나아짐) • 고령, 빈혈의 과거력	검사	혈중 ferritin 측정
				치료	Dopamine agonist(Pramipexole, Ropinirole), Opioid, 철분 보충
		렘수면 행동장애 (REM sleep behavior disorder)	• 고령, 남성 • 잘 때 옆에 있는 사람이 맞음	검사	수면다원검사
				치료	Clonazepam, Melatonin, 안전한 수면 환경 조성
속발성	내분비	갑상샘기능항진증	• 더위불내성, 체중감소, 두근거림	검사	TFT
				치료	Propylthiouracil, Methimazole, 방사성 요오드 치료
	우울	우울증에 의한 수면장애	• 우울, 의욕저하, 식욕 저하 • 불안, 초조	검사	Beck의 우울척도검사
				치료	SSRI, 전기경련요법, 정신사회적 치료, 입원치료
	폐경	폐경에 의한 수면장애	• 얼굴 화끈거림, 예민해짐 • 질분비물	검사	혈중 FSH/LH 농도검사
				치료	에스트로겐+프로게스테론

병력청취

<table>
<tr><td>L</td><td colspan="2">–</td></tr>
<tr><td>O</td><td colspan="2">언제부터 잠이 안 오기 시작했나요?</td></tr>
<tr><td>S</td><td colspan="2">보통 어디서 주무시나요?(잠자리 환경)</td></tr>
<tr><td>T</td><td colspan="2">일주일에 몇 번 정도 잠을 잘 못 주무시나요?
하루에 몇 시간 주무시나요? 이전에는 몇 시간 주무셨나요?</td></tr>
<tr><td>Co/Ex</td><td colspan="2">점점 더 증상이 심해지나요?
이전에도 이런 적이 있었나요?</td></tr>
<tr><td>C</td><td colspan="2">[양상] 입면 장애/수면 도중 깬다/깨면 다시 자기 어렵다/낮잠 유무
[수면 위생] 자기 전 : 저녁시간을 어떻게 보내시나요?(식사, 운동, 기타 활동)
잘 때 : 잠자리 주변 환경은 편안한가요?(소음, 난방, 환기 등)
잠이 안 오면 어떻게 하시나요?(침대에 계속 누워 있음, TV, 핸드폰)
코골이가 심하신가요?
[정도] 낮의 일상생활에 지장이 생길 정도로 증상이 심한가요?</td></tr>
<tr><td>F</td><td colspan="2">[스트레스] 최근 스트레스 받는 일이 있으신가요?
[일주기 리듬 수면 장애] 교대 근무/해외여행
– 생활 패턴 변화/잠자리 환경 변화</td></tr>
<tr><td rowspan="2">Asso</td><td>원발성</td><td>[수면무호흡증] 코골이/비만
[하지불안증후군] 자기 전 다리 근질거리는 느낌(움직이면 나아짐)
[렘수면 행동장애] 잘 때 옆 사람을 치지 않는지</td></tr>
<tr><td>속발성</td><td>[내분비] 더위불내성/체중 감소/두근거림
[정신] 우울/불안, 초조/식욕 저하
[폐경] 얼굴 화끈거림/예민
[기타 기저 질환에 의한 수면장애 감별] (심부전) 부종/호흡곤란(누우면 악화)
(천식, COPD) 기침/호흡곤란/쌕쌕거림
(GERD) 속쓰림/신물 올라오는 느낌</td></tr>
<tr><td>약</td><td colspan="2">드시고 계신 약이 있나요?(수면제)
* 불면증 유발 약물 : 베타 차단제, 기관지 확장제, 스테로이드</td></tr>
<tr><td>과</td><td colspan="2">앓고 계신 병이 있나요? – 고혈압/당뇨/빈혈/정신과 질환
최근에 건강검진 받으신 적 있나요?</td></tr>
<tr><td>외</td><td colspan="2">[외상] 최근에 크게 다친 적이 있으신가요?
[수술] 이전에 입원 또는 수술 받은 적 있으신가요?</td></tr>
<tr><td>사</td><td colspan="2">음주/흡연/커피, 녹차(하루 섭취량, 자기 전 카페인 섭취하는지)
직업이 어떻게 되시나요?(근무시간)</td></tr>
<tr><td>가</td><td colspan="2">가족 중 비슷한 증상을 호소하시는 분이 있나요?
가족 중 정신건강의학과 치료를 받으신 분이 있나요?</td></tr>
<tr><td>여</td><td colspan="2">[월경] 폐경 여부</td></tr>
</table>

신체진찰

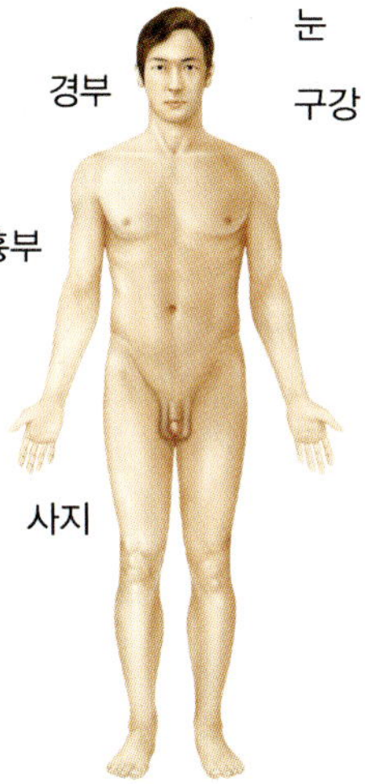

전체적	비만(키, 체중, BMI)
눈	공막, 결막 시진
구강	목젖, 아데노이드 등 관찰
경부	갑상샘 촉진
흉부	심음/호흡음 청진
사지	하지부종(Pitting edema)

환자교육

추정진단	○○님, 지금까지의 문진과 신체 진찰 결과를 바탕으로 생각해보았을 때 현재 A 질환이 가장 의심이 됩니다.
감별진단	하지만 그 외에 B 질환, C 질환도 완전히 배제할 수는 없습니다.
검사	그래서 정확한 진단을 위해서는 수면다원검사와 함께, 기저에 다른 신체질환이 없는지 감별을 위해 혈액검사 등이 필요할 것으로 생각됩니다. 오늘 이렇게 검사 받고 가도 괜찮으실까요?
치료	검사를 통해 A 질환으로 진단이 되면, ○○○으로 치료를 시작하면 좋을 것 같습니다.
예후	지금부터 치료를 받으시면 별다른 지장 없이 지내실 수 있을 것입니다.
주의점/생활교육	• 수면 위생 교육(자세한 내용은 다음 페이지 내용 참조) • 커피가 불면을 야기할 수도 있으므로, 커피 섭취를 자제하는 것이 좋습니다. • 수면제는 장기간 사용할 경우 문제가 생길 수도 있으니, 제가 처방해 드리는 의존성이 낮은 수면제로 필요할 때만 쓰는 것이 좋습니다.
질문기회	혹시 이해 안 되시거나 궁금하신 점이 있으신가요?

1) 진단계획

(1) 수면다원검사

(2) 혈액검사 : TFT, serum FSH/LH

2) 치료계획

(1) 수면 위생 교육 : 수면 위생은 불면증 단독치료로는 부족하지만, 전체 치료에 있어서는 중요한 부분을 차지한다.

(2) 인지행동치료와 함께 필요시 수면제를 처방하며 점점 수면제 tapering

(3) 환자 안심시키기 : 하루에 5～6시간만 자도 괜찮다. 고령의 경우 정상적으로 잠이 줄어들 수 있다.

3) 환자교육

(1) 수면 위생 : 아래 내용 중 3가지 이상 교육하기

- 매일 같은 시간에 취침, 기상하기
- 수면 시 주변 환경을 조용하고 쾌적하게 조절하기(소음, 불빛, 난방 조절)
- 카페인, 알코올, 흡연은 삼가기
- 매일 꾸준한 운동하기. 단, 잠자리에 들기 3～4시간 이내의 격렬한 운동은 피하기
- 과식은 수면에 좋지 않으므로 잠자리에 들기 전 배가 고프면 가벼운 간식만 먹기
- 잠이 안 온다고 침대에 계속 누워있지 말기
- 야간 빈뇨가 있다면 저녁 무렵 물이나 음료수를 제한하기
- 잠자리에 들기 전 따뜻한 물에 20분 정도 목욕하기

(2) 수면제 : 수면 시간을 연장하고 수면 중 깨는 횟수를 감소시키는 목적으로 사용

- BDZ : 수면, 진정, 항불안 효과가 있음, 부작용의 빈도와 정도가 낮으면서 단기 치료에 효과적
- non-BDZ : 의존, 남용은 적지만 부작용의 위험성이 존재
- 멜라토닌 수용체 항진제 : 수면－각성 주기에 관여, 남용이나 인지장애 없음

예시 일단 수면다원검사를 통해 수면의 어느 단계에서 문제가 있는지 파악해보도록 하겠습니다. 낮 잠은 15분 이내로 자는 것이 좋으며, 잠들기 전에는 TV나 휴대폰은 안보도록 노력해야 합니다. 수면 장소는 따뜻하고 안락하게 하는 것이 좋으며, 주간에 규칙적으로 운동을 하는 것이 도움이 됩니다. 단 밤에 너무 심한 운동은 안됩니다. 잠이 안온다고 억지로 누워있지 말고 다른 일을 하는 것이 도움이 됩니다. 너무 증세가 심할 경우 수면제를 처방 받아 사용하는 것도 괜찮습니다. 눈을 감고 있는 것만으로도 어느 정도 피로가 풀릴 수 있으니, 잠들지 않는다고 너무 스트레스를 받지 않는 것도 중요합니다. 매일 수면일기를 쓰시고 다음 내원하실 때 일기장을 저에게 보여주세요!

CPX 43

기억력 저하

CLINICAL PERFORMANCE EXAMINATION

감별진단

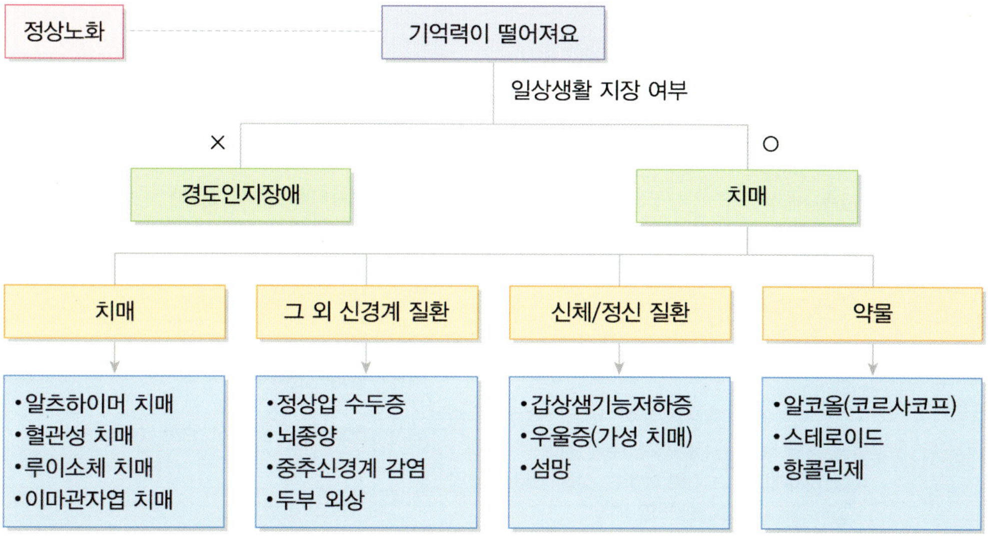

참고

기억력 저하 환자를 진찰할 때는 치매와 다른 질환을 감별하는 것이 중요하다. 특히 고령환자에서는 치매와 우울증으로 인한 기억력 저하의 감별에 유의해야 한다. 일상생활에 장애가 없는 주관적인 기억장애나 경도인지장애를 구분하고 치매인 경우 가역적인 원인 여부가 치료와 예후에 중요하므로, 가역적인 원인이 있는지 자세히 문진하여야 한다. 제시문에 따라 다르긴 하지만, 보통 MMSE와 신경학적 진찰까지 시행하여야 하므로 시간이 굉장히 촉박하며, MMSE의 경우는 시험실 내에 참고할 수 있는 자료가 없는 경우도 있어, MMSE에 대해서 대략적으로 외우고 있는 것이 좋다.

주제별 감별진단

계통	질병명	감별키워드	검사/치료	
치매	알츠하이머병 (Alzheimer disease)	• 최근 일이나 사건을 기억 못함 (오래된 기억은 유지) • 약속을 자주 잊음 • 단어 찾기 곤란, 지남력 저하	검사	뇌 MRI, 뇌 SPECT/CT
			치료	인지기능개선제(Donepezil), Memantine, 인지 치료
	혈관성 치매 (Vascular dementia)	• 갑작스런 발병 • 경과의 요동, 계단식 악화 • 고혈압/뇌졸중의 병력	검사	뇌 MRI
			치료	항혈소판제, 항응고제, 기저의 고혈압/당뇨 조절, 인지기능개선제 일부 사용
	루이소체 치매 (Lewy body dementia)	• 반복되는 생생한 환시 • 파킨슨 증후군	검사	뇌 MRI, 뇌 SPECT/CT
			치료	인지기능개선제(Donepezil), Clozapine(환시 조절), L-dopa
	이마관자엽 치매 (Frontotemporal dementia)	• 심한 성격변화와 행동변화	검사	뇌 MRI, 뇌 SPECT/CT
			치료	대증치료(진정제, SSRI)
뇌	정상압 수두증 (Normal pressure hydrocephalus)	• '보행장애, 요실금, 인지장애'의 triad	검사	뇌 MRI
			치료	뇌실-복강간 단락술
내분비	갑상샘기능저하증	• 추위불내성, 체중 증가, 변비	검사	TFT
			치료	levothyroxine
정신	우울증 유발 치매 (가성 치매)	• 우울, 불안, 피로, 의욕저하, 식욕 저하, 수면 장애 • 기억 못하는 것을 일부러 알리는 듯한 태도	검사	Beck의 우울 척도 검사, 심리검사
			치료	SSRI
	섬망	• 최근 수술 및 입원력 • 갑작스런 의식/지남력 장애	치료	Haloperidol
	코르사코프 증후군	• 술을 많이 마심, 작화증	검사	전해질 검사
			치료	Vitamin B_1 투여
약물	약물 유발 치매	• 스테로이드, 항콜린제	검사	-
			치료	약물 중단 또는 교체
기타	경도인지장애	• 일상생활에 지장 없는 정도	검사	-
			치료	경과 관찰

병력청취

L	-
O	언제부터 기억력이 떨어지셨나요?(갑자기/서서히)
S	당시 기억력이 떨어질 만한 특별한 계기가 있었나요?(사고, 지인의 죽음 등)
T	증상이 지속적인가요? 아니면 좋아졌다 나빠졌다 하나요?
Co/Ex	점점 더 증상이 심해지나요? 이전에도 이런 적이 있었나요?
C	[**양상**] * 돈 - 길 - 말 R/R • 계산 : **돈** 계산이나 관리하는데 있어 실수하신 적이 있나요? • 시공간 : **길**을 잃으신 적이 있나요? • 언어기능 : **말**할 때 단어가 금방 떠오르지 않나요? 상대방 말을 잘 이해 못하나요? • 가스불이나 현관문은 잘 잠그시나요? • 최근 일이 기억나지 않으시나요?(**R**ecent) 아니면 옛날 일이 기억나지 않으시나요?(**R**emote) (오늘 아침식사는 뭘 드셨나요? 고향이 어디세요?) [**정도**] 일상생활에 지장이 있나요? • DEATH/SHAFT : dress, eating, toilet, hygiene / shopping, housing, account, food, transport
F	[**악화**] 증상이 악화되는 상황이 있나요?(스트레스 등) [**완화**] 증상이 완화되는 상황이 있나요?
Asso	[**혈관성 치매**] 두통/시야장애 [**루이소체 치매**] 환시, 환청/말이나 걸음걸이가 느려짐 [**이마관자엽 치매**] 성격 변화 [**정상압 수두증**] 보행장애/요실금 [**가성 치매**] 우울/의욕저하/식욕저하/수면 장애 [**갑상샘**] 추위불내성/체중 증가/변비
약	드시고 계신 약이 있나요?(스테로이드, 항콜린제)
과	앓고 계신 병이 있나요? - 고혈압/당뇨/고지혈증/뇌혈관 질환/정신과 질환 최근에 건강검진 받으신 적 있나요?
외	[**외상**] 최근에 머리를 다친 적이 있으신가요? [**수술**] 최근에 입원하거나 수술을 받은 적이 있으신가요?
사	음주/흡연 직업이 어떻게 되시나요? (실례가 되지 않는다면) 최종 학력이 어떻게 되시나요?
가	가족 중 치매나 기억장애를 앓고 계신 분이 있나요?
여	[**월경**] 규칙적/월경통/폐경 여부

신체진찰

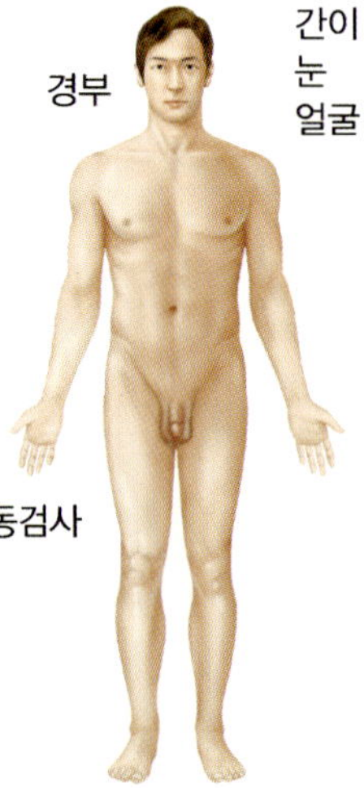

눈/얼굴	시야/안구운동/안면마비(눈 꽉 감기, 이 해보기)
경부	갑상샘 촉진/경동맥 잡음 청진
운동검사	사지 근력 측정/DTR, 바빈스키 반사 걸음걸이/보행검사
간이 MMSE	학력 확인 지남력 1. 시간 : 계절/년도/월/일/요일 2. 장소 : 국가/시, 도/장소 이름/몇 층/무얼 하는 곳? 기억등록 : 비행기, 연필, 소나무(한 번씩 말하고 환자가 한 번에 3개 바로 말하도록 하기) 집중력 및 계산 : 100－7(거기서 7을 빼면?×4회) 기억력 : 아까 말씀드린 3단어 기억하세요? 이름대기 : (볼펜, 시계 등 보여주고) 이름 묻기 지시사항 : '눈을 감아보세요' 써서 보여주고 환자가 행동을 하는지 보기

※ 신체검진에서 MMSE만 하도록 제시문에 안내되어 있는 경우, MMSE 항목만 하면 됩니다. 경우에 따라서 MMSE 기록지를 주지 않을 수 있으니 미리 외워서 연습하는 것이 좋습니다.

환자교육

추정진단	ㅇㅇ님, 지금까지의 문진과 신체 진찰 결과를 바탕으로 생각해보았을 때 현재 A 질환이 가장 의심이 됩니다.
감별진단	하지만 그 외에 B 질환, C 질환도 완전히 배제할 수는 없습니다.
검사	그래서 정확한 진단을 위해서는 뇌 CT와 MRI 촬영과 다른 신체질환에 의해 기억력 저하가 발생한 것은 아닌지 감별을 위해 갑상샘기능검사 등이 필요할 것으로 생각됩니다. 오늘 이렇게 검사 받고 가도 괜찮으실까요?
치료	검사를 통해 A 질환으로 진단이 되면, ㅇㅇㅇ으로 치료를 시작하면 좋을 것 같습니다.
예후	지금부터 치료를 받으시면 별다른 지장 없이 지내실 수 있을 것입니다.
주의점/생활교육	• 환자가 불안해 할 수 있으므로 환자를 안심시키고, MMSE 점수가 24점 이하이면 추가적인 검사가 필요하다는 점을 설명해주기 • 고혈압, 당뇨에 대한 관리 및 적절한 운동이 필요하다는 점을 교육하기 • 환자가 규칙적인 생활을 하고, 즐겁게 할 수 있는 일이나 취미활동을 지속하는 것이 도움이 된다는 점을 설명해주기 • 환자를 돌보는 보호자가 환자로부터 받는 스트레스를 극복하기 위해 철저히 자기 관리를 하고 가족끼리 부담을 분담하는 등의 방안이 필요함을 설명드리기 • 국가에서 운영하는 치매 지원 센터, 사회복지사 방문 치료 서비스 등에 대해 설명해주기
질문기회	혹시 이해 안 되시거나 궁금하신 점이 있으신가요?

1) 진단계획

(1) 뇌 SPECT/CT, MRI, PET

(2) 혈액검사 : CBC, electrolyte, TFT, LFT, BUN/Cr

2) 치료계획

(1) 인지기능 개선제 : Cholinesterase inhibitor(Donepezil, Rivastigmine, Galantamine)
NMDA 수용체 길항제(Memantine)

(2) 사회복지사 방문 치료

(3) 혈관성의 경우 뇌졸중 재발 방지(항혈소판제, 항응고제) 및 기저의 고혈압, 당뇨 조절하기 (인지기능 개선제도 일부 사용하지만 비보험임)

3) 환자교육

(1) 심혈관 위험 인자 개선의 필요성 : 고혈압, 당뇨, 심장질환, 고지혈증이 있는 경우 각 질환에 대한 치료를 통해 이를 조절하기, 과음이나 흡연은 삼가기

(2) 우울증의 경우 우울증을 치료하면 기억력 저하도 좋아짐을 설명하기

(3) 경도 인지장애의 경우 알츠하이머로 진행할 수 있으므로 주의해야 하며, 빨리 치료를 시작하는 것이 좋다는 점을 설명하기

(4) 가족 교육 및 지지 프로그램 : 보호자는 환자에게 받는 스트레스를 극복하기 위해 철저한 자기 관리가 요구되며 가족 간의 고통 분담, 자신만의 시간 갖기, 자신의 한계를 인정하고 주변에 도움 및 조언을 청하기, 보호자 자신의 중요성 인식하기 등이 필요함을 설명하기

(5) 사회적 관리 시스템 활용 : 보호자가 환자를 케어하기 어려운 상황이라면 사회복지사 방문 치료 서비스를 이용할 수 있으며, 구 단위로 치매 지원 센터가 운영되고 있고, 그 곳에서 치매검사도 해주고 치료비나 기타 활동에 대한 지원사업도 해주고 있음을 설명하기

Date | | | | | | | ☐Baseline ☐Endpoint

K-MMSE(Mini-Mental State Examination) – 반드시 학력을 물어봐야 함

* 24점 이상(정상) / 20~23점(치매 의심) / 19점 이하(확정적 치매)
* 무학, 문맹의 경우 : 시행 점수+4점

항목			반응	점수	합계
시간 지남력 [5]	년 (1)				☐점
	월 (1)				
	일 (1)				
	요일 (1)				
	계절 (1)				
장소 지남력 [5]	나라 (1)				☐점
	시, 도 (1)				
	무엇하는 곳 (1)				
	현재 장소명 (1)				
	몇 층 (1)				
기억 등록 [3]	비행기 (1)				☐점
	연필 (1)				
	소나무 (1)				
주의 집중 및 계산 [5]	100－7 (1)				☐점
	－7 (1)				
	－7 (1)				
	－7 (1)				
	－7 (1)				
기억 회상 [3]	비행기 (1)				☐점
	연필 (1)				
	소나무 (1)				
언어 및 시공간 구성 [9]	이름 대기 (2)	시계, 볼펜	1☐ 시계 1☐ 볼펜		☐점
	명령 시행 (3)		1☐ 종이를 뒤집고 1☐ 반으로 접은 다음 1☐ 저에게 주세요		
	따라 말하기 (1)	백문이 불여일견			
	오각형 (1)				
	읽기 (1)	눈을 감으세요.			
	쓰기 (1)	오늘 기분이나 날씨에 대해 써 보십시오.			
총 점	/30				

CPX 44

CLINICAL PERFORMANCE EXAMINATION

자 살

감별진단

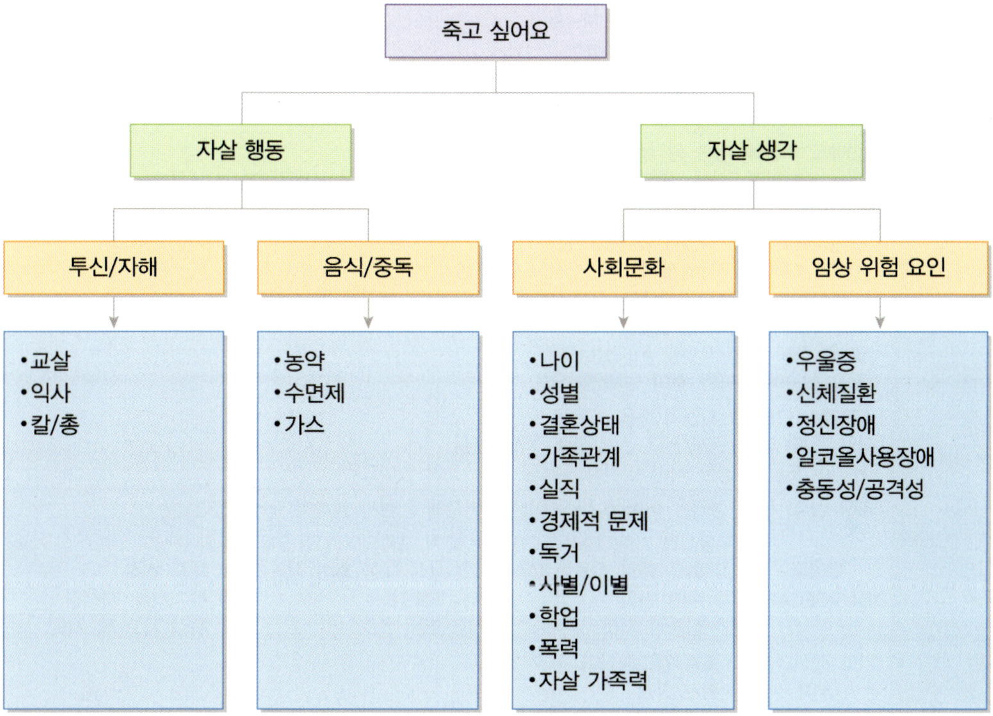

참고

정신과 SP에게는 '환자분'이라는 호칭보다는 '○○님'이라는 호칭이 좋습니다. 자살 의도가 있는 환자를 처음 진찰할 때는 먼저 환자의 **마음 상태**와 **자살위험도**에 대해 평가한 후, 자살과 관련된 위험요인과 방어요인을 확인한다. 무비판적이면서 공감적인 태도로 환자와 치료적 동맹을 맺은 후 환자에게 치료의 필요성을 교육한다. 1. 비밀보장, 2. 면담정리 3.원인파악 4. 치료방법 5. 가족지지 6.입원권유 이 6가지가 핵심이다.

상담과정

<table>
<tr><th colspan="3">환자-의사 관계 형성</th></tr>
<tr><td colspan="3">• 지금부터 ○○○씨가 겪은 일에 대한 면담을 하려고 하는데 괜찮으신가요?
• 지금부터 저와 함께 하는 상담의 모든 내용은 비밀이 보장됩니다.
• 말씀하기 쉽지 않으신 내용들일 테지만, 전문가적인 입장에서 최대한 도움을 드리고자 이렇게 상담을 드리는 것이니 부담이 되시더라도 대답해 주시면 감사드리겠습니다.
• 혹시라도 면담 중 힘든 부분이 있으시다면 언제든 말씀해주세요.
• 요즘 기분은 어떠신가요?
• 자해, 자살에 대해 생각해 본 적이 있으신가요?</td></tr>
<tr><td>L</td><td colspan="2">-</td></tr>
<tr><td>O</td><td colspan="2">언제부터 자살에 대한 생각을 하셨나요?</td></tr>
<tr><td>S</td><td colspan="2">어떤 상황에서 자살 생각이 드나요?
자살 생각을 갖게 된 계기나 사건이 있나요?</td></tr>
<tr><td>T</td><td colspan="2">자살에 대한 생각을 몇 차례 정도 하셨나요?</td></tr>
<tr><td>Co/Ex</td><td colspan="2">이전에도 자살에 대한 생각을 하신 적이 있나요?
이번을 포함하여 자살을 위한 구체적인 계획을 세운적은 있나요? 실제로 자살 시도를 하신 적은 있나요?</td></tr>
<tr><td>C</td><td colspan="2">[자살 계획만 세워본 경우]
• 구체적으로 어떤 계획을 세우셨나요?
• 계획에 대해 누군가에게 이야기한 적이 있나요?
• 실제 자살 시도까지 이어지지 않고 그만두신 건 어떤 생각을 통해서였나요?
[자해/자살 시도까지 한 경우]
• 몇 번 정도 자해/자살을 시도했나요?
• 가장 최근에 시도한 것이 언제인가요?</td></tr>
<tr><td>F</td><td colspan="2">[스트레스] 가까운 지인의 죽음/스트레스
[대인 관계] 가족 관계/친구 관계/폭력, 학대 경험
• 본인이 도움을 청한 적이 있거나 도움을 청할 곳이 있나요?</td></tr>
<tr><td rowspan="3">Asso</td><td colspan="2">[병전 성격] 평소 성격은 어떠셨나요? 이전과 비교해서 현재 성격이 달라지셨나요?</td></tr>
<tr><td>우울증
*DeSIGECAPS</td><td>우울삽화 기준(DSM-V) (① 또는 ②가 포함되어 있고 5개 이상의 증상이 2주 이상 지속)
① 하루 종일 우울한 기분 ② 삶에 대한 흥미 감소 ③ 체중 변화
④ 수면 변화 ⑤ 피로감 ⑥ 무가치함, 자책감
⑦ 집중력 저하 ⑧ 불안, 초조 ⑨ 자살 사고 및 시도</td></tr>
<tr><td>기타 정신과적 장애</td><td>• 조증/경조증삽화
• 환시/환청</td></tr>
<tr><td>약</td><td colspan="2">복용 중이신 약물이 있나요?</td></tr>
<tr><td>과</td><td colspan="2">따로 앓고 계신 질병이 있나요? - 만성 질환/정신과적 질환</td></tr>
<tr><td>외</td><td colspan="2">[외상] 최근에 어디를 크게 다치신 적이 있나요?
[입원] 최근에 입원하거나 수술 받은 적이 있으신가요?</td></tr>
<tr><td>사</td><td colspan="2">음주/담배/커피
직업이 어떻게 되시나요?
운동을 일주일에 몇 번 정도 하시나요?</td></tr>
<tr><td>가</td><td colspan="2">가족 중 정신건강의학과에서 치료를 받으시는 분이 있으신가요?
가족 중 자살 시도를 하셨던 분이 있나요?</td></tr>
<tr><td>여</td><td colspan="2">-</td></tr>
</table>

신체진찰

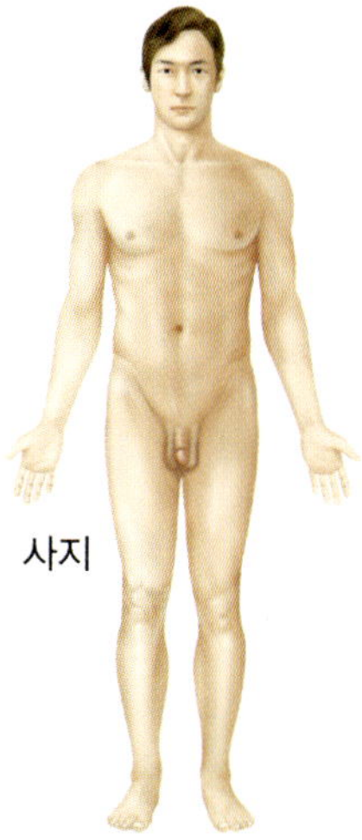

사지	손목, 팔, 허벅지, 다리 시진

※ 대개 할 필요 없는 것으로 지문에서 주어지나, 필요하다면 자해 여부를 확인하기 위해 위의 부위들을 시진해 보면 좋을 것 같습니다.

환자교육

면담 정리	• ㅇㅇ님, 우선 말씀해주기 어려운 내용이셨을 텐데 면담에 응해주셔서 감사드립니다. • 이야기를 들어보니 그동안 굉장히 힘드셨을 것 같습니다. 혼자 참지 않으시고 이렇게 병원에 오신 건 정말 잘하셨습니다.
원인 파악	• 면담 결과, 환자 분께서는 현재 상당한 스트레스 상황에 놓여 있는 것으로 생각되며, 우울증 때문에 이런 생각이 드셨을 것으로 생각됩니다.
치료 방법	• 우울 증상은 치료가 안되는 것이 아닙니다. 약을 통해 조절해나가면 됩니다. 뿐만 아니라, 걱정과 스트레스가 많이 있으므로 그런 것을 해소해 나가는 방향으로 조절해나가면 됩니다. 저희가 상담을 통해서 ㅇㅇ님을 많이 도와드릴 수 있을 것입니다.
가족 지지	• ㅇㅇ님 혼자만으로는 치료를 받으시기가 혹시 두려우신가요? 가족분들에게 알리고 서로 도움을 받는 것이 어떠실까요?
입원 권유	• 오늘 ㅇㅇ님의 안전을 위해서, 심리적인 안정을 취하는 것을 도와드리기 위해서 입원하는 것이 반드시 필요합니다. 의사로서 최선의 진료를 해드리고, 가까이서 지켜보고 힘이 되어드리고 싶습니다. 어떻게 생각하시나요? 입원치료에 대해서 거부감이 있는 경우 – 입원치료에 대해서 부담이 드시리라 생각이 듭니다. 다만 며칠 차분히 쉰다는 마음으로, 입원 치료를 하신다면 부담이 덜 할 수 있을 것입니다.
교육	• 환자를 혼자 두지 말기 • 자살에 사용될 수 있는 물건 치우기

1) 치료계획

(1) 입원 치료

- 자살 시도를 한 경우 자살의 위험성이 높으므로 반드시 입원 치료를 시행해야 함
- 자살 시도력이나 자살 계획이 없더라도 정신 질환(우울증, 정신병적 증상)이 심할 경우 검사 및 경과 관찰을 위해 입원이 필요할 수 있음을 설명할 것
- 입원을 하지 않고, 불면, 기분변화에 대해 약을 처방하게 될 경우 보호자의 통제 하에 단기간 처방하며, 정신과 외래에 반드시 방문하도록 교육할 것

(2) 약물 치료 : SSRI(우울증), 항정신병약물(조현병)

(3) 지지적 정신 치료 : 심리적 고통 경감, 병식을 줄 수 있는 치료

(4) 가족 치료

(5) 전기 충격 요법 : 항우울제에 반응이 없거나, 지속적으로 자살 의사를 보이는 경우

2) 환자교육

(1) 자살은 어떤 경우에도 옳지 않음을 알려줄 것

(2) 환자를 비난하지 말 것

(3) 환자의 불편함과 우울함에 대한 공감을 표현해줄 것

(4) 희망적이지만 현실적으로 가능한 메시지만 전달할 것. 비현실적이고 무조건적인 희망은 도움이 되지 않음

(5) 가족의 지지가 중요하므로 가족에게 현 상황을 얘기하는 것이 어떤지 물어보고, 가족과 서로 위로해주는 것이 많은 도움이 될 것이라고 말해주기. 그럼에도 가족에게 알리기 싫어하는 경우 환자 의사를 존중하고 비밀 보호를 보장할 것

참고 | 자살의 위험인자

① 45세 이상

② 알코올 의존

③ 격한 분노, 흥분 잘함. 폭력 자주 행사

④ **자살기도 경험**

⑤ 남자

⑥ 어려울 때 남의 도움 받기 원치 않음

⑦ 장기간 지속되는 우울증

⑧ 정신과 입원 치료 경험

⑨ 최근에 물질적으로 큰 손해, 중요한 사람과 이별 경험

⑩ 우울증

⑪ 신체적 질병(특히 신부전, 폐기종)
⑫ 실직, 은퇴
⑬ 배우자와 사별, 이혼, 독신

참고 | 자살 환자의 입원치료 적응증

① 사회적 지지 체계 없는 경우
② 과거에 충동적으로 행동한 경우
③ 자살계획을 하고 있는 경우
※ 위와 같은 경우가 아니더라도, 자살을 시도한 환자에서는 원칙적으로 입원 치료하는 것이 좋다.

CLINICAL PERFORMANCE EXAMINATION

10 CHAPTER

상 담

CPX 45-1

CLINICAL PERFORMANCE EXAMINATION

금연 상담

감별진단

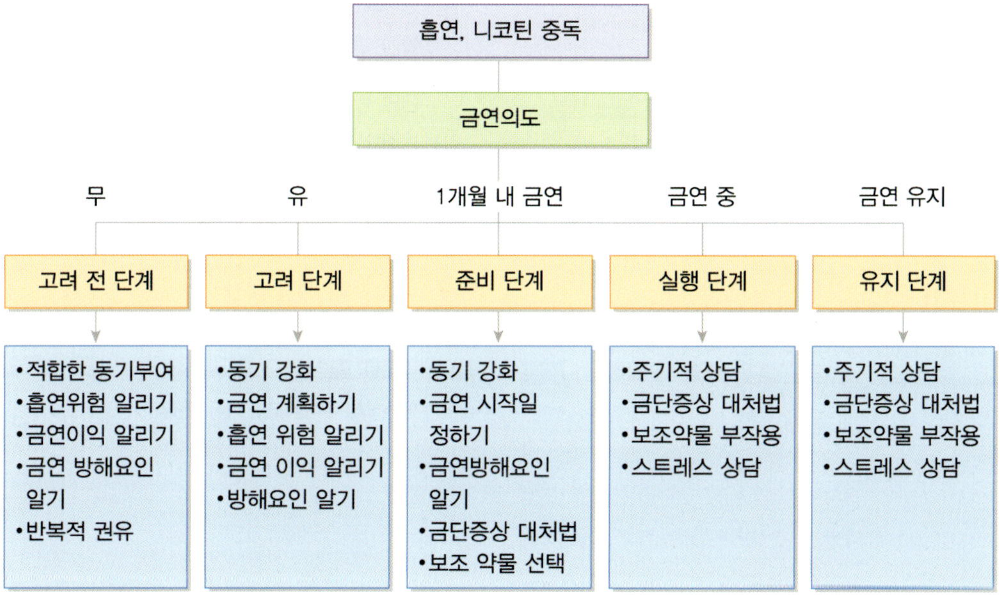

참고

금연 상담을 할 때는 먼저 **흡연 상태와 금연의지를 평가**한 후 **금연의지가 없는 흡연자**의 경우 흡연으로 인한 질병 위험과 금연의 이익을 설명하고 동기유발 전략을 이용하여 금연을 권유한다. **금연의지가 있는 흡연자**는 니코틴 중독 정도를 평가하면서 과거의 금연 방해요인을 묻고 극복방법을 협의하는 등 금연 성공을 도와줄 수 있는 개별화된 금연 상담을 한다. 중간중간 상담자에게 당근과 채찍을 주며 긍정적인 환자-의사 관계를 만들어야 한다.

주제별 감별진단

<table>
<tr><th colspan="2">상황</th><th>감별키워드</th><th colspan="2">면담/전략</th></tr>
<tr><td rowspan="6">금연의도</td><td rowspan="2">고려 전 단계</td><td rowspan="2">• 금연 의도 없음</td><td>면담</td><td>동기부여(흡연위험, 금연이익), 금연 권유
금연 방해요인 파악</td></tr>
<tr><td>전략</td><td>금연 권유, 설득</td></tr>
<tr><td rowspan="2">고려 단계</td><td rowspan="2">• 금연 의도만 있음</td><td>면담</td><td>동기 강화(흡연위험, 금연이익)
금연 계획
금연 방해요인 파악</td></tr>
<tr><td>전략</td><td>방해요인 차단, 약물치료 고려</td></tr>
<tr><td rowspan="2">준비 단계</td><td rowspan="2">• 1개월 내 금연 예정</td><td>면담</td><td>동기 강화(흡연위험, 금연이익)
금연 시작일 정하기
금연 방해요인 파악</td></tr>
<tr><td>전략</td><td>방해요인 차단, 보조 약물 선택, 금단증상 대처법 교육</td></tr>
<tr><td rowspan="6">니코틴 의존성</td><td rowspan="2">낮은 의존도</td><td rowspan="6">• 아침 첫 담배 시간/맛/개피 수
• 금연구역 흡연
• 흡연 개피 수
• 아플 때 흡연</td><td>검사</td><td>니코틴 의존성 0~3점</td></tr>
<tr><td>전략</td><td>행동요법, 금연 방해요인 차단</td></tr>
<tr><td rowspan="2">중등도 의존도</td><td>검사</td><td>니코틴 의존성 4~6점</td></tr>
<tr><td>전략</td><td>행동요법, 약물요법 추천</td></tr>
<tr><td rowspan="2">높은 의존도</td><td>검사</td><td>니코틴 의존성 7+점</td></tr>
<tr><td>전략</td><td>행동요법, 약물요법 적극 권장</td></tr>
</table>

병력청취

<table>
<tr><td rowspan="1">흡연력</td><td colspan="2">[언/왜/양] 담배는 언제부터 피우셨나요? 왜 피우게 되셨나요? 하루에 몇 갑 정도 피우시나요?
[습관] 답배를 어디서 피시나요? 누구와 피시나요?
[니코틴 의존성]
• 아침에 일어나서 얼마 만에 첫 담배를 피우시나요?
– 5분 이내 : 3점 / 6~30분 : 2점 / 30분~1시간 : 1점 / 1시간 이상 : 0점
• 금연구역에서도 흡연을 참기 힘드신가요?
– 예 : 1점, 아니오 : 0점
• 하루 중에 어떤 때 담배 맛이 가장 좋나요?
– 아침 첫 담배 : 1점 / 나머지 : 0점
• 하루에 몇 개피를 피우시나요?
– 하루 31개피 이상 : 3점, 21~30개피 : 2점, 11~20개피 : 1점, 10개피 이하 : 0점
• 아침에 일어나서 첫 몇 시간 동안 하루 다른 때보다 더 자주 담배를 피우시나요?
– 예 : 1점, 아니오 : 0점
• 하루 중 대부분을 누워서 지낼만큼 몹시 아파도 담배를 피우실 것인가요?
– 예 : 1점, 아니오 : 0점</td></tr>
<tr><td rowspan="3">Risk/Reward</td><td colspan="2">5R : Risk, Reward, Relevance, Roadblock, Repetition</td></tr>
<tr><td>Risk</td><td>흡연의 위험에 대해 알고 있나요?
– 폐암, 심혈관계 질환, 위궤양 및 역류성 식도염, 입냄새/누런 치아, 피부 푸석해짐, 탈모, 골다공증, 성기능 감소(남성), 태아 영향(여성)</td></tr>
<tr><td>Reward</td><td>금연을 하면 어떤 좋은 점이 있을까요?
– 금전적 이득, 건강</td></tr>
<tr><td>금연 관련</td><td colspan="2">[P/R] <u>Plan</u> : 1개월 내에 금연할 계획이 있으신가요?
<u>Reason</u> : 금연을 계획하게 된 계기가 있나요?
[시/실/금] 이전에 금연 <u>시도</u>해본 적이 있나요?(횟수, 방법, 기간)
<u>실패</u> : 무엇 때문에 담배를 다시 피우게 되었나요?
<u>금단증상</u> : 담배를 피우지 않으면 어떤 증상이 있나요?
– 손떨림, 두근거림, 불안, 우울, 불면
[C/T] Carry : 주위에 금연을 도와줄 수 있는 사람이 있을까요?
Troll : 금연에 방해가 되는 요인?</td></tr>
<tr><td rowspan="5">환자 상태 평가</td><td>Asso</td><td>기침, 가래, 객혈, 호흡곤란</td></tr>
<tr><td>약</td><td>복용 중인 약물</td></tr>
<tr><td>과</td><td>현재 치료 중인 질환 : 고혈압/당뇨/간질환, 고지혈증, 심장질환 등</td></tr>
<tr><td>사</td><td>술, 직업</td></tr>
<tr><td>가</td><td>가족관계, 호흡기 질환(자녀 포함), 심혈관계 질환, 알레르기 질환</td></tr>
</table>

교육	진단	의존 여부 및 동반 질환 평가
	검사	몸에 이상은 없는지 가슴 X선, 폐기능 검사를 시행하겠다. 시간은 괜찮으신가요?
	치료 −금연시작일	• 금연 의도가 있는 경우 : 금연 시작일을 정한다. • 금연 의도가 없는 경우 : 오랜 흡연으로 호흡기 기능이 나빠졌을 가능성이 높으므로 흉부 엑스레이, 폐기능 검사가 필요하다고 설명하며 금연을 권유한다.
	치료 −금연 전략	• 가지고 있는 담배 및 라이터를 모두 버린다. • 주변인에게 금연 시작을 선언한다. • 주위 흡연자가 있으면 같이 금연을 한다. • 술은 흡연 재발과 관련되므로 금연기간에는 술을 되도록 피한다. • 금단 증상은 2~3일 내에 가장 심하고 3일 후 50%, 5일 후 80% 가량의 금단 증상이 줄어든다는 것을 염두에 둔다. 금단 증상이 심할 때는 물을 마신다거나, 다른 생각을 해보는 것이 좋다. • 입이 심심할 때는 껌 등을 씹는다.
	금단증상대비	• 약물보조요법 : varenicline(담배 맛 줄이고 금단 증상 줄임), bupropion, clonidine • 니코틴 대체요법 : 니코틴 패치, 니코틴 껌 • 운동
격려+ 다음 일정	금연 의지 확인 및 격려 +금연일 1~2주 이내 확인을 위해서 외래 방문(금연일 다음에 정하기로 하면 2주 후)	

* 옆 페이지를 참고하여 본인만의 교육방법을 세워 보기 바랍니다.

신체진찰

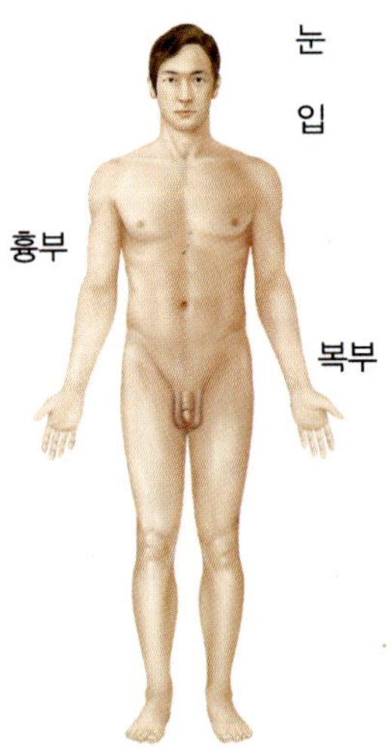

눈	결막, 공막
입	치아 변색, 구강 내 종양
흉부	호흡음 청진, 심음 청진
복부	* 충분한 교육 시간이 확보된 경우 고려 시−청−타−촉

환자교육

격려/칭찬	○○님, 스스로 결심해서 병원에 오신 것을 보면 의지가 굉장히 강하신 것 같습니다. 정말 잘 생각하셨고, 금연을 꼭 성공하실 수 있을 것 같습니다. 저희가 도움을 드리겠습니다.
환자상태	말씀해주신 것과 제가 신체진찰 □□한 것을 종합했을 때, 환자분께서는 현재 니코틴 의존도가 낮은/중등도/높은 상태로 확인됩니다.
검사	• 증상 있거나 흡연력 오래 된 경우 고려 현재 기침, 가래 등의 증상이 있고 흡연을 워낙 오래 하셨기 때문에 호흡기계에 문제가 있는 것은 아닌지 확인해보려고 합니다. 추가적으로 가슴 X-ray와 폐기능검사를 시행하려고 하는데 괜찮으신가요?
교육	[**조력자**] 주위에 금연을 도와줄 수 있는 사람이 있나요? [**방해요인**] 스트레스를 받거나 술을 드신 이후에 금연을 유지하는 것은 현실적으로 어렵습니다. 그런 상황을 먼저 피하는 것이 유일한 대처 방법입니다. 담배를 같이 피는 주변인이 있다면 잠시 거리를 두실 수도 있지만, 이번 기회에 설득해서 같이 금연을 하시는 것이 환자분의 금연 성공률을 더 높일 수 있을 것 같습니다. [**금연전략**] 가지고 있는 담배, 라이터는 모두 버리시고, 금연을 한다는 사실을 주변에 많이 알리시면 좋습니다. [**금단증상**] 금단증상은 2~3일째가 가장 심하고, 5일째만 되어도 80% 이상 줄어듭니다. 껌이나 운동 등이 도움이 될 수 있습니다. 필요하다면 니코틴 패치나 껌을 드릴 수 있고, 금단증상을 줄이고 담배 생각이 덜 나도록 하는 약을 처방해드릴 수 있습니다.
금연 시작일	금연 시작일은 언제부터로 하시겠습니까?
다음 방문	• 금연 시작일을 정한 경우 금연 시작일로부터 1~2주 후에 다시 한 번 방문하셔서 그 동안 어떤 것이 힘들었고 어떻게 지켜오셨는지 확인하고 전략을 조절해보도록 하겠습니다. 중간에 언제라도 힘드실 때 방문하셔도 좋습니다. • 금연 시작일을 정하지 않은 경우 생각해 보시고 2주 후에 다시 방문하셔서 금연 시작일을 정해보도록 합시다. 금연은 하루라도 빠르게 할수록 건강에 이득이 있습니다.
질문기회	혹시 이해 안 되시거나 궁금하신 점이 있으신가요?

1) 흡연 관련 질환(Relevance)

(1) 공통 : 입냄새, 치아 변색, 치주 질환, 역류성 식도염 및 위궤양, 피부 푸석해짐, 탈모, 골다공증

(2) 호흡기 : 기침, 인후통, 상기도 감염, 폐암

(3) 순환기 : 협심증, 뇌졸중 등 심혈관계 질환

(4) 특수 : 임산부(자연유산, 태아 사망/저체중아 위험 증가), 부모(자녀들의 기침, 호흡기 질환 증가), 남성(성기능 감소)

2) 위험도(Risk)

(1) 암 : 모든 암의 30% 원인을 차지, 담배에 암 유발 촉진 인자가 함유되어 있음

(2) 고혈압, 고지혈증, 관상동맥질환의 주요 위험 인자

(3) 심장병, 폐기종, 폐암 등의 위험이 최대 10배 상승, 평균 수명 5~8년 감소

3) 금연 이익(Rewards)

(1) 금연 시 폐기능 30% 이상 회복, 폐암 사망률 절반 수준으로 감소

(2) 혈압, 맥박, 손발 체온 등이 정상으로 회복

(3) 남성 : 성기능, 수정 능력, 정자 운동 능력 회복

CPX

CLINICAL PERFORMANCE EXAMINATION

45-2 음주 상담

감별진단

- 적절음주
- 음주 문제
  - 위험음주
    - 과음
    - 폭음
  - 알코올사용장애
    - 알코올남용
    - 알코올의존

참고

알코올 문제를 상담할 때는 우선 음주습관 평가와 선별검사 도구(CAGE 등)를 사용하여 적절 음주인지 음주문제가 있는지 판단한다. 이후 알코올 사용장애와 알코올 금단 여부를 평가하고 이에 따라 적절음주 또는 단주를 실행할 수 있도록 교육한다.

주제별 감별진단

상황		감별키워드	전략
위험음주	과음	• 자주 마심 • 생활에 문제 없음	음주 횟수 줄이기
	폭음	• 양을 많이 마심 • 생활에 문제 없음	폭음
알코올 사용장애	알코올 남용	• 조절 실패 • 욕구, 충동 • 기능장해, 문제 발생 • 내성/금단	• 금주 시작 선언 • 금주 일기 작성 • 술자리 회피 • 금주 모임 가입 • 약물보조요법(naltrexone, acamprosate)
	알코올 의존		
금단	알코올 금단	• 금주 후 발생 • 두근거림, 식은땀, 손떨림 • 불면증, 오심/구토 • 경련, 섬망, 환각	benzodiazepine : 금단증상 완화

병력청취

<table>
<tr><td>음주력</td><td colspan="2">[언/왜/양] 술은 언제부터 마시게 되었나요? 술을 왜 먹게 되나요? 주로 어떤 상황에서 드세요? 술은 일주일에 몇 번 드시나요? 한 번 드실 때 얼마나 드시나요? 가장 많이 드시면 어느 정도 드시나요?
[습관] 어디서, 누구와, 주사는 있으신가요?, 어떻게 먹는지(안주, 빠르게 술만 먹는지, 주종)
[알코올 의존성] – CAGE
• Cut down : 술을 줄이거나 끊어야겠다고 생각이 드시나요?
• Annoy : 술 때문에 주변에서 한소리 듣기도 하시나요? 주변에서 술을 끊으라고 하나요?
• Guilty : 술을 마시고 죄책감을 느끼시나요?
• Eye-opener : 아침에 일어나자마자 술을 드시나요? 해장술을 드신 적이 있나요?
[내성 및 남용] 법대지점병(법적인 문제/대인관계 장애/위험행동, 지각/점점 더 많이 먹게됨 / 병이 생길 것을 알면서도 먹게됨)</td></tr>
<tr><td rowspan="3">Risk/Reward</td><td colspan="2">5R : Risk, Reward, Relevance, Roadblock, Repetition</td></tr>
<tr><td>Risk</td><td>음주의 위험에 대해 알고 있나요?
– 간질환(간염, 간경변), 식도질환, 위염, 위궤양, 췌장염, 고혈압, 뇌출혈</td></tr>
<tr><td>Reward</td><td>금주를 하면 어떤 좋은 점이 있을까요?
– 금전적 이득, 건강</td></tr>
<tr><td>금주 관련</td><td colspan="2">[P/R] Plan : 1개월 내에 금주할 계획이 있으신가요?
Reason : 금주을 계획하게 된 계기가 있나요?
[시/실/금] 이전에 금주 시도해본 적이 있나요?(횟수, 방법, 기간)
실패 : 무엇 때문에 다시 마시게 되었나요?
금단증상 : 술을 마시지 않았을 때 이러한 증상이 있나요?
– 자율신경계 항진, 손떨림, 불면증, 오심/구토, 예민, 경련
[C/T] Carry : 주위에 도와줄 수 있는 사람이 있을까요?
Troll : 방해가 되는 요인?</td></tr>
<tr><td rowspan="5">환자 상태 평가</td><td>Asso</td><td>A/N/V/C/D, 토혈/혈변, 복통/소화불량/황달
우울/의욕 저하/기억력저하(필름끊김)</td></tr>
<tr><td>약</td><td>복용 중인 약물</td></tr>
<tr><td>과</td><td>현재 치료 중인 질환 : 고혈압/당뇨/간질환, 고지혈증, 심장질환 등
이전 정신건강의학과 진료/치료(물질 사용장애)</td></tr>
<tr><td>사</td><td>직업, 스트레스</td></tr>
<tr><td>가</td><td>가족관계, 고혈압/간질환</td></tr>
</table>

교육	진단	남용, 의존 상태 및 진단 – 알코올 사용장애(CAGE 2가지 이상)
	검사	몸에 이상은 없는지 간기능검사 간 초음파 검사를 시행해보겠습니다.
	치료 – 금주시작일	• 금주 의도가 있는 경우 : 금주 시작일을 정한다. • 금주 의도가 없는 경우 : 오랜 음주로 간기능이 나빠졌을 가능성이 높으므로 간기능검사, 복부 초음파가 필요하다고 설명하며 금주를 권유한다.
	치료 – 금주전략	• 주변인에게 금주 시작을 선언한다. • 금주 일기 작성 • 술자리 회피 • 금주 모임 가입
	금단증상대비	• 약물보조요법 : naltrexone(술로 인한 즐거움 감소), acamprosate(단주기간 연장) • 금단증상 완화 : benzodiazepine
격려 + 다음일정	금주일 1~2주 이내 확인을 위해서 외래 방문(금주일 다음에 정하기로 하면 2주 후)	

* 옆 페이지를 참고하여 본인만의 환자 교육방법을 세워 보기 바랍니다.

신체진찰

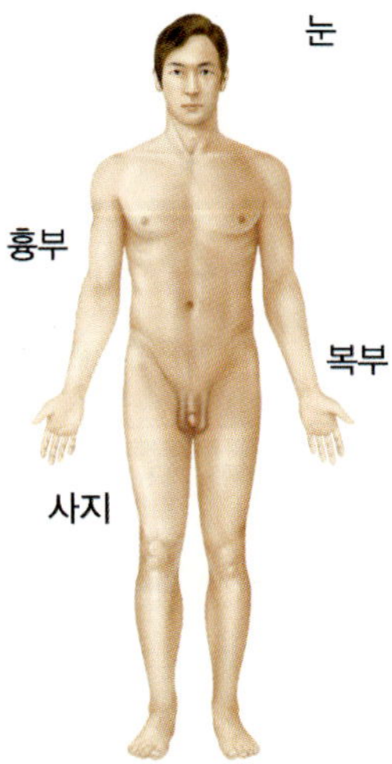

눈	결막, 공막
흉부	* 충분한 교육 시간이 확보된 경우 고려 호흡음 청진, 심음 청진
복부	시 – 청 – 타 – 촉 간비대, 복수
사지	손 : spider angioma, flapping tremor

환자교육

격려/칭찬	○○님, 스스로 결심해서 병원에 오신 것을 보면 의지가 굉장히 강하신 것 같습니다. 정말 잘 생각하셨고, 금주를 꼭 성공하실 수 있을 것 같습니다. 저희가 도움을 드리겠습니다.
환자상태	말씀해주신 것과 제가 신체진찰 □□한 것을 종합했을 때, 환자분께서는 현재 알코올 의존도가 있는/없는 상태로 확인됩니다.
검사	음주를 오래 하셨기 때문에 간기능에 이상이 있을 가능성이 있습니다. 간기능검사와 복부 초음파 검사를 진행하여 이상이 있으면 치료를 도와드리려고 하는데 괜찮으신가요?
교육	[**조력자**] 주위에 금주를 도와줄 수 있는 사람이 있나요? [**방해요인**] 술을 주기적으로 같이 드시는 분이 있거나 정기적인 술모임이 있는 경우 금주 성공률이 낮아지는 원인이 됩니다. 설득하여 같이 금주를 시도하시는 것이 좋지만 안된다면 술자리를 피하시는 것을 권유드립니다. [**금연전략**] 금주를 위한 단주 동맹이나 알코올 자조단체가 있으니 참여하시면 금주에 도움이 됩니다. 음주 일기를 쓰시는 것도 큰 도움이 될 것입니다. [**금단증상**] 금단증상은 2~3일째가 가장 심하고, 처음에 손떨림, 두근거림, 식은땀, 불안 등이 나타나다가 심하면 경련, 환청 등까지 이어질 수 있습니다. 증상을 완화시켜줄 수 있는 신경안정제(benzodiazepine)를 처방해드릴테니 증상이 심할 때 드시기 바랍니다.
약물치료	음주 시에 조절력을 잃는 것은 도덕적인 문제나 의지의 문제보다는 생물학적인 문제입니다. 술 첫 모금을 안 마시는 것이 가장 중요하고, 약물 치료도 큰 도움이 될 수 있습니다.
금주 시작일	금주 시작일은 언제부터로 하시겠습니까?
다음 방문	• 금주 시작일을 정한 경우 금주 시작일로부터 1~2주 후에 다시 한 번 방문하셔서 그 동안 어떤 것이 힘들었고 어떻게 지켜오셨는지 확인하고 전략을 조절해보도록 하겠습니다. 중간에 언제라도 힘드실 때 방문하셔도 좋습니다. • 금주 시작일을 정하지 않은 경우 음주 위험과 금주의 이익에 대해 잘 생각해 보시고 2주 후에 다시 방문하셔서 금주 시작일을 정해보도록 합시다.
질문기회	혹시 이해 안 되시거나 궁금하신 점이 있으신가요?

1) 진단계획

(1) 혈액검사 : CBC, LFT, Amylase

(2) 영상검사 : 복부초음파

2) 치료계획

(1) 영양 보충(glucose, thiamine)

(2) 금단 증상 발생 시 benzodiazepine

(3) 약물 치료

- 혐오조건화(disulfiram, Ca carbamide)
- 보상효과(naltrexone)
- 대체요법(acamprosate)

3) 환자교육

(1) priming(술이 술을 부른다)에 대해 교육. 술자리 자체를 줄이도록 권유

(2) 금주 모임, 심리 치료 권유

CPX

46

CLINICAL PERFORMANCE EXAMINATION

물질 오남용

감별진단

- 물질 오남용
  - 정신자극제
    - 남용증상
      - 심계항진
      - 초조
      - 불안, 불면
      - 근육통
      - 식은땀
      - 식욕저하
    - 금단증상
      - 나른함
      - 의욕저하
      - 우울감
      - 짜증
      - 집중력저하
  - 진정제
    - 남용증상
      - 의식저하
      - 호흡저하
      - 근이완
      - 자율신경계저하
    - 금단증상
      - 심계항진
      - 초조
      - 불안
      - 소리에 예민
      - 근육통
      - 불쾌감
      - 오신
      - 식은땀
  - 휘발성흡입제(유기용제)
    - 남용증상
      - 충동성
      - 공격성
      - 정동의 불안정
      - 판단력 결여
      - 집중력과 기억력 저하

참고

환자가 약을 처방해달라고 할 때는 우선 환자가 약물을 어떤 용도로 왜 쓰고 있는지, 오용되고 있는 건 아닌지 판단하고, 이후 환자가 약물을 **남용**하는지, **의존**하고 있는지 등을 평가한다. 약물 복용을 하게 된 일차적 원인질환과 위험요인을 파악하고, 약물을 중단할 수 있도록 환자에게 약물이 생활과 건강에 미치는 영향을 설명하고 사용원칙을 교육한다. 커피부터 수면제(졸피뎀), 펜타닐, 푸링(암페타민) 등까지 다양하게 출제되고 있다. 마약성 진통제, 수면제 등 의존성이 있는 약물의 경우는 환자가 약물을 끊을 수 있도록 강하게 나가는 것이 좋다.

주제별 감별진단

<table>
<tr><th>질병명</th><th>중독</th><th>금단</th><th colspan="2">치료</th></tr>
<tr><td rowspan="3">아편류
(모르핀,
헤로인)</td><td rowspan="3">• 졸음, 구갈, 주의력/기억장애, 망상
• 부교감 항진(동공수축, 변비, 식욕상실, 호흡억제, 서맥)</td><td rowspan="3">• 6~8시간 후 발생
• 12~14시간 후 동공산대, 발열, 발한, 복통
• 36시간 후 근육경축, 초조, 빈맥, 경련</td><td>과량복용</td><td>기도확보, 길항제(naloxone)</td></tr>
<tr><td>중독</td><td>V/S 관찰, 대증요법</td></tr>
<tr><td>금단</td><td>methadone, naltrexone</td></tr>
<tr><td rowspan="2">벤조디아제핀</td><td rowspan="2">• 졸음, 보행실조
• 안구진탕
• 심폐억제, 혼미, 혼수</td><td rowspan="2">• 중단 후 수 시간~수 일
• 자율신경기능항진
• 떨림, 불면, 환각
• 오심, 구토
• 경련</td><td>과량복용</td><td>V/S 관찰, 위세척, 길항제 (flumazenil)</td></tr>
<tr><td>금단</td><td>입원 후 대증요법, 장기작용 BDZ, 항경련제</td></tr>
<tr><td rowspan="2">암페타민
(필로폰)</td><td rowspan="2">• 정신운동 항진, 동공산대, 피로/식욕 감소
• 정신증(편집, 관계망상, 피해망상, 환각)</td><td rowspan="2">• 중단 후 2~4일간 지속, 1주일 후 소실
• 우울증, 수면장애
• 불쾌감, 불안</td><td>중독</td><td>BDZ, 항정신병약물, 베타차단제</td></tr>
<tr><td>금단</td><td>항우울제</td></tr>
<tr><td rowspan="2">코카인</td><td rowspan="2">• 정신운동 항진, 동공산대, 피로/식욕 감소
• 정신증</td><td rowspan="2">• 우울, 수면과다
• 불쾌감</td><td>중독</td><td>암페타민, 항경련제</td></tr>
<tr><td>금단</td><td>항우울제</td></tr>
<tr><td>대마계
(마리화나)</td><td>• 이완, 다행감
• 이인증, 지각변화
• 결막충혈, 빈맥
• 무욕증후군(장기간)</td><td>• 수면장애, 식욕장애</td><td colspan="2">BDZ, 항정신병약물</td></tr>
<tr><td>환각제
(LSD)</td><td>• 현실감 상실
• 지각 풍부</td><td>• 없음</td><td colspan="2">BDZ, 항정신병약물</td></tr>
<tr><td>흡입제
(본드)</td><td>• 다행감, 붕 뜬 기분
• 공포, 환각, 안구진탕
• 오심, 식욕저하</td><td>• 없음</td><td colspan="2">흡입 중단</td></tr>
<tr><td>진통소염제
(NSAIDs)</td><td>• 자살 시도
• 속쓰림, 위궤양</td><td>• 없음</td><td colspan="2">약물 중단
위세척, 활성탄</td></tr>
<tr><td>스테로이드</td><td>• 남성 호르몬 과다
• 여드름, 탈모
• 여성형 유방, 발기부전</td><td>• 우울, 나른함</td><td colspan="2">약물 중단</td></tr>
<tr><td>마취제
(프로포폴)</td><td>• 진정, 황홀감
• 기억 상실</td><td>• 불안, 불면</td><td colspan="2">약물 중단, 호흡보조</td></tr>
</table>

병력청취

약물력	[**언/왜/양**] 언제부터 복용? 왜 복용하기 시작? 양(한 번에 얼마나? 일주일에 몇 번 정도?) [**습관**] 어디서 복용, 누구와? 어떻게 복용하는지(경구/흡입/주사) [**내성 및 남용**] 법대지점병(법적인 문제/대인관계 장애/위험행동, 지각/점점 더 많이 먹게됨 / 병이 생길 것을 알면서도 먹게됨)	
Risk/Reward	5R : Risk, Reward, Relevance, Roadblock, Repetition	
	Risk	약 복용의 위험에 대해서 알고 계신가요?
	Reward	약물을 중단하면 어떤 좋은 점이 있을까요? – 금전적 이득, 건강
약물 의존 관련	[**시/실/금**] 이전에 약물 중단을 **시도**해본 적이 있나요?(횟수, 방법, 기간) **실패** : 무엇 때문에 다시 시작하게 되었나요? **금단증상** : 약물 중단 시 이러한 증상이 있나요? – 자율신경계 항진, 손떨림, 불면증, 오심/구토, 예민, 경련, 환시/환각/환청 [C/T] **Carry** : 주위에 도와줄 수 있는 사람이 있을까요? **Troll** : 방해가 되는 요인? 참고) 약물을 끊고자 왔다면 [**Plan/Reaseon 확인**] 약물을 한달 내 끊을 계획이 있나요?/왜 끊을려고 하시나요	
환자 상태 평가 → 신체진찰	Asso	정신과적 증상, 수면장애 [**NSAIDs**] 소화기계 증상 [**스테로이드**] 여드름/여성형 유방/발기부전/탈모
	약	복용 중인 다른 약물
	과	현재 치료 중인 질환 : 고혈압/당뇨/간질환, 고지혈증, 심장질환 등 이전 정신건강의학과 진료/치료(물질 사용장애)
	사	음주/흡연, 직업, 스트레스
	가	가족관계, 약물 중독 가족력
교육	진단	의존 여부 및 동반질환 평가
	검사계획	오랜 약물 복용으로 인한 합병증을 확인하기 위해 간기능 검사, 심전도, 신기능 검사를 시행할 예정입니다.
	치료 –약물중단 전략	약물 양 줄이기, 대체 약물(반감기가 긴 약물) 사용 입원 치료
	금단증상대비	약물 처방
격려+ 다음 계획	격려+(의지가 없는 경우 검사 결과를 위해 방문하라고 하거나 약물의 위험성을 재차 설명) 약물 중단일 1~2주 이내 확인을 위해서 외래 방문(중단일 다음에 정하기로 하면 2주 후 외래 방문)	

* 다음 페이지의 교육부분을 참고하여 본인만의 교육방법을 만들어보세요.

신체진찰

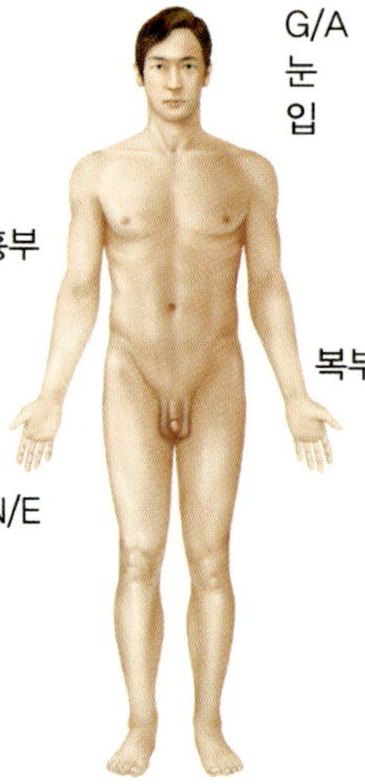

G/A	의식수준
눈	동공 산대/축소, 안구진탕 결막 빈혈/충혈, 공막 황달
입	분비물 증가
흉부	시-촉-타-청(호흡곤란, 폐부종)
복부	시-청-타-촉(간비 종대)
N/E	* 필요 시 시행 운동, 감각, DTR

환자교육

추청진단	○○님, 말씀해주신 것과 제가 신체진찰 □□한 것을 종합했을 때, 환자분께서는 현재 ○○ 약물 사용 장애로 진단이 되고, 의존성이 높은 것으로 판단됩니다.
감별진단	약물로 인해 간, 콩팥, 뇌 등에 손상이 생기지 않았는지 추가적인 평가가 필요합니다.
검사	정확한 진단을 위해 혈액검사를 통한 간기능, 신기능 검사가 필요합니다. 괜찮으신가요?
설득	[**증상**] 지금 가지고 계시는 ○○ 증상들은 약물의 중독/금단으로 인한 증상입니다. [**부작용**] 현재까지 특별한 증상이 없었더라도 약을 계속 드시게 되면 A, B, C의 부작용이 나타날 수 있습니다. [**내성/금단**] 또 약물 특성 상 점점 내성이 생겨 약의 효과가 떨어지고, 같은 효과를 내기 위해 더 많은 약을 복용해야 합니다. 그럴수록 약을 먹지 않을 때 금단 증상도 심해지고, 과복용으로 인해 I, J, K의 위험이 있습니다. 따라서 오늘 병원에 오신 김에 약물을 서서히 중단하실 수 있도록 도와드리고 싶습니다. 괜찮으신가요?
입원치료	중독 증세가 심하다면 입원하셔서 상태를 관찰하며 약물을 줄여볼 수 있습니다.
전략	[**조력자**] 주위에 환자분을 도와주실 수 있는 사람이 있나요? [**약물치료**] 반대 작용을 하는 약이나 금단 증상을 덜 유발시키는 약을 드시면서 서서히 약물의 필요량을 줄여나가는 것이 좋을 것 같습니다. 효과가 없더라도 약을 늘리지 마시고 다른 약으로 변경하시거나 병원에 방문하여주세요.
교육	[**응급 상황**] 숨을 쉬기 힘들거나 쓰러질 것 같으면 바로 내원해주세요. [**다음 방문**] • (시작일을 정한 경우) 약제 변경/중단 1~2주 후에 다시 한 번 외래에 방문하셔서 힘들었던 점과 증세를 보고 전략을 조절해보도록 하겠습니다. 중간에 힘들고 어려운 일이 있으시면 언제든지 찾아오세요. • (시작일을 정하지 않은 경우) 2주 후에 외래 방문하셔서 검사 결과를 보도록 합시다. 오늘 말씀드린 약물의 위험성에 대해서 조금 더 생각해보시고 다음에 오셨을 때 시작할 날짜를 함께 정해보도록 합시다.
질문기회	혹시 이해 안 되시거나 궁금하신 점이 있으신가요?

1) 물질 사용에 의한 합병증

(1) 아편류 : 구갈, 동공 축소, 주사바늘 감염

(2) 벤조디아제핀 : 과량 독성, 탈억제, 직업 및 사회생활 장애

(3) 암페타민 : 뇌혈관계 질환, 심근경색, 허혈성 대장염

(4) 코카인 : 코막힘, 기관지/폐 손상, 비중격 천공

(5) 대마계 : 기형(산모), 무욕증후군

(6) 환각제 : 무욕증후군

(8) 흡입제 : 오심, 납중독, 안구진탕

(9) 비마약 진통제(NSAIDs) : 위궤양, 신기능 저하, 간 손상

(10) 프로포폴 : 호흡 억제, 심박수 저하, 기억상실

2) 기본 검사 계획

(1) 혈액검사 : CBC, E', LFT, BUN/Cr

(2) 소변검사

(3) 독성 선별검사

3) 질병별 검사 계획 : 감별진단 표(p.380) 참조

4) 환자 교육

(1) 단호하고 직접적으로 중단 권유, 적절한 경고

(2) 치료자의 입장에서 무비판적인 방법으로 공감 및 관심 표현

(3) 물질 남용의 위험성 및 주기적 검사의 필요성 교육

(4) 길항제, 반감기가 긴 약물, 대체 약물 등으로 서서히 약물을 줄여나갈 것을 설명

CPX 47-1

CLINICAL PERFORMANCE EXAMINATION

가정폭력

감별진단

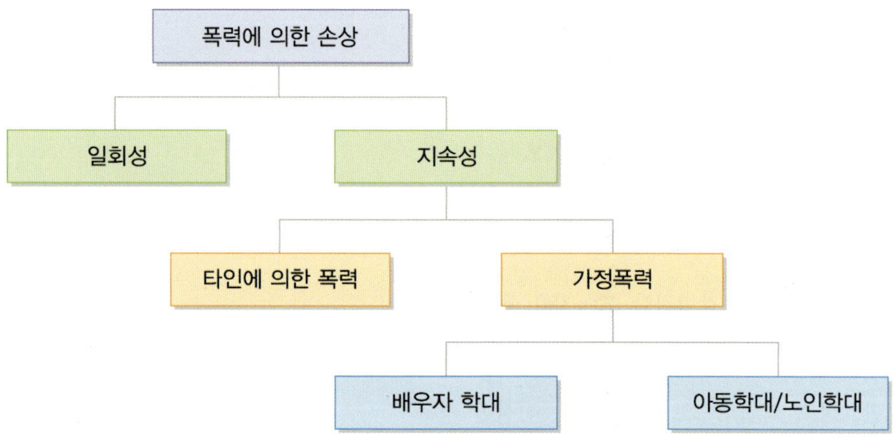

참고

의사는 환자의 상황과 상처를 통해 폭력의 피해자임을 의심하고 가정폭력의 피해자를 알아낼 수 있어야 한다. 또한 피해자의 신체적, 정신적 증상으로부터 응급처치가 필요한지 판단한다. 가정폭력 피해자와 좋은 관계를 형성하면서 가정폭력의 양상과 피해자의 대처방법, 다른 가족 구성원들의 피해 정도를 파악한다. 가정폭력 피해자에게 적합한 치료계획과 대처방안을 제시하고 예방법을 상담하여 향후의 폭력사태를 예방하며, 가정폭력이 재발하였을 때 적절하게 대처할 수 있도록 도와주어야 한다. 가정폭력은 최근 사회에서 대두되고 있는 큰 문제이므로, 의사가 발견했을 때 신고의 의무가 있는 사람을 판단하는 것도 매우 중요하다.

주제별 감별진단

계통	종류	감별키워드
대상	배우자 학대	• 양상, 위치가 주소와 맞지 않는 상처
	노인 학대	• 노인 환자 • 약 숨기기, 협박
	아동 학대	• 의료기관 방문 지연 • 보호자/환자 진술의 변화 • 발달 단계에 가능하지 않은 손상
유형	신체적 학대	• 물리적인 힘, 도구를 이용한 신체 손상 • 직접적 폭력, 물건 집어던지기, 어깨/목 움켜쥐기, 가재도구 부수기
	정신적 학대	• 폭언, 무시, 모욕 • 위협, 협박
	성적 학대	• 원치 않는 성행위 강요 • 유사 성행위 • 아동에게 하는 모든 성적 행위
	경제적 학대	• 생활비 미지급 • 재산 사용에 대한 통제
	방임	• 부모, 어린 자식 등 • 비위생적 환경에 노출 • 교육/의료에 대한 방치

병력청취

상처 파악	[L/O/S] 상처를 한 번 보겠습니다. 언제, 어떻게 생긴 상처인가요? 다른 곳에 상처가 있지는 않은지 한 번 봐도 될까요? **[공감]** 많이 아프셨겠습니다.
폭력 의심	**[폭력 의심]** 제가 상처를 보았을 땐 상처가 생긴 위치가 넘어져서/부딪혀서 생기기는 어려운 위치로 보입니다. 또 상처의 모양도 넘어진/부딪힌 것과는 조금 다른 양상이고, 발생한 시기가 다른 상처들도 있는 것 같아요. **[1차 시도]** 현재 환자분의 상태가 걱정되어 최선을 다해 도와드리고 싶습니다. 혹시 다른 이유로 다치신 것은 아닌가요? **[2차 시도]** 이러한 상처를 갖고 내원하시는 분들 중 누군가에게 폭력을 당하고 계신 분이 많습니다. 혹시나 환자분께서도 이런 어려운 일을 겪고 계신 것은 아닌가요? **[비밀 보장]** 지금 저와 나누는 대화는 절대 타인에게 누설되지 않을 것을 약속드리며, 의무기록은 법적으로도 비밀이 보장됩니다. 환자분 스스로를 위해서 제게 말씀해주시지 않겠습니까? **[격려]** 힘드셨을 텐데 용기내어 말씀해주셔서 감사합니다. 제게 부담 없이 말씀해주시면 최선을 다해 돕도록 하겠습니다.
진료과정 설명	환자분께서 겪고 계신 상황에 대해 먼저 상담을 진행하고, 이후에 상처에 대한 치료를 진행하려고 합니다. 괜찮으십니까? 현재 불편하신 점은 없으신가요?
폭력 파악	**WWWH 가피가 대** [Who] 가해자가 누구인가요? 누가 때리나요? [When] 폭력이 언제부터 있었나요? 어떤 상황일 때 때리나요? 폭력이 얼마나 자주 있나요? [Where] 주로 어디에서, 폭력을 행사하나요? [How] 폭력이 주로 어떤 형태인가요? 도구를 사용하나요? 언어폭력, 성적인 폭력도 이루어지나요? **[가해자]** 음주와 관련이 있나요? (가해자)는 평소에 어떤 성격인가요? 폭행 후의 태도는 어떤가요? **[피해자]** 또다른 피해자가 있나요?(아이들이나 부모님) **[가정환경]** 경제적 여유
대처 방법	폭력이 있을 때 주로 어떻게 대처하나요? – 저항하는지 몸을 피할 수 있는 곳이 있나요? 과거에 다른 분들에게 알리거나 도움을 청한 적이 있나요? 도움을 청할 만한 사람이 있나요?

의학적 상태	Asso	**[정신]** 우울감/불면/의욕저하 폭력으로 인해 죽고 싶단 생각이 들기도 하나요?(있다면 계획, 시도 확인) (가해자)를 죽이고 싶은 마음이 든 적이 있나요?(있다면 계획, 시도 확인) 사건이 반복적으로 꿈에 나오나요? 비슷한 상황을 회피하게 되나요? **[신체]** * 호소하는 증상이 있을 시 관련하여 평가
	약	드시고 계신 약이 있나요?
	과	앓고 계신 병이 있나요?
	외	수술, 외상력
	사	경제적 어려움이 있나요? 결혼 과정에서 문제가 있었나요?
	가	어렸을 때 가정폭력을 당하신 적이 있나요?
	여	* 성폭력이 없는 경우 생략 가능/필요 시 성폭력 항목에 준하여 평가

신체진찰

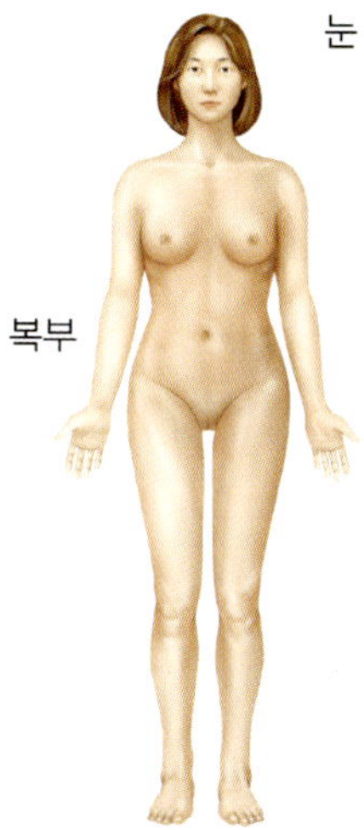

눈	결막(빈혈, 충혈)
전신	외상 부위 평가 다른 상처 확인
복부	* 성폭력이 동반된 경우 고려 골반 진찰, DRE

※ 양해 구한 후 간호진 한 명을 동반하여 진찰
※ 상처 부위 사진 촬영 여부 확인(법적 문제에 활용 가능)

환자교육

추정진단	오늘 말씀해주신 내용과 신체검진 상 보인 상처로 보았을 때 현재 환자분께서는 가정폭력을 받고 계신 상황입니다.
격려	오랫동안 혼자 정말 많이 힘드셨겠습니다. 우선 폭력은 어떠한 이유로도 정당화될 수 없고, 그 어떤 누구라도 이런 대우를 받을 이유는 없음을 말씀드리고 싶습니다. ○○님은 충분히 가치있는 사람입니다.
생활교육	[**신고**] (가해자)의 행동은 법적으로도 문제가 되는 행동으로, 해결을 위해서 경찰에 신고하는 것이 어떠신지요? 또한, 현재 상태를 사진으로 찍어 증거자료로 제출하는 것도 가능합니다. * 의료인으로서 신고 의무가 있는 아동, 60세 이상 노인, 판단 능력이 결여된 성인 인 경우 (가해자)의 행동은 법적으로 문제가 되는 행동이며, 저는 의료인으로서의 의무가 있기에 이를 경찰에 신고할 것입니다. 집으로 경찰이 올 수 있으니 놀라지 마시고 아이를 위해 협조해주시면 감사하겠습니다. [**주변에 알리기**] 폭력 사실을 주변에 알리고 도움을 요청하는 것이 중요합니다. 숨기시는 것은 환자분뿐 아니라 나머지 가족들을 폭력에 노출시킬 수 있습니다. [**격리**] (가해자)로부터 떨어져 있는 것이 중요합니다. 피할 곳이 없으시면 쉼터를 소개해드릴 수 있고, 당분간 입원 치료를 받을 수 있습니다.
치료	먼저 오늘은 일단 다치신 부위를 치료받으시고, 환자분이나 아이들, (가해자)까지도 정신과 상담을 받아보시는 것을 권유드립니다.
대처법 교육	• 현관 근처에 돈이나 카드, 신분증을 미리 준비해서 급히 나갈 때 챙길 수 있도록 하시면 좋겠습니다. • 그리고 꼭 기억하셔야 하는 번호가 1336 여성안심센터인데요, 급하게 나와 머물 곳이 없을 때, 상담이 필요할 때 등 언제든지 도움을 요청하실 수 있습니다. 자녀분도 동반할 수 있습니다. 혹시 번호가 기억나지 않는다면 112로 전화하셔도 동일한 안내를 받으실 수 있습니다. • 그리고 단축번호 1번에 가장 믿을 만한 사람을 저장해두어 도움을 빠르게 청할 수 있도록 하시는 것이 좋겠고, 이웃들에게 큰 소리가 들리면 경찰에 신고해달라고 미리 부탁하는 것도 중요한 순간에 큰 도움이 될 수 있습니다.
마무리	오늘 저를 믿고 어려운 말씀 해주셔서 감사합니다. 혹시 궁금한 점 있으신가요?

CPX 47-2

CLINICAL PERFORMANCE EXAMINATION

성폭력

감별진단

성폭행

↓

성폭력 응급키트 준비

↓

안정된 환경과 분위기 조성

↓

동의 구하기

↓

병력 청취

↓

신체진찰

↓

증거물 채취

↓

환자교육

↓

치료 및 예방조치

참고

성폭행 피해자를 진료할 때는 환자의 심리적 스트레스를 최소화하면서 환자의 동의를 얻어 병력청취와 신체진찰을 하여 법적 증거물을 수집하고 치료와 예방조치에 대해 환자에게 설명한다. 추가 치료를 위해 적절한 의료진과 사회지원 시스템과의 연계에 대하여 설명하고 지속적인 추적 관리가 되도록 교육한다.

병력청취

관계형성	**[공감]** 많이 놀라고 아프셨을 것 같습니다. 지금부터 환자분과 면담과 필요하다면 검사를 몇 가지 진행해 보려고 하는데 괜찮으실까요? 진료 중 불편한 점이 있으면 언제든지 말씀해주세요.
환경/분위기 조성	**[비밀 보장]** 지금 저와 나누는 대화는 절대 타인에게 누설되지 않을 것을 약속드리며, 의무기록은 법적으로도 비밀이 보장됩니다. 제게 부담 없이 말씀해주시면 최선을 다해 돕도록 하겠습니다. **[보호자]** 진료 중에는 간호사나 상담사가 함께 있을 것이고, 원하시면 보호자분과 함께 진료받으실 수 있습니다.
진료과정 설명	**[면담]** 환자분께서 겪으신 상황에 대해 먼저 상담을 진행하려고 합니다. **[신체진찰]** 이후 폭행부위를 포함한 전신과 생식기에 대한 진찰을 하고, **[증거 확보]** 동의하신다면 증거용 사진 촬영과 증거물 채취를 진행하려고 합니다. 증거물은 성적 접촉이 있었던 모든 부위에서 검체를 채취합니다. • 증거물 채취를 원하시지 않으면 하지 않을 것입니다. • 그렇지만 기본적인 면담과 손상부위 검사, 치료는 시행하려고 합니다. 이런 식으로 진행해도 괜찮으실까요?
폭력 파악	**WWWH C(가)대** **[Who]** 가해자는 어떤 사람이었습니까?(인상착의, 특징, 지인 여부) 여러 명이었나요? 목격자가 있었나요? **[When]** 언제? 어떤 상황에서 폭력이 일어났나요? 상황이 얼마나 지속되었나요? **[Where]** 어디에서? **[How]** 성적 접촉이 어디 있었나요?(질내, 구강, 항문) 가해자가 사정을 하였나요? 했다면 어디에 하였나요? 콘돔을 사용했나요? 다른 물건을 사용했나요? 다른 신체적 폭행이나 위협이 있었나요? **[Consciousness]** 의식이 있었나요? 음료/음식을 먹고 그랬나요? **[가해자]** (지인인 경우) 평소 성격/대인관계/물질 오남용
대처	사건 이후 어떤 조치를 취하셨나요?(샤워, 목욕, 좌욕, 탈의, 양치, 대소변, 사후피임약)

의학적 상태	Asso	**[정신]** 폭력으로 인해 죽고 싶단 생각이 들기도 하나요?(있다면 계획, 시도 확인) (가해자)를 죽이고 싶은 마음이 든 적이 있나요?(있다면 계획, 시도 확인) **[신체]** 복통/흉통/골절/두통
	약물력	드시고 계신 약이 있나요?
	과거력	앓고 계신 병이 있나요? (상처 있는 경우) 파상풍 예방주사는 맞으셨나요?
	여성력	**[월경]** 마지막 생리는 언제 하셨나요? 평소 월경 주기는 어떤가요? **[피임]** 평소 피임을 하고 계신가요? **[최근 성관계]** 마지막 성관계를 가진 것이 언제인가요? 임신 가능성이 있나요?

신체진찰

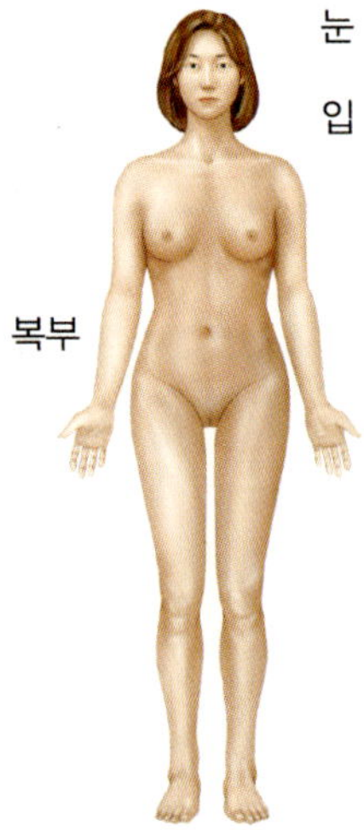

눈	결막(빈혈, 충혈)
입	구강성교 흔적 확인
전신	상처 확인
복부	골반 진찰, DRE
필수 임상술기	질분비물 검사(모형에 시행) : 외음부 시진, 내진, 질 분비물 검사, 증거물 채취 위함

※ 양해 구한 후 간호진 한 명을 동반하여 진찰
이 때 동의서를 받는 술기도 진행할 수 있습니다.
※ 상처 부위 사진 촬영 여부 확인(법적 문제에 활용 가능)

환자교육

공감/격려	많이 놀라고 힘드셨을 것 같습니다. 그럼에도 잘 말씀해주셔서 감사합니다. 우선 폭력은 어떠한 이유로도 정당화될 수 없고, 그 어떤 누구라도 이런 대우를 받을 이유는 없음을 말씀드리고 싶습니다. ㅇㅇ님은 충분히 가치있는 사람입니다. 지금 가장 걱정되는 것이 있으신가요?
교육	[**임신 예방**] 지금 바로 임신반응검사를 해서 상태를 확인하고, 응급피임약을 처방해드리도록 하겠습니다. 응급피임약은 성교 후 72시간 내 복용해야 하고, 가급적 빠르게 먹는 것이 좋습니다. 하지만 72시간 내에 복용하더라도 3% 정도의 실패율이 있고, 반대로 72시간이 넘어가더라도 효과가 있으니 먹는 것을 권장드립니다. 발생 가능한 부작용으로는 오심, 구토 등이 있습니다. [**성병 예방**] 성병에 대해서는 이런 일을 당한 모든 분께 예방적 치료를 시행합니다. 가장 흔한 클라미디아, 임질, 편모충 등에 대해 예방적 항생제를 드리겠습니다. [**에이즈**] 에이즈는 한 번의 성관계로 감염 확률이 높지 않습니다. 감염 여부는 6개월이 지나야 확인이 가능하여 그 시기에 다시 검사 여부를 여쭙겠습니다.
치료	상처를 치료해드리겠습니다. 파상풍 예방주사를 맞지 않으셨다면 같이 시행하겠습니다. 괜찮으실까요?
마무리	치료비 지원, 소송 비용 지원, 상담 등 추가로 필요한 조치를 받기 위해서 해바라기 센터에 의뢰해드려도 될까요? 또한 이러한 일을 겪으신 분들 중에 불면증이나, 우울감, 자책감에 시달리는 분들도 있으십니다. 도움이 필요하면 언제든지 병원에 내원해주세요. 상처부위 추가적인 치료를 위해 2주 후에 다시 방문하여 주세요.

해설

1) 성폭력 상황 대처

(1) 임신, STD 검사 : urine HCG, syphilis, HSV, anti-HBs, HBsAg, HIV, chlamydia trachomatis, gram stain genitourinary specimen culture

(2) 임신, STD 예방조치 : 응급피임약, 예방적 항생제

(3) 필요 시 타과 의뢰

2) 증거 채취

(1) 동의서 작성

(2) 진료기록

(3) 이물질, 겉옷, 속옷

(4) 피해자 신체의 부스러기

(5) 가해자의 얼룩, 타액, 음모 채취

(6) 생식기, 항문/직장, 구강 내 증거 채취

(7) 혈액 채취

(8) 소변 채취

CPX

48

CLINICAL PERFORMANCE EXAMINATION

나쁜 소식 전하기

감별진단

- 의학적 상황 파악
- 암 진단 또는 재발 통보
- 좋지 않은 검사 결과
- 의료과실 등 예상치 못한 결과에 대한 고지
- 기타 환자의 기대와 어긋나는 다양한 상황

SPIKES : Setting – Perception – Invitation – Knowledge – Emotion – Strategy

안정된 환경과 분위기 조성 (S)	마음의 준비 시키기 (P, I)	나쁜소식 통보와 감정에 적절한 반응하기 (K,E)	정보제공과 공유 (S)	면담 마무리
• 조용하고 독립된 공간 확보	• 존중과 관심 표현 • 경과 혹은 지난 방문의 내용 정리 • 환자의 생각, 예상하고 있는것 등 파악 • 사전 예고의 말하기 • 환자의 원하는 정보의 양과 수준 파악	• 나쁜소식 말하기 • 유감의 표현 • 환자의 감정에 대한 공감 표현 • 환자의 반응에 대한 수용, 정당화	• 진단/치료계획/예후에 대한 설명 • 가능한 지원 체계에 대한 설명	• 추가적 질문이나 걱정 파악 • 의료진에 대한 기대 확인

참고

나쁜 소식을 전달할 때는 먼저 나쁜 소식을 받아들일 준비가 되었는지 확인한 후, 정서적 충격을 줄이기 위한 준비대화를 하고, 진단명을 솔직하고 명료하게 전달한 뒤 치료적 동맹 관계를 유지하면서 환자의 이해 수준에 맞추어 치료와 예후에 대하여 정보를 제공해야 한다. 항암 치료 이후 원격 전이, HIV 확진, 아이 부모에게 다운증후군 알리기 등 다양한 상황에 대해서 연습해보는 것이 좋겠다.

주제별 감별진단

암종	병기	5년 생존율	치료
위암	I	50%	• 수술적 절제(전절제/아전절제술) • 보조적 항암화학요법 • 고식적 치료(스텐트 삽입)
	II	30%	
	III	10~15%	
	IV	3%	
간암	I	33%	• 수술적 절제 • PEI, RFA, TACE • 간이식 • 항암화학요법
	II~III	11%	
	IV	2%	
결장/직장암	I	>90%	• 수술적 절제 • 항암 치료 • 고식적 치료
	II~III	71%	
	IV	14%	
자궁경부암	I	92%	• 자궁 절제 • CCRT
	II	56%	
	III	33%	
	IV	17%	
유방암	I	99%	• 수술적 절제(전절제술, 유방보존술) • 보조적 항암화학요법, 방사선치료 • 호르몬치료, 표적치료
	II	86%	
	III	55~70%	
	IV	27%	

병력청취

Setting	소개	안녕하세요, ○○○님. 저는 학생의사 ○○○입니다.
	상태 확인	그 동안 잘 지내셨나요? 상태는 좀 어떠셨나요? 불편하신 것은 없었나요?
	동반자	오늘 혼자 오셨나요?/보호자와 같이 오셨나요?
Perception	병식 확인	검사 결과에 대해 말씀드리기 전에, 현재 본인의 상태에 대해서 어떻게 알고 계신지 여쭤봐도 될까요? 병에 대해서 어떻게 느끼고 계신가요? 원인에 대해서 생각해보신 적이 있나요?
	저번 검사	[**검사 주지**] 지난번 A, B 증상 때문에 I, J 검사 하신 것을 기억하시나요? [**결과 예상**] 어떤 결과일지 생각해보셨나요?
Invitation	심각성	검사 결과에 대해서 설명 드리려고 하는데요, 저희가 기대했던 결과와는 조금 다른 부분이 있어 의논을 하고 싶습니다. 괜찮으신가요?
	얼마나?	병세에 대해 전부 다 알고 싶으신가요? – 진단 결과만/치료 방법까지 논의하시겠습니까?
	혼자서?	혼자 들으셔도 되고, 보호자분과 함께 들으셔도 괜찮습니다. 어떻게 하시겠습니까?
Knowledge	진단	유감이지만, 지난 번 ○○ 검사 하신 결과 ○○이 발견되었습니다. (충분한 시간 주고, 울면 휴지 건네주기)
	위로	예상치 못한 결과에 많이 놀라셨을 것이라 생각됩니다. 결과에 대해서 조금 더 자세히 설명 드리려고 하는데 괜찮으실까요?
	설명	질병에 대해 설명
Emotion	심정/걱정	어떤 부분이 가장 힘드신가요? 가장 걱정되는 점이 무엇인가요?
Strategy	동의	* 환자의 감정에 대해 충분히 듣고, 적절히 반응한 후 넘어가기 많이 힘들고 조금 혼란스러우시겠지만, 다음 치료계획에 대해서 같이 이야기해보면 좋겠습니다.
	계획	[**추가 검사**] 치료계획을 세우기 위해 추가 검사가 필요합니다. [**치료**] 현재 저희가 해드릴 수 있는 치료는 L, M, N이 있습니다.
	예후	이 치료를 했을 때 ○○ 효과를 기대할 수 있습니다.
마무리	이해도 확인	오늘 제가 말씀드린 것 중에 이해가 안 되는 부분이 있으신가요?
	보호자 설명	가족이나 보호자에게 말씀드리기 힘드시다면 제가 도와드릴 수 있습니다. 다음에 오실 때 함께 오시면 설명해드리겠습니다.
	위로/격려	끝까지 힘내셨으면 합니다. 저를 포함하여 의료진들이 최선을 다해 도와드리겠습니다.
	다음 방문	○○ 후에 다시 방문하시고, 그 사이에라도 도움이 필요하시거나 불편한 부분이 있다면 내원해주시기 바랍니다.

환자교육

1) AIDS/HIV

(1) 정의 : HIV는 인체면역결핍바이러스로, AIDS의 원인 병원체임. AIDS는 후천성 면역결핍질환으로, 바이러스에 의해 면역세포가 파괴되어 매우 적은 면역세포가 남은 경우 진단됨

(2) HIV 전파 경로 : 성매개 전파(70～80%), 주산기 감염(10～20%), 주사바늘 감염

(3) HIV 진단 : ELISA(screening), Western blot(확진)

(4) 검사 : HIV-RNA, CD4+ T cell

(5) 치료 : 항레트로바이러스제 칵테일 요법(3가지). 평생 복용 필요

(6) 교육 : 기회 감염의 위험이 있어 생활 습관 변경이 필요함. 안전한 성관계 교육

2) 암

(1) 수술적 치료의 필요성 및 예상 부작용, 항암/방사선 치료의 필요성 및 예상 부작용 설명

(2) 수술 후 관리 교육, 생활 습관 개선(식이요법, 금주, 금연) 교육

(3) 가족과 환자에게 심리적 지지

(4) 암종 별 5년 생존률과 치료 방법 : p.396 표 참조

퀴블러-로스의 임종반응 5단계

1) 부정 : 현재 자신의 상황을 부정, 검사 결과에 대한 의심

2) 분노 : 자신, 주변인에 대한 분노, 건강한 사람에 대한 질투

3) 타협 : 신에게 협상, 기도(살려주시면 ○○ 할게요)

4) 우울 : 증상이 확실해진 시기, 모든 일에 초연해지고 말, 표정이 줄어듦

5) 수용 : 마음을 비우고 지친 상대. 의미있는 일을 하려고 함

주요 암종 5년 생존율

주요 암종 5년 생존율 추이(남녀전체)

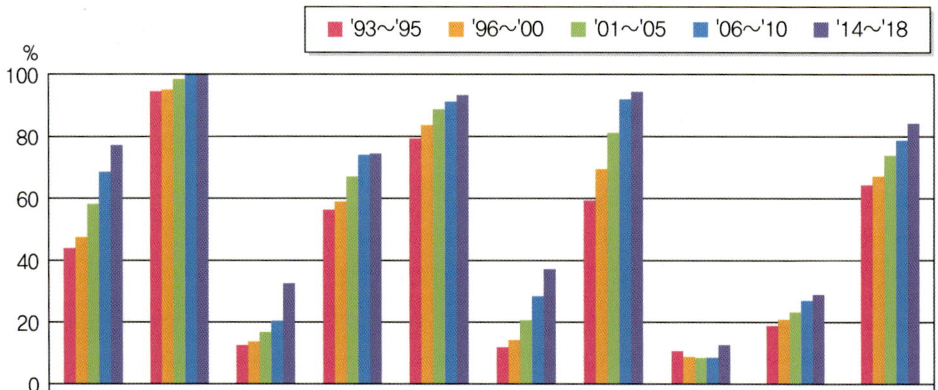

	위	갑상선	폐	대장	유방	간	전립선	췌장	담낭 및 기타담도	신장
'93~'95	43.8	94.5	12.5	56.2	79.2	11.8	59.2	10.6	18.7	64.2
'96~'00	47.3	95.0	13.6	58.8	83.6	14.1	69.3	8.7	20.7	67.0
'01~'05	58.0	98.4	16.6	66.9	88.7	20.5	81.0	8.4	23.1	73.7
'06~'10	68.4	100.0	20.3	73.9	91.2	28.3	92.0	8.5	26.9	78.6
'14~'18	77.0	100.0	32.4	74.3	93.3	37.0	94.4	12.6	28.8	84.1
증감*	33.2	5.5	19.9	18.1	14.1	25.2	35.2	2.0	10.1	19.9

* 증감 : '93~'95년 대비 '14~'18년 암발생자의 생존율 차이

참고문헌 : 2018년 국가암등록통계

I

VOLUME

CLINICAL PERFORMANCE EXAMINATION

PACIFIC CPX

총론

발 행 2021년 7월 15일

발행인 최 명 희
편저자 퍼시픽 학술국
발행처 퍼시픽북
서울시 중구 충무로 29 아시아미디어타워 503호
TEL. 02-2272-7766(代) / FAX. 02-2272-7166
E-mail : papu77@hanmail.net

ISBN 979-11-5814-351-0
set ISBN 979-11-5814-354-1

정가 23,000원